Mariam ist 15 Jahre alt, als sie aus der Provinz nach Kabul geschickt und mit dem dreißig Jahre älteren Schuhmacher Raschid verheiratet wird. Jahre später kommt die Familie der Nachbarstochter Laila bei einem Bombenangriff ums Leben. Laila bleibt keine Wahl: Sie wird Raschids Zweitfrau. Das anfängliche Misstrauen zwischen Mariam und Laila weicht einer tiefen Freundschaft. Bald wehren sie sich gemeinsam gegen Raschids Brutalität. Während der Taliban-Herrschaft überstehen sie Bombardierungen, Hunger und physische Gewalt – und ihre Stärke wächst ins schier Übermenschliche.

Khaled Hosseini wurde 1965 in Kabul, Afghanistan, als Sohn eines Diplomaten und einer Lehrerin geboren. Die Familie emigrierte 1980 in die Vereinigten Staaten. *Drachenläufer*, sein erster Roman, erschien 2003 auf Deutsch. Er wurde in über 50 Sprachen übersetzt und verkaufte sich mehr als 9 Millionen Mal. 2007 wurde er mit großem Erfolg von Marc Forster verfilmt. Hosseinis zweiter Roman, *Tausend strahlende Sonnen*, erschien 2007 bei Bloomsbury Berlin (BvT, 2009). Das Flüchtlingskommissariat der Vereinten Nationen ernannte Hosseini 2006 zum amerikanischen Sondergesandten. 2007 gründete er die Khaled Hosseini Foundation, um den Menschen in Afghanistan humanitäre Hilfe zur Verfügung zu stellen, ihr Leid zu lindern und ihnen ein menschenwürdiges Leben zu ermöglichen. Khaled Hosseini lebt mit seiner Familie in Kalifornien, wo er als Arzt und Autor arbeitet.

Khaled Hosseini

Tausend strahlende Sonnen

Roman

Aus dem Amerikanischen von
Michael Windgassen

Berliner Taschenbuch Verlag

Dieses Buch ist Haris und Farah, meinen beiden Augensternen,
gewidmet und allen Frauen Afghanistans.

Mai 2009
18. Auflage Dezember 2010
BvT Berliner Taschenbuch Verlags GmbH, Berlin
Die Originalausgabe erschien 2007 unter dem Titel
A Thousand Splendid Suns
bei Riverhead, New York
© 2007 ATSS Publications, LLC
Für die deutsche Ausgabe
© 2007 BV Berlin Verlag GmbH, Berlin
Bloomsbury Berlin
Anhang für Lesekreise:
© 2009 BV Berlin Verlag, Berlin
Redaktion des Anhangs: Anvar Cukoski, Berlin
Umschlaggestaltung: Rothfos & Gabler, Hamburg,
unter Verwendung des Designs von © David Mann und
einer Fotografie von © Getty Images
Druck und Bindung: Clays Ltd, St Ives plc
Printed in Great Britain
ISBN 978-3-8333-0589-4

www.berlinverlage.de

Erster Teil

I

Mariam war fünf, als sie zum ersten Mal das Wort »*harami*« hörte.

Es war an einem Donnerstag, zweifelsohne, denn Mariam erinnerte sich, dass sie aufgeregt und mit ihren Gedanken woanders gewesen war, wie immer an Donnerstagen, wenn Jalil in der *kolba* zu Besuch kam. Sie sehnte sich danach, ihn endlich im kniehohen Gras der Lichtung winkend näher kommen zu sehen, und hatte, um sich die Zeit zu vertreiben, das Teeservice aus dem Schrank geholt. Für ihre Mutter Nana war das Teeservice das einzige Andenken an die eigene Mutter, die zwei Jahre nach Nanas Geburt gestorben war. Nana hielt jedes Einzelteil aus blauem und weißem Porzellan in Ehren, die Kanne mit der elegant geschwungenen Tülle, den handgemalten Finken und Chrysanthemen, und das Zuckerschälchen mit dem Drachen, der böse Geister fernhalten sollte.

Ausgerechnet dieses Zuckerschälchen glitt Mariam aus der Hand, fiel auf die Holzdielen der *kolba* und zersprang in tausend Stücke.

Als Nana die Scherben sah, verfärbte sich ihr Gesicht dunkelrot, die Unterlippe bebte, und die Augen, das lidlahme ebenso wie das gesunde, trafen Mariam mit hartem, starrem Blick. Sie war so wütend, dass Mariam fürchtete, der Dschinn würde wieder Besitz von ihr ergreifen. Doch der Dschinn kam nicht, diesmal nicht. Stattdessen packte Nana Mariam bei den Händen, zog sie nah zu sich heran und stieß zwischen zusammengepressten Zähnen hervor: »Du ungeschickter kleiner *harami*. Das ist wohl der Dank für das, was ich alles ertragen musste. Zerbrichst mir mein Erbe, du ungeschickter kleiner *harami*.«

Damals verstand Mariam nicht. Sie wusste weder, was *harami* bedeutete, noch war sie alt genug zu begreifen, wie ungerecht der

Vorwurf war, denn schließlich hatten sich die Erzeuger schuldig gemacht und nicht der *harami* – der Bankert –, dessen einziges Vergehen darin bestand, auf die Welt gekommen zu sein. Der Tonfall ihrer Mutter ließ allerdings vermuten, dass ein *harami* etwas Hässliches, Widerwärtiges war, so etwas wie ein Insekt, wie die krabbelnden Kakerlaken, die Nana immer fluchend aus der *kolba* fegte.

Später konnte sich Mariam sehr wohl einen Begriff davon machen. Die Art, in der Nana das Wort aussprach – oder vielmehr ausspuckte –, ließ Mariam den Stachel spüren, der darin steckte. Sie verstand nun, was Nana meinte, dass nämlich ein *harami* etwas Unerwünschtes ist, dass sie, Mariam, als uneheliches Kind nie einen Anspruch auf das haben würde, was für andere ganz selbstverständlich war, Dinge wie Liebe, Familie, ein Zuhause und Anerkennung.

Jalil beschimpfte Mariam nie mit diesem Namen. Jalil nannte sie seine kleine Blume. Es gefiel ihm, sie auf seinen Schoß zu setzen und ihr Geschichten zu erzählen wie zuletzt von Herat, der Stadt, in der Mariam 1959 zur Welt gekommen war; sie sei, so hatte er gesagt, die Wiege der persischen Kultur, die Wohnstätte der Schriftsteller, Maler und Sufis.

»Man kann dort kein Bein ausstrecken, ohne dabei einem Dichter in den Hintern zu treten«, hatte er lachend gesagt.

Jalil erzählte ihr auch die Geschichte der Königin Gauhar Schad, die im 15. Jahrhundert die berühmten Minarette zum Zeichen ihrer Liebe zu Herat hatte errichten lassen. Er beschrieb ihr die grünen Weizenfelder von Herat, die Obsthaine, die Weinstöcke voll reifer Trauben und das Gewimmel in den überdachten Basaren.

»Da gibt es einen Pistazienbaum«, sagte er einmal, »und darunter, Mariam *jo*, liegt kein anderer als der große Dichter Jami begraben.« Er beugte sich über sie und flüsterte: »Jami lebte vor über fünfhundert Jahren. Wirklich wahr. Ich habe dich einmal zu dem Baum hingeführt. Da warst du noch klein. Du wirst dich nicht erinnern.«

Nein, Mariam erinnerte sich nicht. Und obwohl sie die ersten fünfzehn Jahre ihres Lebens ganz in der Nähe von Herat wohnte, bekam sie den berühmten Baum nicht zu Gesicht. Sie sah auch nie die berühmten Minarette von nahem, noch pflückte sie jemals eine Frucht von einem der Bäume in Herats Obsthainen oder wanderte durch die Weizenfelder. Wenn aber Jalil davon erzählte, hörte Mariam immer wie verzaubert zu. Sie bewunderte ihn dafür, dass er so viel wusste von der Welt, und es machte sie sehr stolz, einen solchen Vater zu haben.

»Nichts als Lügen«, sagte Nana, als Jalil gegangen war. »Reiche Männer lügen üppig. Er hat dich nie zu irgendeinem Baum hingeführt. Lass dich nicht kirre machen von ihm. Er hat uns betrogen, dein lieber Vater. Er hat uns vor die Tür gesetzt, aus seinem großen, vornehmen Haus geworfen, als wären wir nichts für ihn. Es war ihm ein Vergnügen, uns loszuwerden.«

Wenn Nana schimpfte, hörte Mariam immer brav zu. Sie wagte nicht zu sagen, dass sie es nicht mochte, wenn ihre Mutter über Jalil herzog. Im Beisein von Jalil kam sich Mariam nämlich nie wie ein *harami* vor. Wenn er donnerstags kam, immer lächelnd, mit Geschenken und Aufmerksamkeiten, hatte Mariam für eine oder zwei Stunden das Gefühl, an der Schönheit und den Schätzen des Lebens teilhaben zu dürfen. Dafür liebte sie Jalil.

Dass sie ihn mit anderen teilen musste, tat ihrer Liebe keinen Abbruch.

Jalil hatte drei Frauen und neun Kinder, neun eheliche Kinder. Für Mariam waren sie allesamt Fremde. Jalil zählte zu den wohlhabenden Männern Herats. Er betrieb ein Kino, das Mariam nie gesehen hatte, aber auf ihr Drängen hin hatte Jalil es ihr beschrieben, und so wusste sie, dass es eine Fassade aus blauen und sandfarbenen Terrakotta-Kacheln hatte, Logenplätze und eine mit Kattun verkleidete Decke. Doppelflügelige Schwingtüren öffneten sich in ein gefliestes Foyer, wo in Glasvitrinen Poster von Hindi-Filmen ausgestellt waren. Dienstags, so sagte Jalil einmal, bekämen Kinder am Eintrittskartenschalter Eiscreme spendiert.

Nana verzog das Gesicht, als er das sagte. Sie wartete, bis er die *kolba* verlassen hatte, feixte dann und sagte: »Kinder von Fremden kriegen Eis. Und was bekommst du, Mariam? Geschichten über Eiscreme.«

Außer dem Kino besaß Jalil auch Ländereien in Karokh und in Farah, drei Teppichhandlungen, einen Tuchladen und einen alten 1956er Buick Roadmaster. Er unterhielt beste Beziehungen, war sowohl mit dem Bürgermeister von Herat als auch mit dem Provinzgouverneur befreundet. Er hatte einen Koch, einen Chauffeur und drei Hausangestellte.

Nana war auch einmal eine seiner Angestellten gewesen. Bis schließlich ihr Bauch rund wurde.

Als das passierte, sagte Nana, sei bei all dem Gerede über Jalils Familie die Luft in Herat knapp geworden. Seine Schwäger schworen, Blut fließen zu lassen, während seine Frauen verlangten, dass er sie aus dem Haus warf. Sogar ihr eigener Vater, der in dem nahe gelegenen Dorf Gul Daman ein kleines Steinmetzhandwerk betrieb, verstieß sie, und weil er ebenfalls in Ungnade gefallen war, packte er seine Sachen, bestieg einen Bus, der Richtung Iran fuhr, und war seitdem spurlos verschwunden.

»Manchmal«, sagte Nana eines frühen Morgens, als sie die Hühner vor der *kolba* fütterte, »wünschte ich, mein Vater hätte den Mumm gehabt, eines seiner Messer zu wetzen und der Ehre Genüge zu tun. Es wäre womöglich besser für mich gewesen.« Sie warf eine weitere Handvoll Körner ins Gehege, hielt plötzlich inne und schaute Mariam an. »Besser auch für dich, vielleicht. Dir wäre der Kummer erspart geblieben, zu wissen, was du bist. Aber er war ein Feigling, mein Vater. Es fehlte ihm einfach an *dil*.«

Auch Jalil habe kein *dil*, sagte Nana, nicht den Mut, zu tun, was die Ehre verlangte, seiner Familie, seinen Frauen und Schwägern gegenüber aufzustehen und Verantwortung zu übernehmen. Stattdessen war hinter verschlossenen Türen und in aller Schnelle ein Abkommen getroffen worden, das sein Gesicht wahren sollte. Am nächsten Tag hatte er sie aufgefordert, ihre Sachen aus der Dienstbotenwohnung zu holen, und weggeschickt.

»Weißt du, was er seinen Frauen zu seiner Entschuldigung gesagt hat? Dass ich mich ihm *aufgedrängt* hätte. Dass es meine Schuld gewesen wäre. *Didi?* Verstehst du? Verstehst du, was es bedeutet, in dieser Welt eine Frau zu sein?«

Nana setzte die Schale mit dem Hühnerfutter ab. Sie streckte die Hand aus und hob Mariams Kinn in die Höhe.

»Schau mich an, Mariam.«

Mariam gehorchte widerstrebend.

»Lass dir das eine Lehre sein, meine Tochter«, sagte Nana. »So wie eine Kompassnadel immer nach Norden zeigt, wird der anklagende Finger eines Mannes immer eine Frau finden. Immer. Denk daran, Mariam.«

2

»Für Jalil und seine Frauen war ich nichts weiter als eine Quecke. Gemeiner Beifuß. Das Gleiche gilt für dich. Schon als du noch gar nicht geboren warst.«

»Was ist gemeiner Beifuß?«, fragte Mariam.

»Ein Unkraut«, antwortete Nana. »Etwas, das man ausreißt und wegwirft.«

Innerlich runzelte Mariam die Stirn. Sie fühlte sich von Jalil nie wie Unkraut behandelt, hielt es aber für klüger, ihren Einspruch für sich zu behalten.

»Im Unterschied zu Unkraut musste ich allerdings umgepflanzt und versorgt werden. Deinetwegen, verstehst du? Das war die Abmachung zwischen Jalil und seiner Familie.«

Nana sagte, sie habe sich geweigert, in Herat wohnen zu bleiben.

»Wozu auch? Um ihn mit seinen *kinchini*-Frauen den ganzen Tag durch die Stadt kutschieren zu sehen?«

Genauso wenig hatte sie im leer stehenden Haus ihres Vaters wohnen wollen, in dem kleinen Kaff Gul Daman, das auf einem steilen Hügel zwei Kilometer nördlich vor Herat lag. Sie sagte, sie habe irgendwo abseits leben wollen, an einem entlegenen Ort, wo ihr die Nachbarn nicht auf den Bauch starren, mit dem Finger auf sie zeigen, sich über sie lustig machen, oder schlimmer noch, sie mit geheuchelter Freundlichkeit überschütten würden.

»Und glaube mir«, sagte Nana, »es war eine große Erleichterung für deinen Vater, mich nicht mehr in seinem Blickfeld zu haben. Das kam ihm sehr gelegen.«

Es war Jalils ältester Sohn Muhsin mit seiner ersten Frau Khadija gewesen, der den Einfall mit der Lichtung hatte. Sie lag am

Rand von Gul Daman und war nur über eine holprige Schotter-piste zu erreichen, die von der Hauptstraße zwischen Herat und Gul Daman abzweigte. Zu beiden Seiten der Piste erstreckten sich Felder kniehohen Grases mit Flecken weiß und gelb blühender Blumen. Sie schlängelte sich bergan und führte auf ein Plateau voller Buschwerk, hoher Pappeln und Weiden. Von der Anhöhe aus konnte man zur Linken die verrosteten Flügelspitzen der Wind-mühle von Gul Daman sehen und zur anderen Seite hin ganz Herat. Die Piste endete im rechten Winkel vor einem breiten Fluss, der sich von den Safid-koh-Bergen ergoss und voller Forellen war. Knapp zweihundert Meter flussaufwärts stand ein kreisförmiger Hain aus Trauerweiden. In deren Mitte, im Schatten der Bäume, befand sich die Lichtung.

Jalil hatte sich vor Ort umgesehen. Als er zurückgekehrt sei, sagte Nana, habe er wie ein Wärter geklungen, der sich voller Stolz darüber auslasse, wie sauber und frisch das Gefängnis sei.

»Und dann hat er uns dieses Rattenloch gebaut.«

Im Alter von fünfzehn Jahren hätte Nana fast geheiratet. Der Bewerber war ein junger Mann aus Shindand gewesen, der mit Papageien handelte. Mariam erfuhr durch Nana davon, und obwohl ihre Mutter diese Geschichte als Episode abtat, erkannte man an ihrem wehmütigen Blick, dass sie sich auf die Ehe gefreut hatte. Vielleicht war sie, als es auf die Hochzeit zuging, zum ersten und bislang einzigen Mal in ihrem Leben glücklich gewesen.

Als Nana die Geschichte erzählte, saß Mariam auf ihrem Schoß und malte sich aus, wie ihre Mutter in einem Brautkleid ausgesehen hätte, auf dem Rücken eines Pferdes, mit scheuem Lächeln hinter einem grünen Schleier, die Handflächen mit Henna bemalt, das Haar mit Silberstaub gescheitelt und die Zöpfe zusammengehalten mit einem Haarfestiger aus Baumharz. Sie sah Musikanten auf der *shahnai*-Flöte blasen und *dohol*-Trommeln schlagen und Straßenkinder johlend um die Wette laufen.

Dann, eine Woche vor der Hochzeit, war ein Dschinn in Nanas Körper gefahren. Mariam brauchte keine weitere Erklärung, sie hatte oft genug mit angesehen, wie Nana plötzlich zusammenbrach und verkrampfte, wie sich die Augen nach oben wegdrehten, Arme und Beine zappelten, als würde sie von innen gewürgt, wie ihr Schaum vor den Mund trat, weißer Schaum, der manchmal mit Blut vermischt war. Und danach die Mattigkeit, die beängstigende Verwirrung, das unzusammenhängende Gestammel.

Als man in Shindand davon erfuhr, sagte die Familie des Papageienhändlers die Hochzeit ab.

»Es hat sie gegruselt«, pflegte Nana zu sagen.

Das Hochzeitskleid wurde weggepackt. Weitere Bewerber gab es nicht.

Jalil und seine Söhne Farhad und Muhsin bauten auf der Lichtung eine kleine *kolba*, in der Mariam die ersten fünfzehn Jahre ihres Lebens verbrachte. Die Hütte war mit luftgetrockneten Ziegeln aufgemauert und mit einem Gemisch aus Lehm und Stroh verputzt worden. Im Inneren befanden sich zwei Schlafstellen, ein Holztisch, zwei Stühle mit gerader Lehne und an die Wand genagelte Regale, in denen Nana Tongeschirr und ihr geliebtes Teeservice aus Porzellan aufbewahrte. Jalil hatte ein gusseisernes Öfchen für den Winter besorgt und einen Vorrat an Holzscheiten hinter der *kolba* aufgeschichtet. Er brachte auch ein paar Schafe und baute ihnen einen Futtertrog. Vor der Tür stand ein *tandoor* zum Brotbacken; dahinter befand sich der eingezäunte Laufstall für die Hühner. Am Rand des Weidenhains, rund hundert Meter von der Hütte entfernt, hob er mit Farhad und Muhsin ein tiefes Loch aus und baute ein Plumpsklo darüber.

Zum Bau der *kolba* hätte Jalil, wie Nana sagte, auch Arbeiter anheuern können, was er aber nicht tat.

»Das ist seine Vorstellung von Buße.«

Laut Nana hatte sie am Tag der Geburt ihrer Tochter keinerlei Hilfe gehabt. Es sei an einem feuchten, wolkenverhangenen Tag im Frühjahr 1959 gewesen, sagte sie, im sechsundzwanzigsten Jahr der vierzig Jahre währenden und fast durchweg ereignislosen Regentschaft von König Sahir Schah. Sie sagte, Jalil habe sich nicht um einen Arzt gekümmert, nicht einmal um eine Hebamme, obwohl er wusste, dass der Dschinn in sie einzufahren und ein Anfall die Geburt zu gefährden drohte. Sie lag mutterseelenallein und mit schweißnassem Körper auf dem Boden der *kolba*, ein Messer griffbereit.

»Wenn die Schmerzen nicht mehr auszuhalten waren, habe ich in ein Kissen gebissen und mich heiser geschrien. Und es kam niemand, der mir den Schweiß vom Gesicht gewischt oder zu trinken gegeben hätte. Und du, Mariam *jo*, hattest keine Eile. Du hast mich fast zwei Tage lang auf dem kalten, harten Boden liegen lassen. Ich konnte weder essen noch schlafen; ich konnte nur pressen und beten, dass du bald kommen würdest.«

»Tut mir leid, Nana.«

»Ich habe eigenhändig die Nabelschnur durchtrennt. Dafür hatte ich das Messer.«

»Tut mir leid.«

Nana trug immer ein müdes, gequältes Lächeln im Gesicht; ob es von stillen Vorwürfen zeugte oder von der zögerlichen Bereitschaft zu verzeihen, wusste Mariam nie zu unterscheiden. Es kam der jungen Mariam nicht in den Sinn, es als unfair zu erachten, dass sie sich für die Umstände ihrer Geburt entschuldigen musste.

Als ihr dieser Gedanke dann doch schließlich in den Sinn kam – um die Zeit, als sie zehn Jahre alt wurde –, mochte sie an die Geschichte ihrer schweren Geburt nicht mehr glauben. Sie glaubte vielmehr der Version Jalils, der sagte, dass er zwar nicht zugegen gewesen sei, aber für Nanas Betreuung in einem Krankenhaus in Herat gesorgt habe, wo ihr in einem hellen Zimmer ein frisch bezogenes Bett zur Verfügung gestellt worden sei. Als Mariam ihm von dem Messer erzählte, schüttelte Jalil nur traurig den Kopf.

Mariam fing auch daran zu zweifeln an, dass sie die Mutter zwei volle Tage hatte leiden lassen.

»Mir wurde gesagt, dass es keine Stunde gedauert hat«, erklärte Jalil. »Du bist ein gutes Mädchen, Mariam *jo*. Schon bei der Geburt warst du ein gutes Mädchen.«

»Er war nicht einmal zur Stelle!«, spuckte Nana aus. »Er war im Takht-e-Safar, auf einem Ausritt mit seinen teuren Freunden.«

Als ihm von der Geburt seiner Tochter berichtet worden sei, sagte Nana, habe Jalil nur mit den Schultern gezuckt, den Hals seines Pferdes getätschelt und noch weitere zwei Tage im Takht-e-Safar zugebracht.

»Tatsache ist, dass du schon einen Monat alt warst, als er dich das erste Mal auf den Arm nahm, und das auch nur, um einen einzigen Blick auf dich zu werfen und sich über dein längliches Gesicht zu mokieren. Dann gab er dich mir zurück.«

Auch an diesem Teil der Geschichte begann Mariam zu zweifeln. Zugegeben, sagte Jalil, er sei im Park von Takht-e-Safar gewesen, habe aber nicht mit den Schultern gezuckt, als ihm Mariams Geburt mitgeteilt worden sei. Nein, er habe sich sofort in den Sattel geschwungen und sei nach Herat zurückgeritten. Er habe sie in seinen Armen geschaukelt, mit dem Daumen ihre flockigen Augenbrauen nachgezeichnet und ein Wiegenlied gesummt. Mariam konnte sich nicht vorstellen, dass Jalil eine abfällige Bemerkung über ihr Gesicht gemacht hatte, obwohl es in der Tat recht lang geraten war.

Nana behauptete, dass sie den Namen Mariam gewählt habe, weil das der Name ihrer Mutter gewesen sei. Jalil hingegen sagte, er sei auf den Namen gekommen, denn Mariam werde auch die Nachthyazinthe genannt, und das sei eine wunderschöne Blume.

»Deine Lieblingsblume?«, fragte Mariam.

»Nun, eine meiner Lieblingsblumen«, antwortete er und lächelte.

3

Eine der am weitesten zurückreichenden Erinnerungen von Mariam war das Geräusch eisenbeschlagener Karrenräder auf felsigem Grund. Einmal im Monat kam dieser Karren, beladen mit Reis, Mehl, Tee, Zucker, Speiseöl, Seife und Zahnpasta. Er wurde geschoben von zwei Halbbrüdern Mariams, meist von Muhsin und Ramin, manchmal auch von Ramin und Farhad. Auf der steilen Strecke bergan wechselten sich die Jungen beim Schieben ab, bis sie den Fluss erreichten, wo der Karren geleert und seine Ladung per Hand übers Wasser getragen wurde. Dann brachten die Brüder auch den Karren auf die andere Uferseite, beluden ihn erneut und schoben ihn die restlichen zweihundert Meter zur *kolba*, nun durch dichtes, hohes Gras und vorbei an dornigen Büschen, schreckten dabei Frösche auf und wischten sich Stechmücken von den verschwitzten Gesichtern.

»Er hat doch Dienstboten«, sagte Mariam. »Warum schickt er die nicht?«

»Das ist seine Art von Buße«, antwortete Nana.

Die Geräusche des Karrens lockten Mariam und Nana ins Freie. Unvergessen für Mariam blieb, wie Nana an solchen Tagen der monatlichen Zuteilung aussah: eine groß gewachsene, hagere Frau, barfüßig wartend vor der Türschwelle, das lidlahme Auge spöttisch bis zu einem Schlitz verengt, die Arme trotzig vor der Brust verschränkt und ihr kurz geschorenes krauses Haar unverhüllt im Sonnenlicht. Das übergroße Hemd war bis zum Hals zugeknöpft. In den Taschen steckten walnussgroße Steine.

Die Jungen hockten wartend am Ufer, während Mariam und Nana den Proviant in die *kolba* trugen. Sie wagten es nicht, näher als bis auf dreißig Schritt heranzukommen, obwohl sie wussten, dass Nana weder gut zielen noch weit werfen konnte. Wenn sie die Sachen schleppte, brüllte sie die Jungen an und bedachte sie mit Ausdrücken, die Mariam nicht verstand. Sie verfluchte deren Mütter und schnitt hasserfüllte Grimassen. Die Jungen antworteten auf ihre Beleidigungen nie.

Mariam hatte Mitleid mit ihren Halbbrüdern. Wie müde und erschöpft sie nach diesem langen, beschwerlichen Weg doch sein mussten, dachte sie und wünschte, sie dürfte ihnen zumindest einen Schluck Wasser anbieten. Aber sie sagte nie etwas, und wenn sie ihr zuwinkten, verzichtete sie darauf, zurückzuwinken. Um ihrer Mutter zu gefallen, brüllte sie Muhsin sogar einmal zu, dass sein Mund wie der Arsch einer Echse aussehe – und war danach voller Schuldgefühle, Scham und Angst, sie könnten Jalil davon berichten. Nana aber lachte so ausgelassen, dass ihre faulenden Schneidezähne sichtbar wurden und Mariam befürchte, sie könnte wieder einen ihrer Anfälle bekommen. Als sie sich beruhigt hatte, richtete sie ihren Blick auf Mariam und sagte: »Du bist eine gute Tochter.«

Wenn der Karren geleert war, zogen die Jungen wieder ab. Mariam schaute ihnen nach, bis sie im hohen Gras und den blühenden Kräutern verschwunden waren.

»Kommst du?«

»Ja, Nana.«

»Sie lachen über dich. Das tun sie. Ich hör's.«

»Ich komme.«

»Glaubst du mir etwa nicht?«

»Ich bin da.«

»Du weißt, wie sehr ich dich liebe, Mariam *jo*.«

Morgens weckte sie das ferne Blöken von Schafen und das helle Pfeifen einer Flöte, wenn die Schäfer von Gul Daman ihre Herde auf den Berghang führten. Mariam und Nana melkten ihre Ziegen, fütterten die Hühner und sammelten Eier ein. Gemeinsam backten sie Brot. Nana zeigte ihr, wie der Teig zu kneten, der *tandoor* zu befeuern und die Teigfladen auf die Innenseite der tönernen Ofenwand zu kleben waren. Nana brachte ihr auch bei, zu nähen, Reis zu kochen und all die verschiedenen Beilagen zu. Eintopf mit Rüben, Spinat-*sabzi* oder Blumenko i.

Nana machte kein Hehl daraus, dass sie nicht bes. den wollte. Im Grunde war ihr niemand willkommen, ausgen men einige wenige, so etwa das Oberhaupt von Gul Daman, der Dorf-*arbab* Habib Khan, ein bärtiger Mann mit kleinem Kopf und großem Bauch, der einmal im Monat kam, begleitet von einer Dienerin, die ein Hühnchen mitbrachte, manchmal einen Topf *kichiri*-Reis oder ein Körbchen voll gefärbter Eier für Mariam.

Dann war da eine kugelrunde Frau, die von Nana Bibi *jo* genannt wurde; ihr verstorbener Mann, ein Steinmetz, war ein Freund von Nanas Vater gewesen. Bibi *jo* kam immer in Begleitung einer ihrer sechs Schwiegertöchter und eines oder zweier Enkelkindern. Sie humpelte und keuchte über die Lichtung und nahm dann mit großem Getue und schmerzhaftem Seufzen auf dem von Nana zurechtgerückten Stuhl Platz. Auch Bibi *jo* brachte Mariam immer etwas mit, eine Schachtel *dishlemeh*-Bonbons oder einen Korb mit Quitten. Nana bekam zunächst Klagen über Bibis angegriffene Gesundheit zu hören, dann den neuesten Klatsch aus Herat und Gul Daman, in aller Ausführlichkeit genüsslich vorgetragen, während die Schwiegertochter ehrerbietig hinter ihr saß und schwieg.

Am meisten freute sich Mariam, abgesehen von Jalil, auf Mullah Faizullah, den *akhund* des Dorfes, den Koranlehrer. Er kam ein- oder zweimal in der Woche, um sie in den fünf täglichen *namaz*-Gebeten zu unterweisen und ihr den Koran näherzubringen; er hatte auch schon Nana unterrichtet, als sie noch ein kleines Mädchen gewesen war. Mullah Faizullah hatte Mariam zu lesen beigebracht und ihr geduldig über die Schulter geschaut, wenn ihre Lippen die Silben tonlos formulierten und der Zeigefinger unter jedem Wort verharrte, so fest aufs Papier gedrückt, dass das Nagelbett weiß wurde. Es schien, als versuchte sie, die Bedeutung aus den Zeichen herauszupressen. Mullah Faizullah war es gewesen, der ihr die Hand gehalten und den Stift geführt hatte, bei der Aufwärtsbewegung eines jeden *alef*, der Kurve eines jeden *beh* und den drei Punkten eines jeden *seh*.

...bergebeugter alter Mann mit zahn-
...weißen Bart, der ihm bis zum Nabel
... kam er allein, manchmal aber auch in
... es Hamza, der ein paar Jahre älter war als
... des Haar hatte. Wenn Mullah Faizullah die
... te Mariam ihm die Hand, die sich unter ihren
... wie ein mit dünnem Papier überzogenes Bündel
... ückte ihr einen Kuss auf die Stirn, bevor sie am Tisch
Platz ... en und mit der Lektion begannen. Danach setzten sie
sich vor die Hütte, knabberten Pinienkerne, tranken grünen Tee
und beobachteten die von Baum zu Baum schwirrenden Bülbül.
Manchmal spazierten sie über das bronzefarbene Laub, vorbei an
den Erlenbüschen und den Fluss entlang auf die Berge zu. Unterwegs befingerte er die Perlen seines *tasbeh*-Rosenkranzes und erzählte Mariam mit zitternder Stimme aus seiner Jugend, von der
zweiköpfigen Schlange, die er im iranischen Isfahan auf der Brücke
mit ihren dreiunddreißig Bögen entdeckt hatte, oder von der Was-
sermelone, die er vor der blauen Moschee in Mazar aufgeschnitten
und die Samenkörner darin so vorgefunden hatte, dass sie auf der
einen Seite das Wort »*Allah*« bildeten und auf der anderen das Wort
»*Akbar*«.

Mullah Faizullah gab Mariam gegenüber zu, dass er den Sinn der
arabischen Worte im Koran nicht verstehe, wohl aber ihren Klang
zu schätzen wisse. Er sagte, sie trösteten ihn und erleichterten sein
Herz.

»Auch dich werden sie trösten, Mariam *jo*«, sagte er. »Du kannst
sie aufrufen, wenn du Kummer hast. Und du wirst nicht enttäuscht
sein, denn Gottes Worte täuschen nie, mein Mädchen.«

Mullah Faizullah konnte nicht nur gut erzählen, sondern auch
zuhören. Wenn Mariam redete, war er immer ganz Ohr. Er wiegte
dabei langsam den Kopf, lächelte und zeigte sich so dankbar, als
würde ihm ein großes Privileg gewährt. Ihm konnte Mariam beden-
kenlos anvertrauen, was sie Nana nicht zu sagen gewagt hätte.

Eines Tages, als sie wieder einmal spazieren gingen, sagte Mariam, dass sie sich wünschte, die Schule besuchen zu dürfen.

»Ich meine eine wirkliche Schule, *akhund sahib*. In einem Klassenzimmer. Wie auch die anderen Kinder meines Vaters.«

Mullah Faizullah blieb stehen.

Zwei Wochen zuvor hatte Bibi *jo* berichtet, Jalils Töchter Saideh und Naheed seien von der Mehri-Schule für Mädchen in Herat aufgenommen worden. Seither spukten Bilder von Schulbänken und Lehrern durch Mariams Kopf, Bilder von Heften mit linierten Seiten, Spalten voller Zahlen und Tinte, die dunkle Zeichen auf dem Papier hinterließ. Sie malte sich aus, mit anderen Mädchen ihres Alters in einem Klassenzimmer zu sitzen, und sehnte sich danach, ein Lineal aufs Heft legen und wichtig aussehende Zeilen unterstreichen zu können.

»Ist dir das ein ernster Wunsch?«, fragte Mullah Faizullah und betrachtete sie mit seinen sanften wässrigen Augen. Er hatte die Hände hinter dem krummen Rücken verschränkt, und der Schatten seines Turbans fiel auf einen Flecken leuchtender Butterblumen.

»Ja.«

»Und jetzt willst du, dass ich deine Mutter um Erlaubnis bitte, nicht wahr?«

Mariam lächelte. Außer Jalil gab es, wie sie dachte, keinen Menschen auf der Welt, der sie so gut verstand wie ihr alter Lehrer.

»Was bliebe mir also anderes übrig? Gott in seiner Weisheit hat jedem von uns Schwächen mit auf den Weg gegeben, und die größte meiner vielen Schwächen ist, dass ich dir, Mariam *jo*, nichts ausschlagen kann«, erwiderte er und tippte ihr mit einem gichtigen Finger auf die Wange.

Doch als er sich später an Nana wandte, ließ diese das Messer fallen, mit dem sie gerade Zwiebeln schnitt, und fragte: »Wozu?«

»Lass das Mädchen lernen, wenn es das möchte. Gib ihr die Chance auf eine Ausbildung, meine Teure.«

»Lernen? Was denn, Mullah *sahib*?«, entgegnete Nana in scharfem Tonfall. »Was gäbe es da zu lernen?« Sie warf ihrer Tochter einen grimmigen Blick zu.

Mariam schaute zu Boden.

»Was für einen Sinn hätte es, ein Mädchen wie dich zu unterrichten. Genauso gut könnte man einen Spucknapf polieren. Außerdem kann man in diesen Lehranstalten nichts lernen, was von Wert wäre. Es gibt nur eines, was Frauen wie wir in diesem Leben können müssen, und das bekommt man nicht in der Schule beigebracht. Sieh mich an.«

»Du solltest so nicht mit ihr reden, mein Kind«, sagte Mullah Faizullah.

»Sieh mich an!«

Mariam gehorchte.

»Nur eines muss sie können. Und das ist: *tahamul.* Aushalten.«

»Aushalten? Was denn, Nana?«

»Ach, machen Sie sich mal darüber keine Sorgen«, antwortete Nana. »Da fände sich einiges, und das nicht zu knapp.«

Und dann beschwerte sie sich darüber, von Jalils Frauen als hässliche, armselige Steinmetztochter beschimpft worden zu sein, oder wie man sie gezwungen habe, bei Frost Wäsche zu waschen, bis ihr das Gesicht abgefroren sei und die Fingerspitzen gebrannt hätten.

»Das ist unser Los, Mariam. Das Los von Frauen wie uns. Wir müssen aushalten. Mehr ist nicht drin. Verstanden? Außerdem würden sie dich in der Schule doch nur auslachen. Glaub mir. Sie würden dich einen *harami* nennen und die hässlichsten Dinge über dich sagen. Das lasse ich nicht zu.«

Mariam nickte.

»Von Schule will ich nichts mehr hören. Du bist alles, was ich habe. Dich will ich nicht an die anderen verlieren. Sieh mich an. Kein Wort mehr über Schule.«

»Sei vernünftig. Ich bitte dich. Wenn ein Mädchen den Wunsch hat …«

»Und Sie, *akhund sahib*, bei allem Respekt, Sie sollten sich hüten, ihr solche Flausen einzureden. Wenn Ihnen wirklich an ihr gelegen ist, sollten Sie ihr klarmachen, dass sie hierher gehört, zu ihrer Mutter. Da draußen ist nichts für sie zu holen. Nichts außer Ablehnung und Schmerz. Ich weiß, wovon ich spreche, *akhund sahib*. Ich weiß es.«

4

Mariam freute sich über jeden Besuch in der *kolba*, über den Dorf-*arbab* und seine Geschenke, Bibi *jo* mit ihren schmerzenden Hüft-gelenken und endlosen Klatschgeschichten und natürlich über Mullah Faizullah. Doch es gab niemanden, wirklich niemanden, den Mariam sehnlicher zu sehen wünschte als Jalil.

Schon dienstags abends setzte die Unruhe ein. Mariam konn-te kaum einschlafen aus Sorge, dass Jalils Besuch am Donnerstag womöglich aus irgendwelchen geschäftlichen Gründen ausfallen könnte und sie eine weitere Woche würde warten müssen, bis sie ihn endlich wiedersähe. Mittwochs konnte sie keinen Moment lang stillsitzen; sie marschierte um die *kolba* herum, warf wahllos Hühnerfutter ins Gehege, streunte umher, zupfte Blütenblätter und schlug nach den Mücken, die ihr in die Arme zu stechen ver-suchten. Donnerstags endlich hockte sie schon morgens vor der Tür, die Augen unverwandt auf die Furt gerichtet, und wartete. Wenn sich Jalil verspätete, bekam sie es mit der Angst zu tun. Dann wurden ihr die Knie weich, und sie musste sich flach auf den Boden legen.

Schließlich würde Nana rufen: »Da ist er ja, dein Vater. In all sei-ner Herrlichkeit.«

Wenn sie ihn, lachend und überschwänglich winkend, über die Steine im Fluss hüpfen sah, sprang Mariam vom Boden auf. Sie wusste, dass Nana ein Auge auf sie hatte und jede ihrer Regungen ganz genau beobachtete, und es kostete sie immer viel Überwin-dung, in der Tür stehen zu bleiben, zu warten, anstatt auf ihn zuzu-laufen. Sie hielt sich zurück und blickte ihm geduldig entgegen, wenn er, die Anzugjacke über die Schulter geworfen, durch das hohe Gras schritt und seine rote Krawatte im Wind flatterte.

Wenn Jalil die Lichtung erreichte, warf er seine Jacke auf den *tandoor* und breitete die Arme aus. Mariam ging auf ihn zu, zuerst langsam, dann im Laufschritt. Er fing sie unter den Achseln auf und warf sie hoch in die Luft. Mariam quietschte dann vor Vergnügen.

Gestützt von seinen Armen, blickte sie ihm von oben ins emporgewandte Gesicht mit seinem breiten verschmitzten Lächeln, dem spitzen Haaransatz und dem Grübchen im Kinn. Sie mochte seinen sorgfältig gestutzten Schnauzbart, und es gefiel ihr, dass er bei jedem Wetter einen Anzug trug – dunkelbraun, seine Lieblingsfarbe, mit einem weißen dreieckig gefalteten Taschentuch in der Brusttasche –, auch Manschettenknöpfe und eine Krawatte, meist rot, die immer ein bisschen gelockert war. Mariam sah sich dann auch selbst, gespiegelt in seinen braunen Augen: das sich bauschende Haar, ein vor Glück strahlendes Gesicht und den Himmel im Rücken.

Nana sagte, dass sie ihm eines Tages, wenn er sie verfehlte, aus den Händen gleiten, zu Boden stürzen und sich einen Knochen brechen würde. Doch dass er sie fallen lassen könnte, mochte Mariam nicht glauben. Vielmehr war sie überzeugt davon, dass sie in den sauberen, gepflegten Händen ihres Vaters immer sicher landen würde.

Sie saßen im Schatten vor der *kolba*. Nana servierte Tee. Sie und Jalil tauschten zur Begrüßung allenfalls ein befangenes Lächeln aus und nickten mit dem Kopf. Darauf, dass sie seine Kinder mit Steinen bewarf und verfluchte, kam er nie zu sprechen.

So heftig sie auch in seiner Abwesenheit gegen Jalil wütete, so still und höflich verhielt sie sich, wenn er zu Besuch kam. Ihr Haar war dann immer gewaschen, die Zähne geputzt. Sie trug ihre beste *hijab* und saß ihm auf einem Stuhl gegenüber, die Hände im Schoß gefaltet. Wenn sie lachte, versteckte sie den faulen Zahn hinter einer Faust.

Nana erkundigte sich nach seinen Geschäften. Auch nach seinen Frauen. Sie erwähnte, von Bibi *jo* gehört zu haben, dass Nargis, seine jüngste Frau, ihr drittes Kind erwarte, worauf Jalil, freundlich lächelnd, mit dem Kopf nickte.

»Nun, du bist sicher froh darüber«, sagte Nana. »Wie viele wären's dann insgesamt? Zehn, nicht wahr, *maschallah*? Zehn?«

Ja, sagte Jalil, zehn.

»Wenn du Mariam mitrechnetest, wären es natürlich elf.«

Später, als Jalil gegangen war, gerieten Mariam und Nana darüber in Streit. Mariam sagte, sie habe ihn ausgetrickst.

Nach dem Tee mit Nana gingen Mariam und Jalil immer an den Fluss, um zu fischen. Er zeigte ihr, wie die Leine ausgeworfen und ein Fang an Land gezogen werden musste, brachte ihr bei, wie eine Forelle auszunehmen, zu säubern war und wie sich mit einem Griff das Fleisch von den Gräten lösen ließ. Während sie darauf warteten, dass ein Fisch anbeißen würde, malte er Bilder für sie; er konnte mit einem Strich und ohne den Bleistift abzusetzen einen Elefanten zeichnen. Er brachte ihr auch Kinderreime bei. Zusammen sangen sie:

Eine Vogeltränke, klitzeklein,
war gehöhlt in einen Stein.
Stichling saß am Rand und trank,
rutschte aus und – plumps – versank.

Jalil hatte immer Ausschnitte aus der *Ittifaq-i Islam*, der Tageszeitung von Herat, bei sich und las daraus vor. So erfuhr Mariam, dass es jenseits der Lichtung, Gul Daman und Herat eine weite Welt gab, Regierungsoberhäupter mit unaussprechlichen Namen, Eisenbahnen und Museen, Fußball und Raketen, die die Erde umkreisten und auf dem Mond landeten, und an jedem Donnerstag brachte Jalil ein Stück dieser Welt mit in die *kolba*.

Von ihm erfuhr sie auch im Sommer 1973 – sie war damals vierzehn –, dass König Sahir Schah, der von Kabul aus über vierzig Jahre lang geherrscht hatte, durch einen unblutigen Staatsstreich gestürzt worden war.

»Dahinter steckte sein Cousin Daoud Khan. Er fädelte die Sache ein, als der König gerade in Italien war, wo er sich wegen einer Krankheit medizinisch behandeln ließ. Du erinnerst dich doch an

Daoud Khan, oder? Ich habe dir von ihm erzählt. Er war Premierminister in Kabul, vor deiner Geburt. Wie dem auch sei, Afghanistan ist keine Monarchie mehr, Mariam. Wir sind jetzt eine Republik, und Daoud Khan ist Präsident. Gerüchten zufolge haben ihm die Sozialisten in Kabul zur Macht verholfen. Nicht, dass er selbst Sozialist wäre, nein, aber er hat sich von ihnen unterstützen lassen. So heißt es jedenfalls.«

Mariam wollte wissen, was ein Sozialist sei, und Jalil versuchte es ihr zu erklären. Mariam aber war mit ihren Gedanken woanders.

»Hörst du mir überhaupt zu?«

»Ja.«

Dann sah er sie auf seine ausgebeulte Jackentasche starren. »Ah. Natürlich. Verstehe. Also dann …«

Er fischte eine kleine Schachtel aus der Tasche und gab sie ihr. So war er, gelegentlich brachte er ihr Geschenke mit. Mal war es ein Armband aus Karmelian, mal ein Halsreif mit Lapislazuliperlen. Als Mariam an diesem Tag die Schachtel öffnete, fand sie darin eine Kette mit herzförmigem Anhänger, an dem winzig kleine Münzen hingen, in die Mond und Sterne eingraviert waren.

»Probier sie mal an, Mariam *jo*.«

Mariam legte die Kette um den Hals. »Wie steht sie mir?«

Jalil strahlte. »Ich finde, du siehst aus wie eine Königin.«

»Nomadenkram«, sagte Nana später. »Ich habe mal gesehen, wie sie so was herstellen. Sie schmelzen die Münzen ein, die ihnen vor die Füße geworfen werden, und machen Schmuck daraus. Soll er dir doch Gold mitbringen, dein teurer Vater. Das wär mal was.«

Wenn Jalil gehen musste, stand Mariam immer in der Tür und schaute ihm nach, bedrückt von dem Gedanken an die Woche, die wie ein riesiger, unverrückbarer Gegenstand zwischen ihr und seinem nächsten Besuch stand. Wenn er sich auf der Lichtung entfernte, hielt sie so lange wie möglich die Luft an und betete im Stillen, dass Gott ihr mit jeder Sekunde, die sie ohne Atem auskäme, einen weiteren Tag mit Jalil gewähren möge.

Nachts lag sie auf ihrer Pritsche und fragte sich, wie es in seinem Haus in Herat aussehen mochte. Sie fragte sich, wie es wohl wäre, wenn sie mit ihm zusammenlebte und ihn tagtäglich sehen könnte. Sie stellte sich vor, ihm, wenn er sich rasierte, ein Handtuch zu reichen. Sie würde Tee für ihn aufsetzen, abgerissene Knöpfe wieder annähen. Sie würden zusammen durch Herat spazieren und die Gewölbe des Basars aufsuchen, wo man, wie Jalil sagte, alles kaufen konnte, was das Herz begehrte. Sie würden mit seinem Auto herumkutschieren, und die Leute würden sagen: »Seht mal, da fährt Jalil Khan mit seiner Tochter.« Er würde ihr den berühmten Baum zeigen, unter dem ein Dichter begraben lag.

Irgendwann, möglichst bald, wollte sie ihm alle diese Dinge sagen. Und wenn er sie hörte, wenn er sähe, wie sehr er ihr fehlte, würde er sie bestimmt mit sich nehmen. Sie würde ihm nach Herat folgen und wie seine anderen Kinder in seinem Haus wohnen.

5

»Ich weiß, was ich mir wünsche«, sagte Mariam zu Jalil.

Es war im Frühjahr 1974, kurz vor Mariams fünfzehntem Geburtstag. Die drei saßen auf Klappstühlen im Schatten der Weiden vor der *kolba*.

»Zu meinem Geburtstag. Ich weiß, was ich mir wünsche.«

»Tatsächlich?« Jalil lächelte aufmunternd.

Zwei Wochen zuvor hatte er ihr auf ihr Drängen hin mitgeteilt, dass in seinem Kino ein amerikanischer Film gezeigt werde, ein besonderer Film, wie er erklärte, der nur aus Zeichnungen bestehe, aus Tausenden einzelner Zeichnungen, die, wenn man sie zu einem Film zusammenschneide und auf eine Leinwand projiziere, den Eindruck erweckten, als bewegten sie sich. Ein solcher Film werde Cartoon genannt. Dieser Cartoon, fuhr Jalil fort, erzähle die Geschichte eines alten, kinderlosen Erfinders, der sehr einsam sei und sich nichts sehnsüchtiger wünsche als einen Sohn. Also schnitzt er eine Puppe, einen hölzernen Jungen, der dann auf magische Weise zum Leben erwacht. Mariam hatte mehr von dieser Geschichte hören wollen und von Jalil erfahren, dass der alte Mann und seine Puppen jede Menge Abenteuer erlebten, dass es da einen Ort namens Pleasure Island gebe, wo böse Jungs in Esel verwandelt würden. Begeistert hatte Mariam Mullah Faizullah von diesem Film berichtet.

»Ich wünsche mir, dass du mich in dein Kino mitnimmst«, sagte Mariam nun. »Dass ich den Cartoon sehe und den hölzernen Jungen.«

Mariam spürte, wie sich schlagartig die Stimmung änderte. Ihre Eltern rutschten auf ihren Stühlen hin und her und tauschten irritierte Blicke.

»Das ist keine gute Idee«, sagte Nana. Ihre Stimme klang ruhig und beherrscht, wie immer, wenn Jalil zugegen war, doch ihre Miene verriet etwas anderes.

Jalil hustete und räusperte sich.

»Weißt du«, sagte er, »die Bildqualität ist ziemlich schlecht, so auch der Ton, und der Projektor hat in letzter Zeit seine Macken. Vielleicht hat deine Mutter recht. Vielleicht solltest du dir etwas anderes wünschen, Mariam *jo*.«

»*Aneh*«, bemerkte Nana. »Siehst du? Dein Vater und ich sind einer Meinung.«

Später am Fluss sagte Mariam: »Nimm mich mit.«

»Hör zu«, entgegnete er. »Ich sorge dafür, dass dich jemand abholt und mit dir ins Kino geht. Da wird man dir einen guten Platz freihalten und so viel Süßigkeiten bringen, wie du willst.«

»Nein. Ich will mit dir ins Kino gehen.«

»Mariam *jo* …«

»Und ich will, dass auch meine Brüder und Schwestern da sind. Ich möchte sie kennenlernen. Wir sehen uns alle zusammen den Film an. Das ist es, was ich mir wünsche.«

Jalil seufzte. Er wich ihrem Blick aus und schaute in Richtung Berge.

Mariam erinnerte sich, von ihm erfahren zu haben, dass auf einer Leinwand das Gesicht eines Menschen so groß erscheine wie ein Haus, dass, wenn darauf ein Autounfall zu sehen sei, der Zuschauer bis in die Knochen spüre, wie sich das Blech zerknautsche. Sie malte sich aus, neben Jalil und ihren Geschwistern auf einem der Logenplätze zu sitzen und an einem Stieleis zu lecken. »Das ist es, was ich mir wünsche«, sagte sie.

Jalil sah sie traurig an.

»Morgen. Morgen Mittag. Wir treffen uns hier, an dieser Stelle. In Ordnung? Morgen Mittag?«

»Komm her«, sagte er. Er kauerte sich auf den Boden, nahm sie in den Arm und drückte sie an sich.

Nana hatte die Hände zu Fäusten geballt und stampfte mit dem Fuß auf.

»Warum hat mich Gott bloß mit einer so undankbaren Tochter gestraft? Was habe ich nicht alles für dich erlitten? Wie kannst du es wagen? Wie kannst du es wagen, mich im Stich zu lassen, du verräterischer kleiner *harami*!«

Dann versuchte sie es mit Spott.

»Dummes Ding! Bildest du dir etwa ein, ihm etwas zu bedeuten, in seinem Haus willkommen zu sein? Dass er dich als seine Tochter bei sich aufnimmt? Lass dir eins gesagt sein: Das Herz eines Mannes ist verkommen, Mariam. Im Unterschied zum Mutterschoß blutet es nicht, und es dehnt sich auch nicht aus, um Platz für ein Lebewesen wie dich darin zu machen. Ich bin die Einzige, die dich liebt. Ich bin alles, was du auf dieser Welt hast, Mariam, und wenn ich gegangen bin, wirst du nichts haben. Rein gar nichts. Du bist ein Nichts!«

Schließlich versuchte sie, ihr ein schlechtes Gewissen zu machen.

»Ich sterbe, wenn du gehst. Der Dschinn wird in mich fahren. Ich werde einen Anfall bekommen, werde meine Zunge verschlucken und daran ersticken. Verlass mich nicht, Mariam *jo*. Bitte bleib. Ich sterbe, wenn du gehst.«

Mariam schwieg.

»Du weißt, wie sehr ich dich liebe, Mariam *jo*.«

Mariam sagte, sie wolle einen Spaziergang machen.

Sie fürchtete, wenn sie bliebe, die Mutter mit Worten verletzen zu können, denn sie hätte am liebsten gesagt, dass die Geschichte mit dem Dschinn erlogen war, dass ihre Krankheit, wie sie von Jalil wusste, einen Namen hatte und mithilfe von Pillen gelindert werden konnte. Sie hätte Nana womöglich gefragt, warum sie sich weigerte, Jalils Rat zu befolgen und seine Ärzte aufzusuchen. Warum sie nicht die Pillen nahm, die er ihr mitgebracht hatte. Wenn es Mariam möglich gewesen wäre, ihre Gefühle in Worten auszudrücken, hätte sie vielleicht sogar gesagt, dass sie es leid war, benutzt zu werden, die verdrehten Wahrheiten ihrer Mutter hören zu müssen und, als Alibi missbraucht, für ihren Groll gegen die Welt herhalten zu müssen.

Du hast Angst, Nana, hätte sie womöglich gesagt. Du hast Angst, dass ich das Glück finden könnte, das dir versagt geblieben ist. Und du willst nicht, dass ich glücklich bin. Du gönnst mir kein gutes Leben. Du bist von uns beiden diejenige mit dem verkommenen Herzen.

Am Rand der Lichtung gab es einen Aussichtspunkt, den Mariam gern aufsuchte. Dort setzte sie sich auch jetzt ins warme trockene Gras. Wie ein Brettspiel breitete sich Herat in der Ferne aus: der Frauengarten im Norden der Stadt; im Süden der Char-suq-Basar und die Ruinen der alten Zitadelle von Alexander dem Großen. Wie die verstaubten Finger eines Riesen ragten die Minarette in den Himmel, und in den Straßen stellte sie sich ein Gewimmel von Menschen, Karren und Maultieren vor. Über ihr schwirrten Schwalben durch die Luft. Sie beneidete die Vögel. Die waren schon in Herat gewesen, über seine Moscheen und Basare gesegelt. Vielleicht hatten sie sich schon einmal auf den Mauern von Jalils Haus oder auf den Eingangsstufen seines Kinos niedergelassen.

Sie sammelte zehn Kieselsteine auf und ordnete sie in drei senkrechte Reihen. Mit diesem Spiel beschäftigte sie sich manchmal heimlich, wenn Nana nicht zuschaute. Die vier Steine in der ersten Reihe standen für Khadijas Kinder, die drei in der zweiten für Afsoons und die drei in der dritten für Nargis' Kinder. Dann fügte sie den drei Reihen eine vierte hinzu. Einen einzigen, elften Kieselstein.

Am nächsten Morgen trug Mariam ein cremefarbenes Kleid, das ihr bis zu den Knien reichte, darunter eine Leinenhose. Den Kopf bedeckte sie mit einer grünen *hijab*, was sie ein wenig grämte, weil die Farbe nicht zum Kleid passte. Aber sie musste sich damit begnügen – die weiße *hijab* war von Motten zerfressen.

Sie warf einen Blick auf die Uhr, eine alte Uhr zum Aufziehen, mit schwarzen Ziffern auf minzegrünem Grund, ein Geschenk von

Mullah Faizullah. Es war neun Uhr. Sie fragte sich, wo Nana sei, und wähnte sie draußen vor der Tür, wagte es aber nicht, ihren gekränkten Blicken zu begegnen. Nana würde sie eine Verräterin schimpfen und sich über die törichten Wünsche der Tochter lustig machen.

Um sich die Zeit zu vertreiben, setzte sich Mariam an den Tisch und versuchte, einen Elefanten zu zeichnen, so wie Jalil es ihr gezeigt hatte, mit einem einzigen Strich. Immer und immer wieder. Vom langen Sitzen schmerzte ihr Rücken, doch um das Kleid nicht zu zerknittern, verzichtete sie darauf, sich auszustrecken.

Als die Zeiger schließlich auf halb elf standen, steckte Mariam ihre elf Kieselsteine ein und ging nach draußen. Auf dem Weg zum Fluss sah sie Nana unter dem gewölbten Laubdach der Trauerweide auf einem Stuhl sitzen. Es war nicht zu erkennen, ob ihre Mutter sie im Auge hatte oder nicht.

Am Flussufer angekommen, wartete Mariam an der tags zuvor verabredeten Stelle. Über den Himmel zogen ein paar graue, blumenkohlförmige Wolken. Jalil hatte ihr erklärt, dass solche Wolken deshalb grau scheinen, weil ihre dichten oberen Schichten das Sonnenlicht schlucken und einen Schatten auf die unteren Schichten werfen. »Das, was du siehst, Mariam *jo*«, hatte er hinzugefügt, »ist ihr dunkler Unterleib.«

Es verstrich einige Zeit.

Mariam kehrte zur *kolba* zurück. Diesmal folgte sie dem Westrand der Lichtung, um Nana aus dem Weg zu gehen. Sie warf einen Blick auf die Uhr. Es war kurz vor eins.

Er ist ein Geschäftsmann, dachte Mariam. Irgendetwas hat ihn aufgehalten.

Sie ging wieder zum Fluss und wartete. Schwarzdrosseln flatterten durch die Luft und tauchten dann irgendwo im Gras unter. Sie sah einer Raupe zu, die über die Wurzel einer jungen Distel kroch.

Sie wartete, bis ihr die Beine wehtaten. Doch diesmal kehrte sie nicht zur *kolba* zurück. Sie krempelte sich die Hosenbeine hoch, überquerte den Fluss und marschierte zum ersten Mal in ihrem Leben talwärts Richtung Herat.

Nana irrte auch, was Herat betraf. Keiner zeigte mit dem Finger auf Mariam. Keiner lachte sie aus. In einem nicht abreißenden Strom von Fußgängern, Fahrradfahrern und Maultier-*garis* schlenderte sie durch zypressengesäumte Alleen, und da war niemand, der sie mit einem Stein beworfen hätte. Keiner nannte sie einen *harami*. Es nahm sie überhaupt kaum jemand zur Kenntnis. Sie war hier, unerwarteter- und wunderbarerweise, eine ganz gewöhnliche Person.

Inmitten eines großen Parks verbrachte Mariam eine Weile vor einem ovalförmigen Teich. Staunend betastete sie eines der wunderschönen Marmorpferde, die am Uferrand standen und mit leeren Augen aufs Wasser blickten. Mehrere Jungen ließen Boote auf den Wellen segeln. Überall blühten Blumen, Tulpen, Lilien und Petunien, strahlend im Sonnenlicht. Menschen schlenderten über die mit Kies bestreuten Pfade, saßen auf Bänken und tranken Tee.

Mariam konnte kaum glauben, hier zu sein. Ihr Herz pochte vor Erregung. Sie wünschte, Mullah Faizullah könnte sie jetzt sehen. Wie wagemutig er sie finden würde! Wie verwegen! Sie erträumte sich ein neues Leben in dieser Stadt, ein Leben mit einem Vater, mit Schwestern und Brüdern, ein Leben, in dem sie Liebe zeigen und Liebe erfahren würde, ohne Vorbehalt oder Verstellung, ohne Scham.

Freudig kehrte sie auf die breite Straße vor dem Park zurück. Sie kam an alten Straßenhändlern mit ledrigen Gesichtern vorbei, die im Schatten der Platanen hinter Pyramiden von Kirschen und Bergen von Weintrauben hockten und zu ihr aufblickten. Barfüßige Jungen rannten Autos und Bussen hinterher und winkten mit Tüten voller Quitten. Mariam stand am Straßenrand. Sie beobachtete die vorbeiziehenden Leute und konnte nicht verstehen, dass sie die Wunder ringsum kaum zu beachten schienen.

Schließlich fasste sie sich ein Herz und fragte den alten Betreiber eines Pferde-*gari*, ob er wisse, wo Jalil, der Kinobesitzer, wohne. Der Alte hatte ein pausbackiges Gesicht und trug einen gestreiften *chapan* in den Farben des Regenbogens. »Du bist nicht aus Herat, stimmt's?«, sagte er leutselig. »Hier weiß nämlich jeder, wo Jalil Khan wohnt.«

»Würden Sie's mir zeigen?«

Er wickelte einen Karamellbonbon aus dem Papier und fragte: »Bist du allein?«

»Ja.«

»Steig auf. Ich bring dich hin.«

»Ich kann aber nicht bezahlen. Ich habe kein Geld.«

Er gab ihr den Bonbon und sagte, dass er schon seit zwei Stunden keinen Fahrgast mehr befördert und ohnehin die Absicht habe, nach Hause zurückzukehren. Jalils Haus liege auf dem Weg.

Mariam kletterte auf den *gari*. Schweigend fuhren sie durch die Straßen. Mariam sah Kräuterläden und Verkaufsstände, die Orangen und Birnen, Bücher und Schals, ja, sogar Falken feilboten. Kinder hatten mit Stöcken Kreise in den Staub gezogen und spielten mit Murmeln. Vor einem Teehaus saßen auf einem hölzernen, mit Teppichen ausgelegten Podest Männer, die Tee tranken und aus Wasserpfeifen Tabak rauchten.

Der alte Mann bog in eine breite Straße ein, die von Nadelbäumen gesäumt wurde, und hielt nach wenigen Metern das Pferd an.

»Da wären wir. Du scheinst Glück zu haben, *dokhtar jo*. Das da ist sein Auto.«

Mariam sprang auf die Straße. Er lächelte ihr zu und kutschierte davon.

Mariam hatte nie zuvor ein Auto berührt. Sie strich mit den Fingerspitzen über die Kühlerhaube von Jalils Auto. Es war schwarz lackiert und glänzte, und in den blanken Radkappen sah sie ihr in die Breite gezogenes Spiegelbild. Die Sitze waren mit weißem Leder bezogen. Hinter dem Steuer entdeckte Mariam mehrere runde Uhren.

Für einen Moment glaubte sie Nanas Stimme zu hören, die sich über sie lustig machte und alle Hoffnung im Keim zu ersticken versuchte. Ihr wurde angst und bange. Auf zitternden Beinen näherte sie sich der Eingangstür des Hauses. Mit beiden Händen stützte sie sich an der Außenmauer ab. Sie waren so hoch, so einschüchternd, Jalils Mauern. Sie musste den Kopf bis weit in den Nacken zurücklegen, um die Spitzen der Zypressen zu sehen, die auf der anderen Seite standen und vom Wind bewegt wurden. Mariam stellte sich vor, dass sie sie winkend willkommen hießen.

Eine barfüßige junge Frau öffnete die Tür. Sie hatte eine Tätowierung unter der Unterlippe.

»Ich bin gekommen, um Jalil Khan zu sehen. Ich bin Mariam. Seine Tochter.«

Die junge Frau zeigte sich verwirrt. Dann schien ihr ein Licht aufzugehen. Die Lippen verzogen sich zu einem flüchtigen Lächeln. »Augenblick«, sagte sie, plötzlich ganz eifrig und erwartungsvoll.

Sie schloss die Tür.

Es verstrichen mehrere Minuten. Dann öffnete ein Mann die Tür. Er war groß und stämmig, schaute schläfrig aus den Augen und hatte ein ruhiges Gesicht.

»Ich bin Jalil Khans Chauffeur«, sagte er nicht unfreundlich.

»Sein was?«

»Sein Fahrer. Jalil Khan ist nicht zu Hause.«

»Aber da steht doch sein Auto«, sagte Mariam.

»Er ist geschäftlich unterwegs.«

»Wann wird er wieder zurück sein?«

»Das hat er offengelassen.«

Mariam sagte, sie wolle warten.

Er schloss die Tür. Mariam setzte sich auf den Boden und zog die Knie an die Brust. Es wurde Abend. Sie hatte Hunger und lutschte den Bonbon des *gari*-Kutschers. Nach einer Weile trat der Fahrer wieder vor die Tür.

»Du solltest nach Hause gehen«, sagte er. »In knapp einer Stunde wird es dunkel sein.«

»Das macht mir nichts aus.«

»Und es wird kalt werden. Komm, ich fahr dich nach Hause und werde ihm sagen, dass du hier gewesen bist.«

Mariam sah ihn bloß an.

»Dann bring ich dich in ein Hotel. Da kannst du in einem bequemen Bett schlafen. Und morgen sehen wir weiter.«

»Lassen Sie mich ins Haus.«

»Das darf ich nicht. Schau, keiner weiß, wann er zurückkommt. Womöglich erst in zwei, drei Tagen.«

Mariam verschränkte die Arme.

Der Fahrer seufzte, ein wenig ungehalten, wie es schien.

Mit den Jahren sollte Mariam noch häufig Gelegenheit haben, darüber nachzudenken, wie ihr Leben verlaufen wäre, wenn der Chauffeur sie zur *kolba* zurückgebracht hätte. Doch sie widersetzte sich und verbrachte die Nacht vor Jalils Haus. Es wurde dunkel, Schatten legten sich auf die Fassade des Nachbarhauses. Das tätowierte Mädchen brachte ihr Brot und einen Teller Reis. Mariam sagte, dass sie nichts haben wolle, doch das Mädchen stellte beides neben ihr auf dem Boden ab. Von Zeit zu Zeit hörte Mariam Schritte auf der Straße, Türen aufgehen, gedämpfte Stimmen. Elektrisches Licht wurde angeschaltet, sickerte durch die Fenster. Hunde bellten. Als sie dem Hunger nicht länger widerstehen konnte, leerte sie den Teller und aß das Brot. Sie lauschte den Zikaden in den Gärten. Am Himmel glitten Wolken vor einem bleichen Mond dahin.

Am Morgen wurde sie von Händen geweckt, die ihre Schultern gepackt hielten und schüttelten. Mariam bemerkte, dass ihr in der Nacht jemand eine Decke übergeworfen hatte.

Vor ihr stand der Fahrer.

»Jetzt reicht's. Mach keine Geschichten. *Bas.* Es ist Zeit zu gehen.«

Mariam richtete den Oberkörper auf und rieb sich die Augen. Ihr Rücken und der Nacken schmerzten. »Ich werde auf ihn warten.«

»Schau«, sagte er. »Jalil Khan hat mir aufgetragen, dich zurückzufahren. Jetzt sofort. Verstehst du? Jalil Khan will es so.«

Er öffnete die hintere Beifahrertür. »*Bia.* Los jetzt«, sagte er geduldig.

»Ich möchte ihn sehen«, sagte Mariam, die Augen voller Tränen.

Der Fahrer seufzte. »Lass dich nach Hause fahren. Nun komm endlich, *dokhtar jo.*«

Mariam stand auf und ging auf ihn zu. Dann jedoch, im letzten Moment, änderte sie die Richtung und lief auf das Tor zu. Sie spürte die Finger des Fahrers nach ihrer Schulter greifen. Er versuchte, sie aufzuhalten; sie aber konnte ihn abschütteln und rannte durch das geöffnete Tor.

In den wenigen Sekunden, die sie in Jalils Garten war, bemerkte Mariam ein glänzendes Glashaus mit Pflanzen darin, Weinreben, die über hölzerne Spaliere rankten, einen von grauen Steinen eingefassten Fischteich, Obstbäume und überall Sträucher, die in hellen Farben blühten. Ihr Blick streifte all diese Dinge, bevor er plötzlich auf eines der Fenster im Obergeschoss fiel, hinter dem sich ein Gesicht zeigte, nur für einen flüchtigen Moment, aber lange genug, dass Mariam erkennen konnte, wie sich die Augen weiteten und der Mund öffnete. Dann war es wieder verschwunden. Stattdessen erschien eine Hand, die hektisch an einer Schnur zog. Vorhänge fielen herab.

Dann gruben sich Hände unter ihre Achseln und stemmten sie in die Luft. Mariam trat mit den Beinen aus. Die Kieselsteine fielen ihr aus der Tasche. Mariam trat und schrie, als sie zum Wagen getragen und auf das kühle Leder der Rückbank gesetzt wurde.

Mit gedämpfter Stimme versuchte der Fahrer, sie zu trösten. Mariam hörte nicht auf ihn. Während der gesamten Fahrt weinte sie, hin und her geworfen auf der Rückbank. Sie weinte Tränen des Kummers, der Wut und Enttäuschung, vor allem aber weinte sie aus Scham, der tiefen Scham darüber, dass sie so töricht gewesen war, auf Jalil vertraut und sich Sorgen darüber gemacht zu haben, ob der *hijab* zum Kleid passte; sie schämte sich, den weiten Weg zurückgelegt und, weil sie sich nicht hatte wegschicken lassen, wie ein streunender Hund die Nacht auf der Straße verbracht zu haben. Und sie schämte sich, dass sie sich ihrer Mutter widersetzt und ihr den Rücken gekehrt hatte. Nana, die recht behalten und sie gewarnt hatte.

Mariam musste immer wieder an sein Gesicht hinter dem Fenster denken. Er hatte sie auf der Straße schlafen lassen. *Auf der Straße.* Mariam legte sich auf die Rückbank und weinte. Sie wollte nicht gesehen werden. Sie stellte sich vor, dass ganz Herat an diesem

Morgen darüber Bescheid wusste, wie sehr sie sich erniedrigt hatte. Sie wünschte, Mullah Faizullah wäre jetzt bei ihr, dass sie ihren Kopf auf seinen Schoß legen könnte, um sich von ihm trösten zu lassen.

Die Straße wurde holpriger; es ging bergan. Sie fuhren auf den Hügel zwischen Herat und Gul Daman.

Was sollte sie Nana sagen, fragte sich Mariam. Wie sollte sie sich entschuldigen? Würde es ihr jetzt überhaupt möglich sein, ihr unter die Augen zu treten?

Das Auto hielt an, der Fahrer half ihr nach draußen. »Ich begleite dich«, sagte er.

Sie ließ sich von ihm über den Schotterweg führen. Am Rand wucherten Geißblatt und Seidenblumen. Bienen schwirrten über schimmernden Blüten. Der Fahrer nahm sie bei der Hand und half ihr über den Fluss. Dann ließ er sie los und sprach davon, dass die für Herat berühmt-berüchtigten Einhundertzwanzigtagewinde bald zu erwarten seien und von morgens bis abends Wolken von Sand aufwühlen würden. Plötzlich blieb er vor ihr stehen, versuchte ihre Augen mit der Hand abzudecken und drängte sie in die Richtung zurück, aus der sie gekommen waren. »Kehr um! Nein. Sieh nicht hin. Dreh dich nicht um. Geh zurück!«

Doch er war nicht schnell genug. Mariam sah es. Ein Windstoß teilte die herabhängenden Zweige der Trauerweide wie einen Vorhang, und unter dem Baum sah Mariam den Stuhl mit der geraden Lehne, umgekippt. Von einem hohen Ast hing ein Seil herab. An dessen Ende baumelte Nana.

6

Nana wurde in einer Ecke des Friedhofs von Gul Daman beigesetzt. Mariam stand neben Bibi *jo* in einer Gruppe von Frauen, als
Mullah Faizullah Gebete sprach und Nanas verhüllter Leichnam
von Männern ins Grab gesenkt wurde.

Danach führte Jalil Mariam zur *kolba*, wo er im Beisein der
Dorfbewohner, die sie begleitet hatten, viel Aufhebens davon
machte, dass er sich um seine Tochter kümmerte. Er sammelte ein
paar Sachen von ihr zusammen und verstaute sie in einem Koffer.
Er setzte sich zu ihr, als sie auf ihrer Pritsche lag, und fächelte ihr
Luft zu. Er streichelte ihr die Stirn und fragte mit kummervoller
Miene, ob sie irgendetwas brauche, irgendetwas – so sagte er es,
zweimal.

»Ich will, dass Mullah Faizullah bei mir ist«, antwortete Mariam.

»Natürlich. Er ist draußen. Ich hole ihn für dich.«

Es war, als Mullah Faizullahs hagere, krumme Gestalt in der Tür
erschien, dass Mariam zum ersten Mal an diesem Tag in Tränen
ausbrach.

»Oh, Mariam *jo*.«

Er setzte sich zu ihr und nahm ihr Gesicht in beide Hände. »Nur
zu, weine ruhig, Mariam *jo*. Dafür musst du dich nicht schämen.
Aber denk daran, mein Mädchen, was im Koran geschrieben steht:
*Segensreich ist Der, in Dessen Hand die Herrschaft ruht, Der über
alle Dinge Macht hat, Der Tod und Leben geschaffen hat, damit Er
dich prüfe.* Der Koran spricht die Wahrheit, mein Mädchen. Gott
hat seine Gründe, für jede Prüfung und jeden Kummer, die er uns
auflastet.«

Doch Mariam fand keinen Trost in Gottes Worten. Nicht an diesem Tag. Sie hörte immer nur Nana sagen: *Ich sterbe, wenn du gehst.*

Ich sterbe, wenn du gehst. Sie konnte nur noch weinen und weinen und ihre Tränen auf die papierdünne und altersfleckige Haut der Hände von Mullah Faizullah fallen lassen.

Kurz vor seinem Haus legte ihr Jalil, der neben ihr auf der Rückbank saß, einen Arm um die Schulter.

»Du kannst bei mir wohnen, Mariam *jo*«, sagte er. »Ich habe bereits ein Zimmer für dich herrichten lassen. Im Obergeschoss. Es wird dir gefallen, glaube ich. Von dort hast du einen schönen Blick auf den Garten.«

Zum ersten Mal hörte Mariam ihn mit Nanas Ohren. Klar und deutlich hörte sie jetzt die Unaufrichtigkeit heraus, die sich hinter seinen hohlen, falschen Versprechungen verbarg. Sie brachte es nicht über sich, ihm in die Augen zu schauen.

Das Auto hielt vor Jalils Haus an; der Fahrer öffnete ihnen die Tür und trug Mariams Koffer. Die Hand um ihre Schulter gelegt, führte Jalil sie durch dieselbe Außenpforte, neben der Mariam vor zwei Tagen auf ihn gewartet und übernachtet hatte. Noch vor zwei Tagen hatte sich Mariam nichts sehnlicher gewünscht, als an Jalils Seite durch diesen Garten zu schlendern. Seitdem war für sie ein Lebensabschnitt vergangen. Wie konnte nur so schnell alles anders werden?, fragte sie sich. Mit gesenktem Blick ließ sie sich auf grauen Steinplatten zum Haus führen. Sie war sich der vielen Leute bewusst, die tuschelnd am Rand standen und zurücktraten, als sie an ihnen vorbeikam.

Auch im Innern des Hauses blieben ihre Augen nach unten gerichtet. Sie ging über einen dunkelbraunen Teppich mit blauen und gelben Achteckmustern, sah aus dem Augenwinkel die marmornen Sockel von Statuen, die untere Hälfte von Vasen, die Fransen farbiger Wandbehänge. Die Treppe, auf der sie Jalil nach oben folgte, war sehr breit und mit einem ähnlichen Teppich ausgelegt, der an den Unterkanten jeder Stufe festgenagelt war. Oben angekommen, führte Jalil sie durch einen langen, ebenfalls mit Teppich ausgelegten Korridor. Vor einer der Türen blieb er schließlich stehen, öffnete sie und ließ sie eintreten.

»Deine Schwestern Niloufar und Atieh spielen hier manchmal«, sagte er. »Aber meistens nutzen wir diesen Raum als Gästezimmer. Du wirst dich hier wohlfühlen, glaube ich. Hübsch, nicht wahr?«

Das Zimmer hatte ein Bett mit einer grünen, geblümten Decke aus festem Waffelmustergewebe. Die dazu passenden Vorhänge waren zurückgezogen und gaben den Blick auf den Garten frei. Neben dem Bett stand eine Kommode mit drei Schubläden, darauf eine Blumenvase. Auf den Regalborden entlang den Wänden befanden sich gerahmte Fotos von Personen, die Mariam nicht kannte. Auf einem der Borde sah Mariam eine Sammlung hölzerner Puppen, die alle gleich aussahen, aber unterschiedlich groß und entsprechend aneinandergereiht waren.

Jalil folgte ihrem Blick. »Matrjoschka-Puppen. Aus Moskau. Du kannst mit ihnen spielen. Es hätte niemand was dagegen.«

Mariam setzte sich aufs Bett.

»Hast du irgendeinen Wunsch?«, fragte Jalil.

Mariam streckte sich aus und schloss die Augen. Wenig später hörte sie ihn leise die Tür zuziehen.

Mariam blieb auf ihrem Zimmer, es sei denn, sie musste zur Toilette, die am Ende des Korridors lag. Die tätowierte junge Frau, die ihr die Außenpforte geöffnet hatte, brachte ihr die Mahlzeiten auf einem Tablett: Lammkebab, *sabzi*, *aush*-Suppe. Mariam rührte ihr Essen kaum an. Mehrmals am Tag kam Jalil, setzte sich aufs Bett und fragte, ob alles in Ordnung sei.

»Du könntest auch unten mit uns essen«, sagte er, was aber nicht besonders überzeugend klang, denn er ließ Mariam allzu bereitwillig gewähren, wenn sie sagte, dass sie lieber allein essen wolle.

Mit Blick aus dem Fenster nahm Mariam teilnahmslos zur Kenntnis, was sie all die Jahre sehnsüchtig zu sehen gehofft hatte: die alltäglichen Lebensumstände ihres Vaters. Dienstboten kamen und gingen durch die Außenpforte. Ein Gärtner beschnitt die Sträucher und wässerte die Pflanzen im Treibhaus. Elegante Limousinen fuhren auf der Straße vor. Ihnen entstiegen Männer in Anzügen, *chapan* und Krimmermütze, *hijab*-tragende Frauen und

Kinder mit ordentlich gekämmten Haaren. Mariam sah, wie Jalil all diesen Fremden die Hand schüttelte und sich, die Hände auf der Brust überkreuzt, vor ihren Frauen verneigte, und wusste, dass Nana recht behalten hatte. Sie, Mariam, gehörte nicht hierher.

Aber wohin gehöre ich? Was soll ich jetzt tun?

Ich bin alles, was du auf dieser Welt hast, Mariam, und wenn ich gegangen bin, wirst du nichts haben. Rein gar nichts. Du bist ein Nichts!

Wie der Wind in den Weiden vor der *kolba* stürmten ihr Böen unsäglicher Niedergeschlagenheit durch den Sinn.

Am zweiten Tag in Jalils Haus suchte sie ein kleines Mädchen in ihrem Zimmer auf.

»Ich muss etwas holen«, sagte sie.

Mariam saß, die Beine überkreuzt, auf dem Bett und zog sich die Decke über den Schoß.

Das Mädchen eilte durch den Raum, öffnete die Schranktür und brachte einen grauen, würfelförmigen Karton zum Vorschein.

»Weißt du, was darin ist?«, fragte sie und öffnete den Karton. »Ein Plattenspieler. So nennt man das. Platten. Spieler. Für Schallplatten. Da ist Musik drauf, verstehst du?«

»Du bist Niloufar. Acht Jahre alt.«

Das Mädchen lächelte. Es hatte Jalils Lächeln und das gleiche Grübchen im Kinn. »Woher weißt du das?«

Mariam zuckte mit den Achseln. Sie sagte dem Mädchen nicht, dass sie einmal einen Kieselstein nach ihm benannt hatte.

»Willst du mal ein Lied hören?«

Wieder zuckte Mariam mit den Achseln.

Niloufar steckte den Stecker des Plattenspielers in die Dose und fischte eine kleine Schallplatte aus einer Tasche unter dem Kartondeckel. Sie legte die Platte auf und senkte die Nadel. Musik ertönte.

> *Ich nehm mein Blatt Papier*
> *und schreibe dir den süßesten Brief,*
> *du bist der Sultan meines Herzens,*
> *der Sultan meines Herzens.*

»Kennst du's?«

»Nein.«

»Es ist aus einem iranischen Film. Den hab ich im Kino meines Vaters gesehen. He, soll ich dir mal was zeigen?«

Ehe Mariam antworten konnte, hatte Niloufar die Hände auf den Boden gestützt, sich mit den Füßen abgestoßen und kopfüber aufgerichtet, so dass sie auf der Stirn zu stehen kam.

»Schaffst du das auch?«, fragte sie stolz.

»Nein.«

Niloufar ließ die Beine auf den Boden zurückfallen und zog ihr Hemd zurecht. »Ich könnte es dir beibringen«, sagte sie, indem sie eine Strähne von der geröteten Stirn wischte. »Wie lange bleibst du hier?«

»Weiß ich nicht.«

»Meine Mutter sagt, du wärst keine richtige Schwester von mir, wie du behauptest.«

»Das habe ich nie behauptet«, log Mariam.

»Sie sagt, doch. Ist aber auch egal. Ich meine, es macht mir nichts aus, wenn du das behauptest. Und ich hätte auch nichts dagegen, wenn du meine Schwester wärst.«

Mariam streckte sich auf dem Bett aus. »Ich bin müde.«

»Meine Mutter sagt, ein Dschinn hätte deine Mutter dazu gebracht, sich aufzuhängen.«

»Du kannst das jetzt ausstellen«, sagte Mariam und drehte sich zur Seite. »Die Musik, meine ich.«

Am selben Tag kam auch Bibi *jo*, um sie zu sehen. Draußen hatte es inzwischen zu regnen angefangen. Sie senkte ihren schweren Körper auf den Stuhl neben dem Bett und verzog das Gesicht.

»Dieser Regen ist Gift für meine Gelenke, Mariam *jo*. Der bringt mich noch um, das sage ich dir. Ich hoffe … Oh, komm, mein Kind. Komm zu Bibi *jo*. Weine nicht. Armes Ding. Ts, ts. Du armes, armes Ding.«

In dieser Nacht konnte Mariam lange nicht einschlafen. Sie lag im Bett, starrte an die Decke, lauschte den Schritten im Haus, den von den Wänden gedämpften Stimmen und den Regenschauern vorm

Fenster. Kaum war sie endlich eingeschlafen, wurde sie durch lautes Rufen aufgeweckt. Stimmen, unten im Erdgeschoss, scharf und zornig. Mariam verstand kein Wort. Jemand knallte eine Tür zu.

Am nächsten Morgen kam Mullah Faizullah zu Besuch. Als Mariam ihren Vertrauten mit dem weißen Bart und dem freundlichen zahnlosen Lächeln in der Tür sah, traten ihr wieder Tränen in die Augen. Sie schwang ihre Beine über die Bettkante und eilte auf ihn zu, küsste wie immer seine Hand und bekam wie immer von ihm einen Kuss auf die Stirn. Sie rückte ihm einen Stuhl zurecht.

Er zeigte ihr den Koran, den er für sie mitgebracht hatte, und schlug ihn auf. »Ich dachte mir, es gibt eigentlich keinen Grund dafür, dass wir unseren Unterricht nicht fortsetzen sollten, oder?«

»Sie wissen doch, dass ich keinen Unterricht mehr brauche, Mullah *sahib*. Sie haben mir schon vor Jahren alle Suren und Ayat aus dem Koran beigebracht.«

Er lächelte und hob die Hände, als gäbe er sich geschlagen. »Dann bin ich wohl überführt. Aber ich könnte mir schlechtere Vorwände für einen Besuch bei dir vorstellen.«

»Dazu brauchen Sie keinen Vorwand. Sie nicht.«

»Das ist lieb von dir gesagt, Mariam *jo*.«

Er reichte ihr das Buch, damit sie es, wie er es ihr beigebracht hatte, dreimal küsste und zwischen jedem Kuss zur Stirn führte. Dann gab sie es ihm zurück.

»Wie geht es dir, mein Mädchen?«

»Ich muss …« Sie stockte. Ihre Kehle war wie zugeschnürt. »Ich muss immer wieder an das denken, was sie gesagt hat, bevor ich gegangen bin. Sie …«

»Na, na, na.« Mullah Faizullah legte ihr eine Hand aufs Knie. »Deine Mutter, möge Allah ihr verzeihen, war eine unglückliche Frau voller Probleme, Mariam *jo*. Was sie getan hat, ist schrecklich. Sich selbst und dir gegenüber und nicht zuletzt auch gegenüber Allah. Er wird ihr verzeihen, denn Er ist der Allesvergebende. Aber Er ist auch traurig, denn es gefällt Ihm nicht, dass sich jemand am Leben vergreift, ob am eigenen oder dem eines anderen. Er sagt, das Leben ist heilig. Siehst du …« Er rückte mit dem Stuhl näher an sie heran und umfasste ihre beiden Hände. »Siehst du, ich kannte deine Mutter schon, bevor du zur Welt gekommen bist, und schon damals war sie sehr unglücklich. Ich fürchte, die Ursache für das, was sie getan hat, liegt weit zurück. Damit will ich sagen, dass es nicht deine Schuld war. Es war nicht deine Schuld, mein Mädchen.«

»Ich hätte sie nicht verlassen dürfen. Ich hätte …«

»Hör auf damit. Solche Gedanken führen zu nichts, Mariam *jo*. Hörst du? Sie quälen dich nur. Es war nicht deine Schuld. Es war nicht deine Schuld. Nein.«

Mariam schniefte und nickte, doch sosehr sie es auch wünschte, sie konnte seinen Worten nicht glauben.

Eines Nachmittags, eine Woche später, klopfte es an der Tür, und eine große Frau trat ein. Sie hatte eine helle Haut, rötliches Haar und lange Finger.

»Ich bin Afsoon«, sagte sie, »Niloufars Mutter. Warum wäschst du dich nicht, Mariam, und kommst nach unten?«

Mariam antwortete, dass sie lieber in ihrem Zimmer bleibe.

»Nein, *na fahmidi*, du verstehst falsch. Du *musst* nach unten kommen. Wir haben mit dir zu reden. Es ist wichtig.«

7

Jalil und seine Frauen saßen ihr an einem langen dunkelbraunen Tisch gegenüber. Zwischen ihnen, in der Mitte des Tisches, standen eine Kristallvase mit frischen Ringelblumen und eine mit Wasser gefüllte Karaffe, von der Tropfen perlten. Afsoon, die rothaarige Frau, die sich ihr als Niloufars Mutter vorgestellt hatte, saß rechts von Jalil, die beiden anderen, Khadija und Nargis, links. Alle drei trugen einen dünnen schwarzen Schal, nicht etwa über dem Kopf, sondern lose im Nacken, wie einen nachträglichen Einfall. Mariam konnte sich nicht vorstellen, dass sie um Nana trauerten, und glaubte vielmehr, dass eine von ihnen oder vielleicht auch Jalil vorgeschlagen hatte, für das anstehende Gespräch mit der Hinterbliebenen etwas Schwarzes anzulegen.

Afsoon schüttete Wasser aus der Karaffe in ein Glas und stellte es vor Mariam auf einen kariert gemusterten Untersetzer. »Erst Frühling und schon so warm«, sagte sie und fächelte sich mit der Hand Luft zu.

»Hast du alles, was du brauchst?«, fragte Nargis, die ein kleines Kinn und schwarzes lockiges Haar hatte. »Wir hoffen, dass es dir hier gut ergangen ist. Die letzte Zeit muss hart für dich gewesen sein, sehr hart.«

Die beiden anderen nickten. Mariam betrachtete ihre Augenbrauen, das dünne tolerante Lächeln, das sie ihr schenkten. Ein ungutes Gefühl machte sich in ihr breit. Ihre Kehle brannte. Sie trank einen Schluck Wasser.

Im großen Fenster hinter Jalil sah Mariam eine Reihe blühender Birnbäume. Vor der Wand neben dem Fenster befand sich eine Vitrine aus dunklem Holz. Darauf standen eine Uhr und eine gerahmte Fotografie von Jalil und drei Jungen, die einen Fisch präsentierten. In den Schuppen des Fisches glitzerte Sonnenlicht. Jalil und die Jungen lachten.

»Nun«, hob Afsoon an, »ich, das heißt, wir haben dich gerufen, weil wir dir sehr gute Nachrichten mitzuteilen haben.«

Mariam blickte auf.

Sie sah, wie die Frauen Blicke tauschten, über Jalil hinweg, der auf die Karaffe starrte. Es war Khadija, die älteste der drei, die nun die Augen auf sie richtete, und Mariam ahnte, dass auch dies im Voraus abgesprochen worden war.

»Du hast einen Bewerber«, sagte Khadija.

Mariam glaubte nicht richtig zu hören. »Einen was?«, fragte sie und bekam die Lippen kaum auseinander.

»Einen *khastegar*. Einen Bewerber. Sein Name ist Raschid«, fuhr Khadija fort. »Er ist der Freund eines Geschäftspartners deines Vaters, ein Paschtune. Er stammt aus Kandahar, lebt aber jetzt in Kabul, im Bezirk Deh-Mazang. Dort gehört ihm ein zweigeschossiges Haus.«

Afsoon nickte. »Und er spricht Farsi, wie wir, wie du. Du müsstest also kein Paschto lernen.«

Mariam spürte, wie sich ihr die Brust zuschnürte. Vor ihren Augen geriet alles in Bewegung, der Boden unter ihren Füßen drohte wegzukippen.

»Er ist ein Schuhmacher«, sagte jetzt Khadija. »Nicht etwa ein gewöhnlicher *moochi* am Straßenrand, nein, nein. Er hat sein eigenes Geschäft und ist einer der renommiertesten Schuhmacher von ganz Kabul. Bei ihm bestellen Diplomaten, die Mitglieder der Präsidentenfamilie, hoch angesehene Leute. Kein Zweifel, er wird gut für dich sorgen können.«

Mariam fixierte Jalil. Das Herz schlug ihr bis zum Hals. »Ist das wahr? Stimmt es, was sie sagen?«

Jalil aber wich ihrem Blick aus. Er knabberte an der Unterlippe und starrte auf die Karaffe.

»Zugegeben, er ist ein wenig älter als du«, erklärte Afsoon, »dürfte aber nicht älter als … vierzig sein. Höchstens fünfundvierzig. Was meinst du, Nargis?«

»Ja. Aber wir wissen ja alle, dass schon neunjährige Mädchen mit noch viel älteren Männern verheiratet werden. So etwas kommt vor. Wie alt bist du jetzt? Fünfzehn? Na also, genau das richtige Heiratsalter für ein Mädchen.« Die beiden anderen Frauen nickten zustimmend. Es entging Mariam nicht, dass ihre beiden Halbschwestern Saideh und Naheed mit keinem Wort erwähnt wurden; sie waren beide in Mariams Alter, besuchten die Mehri-Schule in Herat und hatten die Absicht, an der Universität von Kabul zu studieren. Mit ihren fünfzehn Jahren waren sie offenbar noch nicht im richtigen Heiratsalter für Mädchen.

»Übrigens hat auch er einen großen Verlust erleiden müssen«, sagte Nargis. »Seine Frau ist vor zehn Jahren im Kindbett gestorben. Und vor drei Jahren ertrank sein Sohn in einem See.«

»Wirklich traurig. Er sucht seit mehreren Jahren eine Frau für sich, hat aber bislang keine passende gefunden.«

»Ich will nicht«, sagte Mariam mit Blick auf Jalil. »Ich will das nicht. Zwingt mich bitte nicht.« Sie schämte sich für den weinerlichen, flehentlichen Klang ihrer Stimme, konnte daran aber nichts ändern.

»Sei vernünftig, Mariam«, sagte eine der Frauen. Mariam achtete nicht mehr darauf, welche der drei mit ihr sprach. Sie war nur noch auf Jalil fixiert und wartete darauf, dass er das Wort ergriff, dass er sagte, das Ganze sei nur ein Scherz.

»Du kannst nicht den Rest deines Lebens hier verbringen.«

»Willst du denn nicht selbst eine Familie gründen?«

»Ja, eigene Kinder und ein Zuhause haben?«

»Du musst etwas machen aus deinem Leben.«

»Nun ja, es wäre dir bestimmt lieber, einen Hiesigen zu heiraten, einen Tajik, aber Raschid ist gesund und interessiert an dir. Er hat ein Haus und einen Beruf. Darauf kommt's doch an, oder etwa nicht? Und Kabul ist eine schöne, aufregende Stadt. Eine solche Gelegenheit wird sich dir womöglich kein zweites Mal bieten.«

Mariam richtete ihre Aufmerksamkeit wieder auf die Frauen.

»Ich werde mit Mullah Faizullah zusammenleben«, sagte sie. »Er wird mich bei sich aufnehmen. Ich weiß es.«

»Das ist keine gute Idee«, sagte Khadija. »Er ist alt und …« Sie suchte nach einer treffenden Formulierung, doch Mariam hatte längst begriffen, worum es ging. *Eine solche Gelegenheit wird sich dir womöglich kein zweites Mal bieten.* Und Ähnliches galt für die drei Frauen. Ihnen bot sich die Gelegenheit, die Schande, die Mariams Geburt über sie gebracht hatte, ein für alle Mal zu tilgen, den skandalösen Fehltritt ihres Mannes vergessen zu machen. Sie, Mariam, sollte weggeschickt werden, weil sie der lebende Beweis ihrer Schande war.

»Er ist alt und schwach«, sagte Khadija schließlich. »Was willst du tun, wenn er nicht mehr ist? Du wärst seiner Familie bloß eine Bürde.«

So wie du uns eine bist. Mariam konnte die unausgesprochenen Worte vor Khadijas Lippen buchstäblich aufsteigen sehen wie Atemluft an kalten Tagen.

Mariam stellte sich ein Leben in Kabul vor, in der großen, fremden, übervölkerten Stadt, die, wie Jalil ihr einmal erklärt hatte, rund sechshundertfünfzig Kilometer entfernt im Osten von Herat lag. Sechshundertfünfzig Kilometer. Die zwei Kilometer von der *kolba* bis zu Jalils Haus waren die längste Strecke, die sie jemals zurückgelegt hatte. In Gedanken versetzte sie sich ans andere Ende dieser fast unvorstellbar weiten Entfernung, in das Haus eines Fremden, der nach Lust und Laune über sie verfügen könnte. Sie würde für diesen Raschid putzen, kochen und waschen müssen, und nicht nur das – von Nana wusste sie, was Ehemänner sonst noch von ihren Frauen verlangten. Und gerade dies stellte sie sich so entsetzlich vor, dass ihr vor Angst und Schrecken der Schweiß ausbrach.

Wieder wandte sie sich an Jalil. »Sag ihnen, dass sie so etwas nicht mit mir machen dürfen, dass du das nicht zulässt.«

»Dein Vater hat Raschid schon sein Wort gegeben«, sagte Afsoon. »Raschid ist hier, in Herat, von Kabul angereist. Morgen früh wird die *nikka* sein, und gegen Mittag fahrt ihr mit dem Bus nach Kabul.«

»Sag's ihnen!«, platzte es aus Mariam heraus.

Die Frauen waren jetzt still. Mariam bemerkte, dass auch sie ihn beobachteten. Das Schweigen lastete schwer. Jalil befingerte seinen Ehering. Er wirkte gequält und hilflos. Die Uhr auf der Vitrine tickte.

»Jalil *jo*«, sagte schließlich eine der Frauen.

Langsam hob Jalil den Kopf. Er schaute Mariam in die Augen, wich ihrem Blick aber bald wieder aus. Er öffnete den Mund, doch alles, was er hervorbrachte, war ein schmerzliches Seufzen.

»Sag etwas«, forderte Mariam ihn auf.

Und das tat Jalil dann, mit dünner, bemühter Stimme. »Verdammt noch mal, Mariam, mach es mir doch nicht so schwer«, sagte er, als wäre er der Leidtragende.

Mariam spürte, wie sich plötzlich alle Spannung am Tisch auflöste.

Jalils Frauen sprachen Mariam wortreich und jetzt mit fast heiterer Miene Mut zu. Sie selbst hatte den Blick gesenkt und musterte die schlanken Tischbeine, die gerundeten Kanten der Platte, den spiegelnden Glanz der polierten dunkelbraunen Oberfläche. Ihr fiel auf, dass, sooft sie ausatmete, die Oberfläche sich eintrübte und ihr Abbild darauf verschwand.

Afsoon geleitete sie zurück in ihr Zimmer. Als Afsoon die Tür zugezogen hatte, hörte Mariam, wie von außen ein Schlüssel im Schloss herumgedreht wurde.

8

Am nächsten Morgen wurden ihr ein dunkelgrünes Kleid mit langen Ärmeln und eine weiße Hose zum Anziehen gegeben. Afsoon reichte ihr eine grüne *hijab* und farblich dazu passende Sandalen.

Man führte sie in das Zimmer mit dem langen braunen Tisch zurück. Darauf befanden sich jetzt eine Schale mit gebrannten Mandeln, ein Koran-Buch, ein grüner Schleier und ein Spiegel. Zwei Männer, die Mariam nie zuvor gesehen hatte – Trauzeugen, wie sie vermutete –, und ein Mullah, den sie ebenfalls nicht kannte, saßen bereits am Tisch.

Jalil wies ihr einen Platz zu. Er trug einen hellbraunen Anzug und eine rote Krawatte. Seine Haare waren frisch gewaschen. Als er den Stuhl für sie zurechtrückte, lächelte er ihr aufmunternd zu. Khadija und Afsoon setzten sich an den Tisch, diesmal auf Mariams Seite.

Auf ein Zeichen des Mullahs hin nahm Nargis den Schleier und drapierte ihn um Mariams Kopf, bevor sie selbst Platz nahm. Mariam betrachtete ihre Hände.

»Du kannst ihn jetzt hereinbitten«, forderte Jalil jemanden auf.

Bevor Mariam ihn sehen konnte, nahm sie seinen Geruch wahr, ein süßliches, aufdringliches Rasierwasser, vermischt mit kaltem Zigarettenrauch. Durch den Schleier sah sie am Rand ihres Blickfeldes einen kleinen Mann mit rundem Bauch und breiten Schultern in der Tür stehen. Sein Anblick hätte sie fast laut aufschreien lassen. Schnell senkte sie den Blick wieder. Ihr Herz pochte wie wild. Sie spürte ihn in der Tür verweilen und hörte dann, wie er sich mit langsamen, schwerfälligen Bewegungen näherte. Keuchend ließ er sich auf einem Stuhl neben ihr nieder. Er atmete geräuschvoll.

Der Mullah hieß ihn willkommen und sagte, dass die nun zu feiernde *nikka* von der traditionellen Form abweichen werde.

»Wenn ich richtig verstanden habe, wird der Bus nach Kabul schon bald abfahren. Weil also die Zeit drängt, empfiehlt es sich, den Ablauf zu verkürzen.«

Der Mullah zitierte ein paar Segenssprüche, sagte einige Worte zur Bedeutung der Ehe und fragte Jalil, ob er Einwände gegen diese Verbindung habe. Jalil schüttelte den Kopf. Daraufhin fragte der Mullah den Bräutigam, ob er wahrhaftig wünsche, die Ehe mit Mariam einzugehen. Raschid sagte: »Ja.« Seine Stimme erinnerte Mariam an das Geräusch trockener Laubblätter, die unter Füßen zertreten werden.

»Und willst du, Mariam *jan*, diesen Mann als deinen Gatten annehmen?«

Mariam schwieg. Jemand räusperte sich.

»Sie will«, sagte eine Frauenstimme.

»Das muss sie schon selbst sagen«, bemerkte der Mullah. »Und zwar erst nachdem ich dreimal gefragt habe. Schließlich wirbt er um sie und nicht umgekehrt.«

Er stellte die Frage zwei weitere Male. Als Mariam auch dann nicht antwortete, wiederholte er die Frage, nachdrücklicher diesmal. Mariam spürte, wie Jalil auf seinem Stuhl unruhig wurde und mit den Füßen scharrte. Wieder räusperte sich jemand. Eine kleine weiße Hand fuhr über den Tisch und wischte ein Staubkörnchen weg.

»Mariam«, flüsterte Jalil.

»Ja«, sagte sie kleinlaut.

Der Spiegel wurde ihr unter den Schleier gehalten. Mariam sah ihr Gesicht darin, die Augenbrauen, denen es an Schwung mangelte, das spröde Haar, die viel zu eng stehenden, freudlosen Augen, von denen man annehmen mochte, dass sie schielten. Sie fand ihre Stirn zu breit, das Kinn zu schmal, die Lippen zu dünn. Ihr Gesicht war ein in die Länge gezogenes Dreieck, fast wie das eines Hundes. Und doch, trotz all dieser wenig vorteilhaften Merkmale, erkannte Mariam, dass sie nicht unansehnlich war.

Im Spiegel erhaschte Mariam dann auch einen ersten Blick von Raschid: das kantige, grobschlächtige Gesicht, die gebogene Nase, gerötete Wangen, die den Eindruck durchtriebener Heiterkeit vermittelten; wässrige, gerötete Augen; Schneidezähne, die wie ein Dachgiebel gespreizt waren; der unglaublich tiefe Haaransatz, kaum zwei Fingerbreit über den buschigen Augenbrauen; das dichte, krause, graumelierte Haar.

Für einen kurzen Moment trafen sich ihre Blicke im Spiegel.

Das Gesicht meines Mannes, dachte Mariam.

Sie tauschten die schmalen Goldringe, die Raschid aus seiner Jackentasche gefischt hatte. Seine Fingernägel waren gelblich braun wie das Innere eines faulen Apfels und an den Rändern leicht nach oben gebogen. Mit zitternden Händen versuchte Mariam, den Ring über seinen Finger zu schieben. Er musste ihr dabei helfen. Der für sie bestimmte Ring war ein wenig zu eng, doch hatte Raschid wenig Mühe, ihn über ihre Knöchel zu zwingen.

»Da«, sagte er.

»Ein schöner Ring«, sagte eine der Frauen. »Sehr hübsch, Mariam.«

»Jetzt wäre nur noch der Ehevertrag zu unterzeichnen«, erklärte der Mullah.

Unter aller Augen buchstabierte Mariam ihren Namen – *meem, reh, ya, meem.* Als sie ein zweites Mal ihren Namen unter ein Dokument setzen sollte, siebenundzwanzig Jahre später, war wieder ein Mullah anwesend.

»Ihr seid nun Mann und Frau«, sagte der Mullah. »*Tabreek.* Glückwunsch.«

Raschid saß schon in dem bunt bemalten Bus. Mariam stand mit Jalil neben der hinteren Stoßstange und sah von ihrem Mann nur den Zigarettenrauch, der durch das geöffnete Fenster aufstieg. Ringsum wurden Hände geschüttelt und Abschiedsgrüße ausgetauscht, Koran-Bücher geküsst und weitergereicht. Barfüßige Jungen sprangen umher, die Gesichter verdeckt von Holzplatten, auf denen sie den Reisenden Kaugummis und Zigaretten zum Verkauf anboten.

Jalil legte Wert auf die Feststellung, Kabul sei eine so schöne Stadt, dass der Großmogul Babur darum gebeten hatte, dort bestattet zu werden. Mariam wusste schon im Voraus, dass er auch auf die Gärten Kabuls zu sprechen käme, auf die Geschäfte, die vielen Bäume und die frische Luft, und dann, wenn sie im Bus säße, würde er noch winkend ein paar Schritte nebenherlaufen, heiter, unbeschadet und erleichtert.

Dazu wollte es Mariam nicht kommen lassen.

»Ich habe dich verehrt«, sagte sie und unterbrach ihn mitten im Satz.

Jalil verschränkte die Arme vor der Brust und ließ sie wieder herabfallen. Ein junges Hindi-Paar drängte sich zwischen sie; die Frau trug einen Säugling im Arm, der Mann schleppte einen Koffer. Jalil schien dankbar für die Störung zu sein. Die beiden entschuldigten sich, und er lächelte höflich.

»Donnerstags habe ich stundenlang auf dich gewartet und mir Sorgen gemacht, dass du womöglich nicht kommen könntest.«

»Du hast eine lange Fahrt vor dir und solltest etwas essen.« Er sagte, er könne ihr Brot und Ziegenkäse kaufen.

»Ich habe ständig an dich gedacht. Ich habe gebetet, dass du hundert Jahre leben mögest, und nie für möglich gehalten, dass du dich meinetwegen schämst.«

Jalil senkte den Blick und kratzte wie ein verlegenes Kind mit der Schuhspitze über den Boden.

»Du schämst dich meinetwegen.«

»Ich werde dich besuchen«, stammelte er. »Ich werde nach Kabul kommen, um dich zu sehen. Wir könnten dann ...«

»Nein. Nein«, sagte sie. »Komm nicht. Ich will dich nicht sehen. Bleib, wo du bist. Ich will auch nichts mehr von dir hören. Nie mehr.«

Er wirkte verletzt.

»Zwischen uns ist es hier und jetzt vorbei. Sag mir Lebwohl.«

»Du kannst doch so nicht gehen«, sagte er mit dünner Stimme.

»Du hattest nicht einmal den Anstand, mir Zeit zu lassen, mich von Mullah Faizullah zu verabschieden.«

Sie drehte sich um und ging auf die Bustür zu. Sie hörte, dass er ihr folgte. Er war hinter ihr, als sie einstieg.

»Mariam *jo*.«

Den Blick stur nach vorn gerichtet, folgte sie dem Mittelgang zu den beiden Plätzen, von denen Raschid einen bereits besetzt hatte, ihren Koffer zwischen den Beinen. Sie schaute nicht hin, als Jalil beide Hände an die Glasscheibe presste und klopfend auf sich aufmerksam zu machen versuchte. Auch als der Bus anfuhr, achtete sie nicht darauf, dass er im Laufschritt folgte; und als der Bus Fahrt aufgenommen hatte, schaute sie nicht zurück, um ihn in der Wolke aus Abgas und Staub verschwinden zu sehen.

Raschid, der mit seinem breiten Gesäß auch noch die Hälfte ihres Platzes in Anspruch nahm, legte seine plumpe Hand auf ihre Hände.

»Tja, Mädchen, tja«, sagte er und blickte dabei zum Fenster hinaus, wo er Interessanteres zu vermuten schien.

9

Am frühen Abend des folgenden Tages erreichten sie Raschids Haus.

»Wir sind hier in Deh-Mazang«, sagte er. Er hatte ihren Koffer in der einen Hand und schloss mit der anderen das hölzerne Außentor auf. »Im Südwesten der Stadt. Der Zoo ist ganz in der Nähe, genau wie die Universität.«

Mariam nickte. Das wusste sie bereits. Sie konnte ihn zwar verstehen, musste aber genau hinhören, wenn er sprach, denn sein Farsi hatte einen für sie fremden Kabuli-Akzent mit Nachklängen seiner Muttersprache Paschto. Er hingegen schien keinerlei Probleme mit ihrem Herati-Farsi zu haben.

Mariam warf einen kurzen Blick über die enge, unbefestigte Straße. Die Häuser standen dicht gedrängt, Wand an Wand. Kleine ummauerte Vorhöfe schirmten sie von der Straße ab. Die meisten Häuser hatten Flachdächer und waren aus gebrannten Ziegeln gemauert; manche bestanden aus Lehm und waren so staubgrau wie die Berge, die die Stadt umringten. Auf beiden Seiten der Straße verlief am Rand des Gehwegs eine Abflussrinne voll schlammigen Wassers. Hier und da hatte der Wind Abfallreste zu kleinen Haufen zusammengefegt. Raschids Haus hatte zwei Etagen; es war, wie Mariam sehen konnte, früher einmal blau gewesen.

Als Raschid das Außentor geöffnet hatte, blickte Mariam in einen kleinen ungepflegten Vorhof, wo gelbes Gras in schütteren Büscheln vor sich hin kümmerte. Rechter Hand war in einer Seitennische die Außentoilette untergebracht, links befand sich ein Brunnen mit Handpumpe, davor eine Reihe sterbender Bäumchen. Vor einem Werkzeugschuppen in der Ecke lehnte ein Fahrrad.

»Von deinem Vater weiß ich, dass du Fisch magst«, sagte Raschid, als sie auf das Haus zugingen. Einen Hinterhof gab es nicht, wie Mariam bemerkte. »Im Norden gibt es Täler mit Flüssen, in denen es von Fischen nur so wimmelt. Vielleicht fahren wir eines Tages mal dorthin.«

Er schloss die Haustür auf und ließ sie eintreten.

Raschids Haus war sehr viel kleiner als das von Jalil, aber verglichen mit der *kolba* geradezu eine Villa. Im Parterre gab es einen Vorraum, ein Wohnzimmer und eine Küche, wo er ihr die Töpfe und Pfannen, einen Schnellkochtopf und einen *ishtop* zeigte, der mit Petroleum betrieben wurde. Im Wohnzimmer stand eine pistaziengrüne Ledercouch. Ein Riss entlang der Längsseite war ungeschickt vernäht worden. Die Wände waren kahl. Es gab einen Tisch, zwei Korbsessel, zwei Klappstühle und in der Ecke einen schwarzen gusseisernen Ofen.

Mariam stand mitten im Wohnzimmer und schaute sich um. In der *kolba* hatte sie die Decke mit den Fingerspitzen erreichen können. Auf der Pritsche liegend, hatte sie am Einfallswinkel der Sonnenstrahlen die Zeit abzulesen vermocht. Sie hatte gewusst, wie weit sich die Tür öffnen ließ, bevor sie zu knarren anfing. In den dreißig Dielenbrettern kannte sie jeden Splitter und jeden Riss. Hier hingegen gab es nichts Vertrautes. Nana war tot, und sie, Mariam, war nun hier, in einer fremden Stadt, von Tälern, schneebedeckten Bergen und Wüsten getrennt von dem Leben, das sie kannte. Sie war in dem Haus eines Fremden. Mit verschiedenen Zimmern, dem Geruch kalten Tabaks, mit unbekannten Schränken voll unbekannter Gegenstände, mit schweren, dunkelgrünen Vorhängen und einer Decke, die sie nicht erreichen konnte. Mariam glaubte, ersticken zu müssen. Schmerzhaft sehnte sie sich nach Nana, nach Mullah Faizullah, nach ihrem alten Leben.

Dann fing sie zu weinen an.

»Was soll das?«, fragte Raschid ungehalten. Er griff in die Hosentasche, öffnete Mariams Finger und schob ihr ein Taschentuch in die Hand. Sich selbst steckte er eine Zigarette an, lehnte sich an die Wand und betrachtete Mariam, die das Taschentuch auf die Augen drückte.

»Fertig?«

Mariam nickte.

»Sicher?«

»Ja.«

Daraufhin fasste er sie beim Ellbogen und führte sie ans Fenster des Wohnzimmers.

»Der Blick geht nach Norden«, erklärte er und tippte mit dem krummen Zeigefingernagel auf die Scheibe. »Der Berg vor uns ist der Asmai, siehst du, und links davon der Berg Ali Abad. An seinem Fuß liegt die Universität. Hinter uns, im Osten und von hier aus nicht zu sehen, ist der Berg Shir Darwaza. Von dort wird an jedem Tag zur Mittagszeit ein Kanonenböller abgefeuert. Hör jetzt auf zu weinen. Ich mein's ernst.«

Mariam betupfte sich die Augen.

»Das ist etwas, was ich nicht ausstehen kann«, knurrte er. »Heulende Frauen. Tut mir leid, dafür fehlt's mir an Geduld.«

»Ich will nach Hause«, sagte Mariam.

Raschid schnaubte gereizt. Ein Schwall von Nikotingestank schlug Mariam entgegen. »Ich will's mal nicht persönlich nehmen. Diesmal nicht.«

Wieder fasste er sie beim Ellbogen und führte sie nach oben.

Von dem engen, düsteren Flur gingen zwei Schlafzimmer ab. Die Tür zum größeren Zimmer stand offen. Mariam blickte in einen Raum, der wie alle anderen Räume spärlich möbliert war: mit einem Bett, auf dem eine braune Decke und ein Kissen lagen, einem Kleiderschrank und einer Kommode. Von einem kleinen Spiegel abgesehen, waren die Wände kahl. Raschid zog die Tür zu.

»Das ist mein Zimmer.«

Er sagte, sie werde im Gästezimmer schlafen. »Du hast hoffentlich nichts dagegen. Ich bin daran gewöhnt, allein zu schlafen.«

Mariam verzichtete darauf, ihm zu sagen, wie erleichtert sie zumindest in dieser Hinsicht war.

Der für sie bestimmte Raum war sehr viel kleiner als das Zimmer, in dem sie bei Jalil gewohnt hatte. Es war mit einem Bett, einer alten graubraunen Kommode und einem kleinen Schrank eingerichtet. Durch das Fenster sah man in den Vorhof und die Straße dahinter. Raschid stellte ihren Koffer in einer Ecke ab.

Mariam setzte sich aufs Bett.

»Ist dir nichts aufgefallen?«, fragte er. Er stand in der Tür, den Kopf eingezogen, um unter den Sturz zu passen. »Da, auf dem Fensterbrett. Weißt du, was das für welche sind? Ich hab sie dahin gestellt, bevor ich nach Herat aufgebrochen bin.«

Erst jetzt sah Mariam einen kleinen Korb auf dem Fensterbrett. Über den Rand hingen weiße Nachthyazinthen.

»Magst du sie? Gefallen sie dir?«

»Ja.«

»Dann kannst du dich ruhig dafür bedanken.«

»Danke. Es tut mir leid. *Tashakor* …«

»Du zitterst ja. Vielleicht habe ich dir Angst gemacht. Hab ich dir Angst gemacht? Fürchtest du dich vor mir?«

Mariam sah ihn nicht an, hörte aber aus seinen Fragen heraus, wie sich Stichelei und Häme anfühlte. Sie schüttelte den Kopf und war sich darüber im Klaren, dass sie damit zum ersten Mal in ihrer Ehe gelogen hatte.

»Nein? Dann ist es gut. Gut für dich. Das ist jetzt dein Zuhause. Es wird dir gefallen. Du wirst sehen. Habe ich dir gesagt, dass wir elektrisches Licht haben? An den meisten Tagen und jede Nacht.«

Er machte Anstalten zu gehen, blieb aber noch mal stehen, zog an seiner Zigarette und blinzelte durch den Rauch, der ihm in die Augen stieg. Mariam glaubte, dass er noch etwas sagen wollte, es aber dann doch nicht tat. Er zog die Tür hinter sich zu und ließ sie mit ihrem Koffer und den Blumen allein.

10

In den ersten Tagen blieb Mariam meist auf ihrem Zimmer. Morgens wurde sie von dem aus der Ferne tönenden *athan* geweckt, dem Aufruf zum Gebet. Danach ging sie wieder ins Bett. Sie hörte Raschid im Haus hantieren und schließlich die Treppe heraufkommen, um nach ihr zu sehen, bevor er sich auf den Weg in sein Geschäft machte. Vom Fenster aus sah sie, wie er im Hof die Brotbüchse auf dem Gepäckträger seines Fahrrads befestigte, es dann auf die Straße schob und in die Pedale trat. In einer Kurve am Ende der Straße sah sie seine stämmige Gestalt verschwinden.

Fast den ganzen Tag blieb Mariam im Bett liegen; sie fühlte sich einsam und verloren. Einmal ging sie hinunter in die Küche und fuhr mit der Hand über die klebrige, fettfleckige Anrichte und die geblümten Kunststoffvorhänge, die nach Verbranntem rochen. In den schwergängigen Schubladen fand sie ein Sammelsurium an abgenutzten Löffeln, Messern und Pfannenwendern, Gebrauchsgegenständen ihres neuen Alltags, die ihr die Trostlosigkeit ihres Schicksals vor Augen führten und ihr das Gefühl gaben, entwurzelt, vertrieben und fehl am Platz zu sein.

In der *kolba* war darauf Verlass gewesen, dass sich irgendwann der Hunger meldete. Hier ging ihr jeder Appetit verloren. Manchmal nahm sie einen Teller mit übrig gebliebenem weißem Reis und einem Stück Brot und setzte sich damit ans Fenster des Wohnzimmers. Von dort hatte sie einen Blick auf die eingeschossigen Häuser der Straße mit ihren Höfen, wo Frauen Wäsche zum Trocknen aufhängten und Kinder spielten, Hühner im Staub pickten, Schaufeln und Spaten herumlagen und Kühe, an Bäume gebunden, wiederkäuten.

Sehnsüchtig erinnerte sie sich an die Sommernächte, in denen sie mit Nana auf dem Flachdach der *kolba* geschlafen hatte, wenn der Mond über Gul Daman glühte und die Luft so heiß war, dass die Kleider an der Brust klebten wie nasses Laub an einer Fensterscheibe. Sie dachte an die mit Mullah Faizullah verbrachten Nachmittage im Winter, an das Klirren der Eiszapfen, wenn sie von den Bäumen aufs Dach fielen, an das Krächzen der Krähen auf verschneiten Zweigen.

Von Unruhe getrieben, irrte sie durchs Haus, von der Küche ins Wohnzimmer, über die Treppe nach oben und wieder hinunter. Am Ende war sie wieder in ihrem Zimmer, verrichtete ihre Gebete oder hockte auf dem Bett, niedergeschlagen und krank vor Heimweh.

Je weiter die Sonne in den Westen vorrückte, desto unruhiger wurde sie. Sie schüttelte sich vor Grauen, wenn sie daran dachte, dass Raschid irgendwann beschließen würde, mit ihr die Ehe zu vollziehen. Während er unten allein am Tisch saß, lag sie auf ihrem Bett und zitterte vor Angst.

Er machte immer vor ihrem Zimmer Halt und steckte den Kopf zur Tür herein.

»Du wirst doch nicht schon schlafen. Es ist erst sieben. Bist du wach? Antworte. Los jetzt.«

Er gab erst Ruhe, wenn sich Mariam aus ihrem dunklen Winkel meldete.

Dann ließ er sich auf dem Boden nieder und blieb eine Weile in der Tür sitzen. Vom Bett aus sah Mariam seinen breiten Rumpf, die langen Beine und unscharf das hakennasige Profil hinter aufsteigenden Rauchschlieren, während der Leuchtpunkt der Zigarettenglut immer wieder für einen Moment heller wurde.

Er berichtete ihr von seinem Tag. Für den stellvertretenden Außenminister, der, wie Raschid sagte, alle seine Schuhe von ihm bezog, hatte er ein paar Slipper maßangefertigt. Ein polnischer Diplomat und seine Frau hatten Sandalen in Auftrag gegeben. Er erzählte ihr von den abergläubischen Vorstellungen, die manche Leute mit Schuhen in Verbindung brachten: Schuhe im Bett anzuziehen würde einen Todesfall in der Familie heraufbeschwören, und dem, der zuerst in den linken Schuh schlüpfe, drohe Streit.

»Es sei denn, so etwas passiert unbeabsichtigt an einem Freitag«, fügte er hinzu. »Und wusstest du, dass es angeblich ein schlechtes Zeichen ist, wenn man Schuhe zusammenbindet und sie an einen Nagel hängt?«

Raschid selbst glaubte nichts von alledem. Aberglaube war seiner Meinung nach typisch für Frauen.

Auf der Straße hatte er gehört, dass der amerikanische Präsident Richard Nixon wegen eines Skandals von seinem Amt zurückgetreten sei.

Mariam wusste nichts von einem Präsidenten namens Nixon, geschweige denn von dem Skandal, der ihn zum Rücktritt gezwungen hatte, verzichtete aber auf jeden Kommentar. Nervös wartete sie darauf, dass Raschid endlich zu reden aufhörte, seine Zigarette ausdrückte und sie in Ruhe ließ. Erst wenn sie ihn gehen und seine Zimmertür öffnen und schließen hörte, löste sich die Anspannung in ihr.

Dann, eines Abends, blieb er, nachdem er die Zigarette ausgedrückt hatte, im Türrahmen stehen, deutete mit einer Kopfbewegung auf ihren Koffer und sagte: »Wirst du das Ding jemals auspacken?« Er verschränkte die Arme über der Brust. »Ich war darauf eingestellt, dass du ein wenig Zeit brauchst. Aber das ist absurd. Du bist jetzt eine Woche hier und … Kurz und gut, ich erwarte, dass du dich ab morgen wie eine Ehefrau aufführst. *Fahmidi?* Haben wir uns verstanden?«

Mariams Zähne fingen an zu klappern.

»Ich will eine Antwort hören.«

»Ja.«

»Gut«, sagte er. »Was stellst du dir eigentlich vor? Glaubst du etwa, hier in einem Hotel untergebracht zu sein? Hältst du mich für eine Art Gastwirt? Nun, es … Oh. Oh. *La illah u ilillah.* Was habe ich dir gesagt zum Thema weinende Frauen? Mariam. Was habe ich dazu gesagt?«

Als am nächsten Morgen Raschid zur Arbeit aufgebrochen war, packte Mariam den Koffer aus und verstaute ihre Sachen in der

Kommode. Danach schöpfte sie Wasser aus dem Brunnen und putzte die Fenster in ihrem Schlafzimmer und im Wohnzimmer. Sie fegte die Böden und entfernte das Spinnengewebe aus den Ecken. Um das Haus zu lüften, sperrte sie sämtliche Fenster auf.

In einem Topf weichte sie drei Tassen Linsen ein, schnitt einige Möhren und zwei Kartoffeln klein und gab sie dazu. Sie suchte nach Mehl und fand es in einem der Schränke hinter einer Reihe verschmierter Gewürzdosen. Dann knetete sie einen Teig, wie es ihr von Nana beigebracht worden war, walkte ihn mit den Handballen aus, faltete den Fladen zusammen, drehte ihn um und walkte ihn wieder aus. Als sie damit fertig war, stäubte sie den Teig mit Mehl ein, wickelte ihn in ein feuchtes Tuch, warf eine *hijab* über und machte sich auf den Weg zum öffentlichen *tandoor*.

Raschid hatte ihr den Weg beschrieben – die Straße entlang, dann links und sofort wieder rechts –, doch Mariam brauchte nur der Schar von Frauen und Kindern zu folgen, sie hatten dasselbe Ziel. Die Kinder schwirrten um ihre Mütter herum oder rannten eilig voraus. Die Hemden, die sie trugen, waren an zahllosen Stellen geflickt, die Hosen entweder zu groß oder zu klein und die Sandalen mit verschlissenen Bändern befestigt. Manche Jungen trieben alte Fahrradreifen mit Stöcken vor sich her.

Die Mütter gingen in Gruppen zu dritt oder viert; einige trugen Burka, andere waren unverschleiert. Mariam hörte ihr schrilles Geplapper und helles Lachen. Den Kopf gesenkt, schnappte sie Bruchstücke der Gespräche auf, die sich offenbar alle um Kinderkrankheiten oder faule, undankbare Ehemänner drehten.

»Als ob das Essen von allein entstehen würde.«

»*Wallah o billah*, nicht einen Moment kommt man zur Ruhe!«

»Und dann sagt er zu mir, ich schwör's, sagt er doch tatsächlich zu mir …«

Von allen Seiten waren Klagen zu hören, die aber seltsam heiter klangen und kein Ende nehmen wollten. So ging es in einem fort, die Straße entlang, um die Ecke und in der Schlange vorm *tandoor*. Es ging um Männer, die Geld verspielten, um Männer, die von ihren Müttern schwärmten, für ihre Frauen aber keine *rupia* übrig hatten.

Mariam fragte sich, wie es sein konnte, dass so viele Frauen ein ähnlich schweres Los teilten wie sie und alle mit solch unausstehlichen Männern verheiratet waren. Oder belauschte sie da nur eine Art Spiel unter Frauen, von dem sie nichts verstand, ein alltägliches Ritual, das so gewöhnlich war wie das Einweichen von Linsen oder Kneten von Teig? Erwarteten die Frauen womöglich, dass sie sich an diesem Spiel beteiligte?

Unter den wartenden Frauen vor dem *tandoor* sah sich Mariam von allen Seiten beäugt; es wurde getuschelt. Ihre Hände fingen an zu schwitzen. Womöglich, so dachte sie, wussten schon alle, dass sie als *harami* zur Welt gekommen war, als Schande für ihren Vater und seine Familie, dass sie ihre Mutter verraten und sich selbst in Ungnade gebracht hatte.

Mit einem Zipfel ihres *hijab* wischte sie den Schweiß von der Oberlippe und versuchte, Fassung zu bewahren.

Über mehrere Minuten blieb sie unbehelligt.

Dann tippte ihr jemand auf die Schulter. Mariam drehte sich um und schaute in das hellhäutige, fast kreisrunde Gesicht einer Frau, unter deren *hijab* kurzes, drahtiges Haar zum Vorschein kamen. Die Unterlippe ihres vollen Mundes hing ein wenig herab, als würde sie von dem großen dunklen Leberfleck, der an der Seite prangte, heruntergezogen. Aus großen grünlichen Augen betrachtete sie Mariam mit freundlich aufmunterndem Blick.

»Du bist Raschid *jans* neue Frau, nicht wahr?«, sagte die Frau mit breitem Lächeln. »Die aus Herat. Wie jung du bist! Mariam *jan*, stimmt's? Mein Name ist Fariba. Ich wohne in derselben Straße wie du, fünf Häuser weiter, hinter der grünen Tür. Das ist mein Sohn Noor.«

Der Junge an ihrer Seite hatte ein glattes, heiteres Gesicht und das drahtige Haar seiner Mutter. Am linken Ohrläppchen wucherte ein Büschel schwarzer Haare. Seine Augen hatten einen schelmischen, unbekümmerten Glanz. Er hob seine Hand. »*Salaam, khala jan.*«

»Noor ist zehn. Ich habe auch noch einen älteren Sohn, Ahmad.«

»Der ist dreizehn«, sagte Noor.

»Dreizehn und geht auf die vierzig zu«, lachte Fariba. »Mein Mann heißt Hakim. Er ist Lehrer hier in Deh-Mazang. Komm uns mal besuchen, wir könnten eine Tasse ...«

Plötzlich und mit beängstigender Schnelligkeit drängten die anderen Frauen vor und bildeten einen Kreis um Mariam.

»Du bist also Raschid *jans* junge Braut ...«

»Wie gefällt es dir in Kabul?«

»Ich bin schon einmal in Herat gewesen. Da wohnt ein Cousin von mir.«

»Willst du zuerst einen Jungen oder ein Mädchen?«

»Die Minarette dort, wunderschön. Was für eine herrliche Stadt!«

»Wünsch dir einen Jungen, Mariam *jan*, einen Stammhalter ...«

»Bah! Jungen heiraten und machen sich aus dem Staub. Mädchen dagegen bleiben im Haus und kümmern sich um dich, wenn du alt bist.«

»Wir haben davon gehört, dass du kommst.«

»Am besten gleich Zwillinge, einen Jungen und ein Mädchen. Dann sind alle froh.«

Mariam wich zurück. Sie atmete flach und in kurzen Stößen. Es summte ihr in den Ohren, der Puls flatterte, ihr Blick irrte hin und her. Sie versuchte, noch weiter zurückzuweichen, war aber im Kreis der Frauen gefangen. Sie erhaschte einen Blick von Fariba, die ihre Notlage zu bemerken schien und die Stirn runzelte

»Lasst sie in Ruhe«, sagte Fariba. »Rückt zur Seite, ihr macht ihr ja Angst.«

Den Teigballen an die Brust gepresst, bahnte sich Mariam einen Weg durch die Frauenmenge.

»Wohin so eilig, *hamshira*?«

Sie drängte weiter und rannte die Straße entlang. Als sie die nächste Kreuzung erreichte, fiel ihr auf, dass sie in die falsche Richtung gelaufen war. Sie machte kehrt und rannte, den Kopf auf die Brust gesenkt, zurück, stolperte und schlug sich das Knie auf.

»Was ist los mit dir?«, rief eine der Frauen, als Mariam an ihnen vorbeihastete.

»Du blutest, *hamshira*!«

Mariam eilte weiter, bog um die eine und andere Ecke und fand sich schließlich in der richtigen Straße wieder, wusste aber nicht mehr, welches das Haus von Raschid war. Keuchend und den Tränen nahe lief sie die Straße auf und ab und rüttelte wahllos an den Außentoren. Manche waren verschlossen, andere öffneten sich in fremde Vorhöfe. Hunde bellten, Hühner schreckten auf. Mariam stellte sich vor, Raschid käme nach Hause zurück, während sie immer noch mit blutendem Knie umherirrte, verloren in der eigenen Straße. Sie konnte ihre Tränen nicht länger zurückhalten und geriet in Panik, stammelte Gebete und stieß an jedes Tor, bis sie endlich zu ihrer großen Erleichterung in den Vorhof mit der Handpumpe und dem Werkzeugschuppen blickte. Sie warf die Tür hinter sich zu und legte den Riegel vor, fiel dann entkräftet neben der Mauer zu Boden und übergab sich. Als sich der Krampf gelöst hatte, lehnte sie den Oberkörper an die Mauer und streckte die Beine aus. Nie zuvor hatte sie sich dermaßen einsam gefühlt.

Raschid kam am Abend mit einer braunen Papiertüte nach Hause. Er bemerkte nicht, dass die Fenster geputzt, die Böden gefegt und die Spinnweben entfernt waren, zeigte sich aber erfreut darüber, dass sie auf dem Wohnzimmerboden eine saubere *sofrah* ausgebreitet und mit seinem Essgeschirr eingedeckt hatte.

»Ich habe *daal* gekocht«, sagte Mariam.

»Gut. Ich habe Hunger bis unter beide Arme.«

Mit dem Wasser aus der *aftawa* wusch sie ihm die Hände, und während er sie mit einem Tuch trocknete, servierte Mariam ihm eine Schale mit dampfendem *daal* und flockigem weißem Reis auf einem Teller. Es war die erste Mahlzeit, die sie für ihn gekocht hatte, und Mariam fürchtete, dass sie ihr womöglich nicht gut genug gelungen war. Bei der Zubereitung hatte ihr immer noch der Schock über den Zwischenfall vor dem *tandoor* in den Gliedern gesteckt, und den ganzen Tag über war sie in Sorge darüber gewesen, ob die Linsen denn auch die richtige Konsistenz und Farbe hatten, ob womöglich zu viel Ingwer und zu wenig Kurkuma beigegeben waren.

Er tauchte seinen Löffel in das goldgelbe *daal*.

Mariam hielt die Luft an. Was, wenn er enttäuscht oder verärgert wäre? Was, wenn er seinen Teller angewidert von sich schöbe?

»Vorsichtig«, gelang es ihr zu sagen. »Es ist heiß.«

Raschid spitzte die Lippen, pustete auf den Happen und steckte ihn in den Mund.

»Gut«, sagte er. »Ein bisschen wenig Salz, aber gut. Vielleicht sogar besser als gut.«

Erleichtert schaute Mariam ihm beim Essen zu. *Vielleicht sogar besser als gut.* Sie ließ sich seine Worte auf der Zunge zergehen und war selbst überrascht, wie sehr sie dieses kleine Kompliment mit Stolz erfüllte. Es versöhnte sie ein wenig mit den Schrecken des Vormittags.

»Morgen ist Freitag«, sagte Raschid. »Was hältst du davon, wenn ich dir morgen die Stadt zeige?«

»Kabul?«

»Nein. Kalkutta.«

Mariam sah ihn sprachlos an.

»Sollte ein Witz sein. Natürlich Kabul. Was sonst?« Er langte in die braune Papiertüte. »Aber zuerst muss ich dir was sagen.«

Er zog eine himmelblaue Burka aus der Tüte. Der plissierte Stoff fiel ihm über die Knie. Er hob ihn in die Höhe und schaute Mariam an.

»Ich habe Kunden, Mariam, Männer, die mit ihren Frauen in den Laden kommen. Diese Frauen sind unverhüllt; sie schauen mir direkt ins Gesicht, ohne jede Scham. Sie sind geschminkt und tragen Röcke, die gerade bis zum Knie reichen. Manche halten mir sogar ihre bloßen Füße hin, damit ich Maß nehme, und ihre Männer stehen daneben und sehen zu. Sie erlauben's und denken sich anscheinend nichts dabei, wenn ein Fremder die nackten Füße ihrer Frauen berührt. Sie halten sich für moderne Männer, für Intellektuelle. Bilden sich womöglich was auf ihre Schulausbildung ein. Dass sie damit ihren *nang* und *namoos*, ihre Ehre und ihren Stolz, gefährden, scheint ihnen gar nicht bewusst zu sein.«

Er schüttelte den Kopf.

»Die meisten von ihnen kommen aus den reicheren Vierteln von

Kabul. Da führ ich dich hin. Du wirst sehen. Es gibt allerdings auch hier, Mariam, hier in unserem Viertel, solche weichen Männer. Da wäre zum Beispiel dieser Lehrer. Er heißt Hakim und wohnt ein paar Häuser weiter unten an der Straße. Seine Frau Fariba sieht man ständig nur mit einem Schal bedeckt in den Straßen herumlaufen. Ich finde es regelrecht beschämend, wenn ein Mann die Kontrolle über seine Frau verloren hat.«

Er bedachte Mariam mit einem festen Blick.

»Ich bin ein Mann von anderem Schlag, Mariam. Ich komme aus einer Gegend, in der jeder falsche Blick, ein einziges falsches Wort mit Blut vergolten wird. Wo ich herkomme, ist das Gesicht einer Frau einzig und allein Sache ihres Ehemannes. Ich möchte, dass du immer daran denkst. Verstehen wir uns?«

Mariam nickte und nahm die Burka von ihm entgegen.

Die Freude darüber, dass ihm ihr Essen schmeckte, war verschwunden. Stattdessen fühlte sie sich klein gemacht. Der Wille dieses Mannes kam ihr übermächtig und unverrückbar vor wie die Safid-koh-Berge über Gul Daman.

»Das also wäre klar zwischen uns«, sagte Raschid. »Und jetzt hätte ich gern mehr von diesen Linsen.«

11

Mariam hatte nie zuvor eine Burka getragen. Beim Anziehen musste sie sich von Raschid helfen lassen. Die in das Kopfteil eingenähte Kappe legte sich eng um ihre Stirn, und es mutete sie seltsam an, die Welt durch ein Gitternetz zu betrachten. Um sich daran zu gewöhnen, trug sie die Burka im Haus, trat aber ständig auf den Saum und geriet ins Stolpern. Der eingeschränkte Blickwinkel verunsicherte sie zusätzlich, und das über den Mund fallende Tuch hinderte sie daran, frei zu atmen.

»Na bitte«, sagt Raschid. »Ich wette, mit der Zeit magst du gar nichts anderes mehr tragen.«

Mit einem Bus fuhren sie zu einer Parkanlage, dem Shar-e-Nau, wie Raschid sagte. Kinder stießen sich gegenseitig auf Schaukeln an oder schlugen Volleybälle über zerrissene Netze, die zwischen Bäume gespannt waren. Seite an Seite schlenderten Raschid und Mariam umher und sahen zu, wie Jungen Drachen steigen ließen. Immer wieder stolperte sie über den Saum der Burka. Um die Mittagszeit führte Raschid sie in ein kleines Kebab-Haus nahe einer Moschee, die, wie sie von ihm erfuhr, nach Hadschi Jakob benannt worden war. Der Boden war klebrig, die Luft voller Rauch. Es roch nach rohem Fleisch, und die Musik – Raschid bezeichnete sie als *logari* – dröhnte ihr in den Ohren. Die Köche, dünne Burschen, schürten mit der einen Hand das Feuer unter den Spießen und versuchten mit der anderen, die Fliegen zu vertreiben. Mariam war zum ersten Mal in ihrem Leben in einem Restaurant und fand es anfangs seltsam, unter so vielen Fremden zu sitzen und die Burka zu lüften, um sich einen Happen in den Mund zu stecken. Sie verspürte einen Anflug derselben Angst, die sie vor dem öffentlichen *tandoor* ausgestanden hatte, sah sich aber ein wenig beruhigt durch

Raschids Anwesenheit, und nach einer Weile waren ihr die Musik, der Rauch, ja selbst die vielen Menschen erträglich. Zu ihrer eigenen Überraschung fand sie nun die Burka durchaus angenehm zu tragen. Das Gitternetz war wie ein Fenster, durch das sie selbst alles beobachten konnte, ohne den neugierigen Blicken anderer ausgesetzt zu sein. Sie brauchte sich keine Sorgen mehr darum zu machen, dass man sie wiedererkennen und die schändlichen Geheimnisse ihrer Vergangenheit durchschauen könnte.

Unterwegs machte Raschid sie auf wichtige Gebäude aufmerksam, auf die amerikanische Botschaft und das Außenministerium. Er deutete auf Autos und nannte die Namen ihrer Hersteller: sowjetische Wolgas, amerikanische Chevrolets, deutsche Opel.

»Welches gefällt dir am besten?«, fragte er.

Nach kurzem Zögern zeigte Mariam auf einen Wolga. Raschid lachte.

Kabul war sehr viel dichter bevölkert als das, was Mariam von Herat gesehen hatte. Bäume und von Pferden gezogene *garis* sah man hier nur vereinzelt; dafür gab es jede Menge Autos, höhere Gebäude, zahllose Verkehrsampeln und asphaltierte Straßen. Die Stadtbewohner sprachen in einem eigentümlichen Dialekt. *Jo*, was so viel wie »lieb« bedeutete, hieß hier *jan*; aus *hamshireh* – Schwester – wurde *hamshira*.

Raschid kaufte einem Straßenhändler zwei Becher Eiscreme ab. Für Mariam war es das erste Mal, dass sie Eis aß, und dass es so lecker schmeckte, hätte sie kaum für möglich gehalten. Obenauf lagen klein gehackte Pistazien, der Boden bestand aus Puffreis. Genüsslich löffelte sie ihren Becher leer und staunte über den süßen Schmelz auf der Zunge.

Sie gelangten an einen Ort, der Kocheh-Morgha hieß, Hühnerstraße. Es war ein enger, überfüllter Basar am Rand jenes Wohnviertels, von dem Raschid sagte, dass es zu den vornehmeren Teilen Kabuls zählte.

»Da wohnen die ausländischen Diplomaten, reiche Geschäftsleute und Mitglieder der Königsfamilie. Solche Leute. Keine Gegend für unsereins.«

»Ich sehe hier gar keine Hühner«, sagte Mariam.

»Sie sind ungefähr das Einzige, was man in der Hühnerstraße nicht finden kann«, lachte Raschid.

Rechts und links der Straße reihte sich ein Laden oder Verkaufsstand an den anderen. Verkauft wurden unter anderem Lammfellkappen und vielfarbige *chapans*. Raschid bewunderte in einem der Geschäfte einen schmuckvoll ziselierten silbernen Dolch, in einem anderen ein altes Gewehr, das, wie ihm der Verkäufer versicherte, noch aus dem ersten Krieg gegen die Briten stammte.

»Und ich bin Mosche Dajan«, murmelte Raschid und verzog das Gesicht zu einem Lächeln, von dem Mariam annahm, dass es ihr gewidmet sei. Ein ganz privates Lächeln unter Eheleuten.

Sie kamen an Teppichhändlern vorbei, an kleinen Handwerksbetrieben, Zuckerbäckern, Blumenläden und Geschäften, in denen Herrenanzüge und Damenkleider verkauft wurden. Hinter Vorhängen aus dünner Spitze sah Mariam junge Frauen Knöpfe annähen oder Hemdkragen bügeln. Ab und zu grüßte Raschid einen der Händler, mal auf Farsi, mal auf Paschto. Wenn sie sich die Hand gaben und auf die Wange küssten, hielt Mariam immer ein paar Schritte Abstand. Kein einziges Mal winkte Raschid sie zu sich, um sie einem Bekannten vorzustellen.

Vor einer Stickerei forderte er sie auf, draußen auf ihn zu warten. »Ich kenne den Besitzer«, erklärte er, »und will ihm nur kurz *Salaam* sagen.«

Mariam wartete auf dem überfüllten Gehweg. Autos krochen durch die verstopfte Hühnerstraße und verscheuchten Kinder und Esel, die sich nicht rühren wollten, mit lautem Gehupe. Händler standen mit gelangweilter Miene hinter ihren Verkaufsständen, rauchten oder spuckten in Näpfe aus Messing. Wenn sich jemand für ihre Stoffe oder pelzbesetzten *poostin*-Mäntel zu interessieren schien, tauchten ihre Gesichter aus dem Halbdunkel auf.

Mariams ganz besondere Aufmerksamkeit aber galt den Frauen.

Im Vergleich mit den Frauen aus ärmeren Nachbarschaften wie jenem Viertel, in dem sie und Raschid wohnten und wo die Burka gebräuchlich war, schienen die Frauen in diesem Teil Kabuls aus einer gänzlich anderen Welt zu stammen. Sie waren … Welches Wort hatte Raschid verwendet? Modern. Ja, es waren moderne afghanische Frauen, verheiratet mit modernen afghanischen Männern, denen es nichts ausmachte, dass sich ihre Frauen mit geschminkten Gesichtern und barhäuptig in der Öffentlichkeit zeigten. Sie flanierten ganz unbefangen die Straße entlang, ob mit oder ohne Mann an ihrer Seite. Manche waren in Begleitung von Kindern mit rosigen Wangen, blank geputzten Schuhen und Armbanduhren. Sie schoben Fahrräder mit hochgezogener Lenkstange und gold lackierten Speichen – so ganz anders als die Kinder in Deh-Mazang, deren Gesichter von Sandmücken zerstochen waren und die mit Stöcken verbeulte Fahrradfelgen vor sich hertrieben.

All diese Frauen hier trugen Handtaschen und raschelnde Röcke. Mariam sah sogar eine, die hinter dem Steuer eines Autos saß und rauchte. Die Fingernägel dieser Frauen waren lang, rosa oder orangefarben lackiert, die Lippen so rot wie Tulpen. Sie stolzierten auf hohen Absätzen und mit schnellen Schritten, als ob sie immerzu dringliche Geschäfte zu erledigen hätten. Viele trugen dunkle Sonnenbrillen, und wenn sie vorbeirauschten, zogen sie eine Wolke von Parfüm hinter sich her. Mariam stellte sich vor, dass sie alle ein Diplom der Universität in der Tasche hatten, in einem der Bürohochhäuser arbeiteten, womöglich am eigenen Schreibtisch, wo sie Texte in eine Schreibmaschine tippten, rauchten oder wichtige Telefonate führten. Mariam war tief beeindruckt von ihnen. Gleichzeitig führten sie ihr aber auch die eigene Bedeutungslosigkeit vor Augen, ihr schlichtes Aussehen, ihren Mangel an Ehrgeiz und ihre Unwissenheit in so vielen Dingen.

Raschid tippte ihr auf die Schulter und reichte ihr etwas.

»Hier.«

Es war ein dunkelbrauner Seidenschal mit perlenverzierten Fransen und goldener Saumstickerei.

»Gefällt er dir?«

Mariam blickte zu Raschid auf und war von seiner Reaktion gerührt. Er blinzelte und wich ihrem Blick aus.

Sie dachte an Jalil und die auftrumpfende Art, mit der er sie immer beschenkt und so sehr eingeschüchtert hatte, dass sie nur ein zaghaftes Danke hervorbringen konnte. Nana hatte recht, was Jalils Geschenke anging. Sie waren halbherzige Zeichen von Reue, unaufrichtige Gesten, mit denen er weniger ihr als sich selbst einen Gefallen zu tun und Abbitte zu leisten versuchte. Dieser Schal dagegen war ein wahres Geschenk.

»Er ist wunderschön«, sagte sie.

Am Abend desselben Tages besuchte Raschid sie wieder in ihrem Zimmer. Aber anstatt im Türrahmen stehen zu bleiben und zu rauchen, kam er herein und setzte sich zu ihr aufs Bett. Die Federn knarrten, und das Gestell neigte sich unter seinem Gewicht.

Er zögerte einen Moment, schob ihr dann seine Hand in den Nacken und fuhr mit seinen fleischigen Fingern über ihre Halswirbel. Mit dem Daumen strich er über das Schlüsselbein, die Höhlung darüber. Mariam fing zu zittern an. Die Hand drängte tiefer. Die schartigen Fingernägel verhakten sich im Baumwollstoff ihrer Bluse.

»Ich kann nicht«, krächzte sie und starrte in sein vom Mondlicht beschienenes Gesicht, auf die massigen Schultern, die breite Brust und das aus dem Kragenausschnitt wuchernde dichte graue Haar.

Seine Hand lag jetzt auf ihrer rechten Brust und drückte zu. Sie hörte ihn tief durch die Nase einatmen.

Er schlüpfte zu ihr unter die Decke. Sie spürte, wie er sich zuerst am eigenen Gürtel und dann an der Kordel ihrer Hose zu schaffen machte. Sie selbst verkrallte die Finger im Laken. Er wälzte sich auf sie, rutschte hin und her. Mariam schloss die Augen und biss die Zähne aufeinander.

Der Schmerz kam plötzlich und überraschend heftig. Sie riss die Augen auf, schnappte nach Luft und biss sich auf den Knöchel des Daumens. Sie schlug mit dem freien Arm aus, bekam Raschids Hemd am Rücken zu fassen und zerrte daran.

Raschid hatte sein Gesicht in ihrem Kissen vergraben, während Mariam mit weit aufgesperrten Augen an seiner Schulter vorbei an die Decke starrte, seinen heißen Atem im Nacken spürte und am ganzen Körper zitterte. Die Luft zwischen ihnen roch nach Tabak, Zwiebeln und dem gegrillten Lammfleisch, das sie zum Abend gegessen hatten. Als seine Wange ihre Ohrmuschel streifte, bemerkte sie, dass er sich rasiert hatte.

Als es vorbei war, ließ er keuchend von ihr ab, wälzte sich zur Seite und legte den Unterarm auf die Stirn. Im Dunkeln sah sie die blau leuchtenden Zeiger seiner Armbanduhr. Für eine Weile lagen beide reglos Seite an Seite auf dem Rücken, ohne einander anzusehen.

»Du brauchst dich für nichts zu schämen, Mariam«, sagte er mit leicht schleppender Zunge. »So etwas machen Mann und Frau, wenn sie verheiratet sind. Das haben selbst der Prophet und seine Frauen gemacht. Es ist nichts Schlimmes dabei.«

Bald darauf schlug er die Decke zurück, stand auf und ging. Zurück blieben für sie der Schmerz im Unterleib, der Anblick am Himmel festgefrorener Sterne und eine Wolke, die wie ein Brautschleier den Mond verhüllte.

12

Es wurde Ramadan im Herbst des Jahres 1974. Zum ersten Mal erlebte Mariam, wie der Anblick der neuen Mondsichel eine ganze Stadt verändern konnte und Einfluss nahm auf Zeit und Stimmung. Über Kabul breitete sich schläfrige Stille aus. Der Straßenverkehr ließ nach, die Märkte leerten sich, die Restaurants drehten ihre Lichter aus und schlossen die Türen. Auf den Straßen war niemand zu sehen, der rauchte oder ein dampfendes Glas Tee in der Hand hielt. Zur *iftar*-Stunde, wenn die Sonne im Westen unterging und die Kanone auf dem Berg Shir Darwaza donnerte, brach die Stadt ihr Fasten mit Brot und einer Dattel. So auch Mariam, die zum ersten Mal in den fünfzehn Jahren ihres Lebens die angenehme Süße eines gemeinschaftlichen Erlebnisses schmeckte.

Raschid hielt sich nur einige wenige Tage an die Fastenvorschriften, und wenn er es tat, wurde er übellaunig. Hunger machte ihn schroff, gereizt und ungeduldig. Als Mariam eines Abends etwas länger für die Zubereitung der Mahlzeit brauchte, fing er an, Brot und Rettich zu essen, und als sie ihm dann Reis, Lammfleisch und ein Okra-*qurma* vorsetzte, rührte er es nicht an. Ohne ein Wort zu sagen und mit vor Wut angeschwollenen Adern an den Schläfen kaute er sein Brot und starrte vor sich hin. Als Mariam ihn ansprach, schaute er durch sie hindurch und steckte ein weiteres Stück Brot in den Mund.

Mariam war froh, als der Fastenmonat endete.

Damals in der *kolba* war Jalil immer am ersten der drei Tage des Zuckerfestes *Eid-ul-Fitr* nach Ramadan zu Besuch gekommen. Herausgeputzt in Anzug und Krawatte, brachte er *Eid*-Geschenke mit. Einmal war es ein Wollschal für Mariam. Zu dritt tranken sie Tee, und wenig später machte sich Jalil wieder auf den Weg.

»Um mit seiner richtigen Familie *Eid* zu feiern«, sagte Nana, als er den Fluss überquerte und noch einmal winkte.

Auch Mullah Faizullah kam immer an diesem besonderen Tag. Er brachte Mariam in Folie eingepackte Schokoladenstücke, einen kleinen Korb mit gefärbten, hart gekochten Eiern und Kekse in einer Blechbüchse. Wenn er gegangen war, kletterte Mariam mit ihren Geschenken in eine der Weiden. Auf einem Ast hoch oben lutschte sie dann Mullah Faizullahs Schokolade und ließ die Papierhüllen fallen, die sich wie silberne Blütenblätter um den Fuß des Baumes legten. Kaum war die Schokolade verzehrt, machte sie sich über die Kekse her, und danach malte sie mit einem Bleistift Gesichter auf die Eier, die er ihr mitgebracht hatte. Von solchen kleinen Vergnügungen abgesehen, hatte Mariam wenig Freude am Zuckerfest. *Eid*, die Zeit, in der sich feierlich ausstaffierte Familien untereinander besuchten, war ihr ein Graus. Sie stellte sich immer vor, dass die Luft über Herat vor Heiterkeit knisterte und hochgestimmte, lachende Menschen einander mit Freundlichkeiten und Glückwünschen überhäuften. Dann senkte sich Trübsal auf sie herab wie ein dunkler Schleier, der sich erst wieder lüftete, wenn *Eid* vorbei war.

In diesem Jahr sah Mariam das Zuckerfest ihrer Kindheitsvorstellungen zum ersten Mal mit eigenen Augen.

Raschid und sie gingen aus. Die Straßen waren voller Menschen, die, ungeachtet des kalten Wetters, von einem Verwandtschaftsbesuch zum nächsten eilten. Nie zuvor hatte sich Mariam inmitten einer so lebhaften Menge bewegt. In der eigenen Straße erkannte sie Fariba und ihren Sohn Noor wieder, der einen Anzug trug. Fariba, die einen weißen Schal angelegt hatte, ging an der Seite eines kleinen, schüchtern wirkenden Mannes mit Brille. Auch der ältere Sohn war dabei – Mariam erinnerte sich, dass Fariba ihr bei ihrem ersten Treffen vor dem *tandoor* seinen Namen, Ahmad, genannt hatte. Im Unterschied zu seinem jüngeren Bruder machte er mit seinen tief liegenden, nachdenklichen Augen einen ernsten, fast schon erwachsenen Eindruck. Um seinen Hals hing eine Kette mit glitzerndem *Allah*-Anhänger.

Fariba hatte Mariam offenbar auch erkannt, trotz der Burka. Sie winkte ihr zu und rief: »*Eid mubarak*!«

Unter ihrer Burka deutete Mariam ein Kopfnicken an.

»Du kennst also diese Frau, die Frau des Lehrers«, sagte Raschid.

Mariam verneinte.

»Du gehst ihr besser aus dem Weg. Sie ist eine neugierige und geschwätzige Person. Und ihr Mann hält sich für was Besonderes, weil er studiert hat. Tatsächlich aber ist er eine Maus. Schau ihn dir an. Sieht er nicht aus wie eine Maus?«

Sie gingen nach Shar-e-Nau, wo Kinder in frischen Hemden und bunten, perlenbesetzten Westen umhertollten und ihre *Eid*-Geschenke untereinander verglichen. Frauen schwenkten Teller voller Süßigkeiten. In den Fenstern der Geschäfte hingen schmuckvolle Laternen; aus Lautsprechern dröhnte Musik. Fremde wünschten Mariam und Raschid im Vorübergehen »*Eid mubarak*«.

Am Abend gingen sie nach Chaman, wo sie ein prächtiges Feuerwerk bestaunten. Mariam stand hinter Raschid und dachte an die Zeit zurück, als sie mit Mullah Faizullah vor der *kolba* gestanden hatte und in der Ferne die bunten Raketen über Herat zerplatzen und Farben versprühen sah, die sich in den sanften eingetrübten Augen ihres Lehrers widerspiegelten. Doch am meisten fehlte ihr Nana. Mariam wünschte, ihre Mutter würde all dies miterleben und sie, ihre Tochter, inmitten dieser Feierlichkeiten entdecken können – damit sie endlich einsähe, dass Zufriedenheit und Schönheit sehr wohl zu finden waren, selbst für Leute wie sie.

Sie empfingen auch *Eid*-Besucher bei sich zu Hause. Ausnahmslos Manner, Freunde von Raschid. Wenn jemand anklopfte, musste sich Mariam auf ihr Zimmer zurückziehen. Dort blieb sie, solange die Männer mit Raschid Tee tranken, rauchten und plauderten. Raschid hatte ihr eingeschärft, dass sie erst dann wieder nach unten kommen dürfe, wenn die Besucher gegangen seien.

Mariam hatte nichts dagegen. Im Gegenteil, sie fühlte sich geschmeichelt. Für Raschid war das, was sie miteinander gemein hatten, heilig. Er hielt ihre Ehre, ihren *namoos*, für schützenswert und vermittelte ihr damit das Gefühl, etwas Kostbares, Bedeutendes zu sein.

Am dritten und letzten Tag des Zuckerfestes verließ Raschid das Haus, um seinerseits Freunde zu besuchen. Mariam, die seit der Nacht unter Magenschmerzen litt, setzte Wasser auf und machte sich eine Tasse grünen Tee mit zerdrücktem Kardamom. Danach räumte sie im Wohnzimmer die Hinterlassenschaften der *Eid*-Besucher vom Vorabend auf: umgekippte Tassen, Spelzen von Kürbiskernen, die zwischen die Polster gerutscht waren, Teller mit den verkrusteten Resten der letzten Mahlzeit. Mariam machte sich an die Arbeit und staunte darüber, wie emsig bequeme Männer sein konnten, wenn es darum ging, Unordnung zu schaffen.

Es war nicht ihre Absicht, in Raschids Zimmer zu gehen, doch die Hausarbeit führte sie vom Wohnzimmer zur Treppe, nach oben und an seine Tür. Unversehens war sie plötzlich in seinem Zimmer, zum ersten Mal. Sie kam sich wie ein Eindringling vor.

Auf der Bettkante sitzend, betrachtete sie die schweren grünen Vorhänge, die sorgfältig vor der Wand geordneten polierten Schuhe, den Kleiderschrank, von dem an einer Stelle an der Tür die graue Farbe abgeblättert war. Auf der Kommode neben dem Bett lag eine Packung Zigaretten. Sie steckte sich eine zwischen die Lippen, stand auf und musterte sich in dem kleinen ovalen Spiegel an der Wand. Sie paffte in die Luft und tat, als streifte sie Asche ab. Schließlich steckte sie die Zigarette in die Packung zurück. Es würde ihr wohl nie gelingen, so elegant zu rauchen wie die Frauen von Kabul. Bei ihr sah es ungelenk und lächerlich aus.

Es war ihr bewusst, etwas Verbotenes zu tun, als sie die obere Schublade der Kommode aufzog.

Als Erstes sah sie die Pistole. Sie war schwarz, hatte einen Griff aus Holz und einen kurzen Lauf. Mariam merkte sich genau, wie die Waffe in der Lade lag, ehe sie danach langte. Sie war schwerer als gedacht. Der Griff fühlte sich glatt in der Hand an, der Lauf war kalt. Es beunruhigte sie, dass Raschid etwas besaß, dessen einziger Zweck darin bestand, einen anderen Menschen zu töten. Aber wahrscheinlich dachte er nur an seine und ihre Sicherheit.

Unter der Pistole lagen mehrere Illustrierte mit abgegriffenen Blättern. Mariam schlug eine davon auf. Sie erstarrte.

Auf jeder Seite waren Frauen abgebildet, wunderschöne Frauen, die weder Hemd noch Hose, Socken oder Unterwäsche trugen. Sie hatten überhaupt nichts an, lagen zwischen zerwühlten Laken und schauten Mariam aus halb geschlossenen Augen an. Auf den meisten Bildern hielten sie die Beine gespreizt und zeigten die dunkle Stelle dazwischen. Manche Frauen knieten am Boden wie – Gott möge ihr den Gedanken verzeihen – in *sujda* zum Gebet. Sie warfen einen Blick über die Schulter, der gelangweilte Verachtung verriet.

Schnell legte Mariam das Heft zurück. Sie fühlte sich wie benommen. Wer waren diese Frauen? Wie hatten sie es zulassen können, solchermaßen fotografiert zu werden? Vor lauter Ekel rebellierte ihr Magen. Schaute sich Raschid diese Bilder an, wenn er nachts zu Bett ging? Fand er sie selbst in dieser Hinsicht so enttäuschend? Und was sollte all dieses Gerede von Ehre und Anstand? Wieso rümpfte er die Nase über weibliche Kunden, die doch nur ihre Füße entblößten, um passende Schuhe zu finden? »Das Gesicht einer Frau«, so hatte er gesagt, »ist einzig und allein Sache ihres Ehemannes.« Die Frauen auf diesen Seiten hatten doch gewiss auch Ehemänner, zumindest einige von ihnen. Oder Brüder. Wieso bestand Raschid darauf, dass sie, Mariam, sich verhüllte, wenn er doch offenbar kein Problem damit hatte, die intimsten Stellen von Frauen und Schwestern anderer Männer zu betrachten?

Verwirrt und peinlich berührt setzte sich Mariam wieder auf sein Bett. Sie legte den Kopf in die Hände, machte die Augen zu und atmete langsam ein und aus, bis sie sich halbwegs beruhigt hatte.

Allmählich fand sie zu einer Erklärung. Immerhin war er ein Mann, der jahrelang allein gelebt hatte. Er hatte andere Bedürfnisse als sie. Für sie waren seine nächtlichen Besuche in ihrem Bett nach wie vor eine Übung in stiller Duldsamkeit. Er dagegen empfand einen Heißhunger, der sich manchmal auf geradezu brutale Weise äußerte, wenn er sie gepackt hielt, ihre Brüste knetete und wie wild mit den Hüften zustieß. Er war ein Mann, der jahrelang auf eine Frau hatte verzichten müssen. Konnte sie ihm vorwerfen, so zu sein, wie er von Gott erschaffen worden war?

Mariam wusste, dass sie darüber nie mit ihm würde reden können. Ausgeschlossen. Aber war es wirklich unverzeihlich? Sie brauchte sich bloß den anderen Mann in ihrem Leben vor Augen zu führen. Jalil hatte außereheliche Beziehungen zu Nana unterhalten, obwohl er Ehemann dreier Frauen und Vater von neun Kindern war. Was war schlimmer, Raschids Hefte oder Jalils Ehebruch? Und was überhaupt berechtigte sie, ein *harami* und Mädchen vom Lande, ein Urteil zu fällen?

Mariam zog die untere Schublade der Kommode auf.

Darin fand sie das Schwarzweißfoto eines vier- oder fünfjährigen Jungen mit gestreiftem Hemd und Fliege. Es war ein hübscher Junge; er hatte eine schmale Nase, braunes Haar und dunkle, tiefe Augen. Er wirkte abgelenkt und schien in dem Moment, da die Kamera ausgelöst wurde, auf etwas anderes aufmerksam gemacht worden zu sein.

Darunter lag ein weiteres Foto, ebenfalls schwarzweiß, aber sehr viel körniger. Es zeigte eine sitzende Frau; hinter ihr stand, schlank und jung, Raschid mit schwarzem Haar. Die Frau war wunderschön, zweifelsfrei schöner als sie, Mariam. Sie hatte ein zartes Kinn und langes, in der Mitte gescheiteltes schwarzes Haar, hohe Wangenknochen und eine sanft geschwungene Stirn. Mariam dachte an ihr eigenes Aussehen, an die dünnen Lippen und das lange Kinn, und verspürte einen Anflug von Neid.

Lange betrachtete sie das Foto. Es wirkte irgendwie beunruhigend, wie Raschid hinter der Frau aufragte und ihre Schultern mit beiden Händen gefasst hielt, er mit genüsslichem, schmallippigem Lächeln und sie mit ernster Miene, den Oberkörper leicht nach vorn gebeugt, als versuchte sie, sich von ihm zu befreien.

Mariam legte alles dahin zurück, wo sie es gefunden hatte.

Als sie später die Wäsche machte, bereute sie, in seinem Zimmer herumgeschnüffelt zu haben. Wozu? Was hatte sie Neues über ihn in Erfahrung gebracht? Dass er eine Pistole besaß, dass er ein Mann mit den Bedürfnissen eines Mannes war? Außerdem hätte sie das Foto von ihm und seiner Frau nicht so lange anschauen sollen, geschweige denn einer Körperhaltung, zufällig festgehalten in einem kurzen Moment, über Gebühr Bedeutung beimessen dürfen.

Während die voll behängte Wäscheleine vor ihr auf und ab wippte, empfand sie jetzt Mitleid für Raschid. Auch er hatte es nicht leicht gehabt in seinem Leben, das von Verlust und traurigen Schicksalswendungen geprägt war. Ihre Gedanken kehrten zu dem Jungen zurück, Yunus, der in diesem Hof Schneemänner gebaut hatte, dessen Füße über dieselben Stufen gestiegen waren. Der See hatte ihn seinem Vater entrissen, verschluckt wie der Wal den Propheten gleichen Namens. Es schmerzte Mariam, es schmerzte sie sehr, sich vorzustellen, wie Raschid in seiner Hilflosigkeit und Panik am Ufer des Sees herumgeirrt sein mochte, flehentlich darum bittend, dass ihm sein Sohn zurückgegeben werde. Und zum ersten Male empfand sie eine wirkliche Verwandtschaft mit ihrem Mann. Vielleicht, so dachte sie, würde am Ende doch noch ein gutes Paar aus ihnen werden.

13

Als Mariam nach dem Arztbesuch mit dem Bus nach Hause fuhr, wusste sie selbst nicht, wie ihr geschah. Alles, worauf ihr Blick fiel, leuchtete in hellen Farben, sogar die grauen Betonhochhäuser, die Blechdächer, die zur Straße hin offenen Läden und das trübe Wasser in den Abflusskanälen. Es war, als hätte sich ein Regenbogen über ihre Augen gespannt.

Raschid, der neben ihr saß, trommelte mit behandschuhten Fingern auf den Schenkeln und summte eine Melodie. Sooft der Bus durch ein Schlagloch fuhr, schnellte seine Hand vor und legte sich schützend auf ihren Bauch.

»Was hältst du von Zalmai?«, fragte er. »Ein schöner Paschtunenname.«

»Und wenn's ein Mädchen ist?«, entgegnete Mariam.

»Ich glaube, es ist ein Junge. Ja. Ein Junge.«

Plötzlich ging ein Raunen durch den Bus. Mehrere Fahrgäste deuteten nach draußen; alle reckten die Hälse, um zu sehen, was da vor sich ging.

»Schau mal«, sagte Raschid und tippte an die Scheibe. Er lächelte. »Siehst du?«

Auf der Straße waren die Passanten stehen geblieben. Hinter den Fenstern der Autos, die vor der Verkehrsampel warteten, tauchten Gesichter auf, die nach oben blickten, einem Gewimmel tanzender Schneeflocken entgegen. Woran, so fragte sich Mariam, mochte es wohl liegen, dass der erste Schneefall des Jahres alle zu verzaubern schien? Lag es an der seltenen Möglichkeit, zu sehen, was noch vollkommen rein und unbelastet war? An dem Ausblick auf eine neue Jahreszeit, einen Neubeginn voller Hoffnungen, die noch nicht enttäuscht waren?

»Wenn's ein Mädchen ist ...«, sagte Raschid, »also angenommen, es wäre ein Mädchen, was es aber nicht ist, kannst du ganz allein entscheiden, wie sie heißen soll.«

Am nächsten Morgen wurde Mariam von Sägegeräuschen und Hammerschlägen geweckt. Sie umwickelte sich mit einem Schal und ging hinunter in den verschneiten Vorhof. Das Schneetreiben der vergangenen Nacht hatte sich gelegt. Kohlegeruch hing in der Luft. Über der Stadt lag eine gespenstische Stille; sie glich einer riesigen weißen Steppdecke, aus der hier und da Rauchsäulen emporstiegen.

Raschid war im Werkzeugschuppen und hämmerte Nägel in ein Holzbrett. Als er sie sah, zog er einen Nagel aus dem Mundwinkel und sagte: »Eigentlich wollte ich dich damit überraschen. Er wird eine Wiege brauchen. Die solltest du aber erst sehen, wenn sie fertig ist.«

Mariam hätte sich gewünscht, dass er nicht all seine Hoffnungen auf einen Jungen setzte, und sosehr sie sich auch über ihre Schwangerschaft freute, belasteten sie seine Erwartungen. Tags zuvor war Raschid ausgegangen und mit einem Wildledermantel für einen Jungen nach Hause zurückgekehrt, gefüttert mit weichem Lammfell und roten und gelben Seidenstickereien auf den Ärmeln.

Raschid machte sich daran, ein langes, schmales Brett in der Mitte zu zersägen, und sagte, dass er sich wegen der Treppe Sorgen mache. »Dazu werden wir uns was einfallen lassen müssen, wenn er zu klettern anfängt.« Das Gleiche gelte für den Ofen, meinte er. Außerdem müsse darauf geachtet werden, dass alle Messer und Gabeln außer Reichweite für ihn blieben. »Man kann nicht vorsichtig genug sein. Jungs sind ziemlich übermütig.«

Mariam fröstelte und zog den Schal enger.

Am nächsten Morgen erklärte Raschid, dass er Freunde zum Essen einladen wolle, um mit ihnen zu feiern. Den ganzen Vormittag über las und wässerte Mariam Linsen und Reis. Sie zerteilte Auberginen für *borani* und kochte Lauch und Hackfleisch für *aushak*.

Sie scheuerte den Boden, klopfte die Vorhänge aus und lüftete das Haus, obwohl es wieder zu schneien angefangen hatte. Entlang der Wände im Wohnzimmer legte sie Matratzen und Kissen aus und stellte Schalen mit Süßigkeiten und gerösteten Mandeln auf den Tisch.

Bevor die ersten Männer eintrafen, hatte sie sich auf ihr Zimmer zurückgezogen. Während die Stimmen und das Gelächter im Erdgeschoss immer lauter wurden, lag sie im Bett und befühlte ihren Bauch. Sie dachte an das, was in ihr heranwuchs, und glaubte, vor Glück fast zu zerspringen. Tränen stiegen ihr in die Augen.

Mariam erinnerte sich an die sechshundertfünfzig Kilometer lange Busfahrt mit Raschid, von Herat nahe der iranischen Grenze im Westen bis nach Kabul im Osten. Sie hatten kleine und große Städte passiert, zahllose Ortschaften, die eine nach der anderen vor ihnen auftauchten. Sie waren über Bergpässe und durch wüste Landstriche gefahren, von einer Provinz zur nächsten. Nun war sie hier, diesseits der steinigen Hügel, in ihrem eigenen Zuhause, mit einem Mann an ihrer Seite, aufgebrochen zu einer Reise in eine neue, ersehnte Provinz: Mutterschaft. Wie köstlich war es, an dieses Kind zu denken, *ihr* Kind, das *gemeinsame* Kind. Wie herrlich war das Wissen darum, dass ihre Liebe zu diesem Kind schon jetzt alles andere in den Schatten stellte und dass sie es nicht mehr nötig hatte, mit Kieselsteinen zu spielen.

Im Wohnzimmer erklang ein Harmonium, dazu das Klopfen eines Schlegels zum Stimmen einer *tabla*. Jemand räusperte sich. Und dann wurde gepfiffen, in die Hände geklatscht, gejauchzt und gesungen.

Mariam streichelte ihren Bauch. »Noch kaum größer als ein Fingernagel«, hatte der Arzt gesagt.

Ich werde Mutter, dachte sie.

»Ich werde Mutter«, sagte sie, lachte und wiederholte den Satz ein ums andere Mal.

Wenn Mariam an ihr Kind dachte, schwoll ihr Herz an. Es schwoll und schwoll, bis all das, was sie an Verlust, Trauer, Einsamkeit und Erniedrigung in ihrem Leben erfahren hatte, wie weggespült war. Jetzt wusste sie, warum Gott sie den weiten Weg hierher geführt hatte. Sie erinnerte sich an einen Koranvers, der ihr von Mullah Faizullah beigebracht worden war: *Und Allah ist der Osten und der Westen, wohin ihr euch auch wendet, folgt ihr Seinem Ratschluss* ... Sie rollte ihren Gebetsteppich aus und sprach den *namaz*. Als sie damit fertig war, legte sie die Hände vors Gesicht und bat Gott, dass sich das Glück nicht von ihr abwenden möge.

Es war Raschids Idee, in den *hamam* zu gehen. Mariam hatte nie zuvor ein Badehaus aufgesucht, doch er sagte, es gebe gerade im Winter nichts Schöneres, als nach einem Schwitzbad wieder hinaus ins Kalte zu treten und die wohlig warme Haut zu spüren.

Im *hamam* war der Wasserdampf so dicht, dass Mariam die anderen Frauen darin nur als schemenhafte Gestalten ausmachen konnte, eine Hüfte da, dort die Kontur einer Schulter. Junge Mädchen kreischten, alte Frauen schnaubten, und das Geplätscher von Wasser hallte von den Wänden wider, wo Rücken geschrubbt und Haare eingeseift wurden. Mariam saß für sich in einem entlegenen Winkel und bearbeitete ihre Fersen mit einem Bimsstein, abgeschirmt von einem Vorhang aus Dampf.

Plötzlich fing sie zu bluten an. Sie schrie laut auf.

Laufgeräusche waren zu hören, klatschende Füße auf nassen Steinen. Gesichter tauchten vor ihr auf. Zungen schnalzten.

Später berichtete Fariba ihrem Mann, dass sie, von einem Schrei alarmiert, in den hinteren Teil der Halle geeilt sei, wo sie Raschids Frau zitternd und die Arme um die Knie geschlungen in einer Blutpfütze habe hocken sehen.

»Dem armen Mädchen haben die Zähne geklappt, Hakim. So sehr hat sie gezittert.«

Sie habe dann, fuhr Fariba fort, zu ihr aufgeblickt und mit dünner, zaghafter Stimme gefragt: »Ist doch nicht weiter schlimm, oder? Ist doch normal, nicht wahr?«

Wieder im Bus mit Raschid. Und es schneite wieder. Heftiger diesmal. Der Schnee häufte sich auf Gehwegen und Dächern, bildete weiße Krusten auf der Rinde der Bäume. Vor ihren Läden schaufelten Händler den Zugang frei. Eine Handvoll junger Burschen jagte einen schwarzen Hund. Mariam warf einen Blick auf Raschid. Er hatte die Augen geschlossen. Er summte nicht. Auch Mariam machte die Augen zu und senkte den Kopf. Sie wollte heraus aus ihren kalten Socken, aus dem feuchten Wollpullover, der auf der Haut kratzte. Sie wollte raus aus dem Bus.

Zu Hause angekommen, legte sie sich auf die Couch. Raschid warf ihr eine Steppdecke über.

»Was soll man von solch einer Antwort halten?«, sagte er zum wiederholten Mal. »Die kann man von einem Mullah erwarten, aber ein Arzt, dem man teures Geld bezahlt, sollte sich wahrhaftig etwas Besseres einfallen lassen als: ›Gott will es so.‹«

Mariam zog die Knie an und sagte, dass sie etwas Ruhe brauche.

»Gott will es so«, brummte er.

Er ging auf sein Zimmer und rauchte den ganzen Tag.

Mariam lag auf der Couch, hielt die Hände unter den Knien verschränkt und starrte in das Schneegewirbel vor dem Fenster. Sie erinnerte sich, dass Nana einmal gesagt hatte, jede einzelne Schneeflocke sei das Seufzen einer gekränkten Frau irgendwo auf der Welt. Alle Seufzer stiegen zum Himmel empor, verdichteten sich dort zu Wolken und zerbrächen in winzige Teile, die dann lautlos auf die Menschen herabfielen.

»Zur Erinnerung daran, wie sehr wir Frauen leiden«, hatte sie gesagt. »Wie still wir alles ertragen, was uns aufgebürdet wird.«

14

Allein schon der Gedanke an die ungebaute Wiege oder an den kleinen Wildledermantel in Raschids Kleiderschrank löste Schmerzen der Trauer in Mariam aus, deren Schärfe sie immer wieder aufs Neue überraschte. Dann fantasierte sie, dass das Kind zur Welt komme; sie konnte es hören, sein hungriges Schmatzen, Sabbern und Plappern. Sie spürte es an der Brust liegen. Die Trauer überschwemmte sie in solchen Momenten, riss sie fort und machte sie schwindeln. Mariam konnte selbst kaum glauben, ein Wesen, das sie nie gesehen hatte, auf so verstörende Weise vermissen zu können.

Aber es gab auch Tage, an denen der Kummer erträglich schien und der Gedanke an eine Rückkehr zum gewohnten Alltag möglich war, ohne daran zu verzweifeln, Tage, an denen es sie nicht übermäßig viel Kraft kostete, aus dem Bett zu steigen, ihre Gebete zu sprechen, das Haus in Ordnung zu bringen und für Raschid zu kochen.

Mariam scheute sich, das Haus zu verlassen. Sie beneidete die Nachbarinnen und deren Kinderscharen. Manche hatten sieben oder acht und schienen selbst nicht zu wissen, wie gesegnet sie waren, wie glücklich sie darüber sein mussten, dass sie diese Kinder austragen, zur Welt bringen und an ihren Brüsten stillen durften. Kinder, die nicht mit Blut, Seifenlauge und dem Schmutz von Fremden in den Abfluss irgendeines Badehauses gespült worden waren. Mariam ertrug es nicht, wenn sie Klagen über angeblich missratene Söhne oder faule Töchter hörte.

Eine innere Stimme versuchte sie mit gut gemeinten, aber unangebrachten Tröstungen zu besänftigen.

Du wirst andere Kinder haben, inschallah. *Du bist jung. Es werden sich bestimmt weitere Gelegenheiten bieten.*

Doch Mariams Trauer war alles andere als diffus. Sie trauerte um *dieses* Kind, dieses besondere Kind, das sie für kurze Zeit so glücklich gemacht hatte.

Manchmal glaubte sie, dass das Kind eine unverdiente Segnung und sein früher Tod eine Strafe für das war, was sie Nana angetan hatte. War es nicht so, dass sie ihrer Mutter die Schlinge gewissermaßen eigenhändig um den Hals gelegt hatte? Verräterische Töchter verdienten es nicht, selber Mütter zu werden. Die Strafe war durchaus gerecht. Mariam hatte schreckliche Träume, in denen Nanas Dschinn an ihr Bett geschlichen kam, ihr mit seinen Klauen in den Unterleib fuhr und das Kind entriss, während Nana vor Freude und Genugtuung laut auflachte.

An manchen Tagen war Mariam voller Wut. Dann gab sie Raschid die Schuld an ihrem Verlust, weil er die Stirn gehabt hatte, seinen eitlen Stolz zu feiern, in seiner Anmaßung überzeugt davon, Vater eines Sohnes zu werden. Weil er dem Kind schon einen Namen gegeben und Gottes Einverständnis einfach schon vorausgesetzt hatte. Seinetwegen war sie in dieses Badehaus gegangen, wo irgendetwas, vielleicht der Dampf, das schmutzige Wasser oder die Seife zu dem geführt hatte, was geschehen war. Nein, nicht Raschid. Die Schuld lag bei ihr. Sie wurde wütend auf sich selbst und warf sich vor, auf der falschen Seite geschlafen, das Essen zu stark gewürzt und, statt genügend Früchte zu sich zu nehmen, zu viel Tee getrunken zu haben.

Es war Gottes Schuld. Er hatte sie verhöhnt, ihr nicht gewährt, was er so vielen anderen Frauen gewährte. Er hatte ihr in quälerischer Absicht das größte Glück versprochen, um es ihr sogleich wieder zu entreißen.

Aber alles Wüten, all diese Schuldzuweisungen halfen ihr nicht weiter. Im Gegenteil. Es war *kofr*, frevelhaft, solche Gedanken zuzulassen. Allah war nicht gehässig und schon gar nicht ein kleinlicher Gott. Mullah Faizullahs Worte gingen ihr durch den Kopf: *Segensreich ist Der, in Dessen Hand die Herrschaft ruht, Der über alle Dinge Macht hat, Der Tod und Leben geschaffen hat, damit Er dich prüfe.*

Von Schuldgefühlen gepeinigt, ging Mariam in solchen Momenten in die Knie und flehte um Vergebung dafür, dass sie solchen Gedanken nachgehangen hatte.

Seit dem Tag im Badehaus zeigte sich Raschid verändert. Er verlor schnell die Geduld mit Mariam und herrschte sie dann an. Wenn er abends von der Arbeit nach Hause kam, wechselte er kaum ein Wort mit ihr. Er aß, rauchte, ging zu Bett und kam manchmal mitten in der Nacht zu ihr, um sich abzureagieren, wobei er in letzter Zeit immer gröber zur Sache ging. Er war schnell beleidigt, mäkelte an dem Essen, das sie ihm vorsetzte, beschwerte sich über die Unordnung im Vorhof und machte sie im Haus auf Stellen aufmerksam, die seiner Meinung nach nicht sauber genug waren. Zwar führte er sie freitags immer noch manchmal in die Stadt aus, ging aber immer mehrere Schritte vor ihr her, sprach kein Wort und achtete nicht auf sie, die fast rennen musste, um ihm folgen zu können. Lachen sah sie ihn kaum noch. Er kaufte ihr auch keine Süßigkeiten oder Geschenke mehr und verzichtete darauf, Sehenswürdigkeiten zu benennen, wie er es früher getan hatte. Auf ihre Fragen antwortete er, wenn überhaupt, unwirsch.

Eines Abends saßen sie gemeinsam im Wohnzimmer und hörten Radio. Der Winter ging seinem Ende entgegen. Die kalten Winde, die einem Schnee ins Gesicht bliesen und die Augen tränen ließen, hatten sich gelegt. Der Schnee auf den Zweigen der hohen Ulmen taute. An seiner Stelle würden sich in wenigen Wochen hellgrüne Knospen ausbilden. Raschid wippte gedankenverloren mit dem Fuß zum Takt der *tabla* eines Hamahang-Liedes und zwinkerte den Rauch seiner Zigarette aus den Augen.

»Bist du mir gram?«, fragte Mariam.

Raschid antwortete nicht. Nach der Musik kamen die Nachrichten. Eine Frauenstimme berichtete, der Präsident habe erneut eine Gruppe sowjetischer Berater nach Moskau zurückgeschickt, wogegen der Kreml aller Voraussicht nach Protest einlegen werde.

»Ich mache mir Sorgen und fürchte, dass ich dich verärgert haben könnte.«

Raschid seufzte.

»Ist das so?«

Er sah sie an. »Wie kommst du darauf?«

»Ich weiß nicht, aber seit ich das Kind …«

»Glaubst du etwa, so einer wäre ich? Nach allem, was ich für dich getan habe?«

»Nein. Natürlich nicht.«

»Dann hör auf damit!«

»Tut mir leid. *Bebakhsh*, Raschid. Entschuldige.«

Er drückte den Stummel aus, steckte sich eine neue Zigarette an und drehte das Radio lauter.

»Aber ich habe nachgedacht«, sagte Mariam und versuchte, die Musik zu übertönen.

Raschid seufzte wieder, ungehaltener diesmal, und drehte die Lautstärke herunter. Müde fuhr er sich mit der Hand über die Stirn. »Was jetzt?«

»Ich finde, wir sollten es anständig beisetzen. Das Kind, meine ich. Nur wir zwei, ein paar Gebete, sonst nichts.«

Diesen Gedanken hatte Mariam schon seit einiger Zeit. Sie wollte das Kind nicht vergessen und seinem Verlust ein dauerhaftes Zeichen setzen.

»Wozu? Das ist doch blödsinnig.«

»Mir wäre dann wohler zu Mute, glaube ich.«

»Dann tu's«, schnappte er. »Einen Sohn habe ich schon begraben. Das reicht mir. Und jetzt lass mich bitte in Ruhe. Ich will Radio hören.«

Er drehte die Lautstärke wieder auf, lehnte sich zurück und schloss die Augen.

An einem sonnigen Morgen noch in derselben Woche suchte sich Mariam eine Stelle im Hof aus und grub ein Loch.

»Im Namen Allahs und mit Allah und im Namen Seines Gesandten, auf dem die Segnungen und der Friede Allahs ruhen«, murmelte sie, als sie das Wildledermäntelchen, das Raschid für das Kind gekauft hatte, ins Grab legte und mit Erde bedeckte.

»Du lässt die Nacht zum Tag und den Tag zur Nacht werden,

Du lässt die Lebenden aus den Toten hervortreten und die Toten aus den Lebenden und segnest, wenn es Dir gefällt, einen jeglichen über die Maßen.«

Sie klopfte die Erde mit der Schaufel fest, hockte sich neben den kleinen Grabhügel und schloss die Augen.

Gib uns Deinen Segen, Allah. Und sei mir gnädig.

15

Am 17. April 1978, dem Jahr, in dem Mariam neunzehn werden sollte, wurde ein Mann namens Mir Akbar Khaibar ermordet aufgefunden. Zwei Tage später gab es in Kabul eine Großdemonstration. Auch alle Nachbarn waren auf der Straße. Mariam sah sie vom Fenster aus zusammenlaufen, aufgeregt miteinander diskutieren und Transistorradios ans Ohr halten. Sie sah Fariba, an die Mauer ihres Hauses gelehnt, im Gespräch mit einer Frau, die neu war in Deh-Mazang. Fariba lächelte und hielt mit beiden Händen ihren schwellenden Bauch umfasst. Die andere Frau – Mariam hatte ihren Namen vergessen – war allem Anschein nach älter als Fariba und hatte einen eigentümlich purpurnen Schimmer in ihrem dunklen Haar. Sie hielt einen kleinen Jungen an der Hand. Er hieß Tarik, wie Mariam wusste, denn sie hatte diese Frau nach ihm rufen hören.

Mariam und Raschid blieben im Haus. Sie hörten Radio, während sich Tausende von Menschen in den Straßen versammelten und vor dem Regierungssitz auf und ab marschierten. Raschid erklärte, dass Mir Akbar Khaibar ein prominenter Kommunist gewesen sei und dass seine Anhänger dem Präsidenten Daoud Khan vorwürfen, seine Ermordung veranlasst zu haben. Raschid sah sie nicht an, als er das sagte. Das tat er schon seit Tagen nicht, weshalb Mariam im Unklaren darüber blieb, ob er überhaupt mit ihr sprach oder nur mit sich selbst.

»Was ist ein Kommunist?«, fragte sie.

Raschid schnaubte und kniff die Augenbrauen zusammen. »Nicht einmal das weißt du? Das weiß doch jeder. Du hast ... Ach. Warum rege ich mich überhaupt auf?« Er legte die Beine auf den Tisch und brummte etwas von Leuten, die an Karl Marxist glaubten.

»Wer ist Karl Marxist?«

Raschid stöhnte.

Eine Sprecherin im Radio berichtete, dass Taraki, der Anführer des *Khalq*-Flügels der kommunistischen Partei PDPA, unter den Demonstranten sei und aufrührerische Parolen ausgebe.

»Ich meinte bloß, was wollen sie?«, fragte Mariam. »Diese Kommunisten. Woran glauben sie?«

Raschid verzog das Gesicht, doch hatte Mariam den Eindruck, dass er unsicher war. Er fuhr sich mit der Hand durchs Haar und sagte: »Hast du denn von nichts eine Ahnung? Du bist wie ein Kind. Strohdumm.«

»Ich frage, weil …«

»*Chup ko*. Halt's Maul.«

Mariam gehorchte.

Es fiel ihr schwer, seine abfällige Art zu ertragen, hinzunehmen, dass er sich über sie mokierte, sie beleidigte und ansonsten kaum zur Kenntnis nahm. Aber nach inzwischen mehr als vier Ehejahren wusste Mariam sehr genau, wie viel eine Frau, die Angst hatte, zu ertragen im Stande war. Und Mariam hatte Angst. Sie lebte in ständiger Furcht vor seinen Launen, davor, dass er keinen Anlass ausließ, um mit ihr zu streiten, manchmal sogar gewalttätig wurde und sie schlug oder mit dem Fuß nach ihr trat, wofür er sich anschließend, wenn auch beileibe nicht immer, halbherzig entschuldigte.

In den vier Jahren seit dem Tag im Badehaus hatte Mariam sechs weitere Male Hoffnung schöpfen können, doch immer folgte schon bald Verlust und Zusammenbruch, und jeder weitere Arztbesuch ließ sie mehr verzweifeln als der vorhergegangene. Mit jeder Enttäuschung rückte Raschid weiter von ihr ab. Durch nichts ließ er sich versöhnlich stimmen. Sie hielt Ordnung im Haus, sorgte dafür, dass er immer saubere Hemden hatte, kochte seine Lieblingsgerichte. Einmal kaufte sie sich sogar Make-up und machte sich hübsch für ihn. Doch als er am Abend nach Hause kam, sah er sie nur einmal kurz an und wandte sich ab, offenbar so angewidert, dass sie zum Waschbecken rannte und die Schminke mit Tränen der Scham und Seifenwasser abwischte.

Inzwischen fürchtete Mariam sogar den Moment, wenn sein Schlüssel im Schloss klickte und die Tür aufging. Schon allein diese Geräusche brachten ihr Herz zum Rasen. Wenn sie im Bett lag, lauschte sie angestrengt seinen Schritten im Haus. Sie versuchte sich vorzustellen, was er tat, wenn Stuhlbeine über den Boden kratzten, der Korbsessel knarrte, das Geschirr klapperte, Zeitungsseiten raschelten oder Wasser in ein Glas geschüttet wurde. Und verängstigt fragte sie sich dann jedes Mal, woran er an diesem Abend Anstoß nehmen könnte. Der geringste Anlass brachte ihn in Rage, und so eifrig sie auch darum bemüht war, seinen Wünschen und Forderungen nachzukommen, gelang es ihr nicht, ihn zufrieden zu stellen. Denn eines vermochte sie nicht. Ihm den Sohn zurückzugeben. In dieser entscheidenden Hinsicht hatte sie versagt, nicht weniger als siebenmal, und jetzt war sie ihm nur noch eine Last. Daran ließ er keinen Zweifel; sie konnte es seinen Blicken ansehen, *wenn* er sie denn anblickte. Sie war ihm eine Last.

»Was wird jetzt geschehen?«, fragte sie.

Schnaubend nahm Raschid die Beine vom Tisch, schaltete das Radio aus und ging damit auf sein Zimmer. Er schloss sich darin ein.

Am 27. April beantwortete sich Mariams Frage mit krachenden Salven und ohrenbetäubendem Lärm. Auf bloßen Füßen eilte sie nach unten ins Wohnzimmer, wo Raschid im Unterhemd und mit wirren Haaren bereits am Fenster stand, die Handflächen an die Scheiben gepresst. Mariam ging ans andere Fenster. Am Himmel jagten Militärflugzeuge kreischend nach Norden und Osten. In der Ferne waren Donnerschläge zu hören. Schwarzer Rauch stieg auf.

»Was ist los, Raschid?«, fragte sie. »Was hat das zu bedeuten?«

»Weiß Gott«, murmelte er. Das Radio gab nur ein Rauschen von sich.

»Was machen wir jetzt?«

Nervös antwortete er: »Wir warten ab.«

Später am Tag, als sich Raschid immer noch am Radio zu schaffen machte, ging Mariam in die Küche und kochte Reis und Spinat. Sie erinnerte sich daran, dass es einmal eine Zeit gegeben hatte, in der sie gern für Raschid gekocht und sich sogar darauf gefreut hatte, ihm eine Mahlzeit vorzusetzen. Jetzt machte ihr die Arbeit am Herd zusätzlich Angst. Die *qurmas* waren ihm immer zu salzig oder zu fad, der Reis entweder zu matschig oder zu trocken, das Brot zu weich oder zu hart. Seine Beschwerden ließen sie an sich selbst zweifeln.

Als sie ihm sein Essen brachte, tönte die Nationalhymne aus dem Radio.

»Ich habe *sabzi* gemacht«, sagte sie.

»Stell den Teller ab und sei ruhig.«

Nach der Hymne meldete sich die Stimme eines Mannes, der sich als Generalleutnant Abdul Kadir vorstellte. Er berichtete, dass die Vierte Panzerdivision seit dem Vormittag den Flughafen und strategische Schlüsselpositionen in der Stadt besetzt halte. Eingenommen seien auch Radio Kabul, die Ministerien für Kommunikation und Inneres sowie das Außenministerium. Kabul, so verkündete er stolz, befinde sich nun in der Hand des Volkes.

MIG-Kampfjets hätten den Präsidentenpalast angegriffen; Panzer waren vorgerückt. Aufständische und Daouds Truppen lieferten sich dort noch heftige Gefechte. Überall sonst sei aber die Lage unter Kontrolle, beruhigte Abdul Kadir.

Tage später, als die Kommunisten damit anfingen, Anhänger des Regimes von Daoud Khan im Schnellverfahren hinzurichten und Gerüchte von grausamen Folterungen im Kabuler Pol-e-Charkhi-Gefängnis die Runde machten, hörte auch Mariam von dem Gemetzel, das vor dem königlichen Palast stattgefunden hatte. Daoud Khan war tatsächlich getötet worden, aber zuerst hatten an die zwanzig Mitglieder seiner Familie einschließlich der Frauen und Enkelkinder dran glauben müssen. Manche behaupteten, er habe sich selbst das Leben genommen, andere wollten bezeugen können, dass er in der Schlacht gefallen sei, und wiederum andere beteuerten, man habe ihn gezwungen, das Massaker an seiner Familie mit anzusehen, und ihn danach erschossen.

Raschid drehte die Lautstärke seines Radios auf und rückte näher an den Apparat.

»Die Streitkräfte haben einen Revolutionsrat ins Leben gerufen. Unser *watan* trägt von nun an den Namen Demokratische Republik Afghanistan«, sagte Abdul Kadir. »Mit der Aristokratie, Vetternwirtschaft und Ungleichheit ist es ein für alle Mal vorbei, Genossen *hamwatans*. Wir haben Jahrzehnte der Tyrannei an den Wurzeln ausgerissen. Die Macht liegt nun in den Händen friedliebender Menschen. Eine ruhmreiche neue Ära hat für unser Land begonnen. Afghanistan wurde neu geboren. Wir versichern euch, dass ihr nichts zu befürchten habt, Genossen, Afghanen. Die neue Regierung wird den Grundsätzen des Islam und der Demokratie äußersten Respekt entgegenbringen. Wir haben allen Grund zur Freude und zum Feiern.«

Raschid schaltete das Radio aus.

»Ist das jetzt gut oder schlecht?«, fragte Mariam.

»Schlecht für die Reichen, wie es scheint«, antwortete Raschid. »Für unsereins vielleicht nicht ganz so schlecht.«

Mariam dachte an Jalil. Sie fragte sich, ob die Kommunisten ihm nachstellen, ihn und seine Söhne womöglich ins Gefängnis sperren und seine Geschäfte, all seinen Besitz beschlagnahmen würden.

»Ist der auch warm genug?«, sagte Raschid mit Blick auf den Reis.

»War soeben noch im Topf.«

Er brummte vor sich hin und forderte sie auf, ihm den Teller zu reichen.

Während in der Nacht rote und gelbe Blitze am Horizont aufleuchteten, lag Fariba erschöpft, mit verklebtem Haar und schweißnassem Gesicht auf ihrem Bett, den Oberkörper, leicht angehoben, auf die Ellbogen gestützt. Wajma, eine ältliche Hebamme, stand daneben und zeigte Faribas Mann und den beiden Söhnen das Neugeborene. Sie bestaunten das helle Haar des kleinen Mädchens, die rosigen Wangen, die winzigen Lippen und jadegrünen Augen, die sich hinter dem Schlitz der geschwollenen Lider hin und her bewegten. Sie lächelten, als sie sein Stimmchen zum ersten Mal hörten; es erschien zuerst wie das Mauzen eines Kätzchens, schwoll dann aber zu einem gesunden kehligen Schrei an. Noor verglich die Augen mit Edelsteinen. Ahmad, der Frömmste der Familie, sang seiner kleinen Schwester den *athan* ins Ohr und blies ihr dreimal ins Gesicht.

»Also nennen wir sie Laila, oder?«, fragte Hakim, seine Tochter wiegend.

»Laila«, sagte Fariba mit mattem Lächeln. »Nachtschönheit. Das passt.«

Raschid langte mit den Fingern in den Reis, formte ihn zu einem kleinen Kloß und führte die Hand zum Mund. Kaum hatte er davon probiert, verzog er das Gesicht und spuckte aus.

»Was ist?«, fragte Mariam mit ängstlicher Stimme, worüber sie sich selbst ärgerte. Sie spürte, wie sich ihr Puls beschleunigte und sich die Nackenhaare aufrichteten.

»Was ist?«, äffte er sie nach. »Der Reis ist wieder mal nicht durch, das ist.«

»Aber ich habe ihn fünf Minuten länger kochen lassen als sonst.«

»Lüge.«

»Ich schwöre …«

Er schüttelte die Reiskörner von den Fingern und schob den Teller so wütend von sich, dass die Hälfte von Reis und Sauce auf die *sofrah* schwappte. Dann stürmte er aus dem Wohnzimmer, verließ das Haus und schlug die Tür hinter sich zu.

Mariam ging in die Knie und machte sich daran, das verschüttete Essen auf den Teller zurückzuschieben, musste aber innehalten, weil ihre Hände zu sehr zitterten. Der Schrecken war ihr in die Glieder gefahren. Sie versuchte, tief durchzuatmen. Zufällig fiel ihr Blick auf ihr bleiches Spiegelbild in der Fensterscheibe. Sie schaute weg.

Wenig später ging die Haustür wieder auf. Raschid kehrte ins Wohnzimmer zurück.

»Steh auf«, zischte er. »Steh auf und komm her.«

Er zerrte sie in die Höhe und drückte ihr Kieselsteine in die Hand.

»Steck sie in den Mund.«

»Was?«

»Steck. Sie. In den Mund.«

»Lass gut sein, Raschid, ich …«

Um sie zu zwingen, den Mund zu öffnen, quetschte er ihr mit seiner Pranke die Kieferknochen. Mariam wehrte sich, kam aber nicht gegen ihn an und musste geschehen lassen, dass er ihr einen Kieselstein nach dem anderen in den Mund stopfte.

»Und jetzt kau«, verlangte er, die Oberlippe höhnisch verzerrt.

Die Zunge voller Sand und Steine, flehte sie ihn brabbelnd an. Tränen traten ihr in die Augen.

»KAU!«, brüllte er und stieß ihr einen Nikotinschwall ins Gesicht.

Mariam kaute. Im hinteren Teil des Mundes knackte etwas.

»Gut«, sagte Raschid. Seine Wangen bebten. »Jetzt weißt du, wie dein Reis schmeckt. Jetzt weißt du, was du mir als Ehefrau bietest. Ungenießbares Essen und sonst nichts.«

Dann war er wieder verschwunden. Mariam blieb zurück und spuckte Steine, Blut und die Trümmer zweier Backenzähne aus.

Zweiter Teil

16

Kabul, Frühjahr 1987

Laila, inzwischen neun Jahre alt, konnte es schon morgens nach dem Aufstehen kaum erwarten, ihren Freund Tarik zu sehen. Heute aber würde sie, wie sie wusste, nicht mit ihm zusammen sein können.

»Wie lange wirst du wegbleiben?«, hatte sie ihn gefragt, nachdem er ihr erzählt hatte, dass er mit seinen Eltern nach Ghazni in den Süden fahren werde, um den Onkel väterlicherseits zu besuchen.

»Dreizehn Tage.«

»Dreizehn Tage?«

»Die sind schnell rum. Kein Grund, so ein Gesicht zu machen.«

»Was mach ich denn für ein Gesicht?«

»Du wirst doch nicht etwa heulen?«

»Quatsch. Wegen dir schon gar nicht. Nicht in tausend Jahren.«

Sie hatte ihm einen Tritt vors Schienbein versetzt, und zwar nicht vor das künstliche, sondern das gesunde, worauf er ihr einen neckischen Klaps auf den Hinterkopf gegeben hatte.

Dreizehn Tage. Fast zwei Wochen. Und es waren erst fünf Tage vergangen, fünf Tage, in denen Laila eine grundlegende Erkenntnis über die Zeit gewonnen hatte: Wie das Akkordeon, mit dem Tariks Vater manchmal Paschto-Lieder vortrug, zog sich die Zeit dahin oder schrumpfte zusammen, je nachdem, ob Tarik abwesend oder bei ihr war.

Unten im Parterre stritten sich die Eltern. Wieder einmal. Laila kannte es zur Genüge: Mami, wütend und unbeherrscht, würde zeternd im Zimmer auf und ab marschieren, während Babi mit betretener Miene dasäße, brav mit dem Kopf nickte und darauf wartete, dass sich der Sturm legte. Laila machte die Tür zu, doch das Gezeter blieb unüberhörbar. *Mamis* Gezeter. Schließlich fiel eine Tür ins Schloss. Jemand kam mit stampfenden Schritten die Treppe herauf. Die Sprungfedern von Mamis Bett quietschten. Babi, so schien es, hatte auch diesen Streit überlebt.

»Laila!«, rief er. »Ich komm zu spät zur Arbeit.«

»Augenblick noch!«

Sie schlüpfte in ihre Schuhe, trat vor den Spiegel und fuhr sich mit der Bürste durch die schulterlangen blonden Locken. Mami behauptete, dass Laila ihre Haarfarbe von der Urgroßmutter, Mamis Großmutter, geerbt habe, so auch die türkisgrünen Augen mit den dichten Wimpern, die Wangengrübchen und die volle Unterlippe. »Sie war ein *pari*, eine Augenweide, sagte Mami von ihrer Großmutter. »Von ihrer Schönheit wurde im ganzen Tal geschwärmt. Sie hat zwei Generationen in unserer Familie übersprungen, aber mit dir, Laila, ist sie wieder voll zur Entfaltung gekommen.« Das Tal, auf das sich Mami bezog, war das Pandschir-Tal hundert Kilometer nordöstlich von Kabul, die Region der Farsi-sprechenden Tadschiken. Dort waren auch Mami und Babi als Cousin und Cousine ersten Grades zur Welt gekommen und aufgewachsen, ehe sie in den sechziger Jahren, frisch verheiratet, nach Kabul gingen, weil Babi eine Zulassung zum Universitätsstudium erworben hatte.

Auf Zehenspitzen schlich Laila an Mamis Zimmer vorbei und die Treppe hinunter. Unten angekommen, sah sie Babi vor der Fliegengittertür knien.

»Hast du das gesehen, Laila?«

Babi machte auf einen Riss aufmerksam, den es schon seit Wochen in der Tür gab. Laila kauerte sich neben ihn. »Nein. Scheint neu zu sein.«

»Genau das habe ich auch deiner Mutter gesagt.« Er machte einen zerknitterten Eindruck, wie immer, wenn Mami mit ihm fertig war. »Sie beklagt sich über die vielen Bienen im Haus.«

Babi war ein kleiner Mann mit schmalen Schultern und schlanken, zarten, fast fraulich wirkenden Händen. Wenn Laila ihn abends in seinem Zimmer aufsuchte, sah sie ihn fast immer vor einem aufgeschlagenen Buch sitzen, die Brille auf der Nasenspitze. Manchmal bemerkte er sie gar nicht, wenn aber doch, legte er ein Lesezeichen zwischen die Seiten und lächelte sie mit geschürzten Lippen an. Babi kannte einen Großteil der Gaselen von Rumi und Hafis auswendig. Er konnte stundenlang vom Kampf der Briten mit dem zaristischen Russland um Afghanistan erzählen. Er wusste den Unterschied zwischen Stalaktiten und Stalagmiten zu erklären und hatte ausgerechnet, dass der Abstand zwischen Erde und Sonne eine halbe Million Mal größer ist als die Entfernung zwischen Kabul und Ghazni. Wenn es aber darum ging, den Deckel eines Marmeladenglases zu öffnen, musste sich Laila an Mami wenden, was ihr immer ein wenig wie Verrat vorkam. Mit praktischen Dingen war Babi überfordert. Unter seiner Verwaltung blieben quietschende Türangeln auf ewig ungeölt, ein angeblich geflicktes Leck im Dach ließ mehr Regenwasser durchsickern als vorher, und der Schimmel in den Küchenschränken wucherte ungehindert weiter. Mami sagte, dass sich Ahmad um all diese Dinge gekümmert habe, bevor er 1980 zusammen mit Noor in den Dschihad gegen die Sowjets gezogen war.

»Aber wenn du ein Buch hast, das dringend gelesen werden muss, ist Hakim genau der Richtige«, frotzelte sie.

Laila allerdings wurde das Gefühl nie los, dass ihre Mutter vor dem Tag, als Ahmad und Noor in den Krieg gezogen waren – bevor Babi dies zugelassen hatte –, die schrullige Stubengelehrsamkeit ihres Mannes freundlicher aufgenommen und sie früher einmal seine Vergesslichkeit und Ungeschicklichkeit durchaus charmant gefunden hatte.

»Na, den wievielten Tag haben wir denn heute?«, fragte er verschmitzt. »Den fünften? Oder schon den sechsten?«

»Was weiß ich? Glaubst du etwa, ich zähle mit?«, entgegnete Laila und zuckte mit den Achseln, freute sich aber im Stillen über sein Mitgefühl. Mami hatte gar nicht zur Kenntnis genommen, dass Tarik weggefahren war.

»Wart's ab, eh du dich versiehst, wird er wieder seine Blinklichter setzen«, sagte Babi in Anspielung auf Lailas und Tariks allnächtlichen Austausch von Grußnoten per Taschenlampe. Die beiden spielten dieses Spiel schon so lange, dass es ihnen so selbstverständlich war wie das Zähneputzen vorm Zubettgehen.

Babi griff mit der Hand durch den Riss. »Den sollte ich also dann wohl so schnell wie möglich flicken. Aber jetzt müssen wir uns beeilen.« Und mit lauter Stimme rief er durch den Flur: »Wir gehen jetzt, Fariba. Ich bringe Laila zur Schule. Vergiss nicht, sie abzuholen.«

Als Laila draußen auf den Gepäckträger von Babis Fahrrad stieg, fiel ihr ein Auto auf, das vor dem Haus parkte, in dem der Schuhmacher Raschid und seine scheue Frau wohnten. Es war ein dunkelblauer Benz mit einem weißen Mittelstreifen auf Motorhaube, Dach und Kofferraum. Laila sah zwei Männer darin sitzen, den einen hinterm Steuer, den anderen auf der Rückbank.

»Wer ist das?«, fragte sie.

»Das geht uns nichts an«, antwortete Babi. »Los jetzt, sonst kommen wir noch zu spät.«

Laila erinnerte sich an einen länger zurückliegenden Streit zwischen den Eltern und die schnippischen Worte ihrer Mutter: »Ja, das ist typisch für dich, nicht wahr, lieber Vetter, dass du dich aus allem heraushältst. Sogar dann, wenn's um die eigenen Söhne geht. Wie hab ich dich angefleht, zu verhindern, dass sie gehen. Aber stattdessen steckst du deine Nase in diese verfluchten Bücher und lässt sie ziehen wie zwei *haramis*.«

Babi radelte die Straße entlang. Laila hatte die Arme um seinen Bauch geschlungen. Als sie an dem blauen Benz vorbeikamen, erhaschte Laila einen Blick auf den Mann, der auf dem Rücksitz saß. Er war sehr hager, hatte weißes Haar und trug einen dunkelbraunen Anzug mit einem weißen dreieckigen Einstecktuch in der Brusttasche. Außerdem fiel ihr auf, dass der Wagen Nummernschilder aus Herat hatte.

Schweigend fuhren die beiden weiter. Von Babi war nur etwas zu hören, wenn er vor einer Kurve abbremste und sagte: »Halt dich fest, Laila. Vorsichtig, schön vorsichtig.«

Nur mit Mühe konnte Laila an diesem Tag dem Unterricht folgen; sie dachte immerzu an Tarik, und auch der Streit zwischen den Eltern wollte ihr nicht aus dem Kopf gehen. So hatte sie auch nicht aufgepasst, als die Lehrerin sie nach den Hauptstädten Rumäniens und Kubas fragte.

Die Lehrerin hieß Shanzai, wurde aber hinter ihrem Rücken *Khala Rangmaal* genannt, Tante Malerin, denn wenn sie einen Schüler ohrfeigte, ließ sie in schneller Abfolge Handrücken und Handteller aufklatschen, was so aussah, als schwenkte ein Maler seinen Pinsel. *Khala Rangmaal* war eine junge Frau mit scharf geschnittenen Gesichtszügen und dichten Augenbrauen. An ihrem ersten Schultag hatte sie voll Stolz erklärt, dass sie die Tochter eines armen Landarbeiters aus Khost sei. Sie hielt sich sehr gerade und hatte ihr pechschwarzes Haar zu einem festen Knoten im Nacken zusammengefasst. Wenn sie sich umdrehte, konnte man den dunklen Haaransatz im Nacken erkennen. Make-up oder Schmuck waren an ihr nie zu sehen. Sie trug auch keine Kopfbedeckung und verbat ihren Schülerinnen, sich zu verschleiern. Sie sagte, Frauen und Männer seien in jeder Hinsicht ebenbürtig und es gebe keinen Grund, warum sich Frauen verhüllen sollten, wenn Männer dies nicht täten.

Ihrer Meinung nach war die Sowjetunion, von Afghanistan abgesehen, die beste Nation auf der Welt. Ihre Führung stehe, wie sie sagte, auf Seiten der Arbeiterschaft und behandle alle Menschen gleich; alle Bürger der Sowjetunion seien glücklich und freundlich. Amerikaner hingegen würden sich aus Angst vor kriminellen Übergriffen kaum aus dem Haus trauen. Aber in Afghanistan, sagte sie, würden auch bald alle glücklich sein, sobald die Banditen von gestern, die sich gegen jeden Fortschritt stemmten, endlich geschlagen wären.

»Darum sind unsere sowjetischen Brüder 1979 in unser Land gekommen. Um ihren Nachbarn zu Hilfe zu eilen und den inneren Feind zurückzudrängen, dem daran gelegen ist, dass unser Land eine rückständige, primitive Nation bleibt. Auch ihr müsst helfen, Kinder. Ihr müsst jeden zur Anzeige bringen, der auf der Seite des

Feindes steht. Das ist eure Pflicht. Haltet die Augen auf und erstattet Meldung. Selbst dann, wenn es eure Eltern, Onkel oder Tanten trifft. Denn keiner liebt euch so sehr, wie es euer Land tut. Denkt daran, euer Land steht immer an erster Stelle. Es wird stolz auf euch sein, so wie ich es bin.«

An der Wand hinter ihrem Pult hingen eine Karte der Sowjetunion, eine Karte Afghanistans und ein gerahmtes Foto des jüngsten kommunistischen Staatspräsidenten Nadschibullah, der, wie Laila von Babi wusste, früher Chef der Geheimpolizei KHAD gewesen war. Darüber hinaus gab es noch weitere Fotos im Klassenzimmer, vor allem von jungen sowjetischen Soldaten, die Apfelbäume pflanzten, Häuser bauten, immer freundlich lächelten und einfachen Bauern die Hände schüttelten.

»Nun«, sagte *Khala Rangmaal*, »störe ich dich etwa beim Träumen, *inqilabi*-Mädchen?«

So lautete Lailas Spitzname – Revolutionsmädchen –, denn sie war in der Aprilnacht des Putsches von 1978 zur Welt gekommen – allerdings nahm man im Beisein von *Khala Rangmaal* das Wort »Putsch« lieber nicht in den Mund. Sie bestand darauf, von einer *inqilab* zu sprechen, von einer Revolution der arbeitenden Bevölkerung. Verboten war auch das Wort »Dschihad«. Sie leugnete, dass in den Provinzen Krieg herrsche; es könne allenfalls von Auseinandersetzungen mit Unruhestiftern die Rede sein, mit »ausländischen Provokateuren«, wie sie sagte. Und niemand, wirklich niemand wagte es, in ihrer Gegenwart jenes immer weiter um sich greifende Gerücht anzusprechen, wonach den Sowjets nach achtjährigem Kampfeinsatz in Afghanistan eine Niederlage in diesem Krieg bevorstehe. Und das schon bald, weil der amerikanische Präsident Reagan, wie es hieß, den Mudschaheddin Stinger-Raketen zur Verfügung stellte, mit denen sie sowjetische Hubschrauber abschießen konnten. Außerdem, so hieß es weiter, kämen aus der ganzen Welt – aus Ägypten, Pakistan und Saudi-Arabien – Muslime ins Land, um die Rebellen zu unterstützen.

»Bukarest. Havanna«, antwortete Laila.

»Und sind die Menschen dort unsere Freunde oder nicht?«

»Ja, das sind sie, *moalim sahib*. Unsere Freunde.«

Khala Rangmaal zeigte sich mit einem knappen Kopfnicken einverstanden.

Bei Schulschluss war Mami wieder einmal nicht pünktlich zur Stelle. Laila ging schließlich zu Fuß nach Hause, begleitet von ihren Klassenkameradinnen Giti und Hasina.

Giti war ein mageres kleines Mädchen mit zwei seitlich abstehenden Pferdeschwänzen. Sie sah meist grimmig drein und hielt ihre Bücher wie einen Schild vor der Brust. Hasina war zwölf, drei Jahre älter als Laila und Giti; sie hatte die dritte Klasse wiederholen müssen und machte nun schon ihren dritten Anlauf in der vierten. Was ihr an Grips fehlte, machte sie durch Unfug weg und mit einem Mund, der, wie Giti sagte, einer Nähmaschine gleiche. Es war Hasina, die den Spitznamen der Lehrerin geprägt hatte.

Heute verteilte sie Ratschläge, wie sich unattraktive Verehrer abwimmeln ließen. »Die Methode ist narrensicher und funktioniert garantiert. Ehrenwort.«

»Was soll ich damit?«, sagte Giti. »Ich bin doch noch zu jung für Verehrer.«

»Ach was.«

»Jedenfalls hat noch niemand um meine Hand angehalten.«

»Das muss an deinem Bart liegen, meine Liebe.«

Giti deutete einen Boxhieb auf Hasinas Kinn an und blickte Hilfe suchend zu Laila, die ihr halb mitleidig, halb aufmunternd zulächelte – Giti war das humorloseste Mädchen, das sie kannte.

»Wie dem auch sei, wollt ihr's wissen oder nicht?«

»Schieß los«, sagte Laila.

»Bohnen. Nicht weniger als vier Dosen, einzunehmen wenige Stunden bevor der zahnlose Lümmel kommt, um dir seine Liebe zu gestehen. Aber aufgepasst, meine Damen, das genaue Timing ist entscheidend. Ihr müsst das Feuerwerk zurückhalten, bis es Zeit ist, ihm seinen Tee einzuschenken.«

»Ich werd mich dran erinnern«, sagte Laila.

»Das wird auch er.«

Laila hätte erwidern können, dass sie den Rat nicht nötig habe, weil Babi sie so bald nicht freigeben würde. Babi arbeitete zwar für Silo, in der größten Brotfabrik Kabuls, wo er bei brütender Hitze und zwischen lärmenden Maschinen von morgens bis abends die riesigen Öfen und Mahlwerke beschickte, war aber ein Mann mit Universitätsabschluss. Die Kommunisten hatten ihn aus seinem Lehramt vertrieben – das war kurz nach dem Putsch von 1978 gewesen, anderthalb Jahre vor dem Einmarsch der Sowjets. Babi hatte Laila von klein auf klarzumachen versucht, dass das Allerwichtigste für ihn erstens ihre Sicherheit und zweitens ihre Schulausbildung sei.

»Du bist zwar noch jung, aber ich möchte, dass du jetzt schon eines lernst«, hatte er gesagt. »Heiratsabsichten kannst du aufschieben, nicht aber deine Ausbildung. Du bist ein sehr gescheites Mädchen. Ja, das bist du wahrhaftig. Dir stehen alle Türen offen, Laila. Davon bin ich überzeugt. Und ich weiß auch, dass, wenn dieser Krieg vorüber ist, Afghanistan dich genauso nötig haben wird wie seine Männer, vielleicht sogar nötiger. Denn eine Gesellschaft hat keine Aussicht auf Erfolg, wenn ihre Frauen nicht hinreichend ausgebildet sind.«

Hasina gegenüber sagte Laila nichts von den Worten ihres Vaters; sie erwähnte auch nicht, dass sie glücklich darüber war, einen solchen Vater zu haben, dass sie stolz war, von ihm so wertgeschätzt zu werden, und entschlossen, zu studieren, wie er es getan hatte. Am Ende der beiden letzten Schuljahre war ihr jeweils das *awal numra* zuerkannt worden, mit dem die Schule den besten Schüler einer Jahrgangsstufe auszeichnete. Von alldem sagte Laila Hasina gegenüber nichts, denn deren Vater war ein übellauniger Taxifahrer, der seine Tochter wahrscheinlich in zwei oder drei Jahren weggeben würde. In einem ihrer wenigen ernsten Momente hatte Hasina Laila anvertraut, dass ihre Familie bereits entschieden habe, sie mit einem Cousin ersten Grades zu verheiraten, der zwanzig Jahre älter war als sie und eine Autohandlung in Lahore besaß. »Bislang habe ich ihn zweimal gesehen«, hatte Hasina gesagt. »Und beide Male hat er beim Essen laut geschmatzt.«

»Bohnen«, betonte Hasina. »Merkt euch das. Es sei denn ...« – an dieser Stelle grinste sie verschmitzt und stupste Laila mit dem Ellbogen an –, »es sei denn, dein hübscher einbeiniger junger Prinz klopft bei dir an. Dann ...«

Laila stieß den Ellbogen von sich. Bei jedem anderen, der sich über Tarik lustig gemacht hätte, wäre Laila in Harnisch geraten. Aber sie wusste, dass Hasina es nicht böse meinte. Sie hatte einfach nur ein loses Mundwerk und verschonte niemanden, am wenigsten sich selbst.

»So redet man nicht über andere«, sagte Giti.

»Andere? Wen meinst du damit?«

»Zum Beispiel Kriegsversehrte«, antwortete Giti mit ernster Miene und ging damit der Klassenkameradin auf den Leim.

»Mir scheint, Mullah Giti hat sich in Tarik verguckt. Hab ich's doch geahnt. Ha! Aber er ist schon vergeben. Hab ich nicht recht, Laila?«

»Ich hab mich nicht verguckt«, entgegnete Giti. »In niemanden.« Die beiden entfernten sich von Laila und gingen streitend weiter.

Laila legte den Rest des Weges allein zurück. Als sie in ihre Straße einbog, bemerkte sie, dass der blaue Benz immer noch vor dem Haus von Raschid und Mariam parkte. Der ältere Mann im braunen Anzug stand jetzt, auf einen Stock gestützt, neben der Motorhaube und schaute auf das Haus.

Plötzlich hörte Laila eine Stimme hinter sich rufen: »He, Gelbhaar. Sieh mal her.«

Laila drehte sich um und blickte in die Mündung einer Pistole.

17

Die Pistole war rot und hatte einen grünen Abzugbügel. Der Finger am Abzug gehörte Khadim, einem dicken elfjährigen Jungen mit vorstehendem Unterkiefer. Er, der Sohn eines Metzgers, war in Deh-Mazang berüchtigt dafür, Passanten mit den Innereien von Kälbern zu bewerfen. Wenn Tarik nicht in der Nähe war, stellte Khadim Laila in den Pausen auf dem Schulhof nach, belästigte sie mit Anzüglichkeiten und gab wiehernde Geräusche von sich. Einmal hatte er ihr auf die Schulter getippt und gesagt: »Du bist so hübsch, Gelbhaar. Ich will dich heiraten.«

Jetzt winkte er mit der Pistole. »Keine Bange«, sagte er. »Was da rauskommt, sieht man nicht. Nicht auf deinen Haaren.«

»Untersteh dich! Ich warne dich.«

»Womit willst du mir drohen?«, fragte er. »Wirst du mir deinen Krüppel auf den Hals hetzen? ›Oh, Tarik *jan*, komm bitte nach Hause und erlöse mich von diesem *badmash*.‹«

Laila wich zurück, doch Khadim pumpte schon am Abzug der Pistole. Dünne Strahlen warmen Wassers trafen Lailas Haar und dann die Hände, als sie damit ihr Gesicht zu schützen versuchte.

Andere Jungen, die sich bislang versteckt gehalten hatten, kamen jetzt herbeigerannt und feixten.

Irgendwann war Laila einmal auf der Straße eine Beleidigung zu Ohren gekommen, die sie nicht so recht verstand, aber offenbar eine derart drastische Wucht hatte, dass sie ihr nun durchaus angemessen zu sein schien.

»Deine Mutter ist eine Schwanzlutscherin.«

»Immerhin ist sie nicht so bekloppt wie deine«, entgegnete Khadim ungerührt. »Und immerhin ist mein Vater keine Memme. Übrigens, willst du nicht mal an deinen Händen riechen?«

Die anderen Jungen johlten: »Riech mal, riech mal!«

Unwillkürlich führte Laila ihre Hände an die Nase, doch bevor sie daran roch, wurde ihr schlagartig klar, was Khadim damit gemeint hatte, dass man das Wasser nicht auf ihren Haaren sah. Sie stieß einen schrillen Schrei aus, was die Jungen zu noch lauterem Gejohle anstachelte.

Laila drehte sich um und rannte kreischend nach Hause.

In hektischer Eile schöpfte sie Wasser aus dem Brunnen, füllte damit eine Schüssel und zerrte sich das Hemd über den Kopf. Sie seifte sich die Haare ein und scheuerte, vor Abscheu wimmernd, die Kopfhaut mit den Fingerspitzen. Mehrmals hintereinander spülte sie die Haare und seifte sie wieder ein. Immer wieder drohte sich ihr der Magen umzustülpen. Heulend und zitternd schrubbte sie mit einem Waschlappen Gesicht und Hals, bis sich die Haut rötete.

Das wäre ihr nie passiert, wenn sie Tarik bei sich gehabt hätte, dachte sie, als sie sich frische Sachen anzog. Khadim hätte es nie gewagt. Natürlich wäre es auch nicht dazu gekommen, wenn Mami sie, wie versprochen, abgeholt hätte. Manchmal fragte sich Laila, warum ihre Mutter überhaupt zugelassen hatte, mit ihr noch einmal schwanger zu werden. Eltern, so fand sie, sollte kein weiteres Kind erlaubt sein, wenn alle Liebe, die sie geben konnten, bereits aufgebraucht war. Voller Wut stürmte Laila in ihr Zimmer und ließ sich aufs Bett fallen.

Als sie sich halbwegs beruhigt hatte, stand sie auf und klopfte an die Tür ihrer Mutter. Vor dieser Tür hatte sie früher manchmal stundenlang gehockt, ein ums andere Mal zaghaft angeklopft und den Namen ihrer Mutter geflüstert, immer wieder, wie eine Zauberformel, mit der sie einen Bann zu brechen versuchte: »Mami, Mami, Mami, Mami …« Doch Mami hatte die Tür nie geöffnet. So auch jetzt nicht. Laila drehte den Knauf und trat ein.

Mami hatte manchmal auch gute Tage. Dann war sie schon morgens nach dem Aufstehen voller Elan, und die schwere Unterlippe kräuselte sich zu einem Lächeln. Dann nahm sie ein Bad, zog frische Kleider an und tuschte ihre Wimpern. Sie ließ sich von Laila Ohrringe anstecken und die Haare bürsten, was Laila besonders gern tat. Gemeinsam gingen sie dann zum Einkauf in den Mandaii-Basar. Laila brachte sie dazu, mit ihr das Leiterspiel zu spielen, und sie aßen Schokoladenspäne, eine der wenigen Nascherereien, für die beide ein Faible hatten. Der für Laila schönste Moment an Mamis guten Tagen war, wenn Babi nach Hause kam, Mami vom Spielbrett aufblickte und lächelnd ihre braunen Zähne zeigte. Dann durchströmte Laila ein unvergleichliches Hochgefühl, denn es vermittelte sich ihr eine Ahnung von jener zärtlichen Romanze, die ihre Eltern früher einmal, als dieses Haus noch voller Leben und Heiterkeit war, miteinander verbunden hatte.

An ihren guten Tagen backte Mami manchmal Kuchen und lud Nachbarinnen zu einer Tasse Tee ein. Laila schleckte die Teigschüssel aus, während Mami den Tisch mit Servietten und dem Geschirr für besondere Anlässe deckte. Wenn dann die Gäste gekommen waren, durfte Laila mit am Tisch Platz nehmen und den Gesprächen der Frauen zuhören, und es machte sie selbst stolz, wenn die Backkunst ihrer Mutter von allen gelobt wurde. Sie hatte in solchen Runden zwar selbst nicht viel zu sagen, genoss es aber, dabei zu sein, vor allem deshalb, weil ihr ein seltenes Vergnügen zuteil wurde: Sie hörte dann Mami mit liebevollen Worten von Babi sprechen.

»Er war ein vorzüglicher Lehrer«, sagte sie. »Seine Schüler haben ihn verehrt. Und das nicht nur, weil er sie im Unterschied zu den anderen Lehrern nie geschlagen hat. Sie haben ihn geachtet, weil er *sie* geachtet hat. Er war großartig.«

Besonders gern erzählte Mami die Geschichte ihrer Verlobung.

»Ich war sechzehn, er neunzehn. Unsere Familien lebten im Pandschir Tür an Tür. Oh, was war ich vernarrt in ihn, *hamshiras*! Ich bin fast jeden Tag über die Mauer zwischen unseren Häusern gestiegen, um dann mit ihm im Obstgarten seines Vaters zu spielen. Hakim hatte immer Angst, von meinem Vater Prügel zu beziehen. ›Der wird mir noch den Hosenboden versohlen‹, hat er immer gesagt. Er war ständig auf der Hut und sehr ernst. Und eines Tages habe ich dann zu ihm gesagt: ›Cousin‹, sagte ich, ›wie stet's? Wirst du um meine Hand anhalten, oder soll ich der *khastegari* sein, der um dich wirbt?‹ Im Ernst, das habe ich gesagt. Ihr hättet sein Gesicht sehen sollen.«

Mami klatschte vergnügt in die Hände, wenn dann die Frauen und auch Laila lachten.

Solche Geschichten belegten, dass es eine Zeit gegeben haben musste, in der die Eltern glücklich gewesen waren und noch nicht in getrennten Zimmern geschlafen hatten. Laila wünschte, sie hätte diese Zeit miterlebt.

Die Frauen am Tisch kamen unweigerlich auch darauf zu sprechen, welcher junge Mann und welche junge Frau ein gutes Paar abgäben. Wenn Afghanistan von den Sowjets befreit wäre und die Söhne nach Hause zurückkämen, würden sie wohl heiraten wollen, und so überlegten die Frauen, welche Mädchen aus der Nachbarschaft Ahmad und Noor gefallen könnten. Wenn von ihren Brüdern die Rede war, fühlte sich Laila immer ausgeschlossen, und ihr war, als würde man sich über einen besonders schönen Film unterhalten, den sie nicht gesehen hatte. Sie war zwei Jahre alt gewesen, als Ahmad und Noor ins Pandschir-Tal gezogen waren, um sich den Streitkräften Ahmad Schah Massouds anzuschließen und im Dschihad zu kämpfen. Laila hatte kaum eine Erinnerung mehr an sie. Ein glänzender *Allah*-Anhänger an Ahmads Halskette und ein Büschel schwarzer Haare auf einem von Noors Ohren. Das war alles.

»Wie wär's mit Azita?«

»Die Tochter des Teppichwebers?«, fragte Mami und gab sich in gespielter Empörung einen Klaps auf die Wange. »Die hat doch einen noch dichteren Schnurrbart als Hakim.«

»Oder vielleicht Anahita. Es heißt, sie sei die Klassenbeste in Zarghoona.«

»Habt ihr mal ihre Zähne gesehen? Regelrechte Grabsteine. Sie hält einen Friedhof hinter ihren Lippen versteckt.«

»Dann wären da die Wahidi-Schwestern.«

»Diese beiden Zwerge? Nein, nein, nein. Die kommen für meine

Söhne nicht in Betracht. Nicht für meine Sultane. Die verdienen Besseres.«

Während die Frauen miteinander schwatzten, hing Laila eigenen Gedanken nach, die letztlich immer zu Tarik wanderten.

Mami hatte die gelblichen Vorhänge zugezogen. In dem verdunkelten Zimmer roch es nach Schlaf, ungewaschenen Laken, Schweiß, schmutzigen Socken, Parfüm und dem *qurma* vom Vorabend. Als sich ihre Augen an die Dunkelheit gewöhnt hatten, durchquerte sie den Raum. Ihre Füße verhedderten sich in den Kleidern, die auf dem Boden verstreut lagen.

Laila zog die Vorhänge auf. Vor dem Fußende des Bettes stand ein alter metallener Klappstuhl. Sie nahm darauf Platz und beobachtete den Wulst unter den Decken.

Die Wände ringsum waren voller Fotos von Ahmad und Noor. Laila sah sich von lächelnden Fremden umgeben. Hier hockte Noor auf einem Dreirad, dort kauerte Ahmad betend neben einer Sonnenuhr, die er im Alter von zwölf Jahren mit Babis Hilfe gebaut hatte, und an anderer Stelle saßen die Brüder Rücken an Rücken unter dem alten Birnbaum im Hof.

Unter dem Bett erkannte Laila eine Ecke von Ahmads Schuhkarton, in dem er, wie sie wusste, alte Zeitungsausschnitte und Flugblätter von Aufständischen und Widerstandsgruppen aufbewahrte, die in Pakistan ihren Stützpunkt hatten. Laila erinnerte sich, dass darin auch das Zeitungsfoto eines Mannes lag, der ein langes weißes Gewand trug und einem kleinen Jungen ohne Beine einen Dauerlutscher schenkte. Die Bildunterschrift lautete: *Sowjetische Landminen zielen auf Kinder.* In dem Artikel dazu hieß es, dass die Sowjets auch bunte Spielzeuge mit Sprengstoff füllten, die, wenn ein Kind sie in die Hand nahm, explodierten und ihnen die Hand oder sogar den Arm abrissen. Die Väter solcher Opfer konnten am Dschihad nicht teilnehmen, weil sie zu Hause bleiben und sich um ein verkrüppeltes Kind kümmern mussten. In einem anderen Artikel kam ein junger Mudschaheddin zu Wort, der davon berichtete, dass sein Heimatdorf von den Sowjets mit Giftgasen angegriffen worden sei, die den Bewohnern die Haut verätzt und viele blind gemacht hätten. Er habe mit eigenen Augen gesehen, wie seine Mutter und seine Schwester, aus dem Mund blutend, zum Fluss gerannt seien.

»Mami.«

Der Wulst rührte sich. Durch die Decken drang ein Stöhnen.

»Steh auf, Mami. Es ist schon drei Uhr.«

Noch ein Stöhnen. Wie das Periskop eines U-Bootes tauchte ein Arm auf, der aber sogleich wieder fallen gelassen wurde. Jetzt kam etwas mehr Bewegung in den Wulst. Die Decken raschelten. Nach und nach kam die Mutter darunter zum Vorschein, zuerst das zerzauste Haar, dann das weiße verquollene Gesicht mit den zusammengekniffenen Augen, eine Hand, die nach dem Bettpfosten langte. Ächzend richtete sie sich auf. Vom hellen Licht geblendet, schlug sie die Hand vors Gesicht und ließ den Kopf auf die Brust fallen.

»Wie war's in der Schule?«, murmelte sie.

Es war jedes Mal das Gleiche. Eintönige Fragen, nichtssagende Antworten. Beide gaben sich nur wenig Mühe in diesem lustlos absolvierten alten Spiel.

»Wie soll's schon gewesen sein?«

»Hast du was gelernt?«

»Das Übliche.«

»Schon gegessen?«

»Ja.«

»Gut.«

Mami hob den Kopf, blickte Richtung Fenster und blinzelte. Die rechte Gesichtshälfte war gerötet und das Haar auf dieser Seite platt gedrückt. »Ich habe Kopfschmerzen.«

»Soll ich dir Aspirin bringen?«

Mami massierte sich die Schläfen. »Vielleicht später. Ist dein Vater zu Hause?«

»Wir haben doch erst drei.«

»Ja, richtig. Das sagtest du.« Mami gähnte. »Ich habe geträumt.« Ihre Stimme war kaum lauter als das Rascheln der Laken. »Gerade eben noch, und jetzt weiß ich schon nicht mehr, was. Kennst du das auch?«

»Das kennt jeder, Mami.«

»Seltsam.«

»Während du geträumt hast, bin ich von einem Jungen mit Pisse aus einer Wasserpistole angespritzt worden.«

»Wie bitte? Womit?«

»Pisse. Urin.«

»Das ist … das ist ja schrecklich. Gütiger Himmel. Armes Ding. Den Lümmel werd ich mir vorknöpfen, gleich morgen früh. Oder vielleicht sollte ich lieber gleich seiner Mutter ein paar Takte flüstern. Ja, ich glaube, das wäre besser.«

»Du weißt doch noch gar nicht, wer's war.«

»Oh. Und? Wer war's?«

»Nicht der Rede wert.«

»Du bist wütend.«

»Du wolltest mich von der Schule abholen.«

»Ach ja?«, krächzte Mami. Ob sie damit ihr Versäumnis bedauerte oder die Verabredung in Frage stellte, hätte Laila nicht sagen können. Mami zupfte sich an den Haaren. Es zählte für Laila zu den größten Rätseln der Natur, dass ihre Mutter, die sich ständig an den Haaren zupfte, nicht längst kahl war wie ein Ei. »Was ist mit … wie war noch gleich sein Name? Mit deinem Freund Tarik? Wo steckt er?«

»Er ist verreist.«

»Oh.« Mami schniefte. »Hast du dich gewaschen?«

»Ja.«

»Dann bist du also wieder sauber.« Mami schaute zum Fenster hin. »Du bist sauber, und alles ist in Ordnung.«

Laila stand auf. »Ich muss jetzt meine Hausaufgaben machen.«

»Natürlich, recht so. Zieh bitte die Vorhänge zu, bevor du gehst, Liebes«, hauchte Mami und sank ins Kissen zurück.

Als Laila vorm Fenster stand und nach den Vorhängen griff, sah sie ein Auto durch die Straße fahren, gefolgt von einer dichten Staubwolke. Es war der blaue Benz aus Herat. Die Fensterscheiben glitzerten im Sonnenlicht. Sie blickte dem Wagen nach, bis er an der nächsten Ecke abbog und verschwand.

»Morgen werde ich nicht vergessen, dich abzuholen«, flüsterte Mami. »Versprochen.«

»Das hast du gestern auch gesagt.«

»Ach, wenn du wüsstest, Laila.«

»Was?« Laila wirbelte auf dem Absatz herum und wandte sich ihrer Mutter zu. »Wenn ich was wüsste?«

Mami klopfte sich matt mit der Hand auf die Brust. »Wie's da drinnen aussieht. Du hast ja keine Ahnung.«

18

Die Woche verging, ohne dass Tarik von sich hätte hören lassen, dann noch eine weitere Woche.

Um sich die Zeit zu vertreiben, flickte Laila die Fliegengittertür, wozu Babi immer noch nicht gekommen war. Anschließend nahm sie all seine Bücher aus dem Regal, staubte sie ab und ordnete sie alphabetisch. Sie ging in die Hühnerstraße, begleitet von Hasina, Giti und deren Mutter, einer Näherin, die gelegentlich zusammen mit Mami für andere nähte. In dieser Woche gelangte Laila zu der Auffassung, dass von allen Nöten, die einen Menschen befallen können, das lange Warten am schwersten zu ertragen war.

Eine weitere Woche ging zu Ende.

Laila wurde von schrecklichen Gedanken heimgesucht.

Er käme nie zurück. Seine Eltern waren womöglich für immer fortgezogen, und die Fahrt nach Ghazni hatte nur als Vorwand dienen sollen, listig eingefädelt von den Eltern, um den beiden einen schmerzlichen Abschied zu ersparen.

Womöglich war er wieder auf eine Landmine getreten, so wie damals, 1981, als er, fünfjährig, das letzte Mal mit seinen Eltern nach Ghazni in den Süden gefahren war, kurz nach Lailas drittem Geburtstag. Er hatte damals noch Glück gehabt und nur ein Bein verloren, Glück, überhaupt am Leben geblieben zu sein.

Ihr Kopf war voll von solch quälenden Gedanken.

Dann, eines Abends, sah Laila endlich ein kleines Licht in der Straße blinken. Ihren Lippen entwich ein Laut, halb Quieken, halb Keuchen. Eilig fischte sie ihre Taschenlampe unter dem Bett hervor, nur um feststellen zu müssen, dass sie nicht funktionierte. Wütend schlug sie die Lampe auf die offene Hand und verfluchte die leeren Batterien. Sei's drum. Er war wieder da. Vor Erleichterung ganz schwindlig, setzte sich Laila auf die Bettkante und betrachtete das wunderschöne gelbe Auge, das ihr zuzwinkerte.

Als sie sich am nächsten Tag auf den Weg zu Tariks Haus machte, sah Laila Khadim mit ein paar Freunden auf der anderen Straßenseite. Khadim hockte auf den Fersen und zeichnete mit einem Stock Figuren in den Staub. Als er sie sah, ließ er den Stock fallen, griff mit krabbelnden Fingern in die Luft und sagte etwas, worüber sich die anderen ausschütteten vor Lachen. Mit gesenktem Kopf stürmte Laila an ihnen vorbei.

»Was hast du *getan*?«, schimpfte sie, als Tarik ihr die Tür geöffnet hatte. Dann fiel ihr ein, dass sein Onkel Friseur war.

Tarik fuhr mit der Hand über seinen frisch rasierten Schädel und zeigte lachend seine weißen, ein wenig schiefen Zähne.

»Gefällt's dir?«

»Du siehst aus, als hätte dich das Militär eingezogen.«

»Willst du mal fühlen?« Er senkte den Kopf.

Die winzigen Stoppeln kratzten angenehm auf der Handfläche. Tarik war beileibe nicht so wie die anderen Jungen, deren Haar eierförmige Schädel und unansehnliche Wülste verbarg. Tariks Kopf war perfekt gerundet und ohne jeden Makel.

Als er aufblickte, bemerkte Laila, dass seine Wangen und die Stirn gebräunt waren.

»Warum warst du so lange weg?«, fragte sie.

»Mein Onkel war krank. Komm. Komm rein.«

Er führte sie ins Wohnzimmer. Laila liebte alles in diesem Haus, selbst den durchgetretenen alten Teppich oder die Patchwork-Decke auf der Couch und das übliche Durcheinander: die Stoffreste seiner Mutter, ihre Nähnadeln, die in Garnspulen steckten, die Zeitungen von vorgestern und den alten Akkordeonkasten in der Ecke.

»Wer ist da?«

Seine Mutter rief aus der Küche.

»Laila«, antwortete er.

Er rückte ihr einen Stuhl zurecht. Dank des Doppelfensters, das sich zum Hof hin öffnete, war es sehr hell im Wohnzimmer von Tariks Familie. Auf dem Sims standen Gläser, in denen seine Mutter Auberginen und Karottenmarmelade einweckte.

»Also unsere *aroos*, unsere Schwiegertochter«, sagte sein Vater, als er den Raum betrat. Er war Schreiner, ein hagerer weißhaariger Mann Anfang sechzig. Er hatte eine Lücke zwischen den Schneidezähnen und die blinzelnden Augen eines Mannes, der die meiste Zeit seines Lebens im Freien verbrachte. Laila lief in seine ausgebreiteten Arme und genoss den angenehmen, vertrauten Duft von Sägemehl. Sie küssten einander dreimal auf die Wangen.

»Du riskierst, dass sie nicht mehr kommt, wenn du sie weiterhin so nennst«, sagte Tariks Mutter, die mit einer Schüssel und vier Schalen auf einem Tablett ins Zimmer trat. Sie stellte das Tablett ab, schmiegte beide Hände um Lailas Gesicht und sagte: »Schön, dich zu sehen. Nimm Platz, meine Liebe. Ich habe eingelegte Früchte aus dem Süden mitgebracht.«

Der Tisch war etwas klobig geraten und bestand aus hellem unbehandeltem Holz – Tariks Vater hatte ihn geschreinert, wie auch die Stühle. Darauf lag eine moosgrüne Plastikdecke, gemustert mit kleinen magentaroten Halbmonden und Sternen. Ringsum an den Wänden hingen Fotos von Tarik in verschiedenen Altersstufen. Auf denen aus frühen Jahren hatte er noch zwei Beine.

»Ihr Bruder war krank?«, fragte Laila und tauchte den Löffel in das Dessert aus gewässerten Rosinen, Pistazien und Aprikosen.

Er steckte sich gerade eine Zigarette an. »Ja, aber jetzt geht's ihm schon viel besser, *shokr e Khoda*, Gott sei Dank.«

»Er hatte seinen zweiten Herzinfarkt«, erklärte Tariks Mutter und bedachte ihren Mann mit strengem Blick.

Der blies Rauch in die Luft und zwinkerte Laila zu. Tariks Eltern hätte man durchaus auch für seine Großeltern halten können. Seine Mutter war schon weit über vierzig gewesen, als sie ihn zur Welt gebracht hatte.

»Wie geht's deinem Vater, meine Liebe?«, fragte Tariks Mutter über den Rand ihrer Schale hinweg.

Sie trug, so lange Laila sie kannte, eine Perücke, die inzwischen einen stumpfen Violettton angenommen hatte. Heute saß sie etwas zu tief in der Stirn und ließ an den Seiten graue Haare zum Vorschein treten. Manchmal war sie auch zu weit in den Nacken gerutscht. Auf Laila aber machte Tariks Mutter nie einen bedauernswerten Eindruck. Laila sah unter der Perücke ein ruhiges, selbstbewusstes Gesicht, kluge Augen und ein angenehmes, gelassenes Wesen.

»Ihm geht's gut«, antwortete Laila. »Er arbeitet natürlich immer noch für Silo, scheint aber zufrieden zu sein.«

»Und deine Mutter?«

»Hat ihre guten und schlechten Tage. Wie immer.«

»Ja«, sagte Tariks Mutter, nachdenklich in ihrer Schale rührend. »Es muss einer Mutter schrecklich schwer ums Herz sein, wenn ihre Söhne fort sind.«

»Bleibst du zum Mittagessen?«, fragte Tarik.

»Unbedingt«, sagte seine Mutter. »Es gibt *shorwa*.«

»Ich will nicht *mozahem* sein.«

»Aufdringlich?«, sagte Tariks Mutter. »Kaum sind wir ein paar Wochen weg, und schon wirst du uns gegenüber genierlich.«

»Na schön, ich bleibe«, entgegnete Laila errötend und lächelte.

»Das wäre also abgemacht.«

Tatsächlich aß Laila mit Tarik und dessen Eltern viel lieber als bei sich zu Hause, wo sie meist allein am Tisch saß. Sie mochte die lilafarbenen Plastikbecher, die hier zum Trinken benutzt wurden, und den Wasserkrug, in dem immer Zitronenspalten schwammen. Es gefiel ihr, dass jede Mahlzeit mit einer Schale frischem Joghurt begann und alles mit dem Saft saurer Orangen gewürzt wurde, selbst der Joghurt, und dass immer kleine harmlose Hänseleien ausgetauscht wurden.

Bei Tisch gab es stets viel zu erzählen. Tarik und seine Eltern waren zwar Paschtunen, aber in Lailas Beisein wurde Farsi gesprochen, obwohl sie Paschto in der Schule lernte und mehr oder weniger gut verstand. Von Babi wusste sie, dass es Spannungen gab zwischen der Minderheit der Tadschiken und den Paschtunen, der größten Volksgruppe in Afghanistan. »Die Tadschiken fühlen sich seit eh und je benachteiligt«, hatte Babi gesagt. »Fast zweihundertfünfzig Jahre lang herrschten Paschtunenkönige; nur einmal, 1929, war ein Tadschike an der Macht, ein Rebell, Deserteur und Wegelagerer mit dem Beinamen Der Sohn des Wasserträgers. Er raubte den Thron, wurde aber schon nach neun Monaten Regentschaft hingerichtet.«

»Und du«, hatte Laila gefragt, »fühlst du dich auch benachteiligt, Babi?«

Babi hatte seine Brille am Saum des Hemdes geputzt. »Für mich ist das alles blanker Unsinn, ein gefährlicher dazu, wenn der eine betont, Tadschike zu sein, und der andere stolz darauf ist, den Paschtunen, Hazaras oder Usbeken anzugehören. Wir sind alle Afghanen, und darauf sollte es ankommen. Aber wenn eine Volksgruppe so lange Zeit über eine andere herrscht, ja, dann entsteht böses Blut, dann kommt's zu Hass und Feindschaft. So ist es immer gewesen.«

Vielleicht. Aber von solchen Spannungen war in Tariks Haus nie etwas zu spüren. Herkunft oder Sprache spielten hier keine Rolle, und es gab auch keine Gehässigkeiten, die die Atmosphäre vergiftet hätten. Laila fühlte sich im Kreis der Familie rundum wohl und ungezwungen.

»Wie wär's mit einem Kartenspielchen?«, schlug Tarik vor.

»Ja, geht nach oben«, sagte seine Mutter, die sich gerade naserümpfend gegen den Qualm aus dem Mund ihres Mannes zur Wehr setzte. »Ich werde mich derweil um die *shorwa* kümmern.«

Die beiden lagen bäuchlings mitten in Tariks Zimmer und teilten abwechselnd die Karten zu einer weiteren Runde *panjpar* aus. Tarik schwenkte den gesunden Fuß in der Luft und berichtete von seiner Reise. Von den jungen Pfirsichbäumen, die er mit seinem Onkel gepflanzt hatte. Von der im Garten gefangenen Schlange.

In diesem Zimmer machten Laila und Tarik auch ihre Hausaufgaben, hier bauten sie Türme aus Karten und zeichneten lustige Porträts vom jeweils anderen. Wenn es regnete, lehnten sie an der Fensterbank, tranken lauwarme, sprudelnde Orangenlimonade und betrachteten die an der Scheibe entlangrinnenden Tropfen.

Sie zählten die vorbeifahrenden Autos und stellten einander Rätselfragen.

»Hör zu«, sagte Laila, die Karten mischend. »Was reist um die ganze Welt, bleibt aber immer in einer Ecke kleben?«

»Augenblick.« Tarik richtete sich auf und wuchtete seine Beinprothese herum. Mit einem Stöhnen legte er sich auf die Seite, den Kopf auf die Hand gestützt. »Reich mir mal das Kissen.« Er stopfte es sich unters Bein. »Schon besser.«

Laila erinnerte sich an den Augenblick, als er ihr zum ersten Mal den Stumpf gezeigt hatte. Sie war damals sechs gewesen. Mit einem Finger hatte sie die gespannte, glänzende Haut unter dem linken Knie befühlt und kleine feste Knoten darunter ertastet, Knochensporne, wie Tarik erklärte, die sich nach einer Amputation manchmal bildeten. Auf ihre Frage, ob der Stumpf schmerze, hatte er gesagt, dass er abends häufig wehtue, wenn er geschwollen sei und die Prothese kneifen würde wie ein Fingerhut am Daumen. »Manchmal ist er auch ganz wund gescheuert. Besonders an heißen Tagen. Dann bilden sich Ausschlag und Blasen. Aber dafür hat meine Mutter Salben, die helfen. Ist halb so schlimm.«

Laila war in Tränen ausgebrochen.

»Warum weinst du?« Er hatte die Prothese wieder angeschnallt. »Du wolltest es sehen, *giryanok*, du Heulsuse. Wenn ich gewusst hätte, dass dir das so viel ausmacht, hätte ich's dir nicht gezeigt.«

»Eine Briefmarke«, antwortete er jetzt.

»Was?«

»Die Lösung deines Rätsels. Briefmarke. Wollen wir nach dem Essen in den Zoo gehen?«

»Du kanntest es schon, stimmt's?«

»Nein.«

»Lüg nicht.«

»Du bist ja nur neidisch.«

»Worauf?«

»Auf meine maskuline Cleverness.«

»Deine *maskuline* Cleverness? Dass ich nicht lache. Wer gewinnt denn jede Schachpartie?«

»Ich lasse dich gewinnen«, antwortete er lachend. Sie wussten beide, dass dem nicht so war.

»Und wer kommt in Mathe nicht mit? Wem muss ich immer bei den Hausaufgaben helfen, obwohl du eine Klasse über mir bist?«

»Ich wäre schon zwei Klassen weiter, wenn mich Mathe nicht so langweilen würde.«

»Erdkunde langweilt dich dann wohl auch.«

»Woher weißt du das? Schluss jetzt. Gehen wir in den Zoo, ja oder nein?«

Laila lächelte. »Ja.«

»In Ordnung.«

»Du hast mir gefehlt.«

Es entstand eine Pause. Dann wandte sich Tarik ihr mit einer Miene zu, die, halb grinsend, halb grimassierend, Missfallen zum Ausdruck bringen sollte. »Was ist bloß los mit dir?«

Den Schulfreundinnen fiel es nicht schwer, diese vier Wörter zu sagen, wenn sie sich einmal zwei oder drei Tage lang nicht gesehen hatten. »Du hast mir gefehlt, Hasina.« – »Oh, du mir auch.« Tariks Grimasse aber zeigte ihr, dass Jungs in dieser Hinsicht anders waren. Sie machten kein Aufhebens um freundschaftliche Gefühle und hatten offenbar nicht das Bedürfnis, darüber zu sprechen. Von ihren Brüdern, so dachte Laila, wäre wahrscheinlich auch nicht mehr zu erwarten. Anscheinend war für Jungen Freundschaft so selbstverständlich wie die Sonne; man genoss ihre Wärme, setzte sich den Strahlen aber lieber nicht direkt aus.

»Ich wollte dich nur ein bisschen ärgern«, sagte sie.

Er warf ihr einen flüchtigen Blick zu. »Das ist dir gelungen.«

Immerhin war, wie sie bemerkte, seine Miene nun wieder entspannter, und es schien, als hätte die Sonnenbräune seiner Wangen für einen Moment zugenommen.

Laila hatte eigentlich kein Wort darüber verlieren wollen, denn ihr war klar, dass Tarik die Sache nicht auf sich beruhen lassen konnte und irgendjemand verletzt werden würde. Doch als sie später das Haus verließen und auf die Bushaltestelle zugingen, sah sie Khadim im Kreis seiner Freunde an einer Mauer lehnen, die Daumen in den Hosenbund gesteckt und mit trotzigem Grinsen im Gesicht.

Da platzte es aus ihr heraus, und sie erzählte Tarik, was vorgefallen war.

»Was hat er getan?«

Sie wiederholte die Geschichte.

Er zeigte mit dem Finger auf Khadim. »Der da? Er war's? Bist du dir sicher?«

»Ja.«

Tarik biss die Zähne zusammen und stieß einen Satz auf Paschto hervor, den Laila nicht verstand. »Du wartest hier«, sagte er wieder auf Farsi.

»Nein, Tarik …«

Doch er er war schon losgegangen.

Khadim grinste nicht mehr, als er ihn kommen sah. Er stieß sich von der Mauer ab, nahm die Daumen aus dem Hosenbund und straffte die Schultern. Er gab sich alle Mühe, bedrohlich zu wirken. Die anderen folgten seinem Beispiel.

Laila bereute, Tarik von dem Vorfall erzählt zu haben. Was, wenn die ganze Meute – wie viele waren es? Elf, zwölf? – über ihn herfallen würde? Was, wenn sie ihn verletzten?

Tarik blieb wenige Meter vor Khadim und seiner Bande stehen. Er schien zu zögern, und als er sich bückte, glaubte Laila, dass er seine Schnürsenkel festzubinden vortäuschte, um dann zu ihr zurückzukehren. Aber dann sah sie, was er tatsächlich vorhatte.

Die anderen sahen es auch. Tarik richtete sich auf und hüpfte, die Prothese wie ein Schwert hoch über dem Kopf erhoben, einbeinig in weiten Sätzen auf Khadim zu.

Die Jungen stoben auseinander und machten ihm den Weg frei.

Dann wirbelte Staub auf, Fäuste flogen, es wurde getreten und geschrien.

Khadim belästigte Laila nie wieder.

Wie an den meisten Tagen deckte Laila auch an diesem Abend den Tisch nur für zwei. Meist hatte Mami entweder keinen Hunger, oder sie ging mit dem Teller auf ihr Zimmer, ehe Babi zurückkehrte, und wenn Laila und Babi zu Tisch saßen, lag sie schon im Bett.

Wenn Babi von der Arbeit kam, ging er zuerst immer ins Badezimmer, um sich den Mehlstaub aus den Haaren zu spülen.

»Was gibt's heute?«, fragte er, als er, frisch gewaschen und die Haare zurückgekämmt, das Wohnzimmer betrat.

»Den Rest der *aush*-Suppe.«

»Prima«, sagte er und faltete das Handtuch zusammen, mit dem er sich abgetrocknet hatte. »Und womit werden wir uns anschließend beschäftigen? Mit der Addition von Brüchen?«

»Diesmal muss ich Brüche in Dezimalzahlen auflösen.«

»Ah. Richtig.«

Jeden Abend half Babi seiner Tochter bei den Hausaufgaben und stellte ihr dann auch noch zusätzliche Aufgaben. Er wollte, dass Laila ihren Mitschülerinnen stets einen oder zwei Schritte voraus war. Nicht, dass er den von der Schule angebotenen Lernstoff für allzu dürftig erachtet hätte. Im Gegenteil, ungeachtet der ideologischen Propaganda, die dort vermittelt wurde, hielt er den Kommunisten immerhin eines zugute, und das war ironischerweise deren Wertschätzung für Ausbildung und Lehre, von der sie ihn selbst ausgeschlossen hatten. Zumindest hatten die Kommunisten sich das auf die Fahnen geschrieben, insbesondere die Ausbildung von Frauen. Die Regierung finanzierte Alphabetisierungskurse für alle Frauen. Inzwischen seien, sagte Babi, fast zwei Drittel der Studierenden an der Universität von Kabul Frauen, die nicht zuletzt auch Studienfächer wie Jura, Medizin und Ingenieurwissenschaften belegten.

»Frauen hatten es immer schwer in diesem Land, Laila. Jetzt, unter den Kommunisten, sind sie womöglich freier als je zuvor; jedenfalls haben sie mehr Rechte«, hatte er mit gedämpfter Stimme gesagt, weil er sich vor Mami hütete, die an den Kommunisten kein gutes Haar lassen mochte. »Es ist wahr, für afghanische Frauen sind gute Zeiten angebrochen, und auch du kannst davon profitieren, Laila.« An dieser Stelle hatte er bekümmert den Kopf geschüttelt und hinzugefügt: »Leider ist dies, die Freiheit der Frauen, einer der Gründe, warum die Leute da draußen zu den Waffen greifen.«

Mit »da draußen« war nicht Kabul gemeint, deren Bürger immer schon als vergleichsweise liberal und progressiv galten. Hier in Kabul lehrten Frauen sogar an der Universität, sie übten Regierungsämter aus und leiteten Schulen. Nein, Babi meinte die Stammesgebiete, insbesondere die der Paschtunen im Süden oder die Region im Osten nahe der pakistanischen Grenze, wo sich Frauen nur noch in Burka und in männlicher Begleitung auf den Straßen zeigen durften. Er meinte jene Gebiete, wo Männer nach alten Stammesregeln lebten und gegen die Kommunisten rebellierten, weil diese die Zwangsehe abzuschaffen versuchten und das heiratsfähige Alter für Mädchen auf sechzehn Jahre heraufgesetzt hatten. Von einer Regierung – zumal einer gottlosen – vorgeschrieben zu bekommen, dass ihre Töchter zur Schule gehen und am Arbeitsplatz den Männern gleichgestellt sein müssten, kam für Männer einer Beleidigung jahrhundertealter Traditionen gleich.

»Gott bewahre, dass so etwas passiert!«, frotzelte Babi gern. Dann seufzte er immer und sagte: »Laila, meine Liebe, der einzige Feind, den eine Afghane niemals wird bezwingen können, ist niemand anders als er selbst.«

Babi setzte sich an den Kopf des Tisches und tunkte ein Stück Brot in seine *aush*.

Laila hatte vor, ihm von der Schlägerei zwischen Tarik und Khadim zu erzählen. Doch dazu kam sie nicht, denn plötzlich klopfte es an der Tür.

19

»Ich muss mit deinen Eltern sprechen, *dokhtar jan*.« Laila hatte einem fremden Mann die Tür geöffnet. Er war untersetzt, sein Gesicht scharf geschnitten und vom Wetter gegerbt. Er trug einen sandfarbenen Mantel und einen braunen wollenen *pakol* auf dem Kopf.

»Wie ist Ihr Name?«

Dann lag Babis Hand auf Lailas Schulter. Sanft zog er sie von der Tür weg und sagte: »Du gehst jetzt besser nach oben auf dein Zimmer.«

Als sie sich auf die Treppe zubewegte, hörte Laila den Besucher sagen, dass er Nachrichten aus dem Pandschir-Tal habe. Mami war inzwischen auch im Wohnzimmer. Sie hielt eine Hand vor den Mund gedrückt und ließ ihren Blick zwischen Babi und dem Mann mit dem *pakol* hin und her springen.

Laila lugte durch den Türspalt und sah, wie der Fremde, nachdem er und ihre Eltern Platz genommen hatten, sich nach vorn beugte und die Lippen bewegte. Plötzlich wurde Babi kreidebleich. Er starrte auf seine Hände. Mami fing zu schreien an und zerrte sich an den Haaren.

Am nächsten Morgen, dem Tag der *fatiha*, kamen Nachbarinnen ins Haus und sorgten für die Vorbereitung des *khatm*-Mahls, das nach der Trauerfeier stattfinden sollte. Mami saß den ganzen Vormittag über mit verquollenem Gesicht auf der Couch und nestelte an einem Taschentuch. Zwei Frauen saßen rechts und links von ihr; abwechselnd betätschelten sie ihre Hand und waren so vorsichtig dabei, dass man hätte meinen können, Mami sei eine seltene, zerbrechliche Puppe. Sie selbst schien die Frauen gar nicht wahrzunehmen.

Laila kniete sich vor sie hin und ergriff ihre Hände. »Mami.«

Mami senkte den Blick und schaute sie aus glasigen Augen an.

»Wir kümmern uns um sie, Laila *jan*«, sagte eine der Frauen mit gewichtiger Miene. Laila hatte schon an einigen Trauerfeiern teilgenommen und jedes Mal Frauen wie diese angetroffen, Frauen, die alles, was mit dem Tod zusammenhing, zu genießen schienen. Solche ehrenamtlichen Trösterinnen ließen sich durch nichts und niemanden davon abhalten, den Pflichten nachzukommen, die sie sich selbst auferlegt hatten.

»Wir haben alles unter Kontrolle. Du kannst gehen, Mädchen, und dich mit irgendwas anderem beschäftigen. Lass deine Mutter jetzt in Ruhe.«

Laila kam sich nutzlos vor. Sie wanderte von einem Zimmer zum nächsten und lungerte in der Küche herum. Hasina kam in Begleitung ihrer Mutter Nila und verhielt sich ungewohnt zurückhaltend. Auch Giti kam mit ihrer Mutter. Als sie Laila sah, eilte sie auf sie zu, umschlang sie mit ihren knochigen Armen und hielt sie lange Zeit fest an sich gedrückt. Mit Tränen in den Augen sagte sie: »Es tut mir so leid, Laila.« Laila bedankte sich für ihre Anteilnahme. Die drei Mädchen gingen in den Hof hinaus und hockten dort beieinander, bis sie von einer der Frauen beauftragt wurden, Gläser zu spülen und den Tisch zu decken.

Babi irrte ziellos im Haus umher und suchte, wie es schien, nach irgendeiner Beschäftigung.

»Haltet ihn mir vom Leib.« Es war das Einzige, was Mami an diesem Vormittag von sich gab.

Er setzte sich schließlich auf den Klappstuhl im Flur und wirkte in seiner Verzweiflung noch kleiner, als er es ohnehin war. Dann meinte eine der Frauen, dass er den Weg versperre. Er entschuldigte sich und verschwand in seinem Arbeitszimmer.

Am Nachmittag fuhren die Männer nach Karteh-Seh, wo sie sich in einem Saal versammelten, den Babi für die *fatiha* angemietet hatte. Die Frauen blieben im Haus. Laila und Mami saßen gleich neben der Wohnzimmertür, wie es sich für die Familie des Verstorbenen gehörte. Die Trauergäste zogen vor der Tür die Schuhe aus, nickten beileidsvoll und durchquerten das Zimmer, um auf einem der Stühle an der Wand Platz zu nehmen. Laila sah Wajma, die alte Hebamme, die sie zur Welt gebracht hatte. Sie sah auch Tariks Mutter, deren Perücke mit einem schwarzen Schal umwickelt war. Sie nickte Laila zu und lächelte traurig.

Aus den Lautsprechern des Kassettenrekorders tönte eine Männerstimme, die Koranverse vortrug. Dazwischen waren immer wieder Seufzer, rückende Stühle und das Schnäuzen von laufenden Nasen zu hören, unterdrücktes Husten, Getuschel und manchmal auch ein theatralisches, herzzerreißendes Schluchzen.

Raschids Frau Mariam betrat das Zimmer. Sie trug eine schwarze *hijab*. Eine Haarsträhne fiel ihr in die Stirn. Sie nahm Laila gegenüber an der Wand Platz.

Mami wippte mit dem Oberkörper vor und zurück. Laila nahm die Hand ihrer Mutter und legte sie in ihren Schoß, was Mami aber nicht zu bemerken schien.

»Willst du was trinken?«, flüsterte Laila ihr ins Ohr. »Hast du Durst?«

Doch Mami antwortete nicht. Sie schaukelte vor und zurück und starrte mit leerem Blick auf den Teppich.

Angesichts ihrer Mutter und der Trauermienen ringsum tat sich für Laila eine Ahnung von der Schwere des Schlages auf, der die Familie getroffen hatte. Von den versagten Möglichkeiten, den zerstörten Hoffnungen.

Doch hielt dieses Gefühl nicht lange vor. Sie vermochte den Schmerz ihrer Mutter nicht nachzuempfinden, *wirklich* nachzuempfinden. Es gelang ihr nicht, den Tod von Menschen zu betrauern, die sie kaum kennengelernt hatte. Sie kannte Ahmad und Noor nur vom Hörensagen. Die beiden waren ihr so fern wie Märchengestalten, wie Prinzen aus Geschichtsbüchern.

Tarik dagegen war für sie real, aus Fleisch und Blut, Tarik, der ihr Schimpfwörter auf Paschto beigebracht hatte, der gesalzene Kleeblätter mochte, der beim Essen die Stirn runzelte und brummelnde Laute von sich gab, der unter dem linken Schlüsselbein ein rosafarbenes Muttermal in Form einer auf dem Kopf stehenden Mandoline hatte.

So saß Laila neben ihrer Mutter, trauerte pflichtschuldig um Ahmad und Noor, konnte sich aber mit dem Gedanken trösten, dass ihr wahrer Bruder lebte und wohlauf war.

20

Es stellten sich Beschwerden ein, unter denen Mami den Rest ihrer Tage zu leiden hatte, Beklemmungen in der Brust und Kopfschmerzen, Gelenkschmerzen und nächtliche Schweißausbrüche, qualvolle Schmerzen in den Ohren und Knoten, die kein anderer ertasten konnte. Babi ging mit ihr zum Arzt, der Blut- und Urinproben untersuchte, Röntgenaufnahmen machte, aber keine akute Erkrankung festzustellen vermochte.

Mami lag meist im Bett. Sie trug Schwarz. Sie zupfte an ihren Haaren und knabberte am Leberfleck unter der Lippe. Wenn sie ausnahmsweise einmal auf den Beinen war, schlurfte sie durchs Haus und gelangte letztlich immer in Lailas Zimmer, als hoffte sie dort ihre Söhne anzutreffen, die früher in diesem Zimmer geschlafen, gefurzt und Kissenschlachten veranstaltet hatten. Aber sie begegnete dort immer nur deren Abwesenheit. Und Laila. Was, wie Laila vermutete, für Mami ein und dasselbe war.

Es gab nur eine Pflicht, die Mami nie vernachlässigte, und das waren ihre täglichen fünf *namaz*-Gebete. Zum Schluss eines jeden *namaz* flehte sie, den Kopf gesenkt und die erhobenen Hände nach innen gewendet, dass Allah den Mudschaheddin zum Sieg verhelfen möge. Laila musste sich immer mehr um den Haushalt kümmern. Wenn sie nicht für Ordnung sorgte, nahm das Durcheinander von Kleidung, Schuhen, offenen Reisbeuteln, Konservendosen und schmutzigem Geschirr bald überhand. Sie wusch Mamis Wäsche und wechselte die Laken. Sie holte sie aus dem Bett, wenn es an der Zeit war, zu baden oder zu essen. Sie war es auch, die Babis Hemden und Hosen bügelte. Die Zubereitung der Mahlzeiten blieb schließlich ganz ihr überlassen.

Wenn sie mit diesen Aufgaben fertig war, kroch Laila manchmal zu ihrer Mutter ins Bett. Sie nahm sie in den Arm, verschränkte die Finger mit den ihren und vergrub das Gesicht in ihrem Haar. Mami rührte sich dann und murmelte etwas. Schließlich kam sie unweigerlich auf die Jungen zu sprechen.

Eines Tages, als sie so beieinander lagen, sagte Mami: »Ahmad war für Höheres bestimmt. Er hatte das, was man Charisma nennt. Wenn er das Wort ergriff, hörten ihm selbst Leute, die dreimal so alt waren wie er, respektvoll zu. Das hättest du sehen sollen. Und Noor. Oh, mein kleiner Noor. Er zeichnete immer Bauwerke und Brücken. Sein Wunsch war es, Architekt zu werden, um später einmal ganz Kabul nach seinen Entwürfen neu aufzubauen. Und jetzt sind sie *shaheed*, meine Jungen, Märtyrer alle beide.«

Laila hörte immer aufmerksam zu und hoffte im Stillen, Mami würde bemerken, dass *sie*, Laila, kein *shaheed* war und noch lebte, dass sie hier mit ihr im Bett lag und eigene Wünsche für die Zukunft hatte. Allerdings war ihr klar, dass sich ihre Zukunft mit der Vergangenheit ihrer Brüder nicht messen lassen konnte. Die beiden warfen einen langen Schatten auf ihr Leben. Mami war jetzt die Kuratorin ihres Andenkenmuseums und sie, Laila, bloß eine Besucherin, die an den Mythos ihrer Brüder erinnert wurde.

»Der Mann, der mit der Todesnachricht kam, sagte, dass Ahmad Schah Massoud, als die Jungen ins Lager gebracht worden seien, persönlich ihre Beisetzung beaufsichtigt und ein Gebet für sie gesprochen habe. Ja, deine Brüder waren zwei so tapfere junge Männer, Laila, dass kein Geringerer als Kommandeur Massoud, der Löwe von Pandschir, Gott segne ihn, ihrem Begräbnis beiwohnte.«

Mami drehte sich auf den Rücken. Laila rückte zur Seite und legte ihren Kopf auf Mamis Brust.

»Manchmal«, sagte Mami mit heiserer Stimme, »lausche ich dem Ticken der Uhr im Flur. Dann denke ich an all die Sekunden und Minuten, an die Stunden, Tage, Wochen und Monate, die ich noch zu leben habe. Ohne meine Söhne. Und es ist, als träte mir jemand aufs Herz, so dass ich keine Luft mehr bekomme. Ich fühle mich dann so schwach, dass ich am liebsten sterben würde.«

»Ich wünschte, ich könnte etwas für dich tun«, sagte Laila. Es war ihr ernst, doch ihre Worte klangen so beiläufig wie das Beileidsbekunden eines freundlichen Fremden.

»Du bist eine gute Tochter«, erwiderte Mami seufzend. »Leider bin ich dir keine gute Mutter.«

»Sag so etwas nicht.«

»Aber es ist wahr. Ich weiß es, und es tut mir leid, meine Liebe.«

»Mami?«

»Mm.«

Laila richtete sich auf und sah ihre Mutter an. In ihrem Haar zeigten sich inzwischen graue Strähnen. Es erschreckte Laila, dass ihre Mutter, die immer drall und rundlich gewesen war, so viel an Gewicht verloren hatte. Ihre Wangen waren eingefallen, die Bluse, die sie trug, warf über den knochigen Schultern Falten, und zwischen Hals und Schlüsselbeinen klafften tiefe Kuhlen. Der Ehering drohte ihr vom Finger zu rutschen.

»Ich möchte dich etwas fragen.«

»Was denn?«

»Du würdest doch nicht …« Laila stockte.

Sie hatte mit Hasina darüber gesprochen und auf ihren Vorschlag hin das Aspirinfläschchen über dem Ausguss entleert sowie sämtliche Küchenmesser und den Kebabspieß unter der Couch versteckt. Hasina hatte im Hof ein Seil entdeckt und verschwinden lassen. Als Babi seine Rasierklingen nicht finden konnte, war Laila gezwungen, ihm ihre Ängste anzuvertrauen. Sie hatte gehofft, dass er sie beruhigen würde, doch er hockte nur mit hängenden Schultern auf dem Rand der Couch, stopfte seine Hände zwischen die Knie und starrte mit leerem Blick vor sich hin.

»Du würdest doch nicht …, Mami, ich mache mir Sorgen, dass …«

»Daran habe ich tatsächlich gedacht, als die Nachricht kam«, erklärte Mami. »Ich will dich nicht anlügen. Der Gedanke geht mir immer noch durch den Kopf. Aber nein. Du brauchst keine Angst zu haben, Laila. Ich will den Tag erleben, an dem sich der Traum meiner Söhne verwirklicht. Ich möchte miterleben, wie die Sowjets schmachvoll abziehen und die Mudschaheddin als Sieger in Kabul einmarschieren. Ich möchte dabei sein, wenn das geschieht, damit meine Söhne durch mich, mit meinen Augen sehen, dass Afghanistan endlich befreit ist.«

Kurz darauf war Mami eingeschlafen. Laila blieb mit gemischten Gefühlen neben ihr liegen. Obwohl beruhigt darüber, dass Mami am Leben bleiben wollte, schmerzte es sie, dass nicht *sie* der Grund dafür war. Sie würde im Herzen ihrer Mutter keinen solchen Eindruck hinterlassen wie ihre Brüder, denn Mamis Herz war wie ein fahler Sandstrand, auf dem Lailas Spuren von den Wellen des Kummers, die darüber hinwegbrandeten, immer wieder weggespült werden würden.

21

Der Fahrer lenkte sein Taxi an den Straßenrand, um einen weiteren Konvoi sowjetischer Jeeps und Panzerfahrzeuge vorbeizulassen. Tarik beugte sich nach vorn und rief: »*Pajalusta! Pajalusta!*«

Ein Jeep hupte; Tarik antwortete mit schrillem Pfeifton. Er strahlte übers ganze Gesicht und winkte den Soldaten zu. »Was für Geschütze!«, rief er. »Diese Jeeps, super. Eine fantastische Armee. Zu dumm nur, dass ihr gegen einen Haufen Bauern mit Steinschleudern den Kürzeren ziehen werdet.«

Der Konvoi zog vorbei. Der Chauffeur nahm die Fahrt wieder auf.

»Wie weit ist es noch?«, fragte Laila.

»Eine Stunde, höchstens«, antwortete der Taxifahrer. »Vorausgesetzt, wir werden nicht ständig aufgehalten.«

Laila, Babi und Tarik unternahmen einen Tagesausflug. Hasina hatte auch mitkommen wollen, was ihr aber von ihrem Vater verboten worden war. Die Idee zu dem Ausflug war Babis gewesen, und obwohl er es sich eigentlich kaum leisten konnte, hatte er den Chauffeur für einen ganzen Tag angeheuert. Wohin es gehen sollte, wollte er Laila nicht verraten; er hatte lediglich angedeutet, dass das Ziel ihrer Allgemeinbildung zugute komme.

Sie waren schon seit fünf Uhr in der Früh unterwegs. Schneebedeckte Berge, Wüsten, Schluchten und unter der Sonne glühende Felsmassive wechselten einander ab. Sie kamen an strohgedeckten Lehmhütten vorbei, an Feldern voller Getreidegarben. Auf staubigem Gelände entdeckte Laila hier und da die schwarzen Zelte der *Koochi*-Nomaden, häufiger noch ausgebrannte Wracks sowjetischer Panzer und abgeschossener Hubschrauber. Das also, dachte sie, war das Afghanistan ihrer Brüder. Hier, in diesen Provinzen, wurden die Schlachten ausgetragen. Nicht in Kabul. In Kabul blieb es meist friedlich, und wären dort nicht gelegentlich Maschinengewehrsalven zu hören und sowjetische Soldaten zu sehen, die rauchend über die Gehwege schlenderten oder in ihren Jeeps über die Straßen rollten, hätte man den Krieg für ein Gerücht halten können.

Am späten Vormittag erreichten sie, nachdem sie zwei weitere Kontrollpunkte hatten passieren müssen, ein Flusstal, wo Babi seine Tochter auf Ruinen in der Ferne aufmerksam machte, die aus uralter Zeit zu stammen schienen und rötlich unter der Sonne schimmerten.

»Das ist Shahr-e-Zohak. Die rote Stadt. Sie war einmal eine Festung und wurde vor rund neunhundert Jahren errichtet, um das Tal vor Eindringlingen zu schützen. Der Enkel von Dschingis Khan hatte sie im 13. Jahrhundert einzunehmen versucht, wurde aber abgewehrt und getötet. Es war schließlich Dschingis Khan selbst, der sie zerstörte.«

»Tja, meine jungen Freunde, das ist das Schicksal unseres Landes«, sagte der Chauffeur und schnippte eine Zigarettenkippe aus dem Fenster. »Ein Eroberungsfeldzug nach dem anderen. Mazedonier, Sassaniden, Araber, Mongolen. Und jetzt die Russen. Aber wir sind wie die Festungsmauern da drüben. Ramponiert und kein schöner Anblick, aber immer noch stehend. Hab ich nicht recht, *badar*?«

»So ist es«, antwortete Babi.

Eine halbe Stunde später hielt der Fahrer an.

»Kommt«, sagte Babi. »Kommt und seht euch das an.«

Sie stiegen aus dem Auto. Babi streckte den Arm aus. »Da sind sie. Schaut.«

Tarik schnappte unwillkürlich nach Luft. So auch Laila. Ihr war auf Anhieb klar, dass sie vor einem Wunderwerk standen, das auf der ganzen Welt seinesgleichen suchte.

Die beiden Buddhas waren riesig und wirkten noch viel kolossaler als auf den Fotos, die sie von ihnen gesehen hatte. Eingemeißelt in den von der Sonne gebleichten Fels, blickten sie auf die kleine

Gruppe herab wie schon vor fast zweitausend Jahren, als, wie es sich Laila vorzustellen versuchte, durch dieses Tal der Seidenstraße Handelskarawanen gezogen waren. Zahllose Höhlen markierten die überhängenden Steilwände zu beiden Seiten.

»Daneben kommt man sich ja winzig klein vor«, sagte Tarik.

»Wie wär's? Steigen wir rauf?«, schlug Babi vor.

»Auf die Statuen?«, fragte Laila. »Ist das denn möglich?«

Babi lächelte und streckte seine Hand aus. »Auf geht's.«

Tarik musste sich von Laila und Babi helfen lassen, als sie im Halbdunkel durch einen engen gewundenen Treppenschacht nach oben stiegen. Immer wieder kamen sie an Höhlen und Nischen vorbei, die wie Bienenwaben den Fels durchsetzten.

»Passt gut auf«, sagte Babi. Seine Stimme hallte von den Wänden wider. »Die Stufen sind tückisch.«

An manchen Stellen öffnete sich der Schacht und gab einen Blick auf die Buddhas frei.

»Nicht nach unten blicken, Kinder. Die Augen immer geradeaus.«

Babi erzählte, dass Bamiyan einst ein blühendes buddhistisches Zentrum gewesen sei, bevor es im 9. Jahrhundert unter die Herrschaft islamischer Araber geriet. Buddhistische Mönche hatten Höhlen in den Sandstein gegraben, die ihnen selbst als Wohnung oder durchreisenden Pilgern als Zuflucht dienten. Früher, erklärte Babi, seien die Wände und Gewölbe mit prächtigen Fresken ausgemalt gewesen.

»In der Blütezeit haben hier an die fünftausend Mönche gelebt«, sagte er.

Tarik war völlig erschöpft, als sie oben anlangten. Auch Babi keuchte heftig. Seine Augen aber strahlten vor Begeisterung.

»Wir stehen hier auf dem Kopf des Buddhas«, sagte er und wischte sich mit einem Taschentuch den Schweiß von der Stirn. »Da drüben ist ein Balkon, von dem sich ein herrlicher Ausblick bietet.«

Vorsichtig rückten sie weiter vor, bis auf einen Felssims, wo sie Babi in ihre Mitte nahmen und aufs Tal hinabblickten.

»Seht euch das an!«, staunte Laila.

Babi lächelte.

Ein Teppich aus üppig grünen Feldern breitete sich unter ihnen aus. Babi sagte, dass dort Winterweizen, Luzerne und Kartoffeln angebaut würden. Pappeln säumten die Felder, die von Bewässerungsgräben und Bachläufen durchzogen waren. An den Ufern hockten Wäsche waschende Frauen. Babi machte auf die terrassierten Reis- und Gerstenfelder an den Berghängen aufmerksam. Es war Herbst. Auf den Flachdächern der Lehmziegelhäuser wurde die Ernte zum Trocknen ausgelegt. Pappeln säumten auch die Straße, die durch die Ortschaft führte. Es gab dort kleine Geschäfte, Teehäuser und Barbiere, die ihre Kunden unter freiem Himmel bedienten. Die Bergausläufer jenseits der Ortschaft und des Flusses waren kahl und staubbraun. Dahinter erhoben sich, wie überall in Afghanistan, die schneebedeckten Gipfel des Hindukusch.

Über das gesamte Panorama spannte sich ein makellos blauer Himmel.

»Wie still es hier ist«, flüsterte Laila. Auf der Talsohle waren winzige Schafe und Pferde auszumachen, aber auch von ihnen drang kein Laut herauf.

»Ja, das ist mir auch immer aufgefallen, sooft ich hier war«, bestätigte Babi. »Die Stille, die friedliche Stimmung. Diesen Eindruck wollte ich euch vermitteln. Aber ich wollte euch auch einen Teil der reichen Geschichte unseres Landes zeigen, Kinder. Wie ihr seht, kann ich euch noch einiges beibringen. Etwas, das man nicht aus Büchern lernt, das man einfach mit eigenen Augen sehen und mit allen Sinnen erfahren muss.«

»Seht mal«, sagte Tarik.

Ein Falke kreiste in weiten Bögen über die Ortschaft.

»Bist du auch mal mit Mami hier gewesen?«, wollte Laila wissen.

»Oh ja, oft. Schon vor, aber auch nach der Geburt deiner Brüder. Deine Mutter war damals sehr unternehmungslustig und … voller Leben. Der lebendigste, fröhlichste Mensch, der mir je begegnet ist.« Er lächelte wehmütig. »Sie hatte ein unwiderstehliches La-

chen. Ich glaube, deswegen habe ich sie geheiratet, wegen ihres La-
chens. Wenn sie lachte, musste man zwangsläufig mitlachen. Dagegen war kein Kraut gewachsen.«

Laila spürte ein warmes Gefühl der Zuneigung in sich aufwal-
len. In diesem Moment prägte sich ihr ein Bild von Babi ein, an das
sie sich auch nach Jahren noch erinnern sollte: wie er dastand und
von Mami schwärmte, die Ellbogen auf den Fels gestützt und das
Kinn auf beide Hände gelegt, die Haare vom Wind zerzaust und
mit blinzelnden, von der Sonne beschienenen Augen.

»Ich will mir mal eine dieser Höhlen ansehen«, sagte Tarik.

»Sei vorsichtig«, mahnte Babi.

»Keine Sorge, *kaka jan*. Ich pass schon auf.«

Laila beobachtete drei Männer in der Tiefe, die neben einer an-
gepflockten Kuh standen und sich miteinander unterhielten. Die
welkenden Bäume ringsum schimmerten in Braun-, Gelb- und Rot-
tönen.

»Weißt du, ich vermisse die Jungen auch«, sagte Babi mit feuchten Augen. Sein Kinn zitterte. »Vielleicht kann ich … Nun, bei deiner Mutter sind Freude und Traurigkeit immer schon extrem gewesen. Sie kann beides nicht verbergen. Das konnte sie noch nie.
Ich bin in der Hinsicht wohl etwas anders. Ich neige dazu … Aber
der Tod der Jungen hat auch mich gebrochen. Es vergeht kein Tag,
an dem ich nicht … Ach, es ist sehr schwer, Laila, sehr schwer.« Er
drückte Daumen und Zeigefinger auf die Nasenwurzel. Als er wieder zu sprechen versuchte, kippte ihm die Stimme weg. Er presste
die Lippen aufeinander und wartete, holte dann tief Luft und
schaute sie an. »Ich bin froh, dass ich dich habe. Dafür danke ich
Gott tagtäglich. Manchmal, wenn deine Mutter ihre ganz dunklen
Tage hat, drängt sich mir das Gefühl auf, dass du, Laila, alles bist,
was ich habe.«

Laila schmiegte sich an ihn und legte ihre Wange auf seine Brust,
was ihn zu verunsichern schien, denn im Unterschied zu Mami
zeigte er seine Zuneigung nur selten unmittelbar. Er gab ihr einen
flüchtigen Kuss auf die Stirn und drückte sie auf seine linkische Art
an sich. So standen sie für eine Weile da und blickten ins Tal.

»Sosehr ich dieses Land auch liebe, spiele ich doch oft mit dem Gedanken auszuwandern«, sagte er.

»Wohin?«

»Wo es mir leichter fallen würde zu vergessen. Vielleicht zuerst nach Pakistan, für ein, zwei Jahre, um von dort aus alle Formalitäten zu erledigen.«

»Und dann?«

»Und dann, nun, die Welt ist groß. Vielleicht nach Amerika. Irgendwo am Meer. Zum Beispiel Kalifornien.«

Babi sagte, die Amerikaner seien besonders großzügig. Man würde sie dort für eine Weile unterstützen, bis sie auf eigenen Füßen stehen könnten.

»Ich würde mir Arbeit suchen und nach ein paar Jahren, wenn wir genug angespart hätten, ein Restaurant eröffnen. Nichts Besonderes – ein bescheidenes kleines Restaurant mit ein paar Tischen und Teppichen. An den Wänden vielleicht Bilder von Kabul. Und unser Essen wird so zubereitet, dass es auch den Amerikanern schmeckt. Die Kochkünste deiner Mutter werden dafür sorgen, dass die Gäste auf der Straße Schlange stehen.

Und du, du würdest natürlich weiter zur Schule gehen. Du weißt ja, wie wichtig mir das ist. Dir eine gute Ausbildung zukommen zu lassen, zuerst auf der Highschool und dann auf dem College, hat absolute Priorität. In deiner Freizeit könntest du im Restaurant aushelfen, aber nur, wenn du willst, Bestellungen entgegennehmen, Wasserkrüge auffüllen und so weiter.«

Babi sagte, dass in dem Restaurant Geburtstage, Verlobungen oder Silvesterpartys gefeiert würden und dass sich dort andere Afghanen, die wie sie dem Krieg entflohen waren, treffen könnten. Wenn dann in der Nacht der letzte Gast gegangen und alles aufgeräumt wäre, würden sie zu dritt inmitten des leeren Raumes müde beieinander sitzen, Tee trinken und dem günstigen Schicksal danken.

Nach diesen Worten wurde Babi still. Auch Laila sagte nichts. Beide wussten, dass für Mami eine Ausreise nie und nimmer in Betracht kam. Selbst wenn Ahmad und Noor noch lebten, hätte sie eine solche Möglichkeit strikt abgelehnt. Jetzt auszuwandern wäre für sie wie ein Betrug, ein Verrat an ihren Söhnen, die als *shaheed* den Opfertod gestorben waren.

Wie kannst du so etwas nur denken?, hörte Laila ihre Mutter im Geiste sagen. Bedeutet dir ihr Tod denn gar nichts, Vetter? Mein einziger Trost ist es, zu wissen, dass sie nicht umsonst ihr Blut vergossen haben für dieses Land, in dem ich lebe. Nein. Niemals.

Und Laila wusste, Babi würde sie nie im Stich lassen, obwohl sie ihm so wenig Frau war wie ihr eine Mutter. Sie würden also bleiben, egal, wie lange der Krieg noch dauerte, und egal, was danach käme.

Laila erinnerte sich an einen Streit zwischen ihren Eltern, in dessen Verlauf Babi von Mami als Mann ohne Überzeugungen gescholten wurde. Wenn sie aber einmal in den Spiegel blickte, würde ihr, so dachte Laila, eine unverrückbare Überzeugung seines Lebens entgegenblicken.

Später aßen sie gekochte Eier, Kartoffeln und Brot zu Mittag. Danach legte sich Tarik zum Schlafen unter einen Baum am Ufer eines plätschernden Baches, den Kopf auf seinen zusammengerollten Mantel gebettet und die Hände über dem Bauch gefaltet. Der Chauffeur ging in den Ort, um Mandeln zu kaufen. Babi setzte sich an den Stamm einer großen Akazie und schlug ein Buch auf. Laila kannte das Buch; er hatte ihr schon daraus vorgelesen. Es erzählte die Geschichte eines alten Fischers namens Santiago, der einen mächtigen Fisch an der Angel hat, von dem aber, als der Fischer sein Boot endlich in Sicherheit bringen kann, nur das Skelett übrig geblieben ist, weil er von Haien zerrissen worden war.

Laila setzte sich ans Ufer und tauchte die Füße ins kühle Wasser. Mücken schwirrten umher, und die Luft war voller Pappelsamen. Eine Libelle schnurrte vorbei. Laila sah sie von Grashalm zu Grashalm fliegen und die Sonne auf ihren Flügeln glitzern, violett, grün und gelbrot. Auf der anderen Seite des Baches sammelten Hazara-Jungen getrocknete Kuhfladen vom Boden auf, die sie in Säcke stopften und auf dem Rücken davontrugen. Irgendwo schrie ein Esel. Ein Stromgenerator fing zu knattern an.

Laila dachte an Babis Traum. *Irgendwo am Meer.*

Oben auf dem Buddha hatte sie ihm gegenüber eines unerwähnt gelassen: dass es ihr nämlich in einer wichtigen Hinsicht durchaus recht wäre, wenn aus diesem Traum nichts werden sollte. Sie würde Giti und ihre verkniffene Ernsthaftigkeit vermissen, ja sogar auch Hasina mit ihrem schrillen Lachen und den unbekümmerten Albereien. Vor allem aber erinnerte sich Laila noch allzu gut an die unerträglichen vier Wochen ohne Tarik, als er in Ghazni gewesen war, wie zäh sich die Zeit hingezogen und sie nichts mit sich anzufangen gewusst hatte. Sie mochte sich nicht vorstellen, auf Dauer von ihm getrennt zu sein.

Vielleicht war es töricht, an einem anderen so sehr festhalten zu wollen, hier, in diesem Land, dem die eigenen Brüder zum Opfer gefallen waren. Doch allein das Bild, wie Tarik mit seiner Prothese auf Khadim losgegangen war, reichte aus, um sie davon zu überzeugen, dass es für sie auf der Welt das einzig Vernünftige war.

Sechs Monate später, im April 1988, kam Babi mit großen Neuigkeiten nach Hause.

»Sie haben ein Abkommen unterzeichnet«, sagte er. »In Genf. Damit steht es jetzt fest. Sie werden abziehen. In spätestens neun Monaten wird kein Sowjet mehr in Afghanistan sein.«

Mami richtete sich in ihrem Bett auf. Sie zuckte mit den Achseln.

»Aber die Kommunisten regieren weiter«, entgegnete sie. »Nadschibullah ist eine Marionette der Sowjets. Er bleibt. Und der Krieg geht weiter. Das ist noch längst nicht das Ende.«

»Nadschibullah wird sich nicht halten können«, sagte Babi.

»Sie ziehen ab, Mami! Sie ziehen tatsächlich ab.«

»Ihr zwei könnt ja feiern, wenn ihr wollt. Ich für mein Teil bin erst dann zufrieden, wenn die Mudschaheddin triumphierend in Kabul einziehen.«

Und damit legte sie sich wieder hin und zog die Decke unters Kinn.

22

Januar 1989

An einem kalten, dicht bewölkten Tag im Januar 1989, drei Monate vor ihrem zwölften Geburtstag, machte sich Laila mit ihren Eltern und Hasina auf den Weg, um die letzten sowjetischen Konvois abfahren zu sehen. An der Durchfahrtsstraße im Villenviertel Wazir Akbar Khan hatte sich vor dem Militärclub eine große Menschenmenge versammelt. Sie standen im matschigen Schnee und schauten der Kolonne aus Panzern, Panzerfahrzeugen und Jeeps nach, in deren Scheinwerfern leichte Flocken wirbelten. Hämische Zurufe und johlendes Gelächter waren zu hören. Afghanische Soldaten sperrten die Straße ab. Manchmal fielen Warnschüsse.

Mami hielt ein Foto von Ahmad und Noor in die Höhe, dasjenige, auf dem die beiden Rücken an Rücken unter dem Birnbaum saßen. Wie ihre Mutter zeigten auch andere Frauen Bilder ihrer Ehemänner, Söhne oder Brüder, die als *shaheed* gefallen waren.

Jemand tippte Laila und Hasina auf die Schulter. Es war Tarik.

»Was hast du denn da auf dem Kopf?«, rief Hasina überrascht.

»Dem Anlass entsprechend wollte ich mir was Besonderes anziehen«, erklärte Tarik. Er trug eine riesige russische Pelzmütze mit heruntergezogenen Ohrenklappen auf dem Kopf. »Wie sehe ich aus?«

»Albern«, lachte Laila.

»Das war meine Absicht.«

»Was sagen deine Eltern dazu? Sind sie auch hier?«

»Nein, sie sind zu Hause geblieben«, antwortete er.

Im Herbst des vergangenen Jahres war Tariks herzkranker Onkel aus Ghazni gestorben. Wenige Wochen später hatte auch Tariks Vater einen Herzinfarkt gehabt; er war danach lange Zeit sehr krank gewesen und litt unter Depressionen. Laila war froh, Tarik bei guter Laune zu sehen, denn auch er hatte nach dem Anfall seines Vaters wochenlang Trübsal geblasen.

Zu dritt stahlen sie sich davon und ließen Mami und Babi in der Menge zurück. Bei einem Straßenhändler kaufte Tarik für jeden einen Teller Bohnen mit Koriander-Chutney. Sie aßen unter der Markise einer geschlossenen Teppichhandlung, und danach verabschiedete sich Hasina, um nach ihren Eltern zu suchen.

Auf der Busfahrt nach Hause saßen Tarik und Laila hinter ihren Eltern. Mami starrte aus dem Fenster, das Foto ihrer Söhne an die Brust gepresst. Babi ließ sich, ohne wirklich zuzuhören, von einem Mann darüber belehren, dass die Sowjets zwar abzögen, Nadschibullah aber weiterhin mit Waffen beliefern würden.

»Er ist deren Pappkamerad und wird für sie den Krieg fortsetzen. Darauf können Sie wetten.«

Von anderer Stelle kam Zustimmung.

Mami murmelte monotone Gebete vor sich hin, ohne zwischendurch Luft zu holen, so dass ihr zum Ende hin die Stimme wegblieb.

Am Nachmittag gingen Laila und Tarik in den Cinema Park, wo sie sich mit einem sowjetischen Film begnügen mussten, dessen Synchronisation auf Farsi unabsichtlich komische Blüten trieb. Er spielte auf einem Handelsschiff, dessen erster Offizier sich in die Tochter des Kapitäns verliebte. Ihr Name war Alyona. Das Schiff geriet in einen schweren Gewittersturm. Einer der in Panik geratenen Matrosen schrie etwas, das eine absurd ruhige Stimme übersetzte mit: »Mein lieber Herr, hätten Sie die Freundlichkeit, mir die Leine zu reichen?«

Tarik prustete laut los, und bald wurden beide von unbändigen Lachkrämpfen geschüttelt. Kaum hatten sie sich ein wenig beruhigt, fing einer von ihnen erneut zu glucksen an, und es platzte wieder aus ihnen heraus. Ein Mann, der zwei Reihen vor ihnen saß, drehte sich um und zischte ihnen zu, sie sollten gefälligst ruhig sein.

Gegen Ende des Films wurde das Paar getraut. Der Kapitän hatte sich erweichen lassen und Alyona dem ersten Offizier zur Frau gegeben. Die frisch Vermählten tauschten lächelnde Blicke aus. Alle tranken Wodka.

»Ich werde nie heiraten«, flüsterte Tarik.

»Ich auch nicht«, erwiderte Laila nach kurzem Zögern und hoffte, dass ihre Stimme die Enttäuschung über seine Worte nicht verriet. Mit klopfendem Herzen und energischem Nachdruck fügte sie hinzu: »Niemals.«

»Hochzeiten sind blöd.«

»Heckmeck.«

»Und wie viel Geld dabei draufgeht.«

»Wofür?«

»Für Klamotten, die man dann nie wieder anzieht.«

»Ha!«

»Falls ich doch mal heiraten sollte«, sagte Tarik, »wird man auf der Traubühne Platz für drei schaffen müssen. Für mich, die Braut und für den Typen, der mir die Pistole an den Kopf drückt.«

Der Mann vor ihnen warf ihnen einen strengen Blick zu.

Auf der Leinwand gaben sich Alyona und ihr Ehemann einen Kuss auf die Lippen.

Beim Anblick der beiden wurde Laila plötzlich ganz anders. Sie spürte ihr Herz pumpen, das Blut in den Ohren rauschen und bemerkte, dass Tarik neben ihr still wurde und die Luft anhielt. Der Kuss zog sich in die Länge. Laila wagte es nicht, sich zu rühren oder einen Mucks von sich zu geben, und ahnte, dass Tarik sie aus den Augenwinkeln beobachtete, um festzustellen, ob sie *ihn* beobachtete. Sie fragte sich, ob er ihr Atmen hörte, das womöglich nicht ganz regelmäßig war und ihre Gedanken verriet.

Und wie wäre es wohl, wenn er sie küsste? Wie würde sich der Flaum auf seiner Oberlippe anfühlen?

Dann rutschte Tarik, offenbar unruhig geworden, auf seinem Platz hin und her und sagte mit angestrengter Stimme: »Wusstest du, dass in Sibirien der Schnodder, den man aus der Nase schnäuzt, zu einem grünen Eiszapfen gefriert, bevor er am Boden auftrifft?«

Beide lachten, aber nur kurz und nervös diesmal. Als der Film zu Ende war und sie nach draußen gingen, stellte Laila zu ihrer Erleichterung fest, dass die Dämmerung eingesetzt hatte und sie Tariks Blicken nicht bei hellem Tageslicht ausgeliefert war.

23

April 1992

Drei Jahre vergingen.

Tariks Vater hatte in dieser Zeit mehrere Schlaganfälle erlitten; die linke Hand war gelähmt, und das Sprechen fiel ihm schwer. Wenn er sich aufregte, was häufig der Fall war, konnte man ihn kaum verstehen.

Tarik war wieder einmal seiner Prothese entwachsen und dank des Roten Kreuzes zu einem neuen Bein gekommen, worauf er allerdings sechs Monate hatte warten müssen.

Hasinas Befürchtungen waren wahr geworden; sie hatte mit ihrer Familie nach Lahore umziehen und ihren Cousin, den Autohändler, heiraten müssen. Am Tag der Abreise waren Laila und Giti morgens zur Freundin gegangen, um sich von ihr zu verabschieden. Hasina hatte ihnen mitgeteilt, dass ihr zukünftiger Ehemann im Begriff sei, nach Deutschland auszuwandern, wo seine Brüder lebten. Noch in diesem Jahr, sagte sie, würden sie in Frankfurt sein. Alle drei fielen sich in die Arme und weinten. Giti war untröstlich. Das letzte Mal sah Laila Hasina, als sie, von ihrem Vater geführt, auf der Rückbank eines überfüllten Taxis Platz nahm.

Die Sowjetunion zerfiel in verblüffend kurzer Zeit. Im Wochenrhythmus, so schien es Laila, meldete Babi, dass ein weiterer Teilstaat unabhängig geworden sei. Litauen. Estland. Die Ukraine. Über dem Kreml wurde die sowjetische Flagge eingeholt. Auch Russland war nun eine Republik.

In Kabul versuchte Nadschibullah, sich als frommen Muslim auszugeben und eine politische Kehrtwendung zu vollziehen. »Das ist zu wenig und zu spät«, meinte Babi. »Man kann nicht bis gestern Chef der Geheimpolizei gewesen sein und heute in einer Moschee mit anderen beten, deren Angehörige man gefoltert und getötet hat.« Weil ihm in Kabul der Boden unter den Füßen zu heiß wurde, setzte sich Nadschibullah für ein Abkommen mit den Mudschaheddin ein, was diese aber strikt ablehnten.

»Richtig so«, sagte Mami von ihrem Bett aus. Sie hoffte immer noch auf den Triumphzug der Gotteskrieger und den Sturz der Feinde ihrer Söhne.

Dazu sollte es schließlich auch kommen, und zwar im April 1992, dem Jahr, als Laila vierzehn wurde.

Nadschibullah dankte ab und suchte im UN-Quartier nahe dem Darulaman-Palast im Süden der Stadt Zuflucht.

Der Dschihad war vorbei. Das kommunistische Regime, das seit Lailas Geburt mit wechselnden Vertretern über Afghanistan geherrscht hatte, war zerschlagen. Mamis Helden, die Kampfgefährten ihrer Söhne, hatten gesiegt. Jetzt, nach mehr als einem Jahrzehnt schwerster Opfer und blutiger Kämpfe, zogen die Mudschaheddin, die sich über die ganze Zeit fernab von ihren Familien in den Bergen hatten versteckt halten müssen, in Kabul ein, entkräftet und ausgezehrt, aber triumphierend.

Mami kannte sie alle mit Namen:

Dostum, der stets prunkvoll herausgeputzte usbekische Kommandeur und Anführer der *Junbish-i-Milli*-Truppen, von dem man wusste, dass er nicht selten die Seiten gewechselt hatte. Gulbuddin Hekmatyar, jener mürrische Gründer der islamischen Partei *Hezb-e-Islami*, ein Paschtune, der Ingenieurwissenschaften studiert und einen maoistischen Kommilitonen getötet hatte. Rabbani, der tadschikische Anführer der *Jamiat-e-Islami*-Fraktion, der in den Tagen der Monarchie an der Kabuler Universität Islamwissenschaften unterrichtet hatte. Sayyaf, ein Paschtune aus Paghman mit Verbindungen nach Saudi-Arabien, ein unerschrockener Muslim und Anführer der *Ittehad-i-Islami*-Kämpfer. Abdul Ali Mazari, Gründer der Partei *Hezb-e-Wahdat*, von den Hazaras, seinen Stammesgenossen, auch Baba Mazari genannt, der enge Kontakte zum Iran unterhielt.

Am meisten aber verehrte Mami Rabbanis Verbündeten, den charismatischen tadschikischen Kommandeur Ahmad Schah Massoud, den Löwen von Pandschir. Sie hatte sich ein Poster von ihm ins Zimmer gehängt. Massouds stattliches Porträt mit den tiefschwarzen Augen, der nachdenklich gekrausten Stirn und seinem Markenzeichen, dem schief auf dem Kopf sitzenden *pakol*, sollte bald überall in Kabul zu sehen sein, auf Reklametafeln, Mauern, in Schaufenstern und auf kleinen Fahnen an den Antennen von Taxis.

Diesen Tag hatte sich Mami herbeigesehnt. Es war für sie die Erfüllung nach all den Jahren des Wartens.

Endlich konnten ihre Söhne in Frieden ruhen.

Am Tag der Kapitulation Nadschibullahs verließ Mami ihr Bett als neue Frau. Nach dem *shaheed*-Tod ihrer Söhne vor fünf Jahren verzichtete sie erstmals auf Schwarz und zog ein weiß gepunktetes kobaltblaues Leinenkleid an. Sie putzte die Fensterscheiben, scheuerte den Boden, lüftete das Haus und nahm ein langes Bad. Ihre Stimme war schrill vor Freude.

»Das muss gefeiert werden«, erklärte sie.

Sie schickte Laila los, um die Nachbarn einzuladen. »Sag ihnen, dass es morgen Mittag ein Festessen bei uns gibt.«

Die Hände in die Hüften gestemmt, schaute sich Mami in der Küche um und sagte in freundlich-vorwurfsvollem Ton: »Was hast du nur angestellt, Laila? *Wooy*. Hier ist ja nichts mehr an seinem Platz.«

Sie machte sich daran, Töpfe und Pfannen umzustellen, und ging dabei so theatralisch zu Werke, dass es den Anschein hatte, als versuchte sie, ihr Territorium neu abzustecken. Laila hütete sich, ihr zu nahe zu kommen. Das war sicherer so, denn Mami konnte, in Euphorie geraten, ebenso unbeherrscht sein wie in ihren Wutanfällen. Mit beunruhigender Energie fing sie zu kochen an: *aush*-Suppe mit roten Bohnen und getrocknetem Dill, *kofta*, feurig scharfen *mantu*, mariniert in Joghurt und frischer Pfefferminze.

»Zupfst du dir etwa die Augenbrauen?«, fragte Mami, als sie einen großen Sack Reis öffnete.

»Nur ein bisschen.«

Mami schaufelte mit einer Kelle Reis in einen großen, mit Wasser gefüllten schwarzen Topf, krempelte sich die Ärmel hoch und begann zu rühren.

»Wie geht's Tarik?«

»Sein Vater ist krank«, antwortete Laila.

»Wie alt ist er jetzt überhaupt?«

»Keine Ahnung. In den Sechzigern, schätze ich.«

»Ich meine Tarik.«

»Oh. Sechzehn.«

»Netter Junge. Findest du nicht auch?«

Laila zuckte mit den Achseln.

»Im Grunde kein Junge mehr, oder? Sechzehn. Fast ein Mann. Was meinst du?«

»Worauf willst du hinaus, Mami?«

»Wieso?« Mami lächelte unschuldig. »Nichts. Ich dachte nur … Ach, am besten sage ich gar nichts.«

»Nur keine falsche Zurückhaltung«, entgegnete Laila, irritiert von Mamis gezierten Umschweifen.

»Nun.« Sie faltete die Hände auf dem Rand des Topfes. Beides, das gespreizte »nun« und die Art, wie sie die Hände faltete, machte auf Laila einen unnatürlichen Eindruck; ihr schien es fast, als habe ihre Mutter diese Geste einstudiert. Es war zu befürchten, dass sie eine Rede halten wollte.

»Wenn zwei kleine Kinder ständig zusammen sind, wie ihr es gewesen seid, hat niemand was dagegen. Im Gegenteil. Es ist drollig. Aber jetzt? Mir ist aufgefallen, dass du einen BH trägst, Laila.«

Laila verschlug es die Sprache.

»Du hättest mir übrigens ruhig etwas sagen können. Dass du einen BH brauchst. Davon wusste ich nichts. Es enttäuscht mich, dass du dich mir nicht anvertraut hast.« Jetzt, da sie ihre Tochter in der Defensive wusste, kam sie auf ihr eigentliches Anliegen zu sprechen. »Nun, es geht nicht um mich oder den BH, sondern um dich und Tarik. Er ist ein Junge, verstehst du, und als solcher macht er sich um Anstandsfragen keine Gedanken. Die solltest du dir aber machen. Es steht nicht weniger als dein Ruf auf dem Spiel. Und der Ruf eines Mädchens, zumal eines so hübschen, wie du es bist, ist eine delikate Sache. Wie ein Beo in geschlossener Hand. Wenn du sie auch nur ein klein wenig öffnest, fliegt er davon.«

»Und wie war das bei dir, als du über die Mauer gestiegen bist, um dich mit Babi im Obstgarten zu treffen?«, fragte Laila, froh darüber, wie schnell sie sich von dem Überfall ihrer Mutter erholt hatte.

»Wir waren Cousin und Cousine. Und wir haben ja schließlich geheiratet. Hat dieser Junge um deine Hand angehalten?«

»Er ist ein Freund. Ein *rafiq*. Mehr ist da nicht zwischen uns«, entgegnete Laila, was allerdings nicht besonders überzeugend klang. »Er ist für mich wie ein Bruder«, fügte sie ungeschickterweise hinzu. Und noch bevor sich die Miene ihrer Mutter verfinsterte, wusste sie, dass sie einen Fehler gemacht hatte.

»*Das* ist er nicht«, blaffte Mami. »Du wirst diesen einbeinigen Tischlersohn doch wohl nicht mit deinen Brüdern vergleichen wollen. An unsere beiden Jungen reicht keiner heran.«

»Ich habe ja auch nicht behauptet, dass er … So war es nicht gemeint.«

Mami seufzte und presste die Lippen aufeinander.

»Wie dem auch sei«, fuhr sie fort, nun aber sehr viel ernster als vorher. »Was ich dir begreiflich zu machen versuche, ist, dass die Leute über dich reden werden, wenn du nicht vorsichtig bist.«

Laila wollte etwas entgegnen. Nicht, dass sie ihrer Mutter widersprochen hätte. Laila wusste, dass sie nicht länger so unbekümmert mit Tarik herumtollen konnte wie früher. Seit einiger Zeit war ihr selbst ein wenig merkwürdig zumute, wenn sie sich mit ihm in der Öffentlichkeit zeigte. Dann empfand sie eine Scheu, die ihr früher unbekannt gewesen war – und womöglich auch jetzt noch unbekannt wäre, hätte sich nicht eines grundlegend verändert: Sie hatte sich in Tarik verliebt. Hoffnungslos. Wenn er in ihrer Nähe war, kamen ihr unwillkürlich die skandalösesten Gedanken, und sie stellte sich vor, seinen schlanken nackten Körper zu umschlingen und zu küssen. Wenn sie nachts in ihrem Bett lag, malte sie sich aus, wie es sein mochte, seine Hände und weichen Lippen im Nacken, auf der Brust, am Rücken und noch tiefer zu spüren. Wenn sie auf diese Weise an ihn dachte, kam sie sich verdorben und schuldig vor; und dann war da noch ein sonderbares, warmes Gefühl, das vom Bauch ausging und ausstrahlte, bis sie den Eindruck hatte, als glühte ihr Gesicht.

Nein. Mamis Bedenken waren wahrhaftig nicht von der Hand zu weisen. Manche Nachbarn, wenn nicht alle, hatten sich wahrscheinlich längst ihr Bild gemacht. Nicht selten waren den beiden verstohlene Blicke zugeworfen worden, und Laila ahnte, dass über sie und Tarik getuschelt wurde. Erst kürzlich war ihnen Raschid, der Schuhmacher, mit seiner verhüllten Frau Mariam im Schlepp auf der Straße begegnet. Im Vorübergehen hatte er grinsend gesagt: »Wen haben wir denn da? Laila und Madschnun!«, womit er auf das Liebespaar in Nizamis Gedicht aus dem 12. Jahrhundert anspielte – eine Farsi-Version von *Romeo und Julia*, wie ihr Babi später erklärte; allerdings habe Nizami seine Geschichte der unglücklichen Liebe bereits vierhundert Jahre vor Shakespeare verfasst.

Mami hatte durchaus recht.

Was Laila wurmte, war, dass Mami nicht verdiente, recht zu behalten. Auf Babis Meinung hätte sie mehr Wert gelegt. Aber Mami? Nach all den Jahren, in denen sie sich abgesondert und kaum einen Gedanken an ihre Tochter verschwendet hatte … Das war unfair. Laila kam sich vor wie eins dieser Küchenutensilien, die man je nach Laune vernachlässigen oder in Beschlag nehmen konnte.

Dennoch, dies war ein großer und für alle wichtiger Tag. Es wäre kleinlich, Anstoß zu nehmen und die Stimmung zu verderben.

»Ich habe verstanden.«

»Gut«, sagte Mami. »Das wäre also geklärt. Wo ist eigentlich Hakim? Ja, wo treibt sich mein lieber kleiner Gatte herum?«

Der Himmel war strahlend blau, das Wetter perfekt für eine Party. Die Männer saßen auf wackligen Klappstühlen im Hof. Sie tranken Tee, rauchten und diskutierten eifrig über die Pläne der Mudschaheddin. Babi hatte Laila schon einiges darüber mitgeteilt: Afghanistan nannte sich jetzt Islamischer Staat von Afghanistan. Ein von den verschiedenen Fraktionen der Mudschaheddin in Peschawar gebildeter Rat, der Islamische Dschihad-Rat, hatte unter Leitung von Sibghatullah Mujaddidi die politischen Geschäfte übernommen. Er sollte nach zwei Monaten abgelöst werden von einem Führungsrat unter Rabbani, dessen Amtszeit auf vier Monate begrenzt war. Im Laufe dieser sechs Monate sollte eine *Loya Dschirga* einberufen werden, eine große Versammlung der Anführer und Ältesten des Landes, mit dem Ziel, eine auf zwei Jahre begrenzte Übergangsregierung zu bilden, die unter anderem die Aufgabe hatte, demokratische Wahlen vorzubereiten.

Einer der Männer drehte Lammspieße über der zischenden Glut eines provisorischen Grills. Babi und Tariks Vater spielten im Schatten des alten Birnbaums eine Partie Schach, die Gesichter vor Konzentration zerknittert. Tarik sah ihnen dabei zu und lauschte mit einem Ohr der Diskussion am Tisch nebenan.

Die Frauen hielten sich im Wohnzimmer, im Flur und in der Küche auf. Manche hatten einen Säugling auf dem Arm und wichen geschickt den Kindern aus, die einander durchs Haus zerrten. Aus den Lautsprechern des Kassettenrekorders plärrte eine Gasele von Ustad Sarahang.

Laila stand in der Küche und füllte, von Giti unterstützt, *dogh* in Karaffen. Giti war längst nicht mehr so schüchtern oder ernst wie früher. Sie lachte jetzt gern und manchmal ein bisschen kokett, wie Laila zu ihrer Verwunderung bemerkte. Anstelle eines Pferdeschwanzes trug sie ihr Haar nunmehr offen und färbte rötliche Strähnchen hinein. Nach hartnäckiger Nachfrage erfuhr Laila, dass der Anstoß zu dieser Verwandlung von einem achtzehnjährigen jungen Mann ausging, den Giti auf sich aufmerksam gemacht hatte. Er hieß Sabir und war Torwart in der Fußballmannschaft, der auch ihr älterer Bruder angehörte.

»Er hat ein wahnsinnig süßes Lächeln und enorm dichtes schwarzes Haar«, hatte Giti ihrer Freundin anvertraut. Von dem Flirt wusste natürlich niemand. Giti war erst zweimal heimlich mit ihm verabredet gewesen, und das nur für jeweils eine Viertelstunde in einem kleinen Teehaus in Taimani am anderen Ende der Stadt.

»Er wird um meine Hand anhalten, Laila. Vielleicht schon im Sommer. Kaum zu glauben, oder? Ehrlich, er geht mir einfach nicht mehr aus dem Kopf.«

»Und was ist mit der Schule?« Auf Lailas Frage hatte Giti nur die Augen verdreht.

Von Hasina war früher des Öfteren zu hören gewesen: »Wenn wir, Giti und ich, zwanzig sind, hat jede von uns schon vier oder fünf Kinder geworfen. Und auf dich, Laila, werden wir zwei Strohköpfe einmal richtig stolz sein. Aus dir wird noch was. Ich bin mir sicher, irgendwann sehe ich eine Zeitung mit deinem Foto auf der Titelseite.«

Mit verträumtem, in sich gekehrtem Blick schnitt Giti Gurken klein.

Mami, die ihr duftiges Sommerkleid trug, pellte zusammen mit der Hebamme Wajma und Tariks Mutter gekochte Eier.

»Ich werde Kommandeur Massoud ein Foto von Ahmad und Noor zukommen lassen«, sagte sie zu Wajma. Wajma nickte und versuchte, ernsthaftes Interesse vorzutäuschen.

»Er hat persönlich für ihre Beisetzung gesorgt und an ihrem Grab ein Gebet gesprochen. Dafür möchte ich mich bedanken.« Mami schlug ein weiteres gekochtes Ei an. »Er soll ja, wie man hört, ein sehr nachdenklicher und ehrenwerter Mann sein. Ich glaube, er wird meine Geste zu schätzen wissen.«

Frauen schwirrten umher, holten Schalen mit *qurma*, Teller voll *mastawa* und Brot aus der Küche ab, die sie dann auf der am Boden des Wohnzimmers ausgebreiteten *sofrah* verteilten.

Ab und zu zeigte sich auch Tarik, um von den Speisen zu naschen.

»Hier werden keine Männer geduldet«, sagte Giti.

»Raus, raus!«, rief Wajma.

Tarik schmunzelte. Es schien ihm zu gefallen, nicht willkommen zu sein und die Frauenwirtschaft mit seinem männlich respektlosen Grinsen zu verärgern.

Laila tat ihr Bestes, ihn zu ignorieren, um den Frauen nicht noch mehr Stoff für Klatsch und Tratsch zu bieten. Also hielt sie den Blick gesenkt und sagte nichts, erinnerte sich aber an das, was sie vor einigen Nächten geträumt hatte: sein und ihr Gesicht im Spiegel hinter einem zarten grünen Schleier. Und Reiskörner, die, aus ihrem Haar fallend, mit einem kleinen *Pling* vom Glas abprallten.

Tarik langte mit einem Löffel in den Eintopf aus Kalbfleisch und Kartoffeln.

»*Ho bacha!*« Wajma klatschte ihm auf die Hand. Tarik stahl den Happen dennoch und lachte.

Er war inzwischen fast einen Kopf größer als Laila und musste sich rasieren. Die Gesichtszüge waren markanter geworden, die Schultern breiter. Er trug jetzt meist Bundfaltenhosen, schwarze, blank polierte Slipper und Hemden mit kurzen Ärmeln, um mit seinen Muskeln angeben zu können, die er tagtäglich mit zwei alten rostigen Hanteln im Hof trainierte. In letzter Zeit setzte er gern eine streitlustige Miene auf, neigte, wenn er sprach, den Kopf ein bisschen zur Seite und lupfte eine Braue, wenn er lachte. Auch das spöttische Grinsen war neu an ihm.

Tarik war kurz zuvor schon einmal aus der Küche verscheucht worden, und seine Mutter hatte Laila dabei ertappt, dass sie ihm einen heimlichen Blick zuwarf. Laila war zusammengezuckt und hatte sich schnell wieder darangemacht, die Gurkenstücke unter den gesalzenen Joghurt zu rühren. Sie spürte die Augen von Tariks Mutter auf sich gerichtet, ihr wissendes, wohlmeinendes Schmunzeln.

Die Männer gingen mit gefüllten Tellern und Gläsern zurück in den Hof. Nachdem sie versorgt waren, nahmen die Frauen und Kinder rund um die *sofrah* auf dem Fußboden Platz und fingen zu essen an.

Als später die *sofrah* wieder fortgeräumt und das Geschirr in die Küche gebracht worden war, als es nun galt, Tee zuzubereiten und sich daran zu erinnern, wer grünen beziehungsweise schwarzen Tee bevorzugte, nickte Tarik Laila mit dem Kopf zu und schlüpfte durch die Tür nach draußen.

Laila wartete fünf Minuten und folgte dann.

Sie fand ihn weiter unten auf der Straße, wo er neben der Mündung einer engen Gasse an der Mauer lehnte. Er summte ein altes paschtunisches Lied von Ustad Awal Mir:

> *Da ze ma ziba watan,*
> *da ze ma dada watan.*
> *Dies ist unser schönes Land,*
> *dies ist unser geliebtes Land.*

Und er rauchte – auch das eine neue Angewohnheit, die er von den Jungs übernommen hatte, mit denen er in letzter Zeit häufig zusammen war. Laila konnte sie nicht leiden, seine neuen Freunde. Sie alle trugen Bundfaltenhosen und enge Hemden, die ihre Schultern und Arme betonten. Außerdem rochen alle nach Eau de Cologne. Und sie rauchten, ausnahmslos. In Gruppen stolzierten sie durch die Nachbarschaft, alberten herum, lachten laut und riefen den Mädchen nach, wobei sie samt und sonders das gleiche dümmliche, selbstgefällige Grinsen im Gesicht trugen. Einer von ihnen hielt sich anscheinend für ein Double von Sylvester Stallone und bestand darauf, Rambo genannt zu werden.

»Deine Mutter würde dir die Hölle heiß machen, wenn sie dich rauchen sähe«, sagte Laila. Sie schaute sich nach allen Seiten um und trat in die Gasse.

»Davon erfährt sie nichts«, entgegnete er und rückte zur Seite, um ihr Platz zu machen.

»Vielleicht doch.«

»Von wem? Von dir vielleicht?«

Laila scharrte mit dem Fuß. »Sprich deine Geheimnisse in den Wind, aber mach ihm keinen Vorwurf, wenn er sie den Bäumen weitererzählt.«

Tarik lächelte und hob die linke Braue. »Wer hat das gesagt?«

»Khalil Gibran.«

»Angeberin.«

»Gib mir auch eine.«

Er schüttelte den Kopf und verschränkte die Arme vor der Brust. Auch das gehörte zum Repertoire seiner neuen Posen: mit dem Rücken an eine Wand gelehnt, die Arme verschränkt, eine Zigarette im Mundwinkel und das gesunde Bein lässig angewinkelt.

»Warum nicht?«

»Ist schlecht für dich«, antwortete er.

»Für dich nicht?«

»Ich tu's, um den Mädchen zu gefallen.«

»Welchen Mädchen?«

Er grinste. »Sie finden es sexy.«

»Von wegen.«

»Nein?«

»Glaub mir.«

»Nicht sexy?«

»Du siehst aus wie ein *khila*, ein Schwachkopf.«

»Das tut weh«, sagte er.

»Von welchen Mädchen sprichst du?«

»Eifersüchtig?«

»Nur neugierig.«

Er paffte und blinzelte durch den Rauch. »Ich wette, man zerreißt sich gerade über uns das Maul.«

Laila dachte an die Mahnung ihrer Mutter. *Wie ein Beo in geschlossener Hand. Wenn du sie auch nur ein klein wenig öffnest, fliegt er davon.* Sie beschlich ein ungutes Gefühl. Laila blendete Mamis Stimme aus. Stattdessen weidete sie sich an Tariks Formulierung des Wörtchens *uns*. Er hatte es ganz beiläufig und wie selbstverständlich verwendet und damit ihre Verbundenheit bestätigt.

»Und was werden sie über uns sagen?«

»Dass wir auf dem Fluss der Sünde paddeln«, antwortete er. »Vom Kuchen der Untugend naschen.«

»Mit der Rikscha des Verderbens fahren?«, stimmte Laila mit ein.

»Ein Frevel-*qurma* kochen.«

Beide lachten. Dann bemerkte Tarik, dass ihr Haar länger geworden sei. »Ist hübsch so«, sagte er.

Laila hoffte, nicht rot zu werden. »Du lenkst ab.«

»Wovon?«

»Von den hirnlosen Mädchen, die dich sexy finden.«

»Du weißt es doch.«

»Was weiß ich?«

»Dass ich nur Augen für dich habe.«

Ihr wurde schwummrig. Sie versuchte, seine Miene zu lesen, sah aber nur ein albernes Grinsen, das so gar nicht zum Ausdruck seiner Augen zu passen schien. Ein cleverer Blick, genau abgezirkelt zwischen Spott und Ernsthaftigkeit.

Tarik drückte den Stummel unter dem Absatz des gesunden Fußes aus. »Was hältst du von alledem?«

»Von der Party?«

»Wer ist jetzt der Schwachkopf von uns beiden? Ich meine die Mudschaheddin. Ihren Einzug in Kabul.«

»Oh.«

Sie wollte gerade berichten, was Babi über die gefährliche Ehe zwischen Gewehren und Eigensinn gesagt hatte, als plötzlich Schreie laut wurden, die vom Haus ihrer Eltern kamen.

Laila rannte los. Tarik hinkte hinterher.

Im Hof herrschte helle Aufregung. Zwei Männer wälzten sich ringend am Boden. In dem einen erkannte Laila einen der Männer wieder, die zuvor miteinander über Politik diskutiert hatten. Der andere war derjenige, der die Kebabspieße gewendet hatte. Einer von ihnen hielt ein Messer in der Hand. Mehrere Männer versuchten, die beiden auseinanderzubringen. Babi war nicht dabei. Er hielt sich in sicherer Entfernung vor der Hofmauer auf. Tariks Vater, der neben ihm stand, hatte Tränen im Gesicht.

Aus den aufgebrachten Kommentaren ringsum machte sich Laila ihren Reim: Der eine, ein Paschtune, hatte Ahmad Schah Massoud einen Verräter genannt und ihm vorgeworfen, in den achtziger Jahren mit den Sowjets »krumme Geschäfte« getrieben zu haben. Der andere, ein Tadschike, hatte Anstoß daran genommen und die Zurücknahme der Behauptung verlangt. Der Paschtune weigerte sich, worauf der Tadschike sagte, dass, wenn Massoud nicht gewesen wäre, seine Schwester – die des anderen – immer noch den sowjetischen Soldaten »zu Gefallen« sein müsste. Und dann war es rundgegangen. Einer von ihnen hatte ein Messer gezogen; wer von beiden, war nicht klar.

Mit Schrecken sah Laila, wie sich Tarik Hals über Kopf in das Handgemenge stürzte. Einer derjenigen, die zu schlichten versuchten, schlug nun selber mit den Fäusten zu, und ihr war, als habe sie ein zweites Messer aufblitzen sehen.

Später, am Abend, versuchte Laila noch einmal nachzuvollziehen, wie die Schlägerei um sich gegriffen hatte, bis schließlich fast alle Männer mit Geschrei und fliegenden Fäusten übereinander hergefallen waren, Tarik mitten unter ihnen. Am Ende kam er mit zerrissenem Hemd und schmerzverzerrtem Gesicht aus dem Gewühl hervorgekrochen. Die Prothese war ihm verloren gegangen.

Die Ereignisse überstürzten sich.

Der Führungsrat war voreilig gebildet worden. Er wählte Rabbani zum neuen Präsidenten, was zu Rivalitäten zwischen den einzelnen Fraktionen führte. Massoud mahnte zu Geduld und Ruhe.

Hekmatyar empörte sich über seinen Ausschluss. Die Hazaras, immer schon unterdrückt und missachtet, kochten vor Wut.

Beleidigungen machten die Runde. Finger zeigten auf andere. Vorwürfe flogen hin und her. Versammlungen wurden unter Protest abgebrochen, Türen geknallt. Die Stadt hielt den Atem an. In den Bergen griff man wieder zu den Kalaschnikows.

In Ermangelung eines gemeinsamen Feindes bekämpften sich die bis an die Zähne bewaffneten Mudschaheddin untereinander.

Für Kabul war der Tag der Abrechnung gekommen.

Raketen prasselten auf die Stadt nieder; ihre Bewohner verbarrikadierten sich. Mami trug wieder Schwarz, ging auf ihr Zimmer, zog die Vorhänge zu und vergrub sich unter den Decken.

24

»Am schlimmsten finde ich das Pfeifen«, sagte Laila zu Tarik, »dieses verdammte Pfeifen.«

Tarik nickte zustimmend.

Später dachte Laila, dass es nicht so sehr das Pfeifen als solches war als vielmehr die Sekunden bis zum Aufprall. Die kurze unbestimmte Zeitspanne in der Schwebe. Nicht das Wissen, sondern das Warten. Wie für den Angeklagten vor Gericht der Augenblick unmittelbar vor dem Urteilsspruch.

Es war häufig zur Abendzeit, wenn sie und Babi zu Tisch saßen. Wenn es einsetzte, schreckten sie auf. Wie gebannt lauschten sie dem Pfeifen, die Gabeln in der Luft, die Kaubewegungen angehalten. Laila beobachtete ihre schwach beleuchteten Gesichter im Spiegel der schwarzen Fensterscheibe, die reglosen Schatten an der Wand. Das Pfeifen. Dann die Detonation, glücklicherweise irgendwo anders, da, wo mit Geschrei und unter erstickenden Rauchwolken jetzt wahrscheinlich bloße Hände in Trümmern wühlten und zu bergen versuchten, was von einer Schwester, einem Bruder, einem Enkelkind übrig geblieben war.

Doch verschont geblieben zu sein ersparte einem nicht die quälende Frage, wen es getroffen haben mochte. Nach jedem Raketeneinschlag rannte Laila nach draußen und stammelte ein Gebet, um die schreckliche Vorstellung abzuwehren, dass man diesmal Tarik unter rauchenden Trümmern begraben finden würde.

Nachts sah Laila, im Bett liegend, weiße Blitze im Fenster aufzucken. Sie hörte das Rattern automatischer Gewehre und zählte das Kreischen von Raketen, während das Haus bebte und Verputz von der Decke herabregnete. Manchmal, wenn der Feuerschein der Raketen so hell war, dass man ein Buch hätte lesen können, war an

Schlaf nicht zu denken. Wenn sie aber schlief, träumte Laila von abgerissenen Gliedmaßen, Feuersbrünsten und dem Schreien Verwundeter.

Der Morgen brachte keine Erleichterung. Wenn der Muezzin zum *namaz* rief, legten die Mudschaheddin ihre Waffen nieder und wandten sich gen Westen zum Gebet. Danach aber wurden die Teppiche sofort wieder eingerollt, die Gewehre geladen und das Feuer von den Bergen über Kabul neu eröffnet. Laila und alle anderen Städter waren ohnmächtige Zeugen der Gefechte, hilflos wie der alte Santiago, der mit ansehen musste, wie die Haie seinen großen Fang zerfleischten.

Überall traf Laila auf Massouds Männer. Sie sah sie durch die Straßen ziehen, Autos anhalten und deren Insassen verhören. In ihren Kampfanzügen und dem unverzichtbaren *pakol* auf dem Kopf saßen sie rauchend auf Panzern oder beobachteten an Straßenkreuzungen, hinter Sandsäcken verbarrikadiert, die Passanten.

Laila wagte sich nur selten ins Freie. Wenn sie es tat, wurde sie immer von Tarik begleitet, dem diese ritterliche Pflicht zu gefallen schien.

»Ich habe mir eine Pistole gekauft«, sagte er eines Tages. Sie hockten unter dem Birnbaum in Lailas Hof. Er zeigte ihr die Waffe. Es sei eine halbautomatische, sagte er, eine Beretta. Für Laila war sie nur ein schwarzes, tödliches Ding.

»So etwas macht mir Angst«, sagte sie.

Tarik hantierte mit dem Magazin herum.

»Letzte Woche sind in einem Haus in Karteh-Seh drei Leichen gefunden worden«, berichtete er. »Hast du davon gehört? Schwestern. Vergewaltigt alle drei. Mit aufgeschlitzten Kehlen. Jemand hat ihnen die Ringe von den Fingern gebissen. Das war an den Spuren zu erkennen, die eindeutig von Zähnen …«

»Davon will ich nichts hören.«

»Ich wollte dich nicht aufregen«, sagte Tarik. »Aber ich … Mit dem Ding fühle ich mich sicherer.«

Er war jetzt ihr Informant. Er schnappte auf, was in den Straßen gesprochen wurde, und gab es weiter an sie. So erfuhr sie auch, dass sich in den Bergen Milizionäre verschanzt hatten, die auf ihre Treffsicherheit Wetten setzten und wahllos auf Zivilisten schossen, auf Männer, Frauen und Kinder. Er sagte, dass sie Raketen auf Autos abfeuerten, Taxis aber aus irgendwelchen Gründen verschonten – was erklärte, warum sich in letzter Zeit viele beeilten, ihre Autos gelb zu lackieren.

Innerhalb von Kabul, so berichtete Tarik, würden sich immer wieder Grenzen und Zonen verschieben. Ihre Straße zum Beispiel gehöre bis zur zweiten Akazie auf der linken Seite dem einen Warlord und die nächsten vier Blocks, die bis zur Bäckerei neben der zerstörten Apotheke reichten, einem anderen. Wenn man von hier aus achthundert Meter nach Westen gehe, sei man im Territorium eines dritten Warlords und dessen Scharfschützen ausgeliefert. So also wurden jetzt Mamis Helden genannt, dachte Laila. Warlords. Oder auch *tofangdar*, Jäger. Manche bezeichneten sie nach wie vor als Mudschaheddin, wobei sie allerdings eine verächtliche Miene aufsetzten und das Wort wie eine Beleidigung aussprachen.

Tarik ließ das Magazin einschnappen.

»Hättest du das Zeug dazu?«, fragte Laila.

»Wozu?«

»Abzudrücken. Jemanden zu töten.«

Tarik steckte die Waffe hinter den Bund seiner Jeans. Und dann sagte er etwas, das schön und schrecklich zugleich war. »Für dich würde ich's tun, Laila.«

Er rückte näher an sie heran. Ihre Hände berührten sich, dann noch einmal. Als er vorsichtig versuchte, seine Finger mit ihren zu verschränken, ließ es Laila zu. Und als er sich plötzlich über sie beugte und ihr seine Lippen auf den Mund drückte, war sie auch damit einverstanden.

In diesem Moment hatte das, was Mami über den guten Ruf und Beos sagte, für Laila keine Bedeutung. Ja, es erschien ihr geradezu absurd. Denn in Anbetracht der schrecklichen Gewalttaten und Verwüstungen ringsum war es doch wahrhaftig harmlos, hier unter einem Baum zu sitzen und Tarik zu küssen. Eine durchaus verzeihliche Nachgiebigkeit. Also ließ sie sich küssen, und als er seinen Mund von ihrem löste, beugte sie sich mit pochendem Herzen und heißen Lippen vor, um ihn zu küssen.

Im Juni desselben Jahres, 1992, kam es im Westen Kabuls zu schweren Kämpfen zwischen Sayyafs paschtunischen Truppen und den Hazaras der Wahdat-Fraktion. Granaten rissen Strommasten um und pulverisierten Geschäfts- und Wohnblocks. Laila hörte, dass Milizionäre der Paschtunen in Häuser der Hazaras eindrangen und ganze Familien auslöschten. Die Hazaras übten Vergeltung; sie entführten paschtunische Zivilisten, vergewaltigten paschtunische Mädchen, nahmen paschtunische Nachbarschaften unter Mörserbeschuss und mordeten blindwütig. Tagtäglich fand man Tote, an Bäume gebunden, manche bis zur Unkenntlichkeit verbrannt. Vielen waren die Augen ausgestochen und die Zunge herausgeschnitten worden.

Babi versuchte zum wiederholten Mal, Mami davon zu überzeugen, dass es besser sei, Kabul zu verlassen

»Sie werden's schon richten«, sagte Mami. »Die Kämpfe sind bald zu Ende. Dann setzen sich alle an einen Tisch und verhandeln.«

»Fariba, diese Leute kennen nur eins, und das ist Krieg«, entgegnete Babi. »Schon beim Laufenlernen hatten sie in der einen Hand eine Milchflasche und in der anderen eine Waffe.«

»Du meinst, du kannst dir ein Urteil erlauben?«, blaffte Mami. »Hast du am Dschihad teilgenommen? Hast du alles aufgegeben und dein Leben riskiert? Wenn es die Mudschaheddin nicht gäbe, wären wir immer noch Sklaven der Sowjets. Du willst doch nicht etwa, dass wir sie verraten.«

»Wir sind es nicht, die des Verrats schuldig sind, Fariba.«

»Dann geh doch. Nimm deine Tochter und mach dich aus dem Staub. Schick mir eine Postkarte. Ich jedenfalls werde bleiben und darauf warten, dass Frieden einkehrt.«

Babi stürmte aus ihrem Zimmer.

In den Straßen war es so gefährlich, dass er einen für ihn besonders bitteren Entschluss gefasst und Laila aus der Schule genommen hatte.

Er gab ihr nun selbst Unterricht. Jeden Tag nach Sonnenuntergang kam Laila zu ihm ins Arbeitszimmer, und während im Süden der Stadt Hekmatyar seine Raketen auf Massoud abfeuerte, beschäftigten sich Babi und Laila mit Hafis' Gaselen und den Werken des großen afghanischen Dichters Ustad Khalilullah Khalili. Babi brachte ihr bei, quadratische Gleichungen abzuleiten, Polynomfunktionen auszudrücken und Kurvenparameter zu bestimmen. Wenn er unterrichtete, war Babi immer wie verwandelt. Inmitten seiner Bücher wirkte er auf Laila um einiges größer. Seine Stimme klang fester, und er blinzelte nicht annähernd so häufig wie sonst. Laila stellte sich ihn vor, wie er früher mit weit ausholenden Bewegungen die Wandtafel saubergewischt oder seinen Schülern väterlich und aufmerksam über die Schulter geschaut hatte.

Es fiel Laila jedoch schwer, seinem Unterricht zu folgen. Sie war immer wieder abgelenkt.

»Wie berechnet man das Volumen einer Pyramide?«, fragte Babi, doch Laila dachte an Tariks volle Lippen, an seinen heißen Atem und ihr Spiegelbild in seinen haselnussbraunen Augen. Nach der Begegnung unter dem Baum hatten sie sich zwei weitere Male geküsst, länger und inniger und, wie sie fand, weniger ungeschickt. Beide Male waren sie heimlich in der engen Gasse zusammengekommen, wo er am Tag von Mamis Party eine Zigarette geraucht hatte. Beim zweiten Mal hatte sie es zugelassen, dass er ihre Brust berührte.

»Laila?«

»Ja, Babi.«

»Das Volumen einer Pyramide. Wo bist du?«

»Entschuldige. Ich war … ehm … Pyramide. Das Volumen ist ein Drittel der Grundfläche mal Höhe.«

Babi nickte und betrachtete sie mit kritischem Blick. Laila dachte daran, wie ihr Tarik mit der Hand über den Rücken fuhr, während sie sich küssten und küssten.

Es war immer noch Juni, als Giti und zwei Klassenkameradinnen auf dem Heimweg von der Schule, nur drei Straßenecken von Gitis Zuhause entfernt, von einer Rakete getroffen wurden. Am Abend erfuhr Laila, dass Gitis Mutter Nila, nachdem sie die schreckliche Nachricht erhalten hatte, an der Unglücksstelle hysterisch schreiend umhergeirrt war und Teile ihrer Tochter in der Schürze eingesammelt hatte. Zwei Wochen später wurde ihr rechter Fuß, der noch in Strumpf und Schuh steckte und schon in Verwesung übergegangen war, auf dem Dach eines der umstehenden Häuser gefunden.

Bei Gitis *fatiha* tags darauf saß Laila wie benommen in einem Raum voll weinender Frauen. Sie erlebte zum ersten Mal, dass diesem Krieg ein Mensch zum Opfer gefallen war, den sie liebte. Sie konnte nicht begreifen, dass Giti nicht mehr lebte, ihre Freundin, die ihr im Klassenzimmer heimlich Briefchen zugesteckt, sich die Fingernägel poliert und mit einer Pinzette die Augenbrauen gezupft hatte. Giti, die den Torwart Sabir hatte heiraten wollen, war tot. *Tot.* In Stücke zerrissen.

Laila weinte um sie. Und all die Tränen, die während der Trauerfeier für ihre Brüder ausgeblieben waren, vergoss sie jetzt.

25

Laila konnte sich nicht rühren; sie war wie versteinert. Die an sie gerichteten Worte erreichten sie kaum. Als Tarik sprach, sah Laila ihr Leben wie ein morsches Seil ausfransen, zerfasern und reißen.

Es war ein heißer, stickiger Nachmittag im August 1992. Sie saßen im Wohnzimmer. Mami hatte seit den frühen Morgenstunden so schlimme Bauchschmerzen, dass Babi mit ihr trotz der Raketen, die Hekmatyar aus dem Süden abfeuern ließ, zum Arzt gefahren war. Und nun saß Tarik neben Laila auf der Couch, den Blick gesenkt und die Hände zwischen den Knien.

Er sagte, dass er wegziehen werde.

Nicht nur aus der Nachbarschaft oder Kabul. Er werde das Land verlassen.

Laila konnte es nicht fassen.

»Wohin? Wohin gehst du?«

»Zuerst nach Pakistan. Peschawar. Und danach …, wer weiß? Vielleicht nach Indien. Oder in den Iran.«

»Wie lange …«

»Ich weiß nicht.«

»Ich meine, wie lange denkst du schon daran, wegzugehen?«

»Schon seit einiger Zeit. Ich wollte es dir längst gesagt haben, ehrlich, hab's aber nicht über mich gebracht.«

»Wann?«

»Morgen.«

»Morgen?«

»Laila, sieh mich an.«

»Morgen.«

»Mein Vater drängt. Er ist krank, wie du weißt. Er kann all das Kämpfen und Morden nicht länger verkraften.«

Laila vergrub ihr Gesicht in den Händen. Das Herz schnürte sich in ihrer Brust zusammen.

Sie hätte es ahnen können, dachte sie. Es waren schon so viele gegangen, und jetzt, nur vier Monate nach Ausbruch der Kämpfe zwischen den Mudschaheddin, begegnete ihr auf der Straße kaum mehr ein bekanntes Gesicht. Hasinas Familie war im Mai nach Teheran geflohen. Wajma hatte sich mit ihrem Clan im gleichen Monat nach Islamabad abgesetzt. Gitis Eltern und Geschwister waren im Juni, kurz nach Gitis Tod, abgereist. Laila wusste nicht einmal, wohin. Es hieß, dass sie nach Mashad in den Iran hatten gehen wollen. Nach dem Auszug der Nachbarn blieben ihre Häuser für ein paar Tage leer; dann zogen entweder Milizionäre oder fremde Zivilisten ein.

Alle flohen. Nun auch Tarik.

»Und meine Mutter ist nicht mehr die Jüngste«, sagte er. »Die beiden haben nur noch Angst. Laila, sieh mich an.«

»Du hättest es mir sagen sollen.«

»Bitte, sieh mich an.«

Laila wimmerte, schluchzte und fing dann zu weinen an. Als er mit dem Daumen die Tränen abzuwischen versuchte, stieß sie seine Hand von sich, empört und wütend darüber, dass er sie im Stich ließ, Tarik, der wie ein Teil von ihr war und in all ihren Gedanken auftauchte. Wie konnte er sie verlassen? Sie schlug ihn. Sie schlug ihn und zerrte an seinen Haaren, bis er sie bei den Handgelenken packte und festhielt. Er versuchte, auf sie einzureden, klang ruhig und vernünftig dabei, doch sie hörte ihm nicht zu. Er kam ihr näher, so nahe, dass sie wieder seinen Atem auf ihren Lippen spürte.

Und als er sie dann küsste, ließ sie es sich gefallen.

Alles genau in Erinnerung zu behalten, was dann geschah, wurde ihr wichtigstes Anliegen in den nächsten Tagen und Wochen. Wie ein Kunstliebhaber, der einem brennenden Museum entfliehen muss, versuchte sie, alles, was ihr wertvoll erschien, festzuhalten und vor dem Vergessen zu bewahren – möglichst jeden Blick, jede Empfindung, jedes geflüsterte Wort. Doch die Zeit ist ein verheerendes Feuer, und am Ende konnte sie nur weniges retten: den jähen, heftigen Schmerz; das schräg auf den Teppich fallende Sonnenlicht; die hastig abgeschnallte Prothese, die neben ihnen lag; seine Ellbogen in ihren Händen; das Muttermal unter seinem Schlüsselbein – die auf dem Kopf stehende Mandoline – rot erglüht; sein Gesicht dicht vor ihren Augen; seine herabhängenden schwarzen Locken, ihre Wangen kitzelnd; die Angst, ertappt zu werden; das ungläubige Staunen über den eigenen Wagemut; die seltsame, unbeschreibliche Wonne, vermischt mit Schmerz; den vielfältigen Ausdruck in Tariks Blicken: Scheu, Sorge, Zärtlichkeit, Verlegenheit, vor allem aber Hunger.

Danach herrschte helle Aufregung. Mit fliegenden Fingern wurden Hemden zugeknöpft, Haare gekämmt und Gürtel geschnallt. Schließlich saßen sie wieder Seite an Seite auf der Couch, die Gesichter gerötet und beide sprachlos über das, was geschehen war. Was sie getan hatten.

Laila entdeckte drei Tropfen Blut auf dem Teppich, *ihr* Blut, und stellte sich die Eltern vor, wenn sie später auf dieser Couch säßen, ohne etwas von der Sünde zu ahnen, die sie, ihre Tochter, begangen hatte. Scham und Schuldgefühle überkamen sie jetzt, und oben tickte die Uhr, überlaut für Lailas Ohren. Wie das unablässige Klopfen eines Richterhammers zu ihrer Verurteilung.

Tarik sagte: »Komm mit mir.«

Laila glaubte fast für einen Moment, dass es ihr möglich wäre, zusammen mit Tarik und seinen Eltern auszuwandern, ihre Taschen zu packen, einen Bus zu besteigen und alle Gewalt hinter sich zu lassen, um ein neues Leben an Tariks Seite zu beginnen, auf Gedeih oder Verderb. Ohne ihn bliebe ihr nur trostlose Einsamkeit.

Ja, es wäre ihr möglich. Sie könnten zusammen gehen.

Es würde weitere solcher Nachmittage geben.

»Ich will dich heiraten, Laila.«

Erst jetzt hob sie den Blick, um ihm in die Augen zu schauen. Sie versuchte, seine Gedanken zu erforschen. Diesmal zeigte sich nichts von jenem clever einstudierten vieldeutigen Mienenspiel, dass er sonst so gut beherrschte. Er wirkte vielmehr ungewohnt ernst und entschlossen.

»Tarik …«

»Ich will dich zur Frau, Laila. Wir könnten heute noch heiraten.«

Er wollte noch mehr sagen, ihr vorschlagen, eine Moschee aufzusuchen, einen Mullah und zwei Trauzeugen ausfindig zu machen, eine *nikka* auf die Schnelle …

Doch Laila dachte an Mami, die in ihrem Groll und in ihrer Verzweiflung so unnachgiebig und kompromisslos war wie die Mudschaheddin. Sie dachte an Babi, der seiner Frau nichts entgegenzusetzen und längst aufgegeben hatte.

Manchmal … drängt sich mir das Gefühl auf, dass du, Laila, alles bist, was ich habe.

Dies waren die unüberwindlichen Umstände ihres Lebens.

»Ich werde bei *Kaka* Hakim um deine Hand anhalten. Sein Segen ist uns gewiss, Laila; davon bin ich überzeugt.«

Tarik hatte recht. Babi würde zustimmen. Aber es würde ihn auch zerbrechen lassen.

Tarik redete weiter, mal mit gedämpfter Stimme, flehend, dann mit Nachdruck und vernünftigen Argumenten, seine Miene mal hoffnungsvoll, mal verzweifelt.

»Ich kann nicht«, sagte Laila.

»Sag so etwas nicht. Ich liebe dich.«

»Es tut mir leid …«

»Ich liebe dich.«

Wie lange hatte sie darauf gewartet, diese Worte von ihm zu hören? Wie oft hatte sie geträumt, dass er sie ausspräche? Jetzt endlich tat er es, und die Ironie der Umstände stieß ihr bitter auf.

»Es ist wegen meines Vaters«, versuchte Laila zu erklären. »Ich bin sein Ein und Alles. Er würde es nicht verkraften, wenn ich ginge.«

Tarik wusste es. Er wusste, dass sie sich über manche Dinge im Leben ebenso wenig hinwegsetzen konnte wie er. Trotzdem ging es noch eine Weile hin und her mit seinen Bitten und ihrer Ablehnung, mit seinen Vorschlägen und ihren Entschuldigungen, mit seinen und ihren Tränen.

Am Ende musste Laila ihn drängen zu gehen.

Vor der Tür nahm sie ihm das Versprechen ab, auf einen Abschied zu verzichten. Sie schloss die Tür und lehnte sich mit dem Rücken dagegen. Sein Pochen von außen ging ihr durch Mark und Bein. Mit einem Arm hielt sie den Bauch umfasst, und die Hand vor den Mund gepresst, hörte sie ihn beteuern, dass er zu ihr zurückkehren würde. Sie rührte sich nicht, bis er endlich, müde geworden, aufgab und ging. Sie lauschte seinen hinkenden Schritten, bis nichts mehr zu vernehmen war außer dem Gewehrfeuer in den Bergen und den eigenen Herzschlägen, die ihren ganzen Körper vibrieren ließen.

26

Es war der mit Abstand heißeste Tag des Jahres, die Stadt wie gelähmt von der drückenden Hitze, die sich zwischen den Bergen aufgestaut hatte. Seit Tagen gab es keinen Strom mehr. Die elektrischen Ventilatoren standen still, fast wie zum Hohn.

Laila lag reglos und mit durchgeschwitzter Bluse auf der Couch im Wohnzimmer. Beim Ausatmen streifte heiße Luft die Nasenspitze. Die Eltern waren, wie sie hörte, in Mamis Zimmer und diskutierten miteinander. In der letzten und vorletzten Nacht war sie von ihren Stimmen geweckt worden. Seit der Querschläger ein weiteres Loch in die Außenpforte gerissen hatte, sprachen sie täglich miteinander.

Draußen dröhnte fernes Artilleriefeuer, gefolgt von hämmernden Gewehrsalven aus der Nähe.

Auch in Laila herrschte Krieg: zwischen Schuld und Scham auf der einen und der Überzeugung auf der anderen Seite, dass es keine Sünde war, was sie und Tarik getan hatten, dass es vielmehr ganz natürlich, gut und schön war, ja sogar unausweichlich, angetrieben von dem Wissen, dass sie sich womöglich nie wieder sehen würden.

Laila drehte sich auf die Seite und versuchte, ihrem Gedächtnis auf die Sprünge zu helfen. Über ihr am Boden liegend und den Kopf an ihre Stirn geneigt, hatte Tarik etwas gekeucht. War es *Tu ich dir weh?* oder *Tut es weh?*

Laila wusste nicht mehr, ob es die eine oder andere Wendung war.

Er war erst zwei Wochen fort, und schon verwischten sich die Erinnerungen. Laila konzentrierte sich. Was genau hatte er gesagt? Es war ihr plötzlich überaus wichtig.

Laila schloss die Augen und dachte angestrengt nach.

Mit der Zeit würde sich die Kraft für solche Versuche erschöpfen. Es würde ihr zunehmend schwerfallen, heraufzubeschwören und wiederzubeleben, was längst verloren war. Irgendwann, in ein paar Jahren vielleicht, würde sie seinen Verlust nicht länger beklagen. Jedenfalls nicht mehr so untröstlich. Die Erinnerungen würden verblassen, und wenn auf der Straße eine Mutter ihr Kind bei Tariks Namen riefe, würde sie davon nicht mehr aus der Fassung gebracht werden. Sie würde ihn nicht mehr so sehr vermissen wie jetzt, da sie der Kummer über seine Abwesenheit ständig begleitete – wie der Phantomschmerz in einem amputierten Glied.

Es sei denn, die Erinnerungen an jenen Nachmittag zu zweit würden plötzlich und überraschend wieder lebendig, ausgelöst durch irgendeinen Umstand oder irgendeine Tätigkeit, vielleicht, wenn sie ein Hemd bügelte oder ihre Kinder auf einer Schaukel anstieße. Dann wäre womöglich alles wieder da. Die Spontaneität ihres Tuns. Ihre erstaunliche Unvorsichtigkeit. Ihre Unbeholfenheit. Der Schmerz, die Wonne und die Traurigkeit darin. Die Hitze ihrer aneinandergeschmiegten Körper.

Die Erinnerungen würden sie überschwemmen und ihren Atem stocken lassen.

Aber auch solche Momente würden vergehen. Zurück blieben allenfalls Mattigkeit und ein vages Gefühl von Nervosität.

Sie glaubte, dass er gesagt hatte: *Tu ich dir weh?* Ja. So war es. Laila war froh, dass sie sich erinnerte.

Plötzlich rief Babi nach ihr und forderte sie auf, schnell nach oben zu kommen.

»Sie ist einverstanden!«, sagte er, und seine Stimme zitterte vor Erregung. »Wir wandern aus, Laila. Alle drei. Wir verlassen Kabul.«

Zu dritt saßen sie in Mamis Zimmer auf dem Bett. Draußen flogen Raketen durch den Himmel; die Kämpfe zwischen Hekmatyars und Massouds Truppen nahmen kein Ende. Laila ahnte, dass es irgendwo in der Stadt wieder Tote gab und schwarze Rauchwolken über zersprengten Häusern aufstiegen. Es lägen wieder Leichen auf den Straßen. Manche würden geborgen, andere nicht. Die Hunde in Kabul waren auf den Geschmack gekommen und würden sich an den Toten weiden.

Gleichzeitig drängte es Laila hinaus auf die Straßen. Sie konnte ihr Glück kaum fassen. Es kostete sie Überwindung, still sitzen zu bleiben und nicht vor Freude zu kreischen. Babi sagte, dass sie zuerst nach Pakistan gehen würden, um dort Visa zu beantragen. Pakistan, wo auch Tarik noch sein musste! Er war erst vor siebzehn Tagen gefahren. Wenn sich Mami bloß eher entschieden hätte, wären sie womöglich gemeinsam aufgebrochen. Sie könnte jetzt bei ihm sein. Sei's drum. In Peschawar angekommen, würde Laila nach Tarik und seinen Eltern suchen. Sie wären bestimmt noch dort, damit beschäftigt, ihre Ausreise zu organisieren. Und dann, wer weiß? Europa? Amerika? Vielleicht, wie Babi immer sagte, irgendwo am Meer …

Mami lehnte am Kopfteil des Bettes. Ihre Augen waren geschwollen. Sie zupfte sich an den Haaren.

Drei Tage zuvor war Laila, um frische Luft zu schnappen, nach draußen gegangen. Sie hatte neben der Außenpforte gestanden, als es plötzlich krachte und ein Geschoss an ihrem rechten Ohr vorbeiflog, aufprallte und Holzsplitter aufwirbeln ließ. Nach Gitis Tod, zahllosen Feuergefechten und Raketeneinschlägen war es dieses eine runde Loch in der Pforte unmittelbar neben der Stelle, wo Laila gestanden hatte, das Mami endlich wachgerüttelt und ihr vor Augen geführt hatte, wie sehr ihr einzig verbliebenes Kind von diesem Krieg bedroht war.

Von den Fotos an den Wänden lächelten Ahmad und Noor herab. Laila sah, wie die Augen ihrer Mutter schuldbewusst von einem Bild zum anderen sprangen. Es schien fast, als erflehte sie das Einverständnis ihrer toten Söhne. Deren Segen. Und Vergebung.

»Hier kann uns nichts mehr halten«, sagte Babi. »Unsere Söhne sind gefallen, aber wir haben immer noch Laila. Wir haben noch uns, Fariba. Fangen wir ein neues Leben an.«

Babi beugte sich zur Seite, um die Hand seiner Frau zu ergreifen. Mami ließ es zu. Sie gab ihm nach. Die beiden hielten sich bei der Hand. Dann rückte Babi näher und schloss sie in die Arme. Mami legte ihren Kopf auf seine Schulter und hielt sich an seinem Hemd fest.

In dieser Nacht war Laila zu aufgewühlt, um die Augen zu schließen. Sie lag im Bett und beobachtete am Horizont den gespenstischen Feuerschein explodierender Granaten. Doch trotz ihrer Erregung und des Grollens der Geschütze in der Ferne schlief sie irgendwann ein.

Und träumte.

Sie sitzen am Meeresstrand auf einer Steppdecke. Der Himmel ist verhangen, und es weht ein kühler Wind, doch neben Tarik und unter der Decke, die sie sich über die Schultern geworfen haben, fühlt sie sich wohlig warm. Sie sieht Autos hinter einem weiß gestrichenen Zaun parken; darüber erheben sich Palmen, die im Wind schaukeln. Der Wind lässt ihre Augen tränen, bläst Sand in die Schuhe und treibt Büschel abgestorbener Gräser von Düne zu Düne. In der Ferne ziehen Segelboote vorüber. Möwen schwirren schreiend durch die Luft. Dann glaubt sie, Musik zu hören, und erinnert sich an ein Lied, das ihr Babi vor Jahren beigebracht hat. Sie erzählt Tarik von diesem Lied, in dem von singendem Sand die Rede ist.

Er wischt sich Sandkörner von der Stirn. Sie sieht den Ring an seinem Finger. Sie selbst trägt das Gegenstück; es ist aus Gold und ringsum ziseliert.

»Tatsächlich«, sagt sie. »Was da klingt, ist die Reibung der Sandkörnchen aneinander. Hör mal.« Er lauscht. Er zieht die Stirn kraus. Sie warten. Sie hören es wieder. Bei leichtem Wind ist es ein Seufzen, das, wenn der Wind zunimmt, zu einem Heulen und schrillen Chorus anschwillt.

Babi sagte, dass nur mitgenommen werden solle, was absolut notwendig sei. Alles andere müsse verkauft werden.

»Von dem Erlös könnten wir in Peschawar leben, bis ich Arbeit gefunden habe.«

Während der nächsten zwei Tage trugen sie zusammen, was entbehrt werden konnte und für den Verkauf bestimmt war.

In ihrem Zimmer sortierte Laila alte Kleidungsstücke, Schuhe, Bücher und Spielzeug aus. Unter ihrem Bett fand sie die kleine gelbe Glaskuh, die sie in der fünften Klasse von Hasina bekommen hatte. Außerdem waren da ein kleiner Fußball als Schlüsselanhänger, ein Geschenk von Giti; ein kleines hölzernes Zebra auf Rädern; ein aus Ton gebrannter Astronaut, den sie und Tarik im Straßengraben gefunden hatten. Sie war damals sechs und er acht Jahre alt gewesen. Es hatte Streit darüber gegeben, wer von ihnen der eigentliche Finder war.

Auch Mami machte sich an die Arbeit. Doch ihre Bewegungen waren träge und zögerlich, ihre Augen glanzlos und der Blick nach innen gekehrt. Sie packte ihr gutes Geschirr zusammen, ihre Servietten, den gesamten Schmuck bis auf den Ehering und einen Großteil ihrer alten Kleider.

»Das willst du doch nicht etwa verkaufen, oder?«, sagte Laila und hob Mamis Hochzeitskleid in die Höhe. Es fiel ihr in Kaskaden auf den Schoß. Sie berührte die Spitze und Schleife am Halsausschnitt, die mit der Hand aufgestickten Perlen an den Ärmeln.

Achselzuckend nahm Mami ihr das Kleid ab und schleuderte es brüsk zu den anderen ausrangierten Sachen. Als würde sie sich mit einem Ruck von einem Verband befreien, dachte Laila.

Babi hatte die schmerzlichste Aufgabe zu erledigen.

Laila fand ihn in seinem Arbeitszimmer. Mit wehmütigem Blick betrachtete er seine Bücher in den Regalen. Er trug ein T-Shirt aus zweiter Hand; darauf abgebildet war die rote Hängebrücke von San Francisco, eingetaucht in dichten Nebel, der aus weiß schäumendem Wasser in der Tiefe aufstieg.

»Du kennst die Frage«, sagte er. »Welche Bücher soll man auf eine einsame Insel mitnehmen, wenn man sich nur fünf auswählen darf? Dass auch ich einmal vor diesem Problem stehen würde, hätte ich mir nicht träumen lassen.«

»Du wirst mit einer neuen Sammlung anfangen, Babi.«

»Mm.« Er lächelte traurig. »Ich kann kaum glauben, Kabul hinter mir zurückzulassen. Ich bin hier zur Schule gegangen, war selbst Lehrer in dieser Stadt und bin hier Vater geworden. Es ist eine seltsame Vorstellung, demnächst unter dem Himmel einer anderen Stadt zu schlafen.«

»Auch für mich.«

»Mir gehen schon den ganzen Tag zwei Zeilen aus einem Gedicht über Kabul durch den Kopf. Es stammt aus dem 17. Jahrhundert und wurde von Saib-e-Tabrizi geschrieben. Ich konnte einmal das ganze Gedicht auswendig aufsagen, kann mich jetzt aber nur noch an diese beiden Zeilen erinnern:

Nicht zu zählen sind die Monde, die auf ihren Dächern schimmern,
noch die tausend strahlenden Sonnen, die verborgen hinter Mauern stecken.«

Laila blickte auf und sah ihn weinen. Sie legte ihren Arm um seine Taille. »Oh, Babi. Irgendwann kehren wir zurück. Wenn dieser Krieg vorbei ist. Dann sind wir wieder hier, *inschallah*. Du wirst sehen.«

Am dritten Tag schaffte Laila alles, was abgegeben werden sollte, in den Hof. Mit einem Taxi wollten sie die Sachen in ein Pfandhaus bringen.

Laila schleppte Karton um Karton, gefüllt mit Kleidern, Geschirr und Babis Büchern, nach draußen. Gegen Mittag, als sich der Hausrat vor der Eingangstür schulterhoch stapelte, hätte sie eigentlich erschöpft sein müssen; tatsächlich aber wurde sie von Minute zu Minute lebendiger. Beflügelt von der Aussicht, Tarik bald wiederzusehen, wuchs sie über sich hinaus.

»Wir brauchen ein großes Taxi.«

Laila schaute nach oben und sah ihre Mutter im Fenster ihres Schlafzimmers lehnen. Das strahlende Sonnenlicht verfing sich in ihrem ergrauten Haar und ließ ihre verhärmten Gesichtszüge noch stärker in Erscheinung treten. Sie trug das kobaltblaue Kleid, das sie auch zur Freudenfeier vor vier Monaten getragen hatte, ein Kleid, das jünger machte. Laila aber sah in diesem Moment eine alte Frau vor sich. Eine alte Frau mit dünnen Armen, eingefallenen Schläfen und dunklen Ringen unter müden Augen, ein scheinbar völlig anderes Wesen, verglichen mit der drallen, pausbackigen Frau, die einem aus den alten körnigen Hochzeitsfotos entgegenlachte.

»Oder besser gleich zwei große Taxis«, sagte Laila.

Laila konnte auch ihren Vater sehen, der im Wohnzimmer Bücherkartons aufeinanderstellte.

»Komm rein, wenn du fertig bist«, sagte Mami. »Wir essen dann. Es gibt gekochte Eier und den Rest Bohnen.«

»Meine Lieblingsspeise.«

Sie dachte an ihren Traum, an Tarik neben ihr auf einer Steppdecke, das Meer und die Dünen vor Augen. An den Wind in den Palmen.

Wie hatte es noch geklungen, fragte sie sich, das Singen des Sandes?

Laila blickte auf. Eine graue Eidechse kam aus einem Spalt gekrochen, wippte mit dem Kopf, blinzelte mit den Augen und schlüpfte unter einem Stein in Deckung.

Im Geiste sah Laila wieder den Strand vor sich und glaubte, das Singen zu hören. Es schwoll an, wurde lauter, greller und übertönte bald alles andere. Wie gefiederte Pantomimen sperrten die Möwen ihre Schnäbel auf, ohne einen Laut von sich zu geben. Auch die Brandung der Wellen war nicht mehr zu hören. Der Sand aber sang in schrillen Tönen weiter. Es klang wie … ein Klirren?

Nein, so nicht, vielmehr wie ein Pfeifen.

Laila ließ den Karton aus den Händen fallen und blickte nach oben. Sie schirmte die Augen mit der Hand ab.

Dann war da ein ohrenbetäubendes Fauchen.

Hinter ihr ein weißer Blitz.

Der Boden unter ihren Füßen erbebte.

Etwas Heißes, Wuchtiges schlug ihr in den Rücken, riss sie aus den Sandalen und hob sie empor. Es schleuderte und wirbelte sie im hohen Bogen durch die Luft. Ein großes glimmendes Holzstück schoss an ihr vorbei, gefolgt von einem Schwall aus zersplittertem Glas. Laila meinte, jede einzelne Scherbe unterscheiden zu können, die sich wie in Zeitlupe um sich selbst drehte. Sie sah die Sonne darin aufblitzen und winzig kleine, wunderschöne Regenbögen erstrahlen.

Dann prallte sie an die Mauer und fiel zu Boden. Schutt und Scherben hagelten auf sie herab. Das Letzte, was sie wahrnahm, war der dumpfe Aufprall eines blutüberströmten Gegenstandes. Darauf die aus dichtem Nebel ragenden Träger einer roten Brücke.

Schatten ziehen vorüber. Unter der Decke brennt ein fluoreszierendes Licht. Ein Frauengesicht taucht auf, schwebt über ihr.

Laila schwinden wieder die Sinne.

Noch ein Gesicht. Diesmal das eines Mannes mit schweren, hängenden Wangen. Seine Lippen bewegen sich lautlos. Laila hört ein Klingeln.

Der Mann winkt ihr mit der Hand zu, legt die Stirn in Falten und bewegt wieder die Lippen.

Schmerzen machen sich bemerkbar. Sie ringt nach Luft. Es tut überall weh.

Ein Glas Wasser. Eine pinkfarbene Pille.

Wieder wird ihr schwarz vor Augen.

Da ist wieder die Frau. Das längliche Gesicht und die eng zusammenstehenden Augen. Sie sagt etwas. Laila kann sie nicht verstehen; es klingelt zu laut in den Ohren. Aber sie glaubt die Worte sehen zu können, die wie dicker schwarzer Sirup von den Lippen der Frau rinnen.

Die Brust schmerzt. Ein Stechen fährt durch Arme und Beine.

Ringsum scheint alles in Bewegung.

Wo ist Tarik?

Warum ist er nicht hier?

Dunkelheit. Stiebende Sterne.

Babi und sie, irgendwo auf hoher Warte. Er zeigt auf ein Gersten-feld. Ein Stromgenerator fängt zu knattern an.

Die Frau mit dem länglichen Gesicht schaut auf sie herab.

Atem zu schöpfen tut weh.

Akkordeonklänge sind zu hören.

Sie ist dankbar für die pinkfarbene Pille. Dann wabernde Schwere und Stille. Bleierne Stille senkt sich auf sie herab.

Dritter Teil

27

Mariam

»Weißt du, wer ich bin?«

Die Lider des Mädchens flatterten.

»Weißt du, was passiert ist?«

Ihre Lippen zitterten. Sie schloss die Augen. Schluckte. Sie fuhr mit der Hand über die linke Wange, versuchte, etwas zu sagen.

Mariam beugte sich über sie.

»Das Ohr«, hauchte das Mädchen. »Ich kann nicht hören.«

Während der ersten Woche schlief das Mädchen fast nur, ruhiggestellt von den pinkfarbenen Pillen, die Raschid im Krankenhaus erstanden hatte. Es murmelte im Schlaf, redete manchmal wirres Zeug, schrie auf und rief Namen, die Mariam nicht kannte. Es weinte auch im Schlaf, wurde hektisch und zerwühlte die Decken; Mariam musste es dann festhalten. Es kam vor, dass es sich übergab und alles erbrach, was Mariam ihm zu essen gegeben hatte.

Wenn es ruhig war, lag das Mädchen einfach nur da und starrte aus stumpfen Augen an die Zimmerdecke. Auf Mariams und Raschids Fragen antwortete es flüsternd und mit knappen Worten. An manchen Tagen war es wie ein Kind und warf den Kopf hin und her, wenn Mariam oder Raschid versuchten, es zu füttern. Wenn ihm der Löffel zum Mund geführt wurde, biss es die Zähne aufeinander und errötete, gab aber schließlich aus Mattigkeit dem hartnäckigen Drängen der beiden nach. Danach schluchzte es untröstlich.

Auf Raschids Rat behandelte Mariam die Schnittwunden im Gesicht und am Hals des Mädchens mit einer antibiotisch wirkenden Salbe, auch die Nähte an der Schulter, den Unterarmen und Unterschenkeln, die Mariam anschließend mit stets frisch gewaschenen Verbänden umwickelte. Wenn sich das Mädchen übergeben musste, hielt Mariam seinen Kopf gefasst und achtete darauf, dass ihm keine Haare ins Gesicht fielen.

»Wie lange wird sie bleiben?«, fragte Mariam ihren Mann.

»Bis es ihr besser geht. Sieh sie dir an. In ihrer Verfassung kann sie nicht gehen. Armes Ding.«

Es war Raschid gewesen, der das Mädchen gefunden und unter den Trümmern hervorgezogen hatte.

»Ein Glück, dass ich zu Hause war«, sagte er ihm. Er saß auf einem Klappstuhl neben Mariams Bett, in dem das Mädchen lag. »Glück für dich, meine ich. Ich habe dich eigenhändig aus den Trümmern befreit. Da war ein Metallsplitter, so dick …« Er deutete mit Daumen und Zeigefinger die Stärke des Splitters an und übertrieb dabei, wie Mariam fand. »So dick. Der steckte dir in der Schulter. Richtig tief. Zuerst dachte ich, den kann man nur mit einer Kneifzange rausziehen. Na ja, ist ja noch mal gut gegangen. Bald wirst du wieder *nau socha* sein. So gut wie neu.«

Es war auch Raschid gewesen, der einen kleinen Teil von Hakims Büchern geborgen hatte.

»Die meisten sind verbrannt. Der Rest, fürchte ich, wurde geplündert.«

In der ersten Woche half er seiner Frau dabei, das Mädchen zu versorgen. Einmal kam er mit einer neuen Decke und einem neuen Kopfkissen von der Arbeit nach Hause. Ein anderes Mal brachte er ein Fläschchen mit Pillen mit.

»Vitamine«, sagte er.

Es war Raschid, der Laila mitteilte, dass das Haus ihres Freundes Tarik inzwischen wieder bewohnt sei.

»Einer von Sayyafs Kommandeuren hat es dreien seiner Männer zum Geschenk gemacht. Einfach so. Ha!«

Die drei »Männer« waren im Grunde noch junge Burschen mit sonnengebräunten knabenhaften Gesichtern. Mariam sah sie manchmal, wenn sie an dem Haus vorbeikam. Sie trugen immer Kampfanzüge, hockten vor der Eingangstür, spielten Karten und rauchten. Ihre Kalaschnikows lehnten an der Wand. Ihr Anführer war ein stämmiger Kerl mit selbstgefälliger, grimmiger Miene. Der jüngste von ihnen machte einen zurückhaltenden Eindruck und schien das Draufgängertum seiner Freunde mit gemischten Gefühlen zu betrachten. Er lächelte und grüßte mit einem Kopfnicken, wenn Mariam vorüberging. Dann zeigte sich ihr unter seiner rauen Oberfläche ein menschliches Gesicht, das noch unverdorben war.

Eines Morgens schlugen Raketen in das Haus ein, abgefeuert, wie es hieß, von den Hazaras der Wahdat-Fraktion. Noch Tage später fand man Glieder und Körperteile der Jungen.

»Sie haben's nicht anders verdient«, sagte Raschid.

Das Mädchen habe außerordentlich großes Glück gehabt, fand Mariam. Dass es mit nur leichten Verletzungen davongekommen war, während die Rakete das Elternhaus in Schutt und Asche verwandelt hatte, kam wahrhaftig einem Wunder gleich. Allmählich erholte es sich. Es aß jetzt besser, bürstete sich die Haare und wusch sich wieder selbst. Seine Mahlzeiten nahm es bald unten mit Mariam und Raschid ein.

Doch dann flackerten immer wieder ungebetene Erinnerungen auf; es verstummte oder wurde reizbar. Es zog sich zurück. Zusammenbrüche. Leere Blicke. Albträume und plötzliche Anfälle abgrundtiefer Trauer, die bis zum Erbrechen führten.

Manchmal überkam sie Reue.

»Ich dürfte gar nicht hier sein«, sagte sie eines Tages.

Mariam wechselte die Laken. Das Mädchen hockte mit angezogenen Knien auf dem Boden und schaute ihr dabei zu.

»Mein Vater wollte die Kartons mit den Büchern nach draußen bringen. Er sagte, sie seien zu schwer für mich. Aber ich habe mich nicht davon abbringen lassen. Ich wollte es unbedingt selbst tun, hätte aber eigentlich im Haus sein sollen, als es passierte.«

Mariam schlug das frische Laken aus und ließ es aufs Bett fallen. Sie betrachtete das Mädchen, seine blonden Locken, den schlanken

Hals und die grünen Augen, die hohen Wangenknochen und vollen Lippen. Mariam erinnerte sich, sie auf der Straße gesehen zu haben, schon vor Jahren, als sie noch ein Kind war, mit der Mutter auf dem Weg zum *tandoor*, auf den Schultern ihres älteren Bruders und begleitet von dem jüngeren, von dem Mariam noch wusste, dass er ein Haarbüschel am Ohr gehabt hatte. Und mit dem Tischlersohn hatte sie immer Murmeln gespielt.

Das Mädchen blickte sie an, als hoffte es darauf, irgendein kluges oder aufmunterndes Wort aus Mariams Mund zu hören. Aber was hätte sie ihm zum Trost oder zur Aufmunterung sagen können? Mariam dachte zurück an den Tag, an dem Nana beigesetzt worden war; die von Mullah Faizullah zitierten Koranworte hatten sie kaum trösten können. *Segensreich ist Der, in Dessen Hand die Herrschaft ruht, Der über alle Dinge Macht hat, Der Tod und Leben geschaffen hat, damit Er dich prüfe.* Und zu ihren Selbstvorwürfen hatte er gesagt: »Solche Gedanken führen zu nichts, Mariam *jo*. Hörst du? Sie quälen dich nur. Es war nicht deine Schuld. Es war nicht deine Schuld.«

Mit welchen Worten hätte sie nun das Mädchen entlasten können?

Doch bevor sie etwas sagen konnte, verzog sich das Gesicht des Mädchens. Es kauerte plötzlich auf allen vieren und sagte, dass sich ihm der Magen umdrehe.

»Warte! Augenblick. Ich hole einen Eimer. Nicht auf den Boden. Ich habe gerade sauber gemacht … Oh, oh. *Khodaya*. Gott.«

Ungefähr einen Monat nach dem Raketeneinschlag, der die Eltern des Mädchens getötet hatte, klopfte ein Mann an die Tür. Mariam machte ihm auf. Er erklärte ihr sein Anliegen.

»Hier ist jemand, der dich sprechen möchte«, sagte Mariam.

Das Mädchen hob den Kopf vom Kissen.

»Sein Name ist Abdul Sharif.«

»Ich kenne keinen Abdul Sharif.«

»Nun, er fragt nach dir. Du solltest nach unten kommen und mit ihm reden.«

28

Laila

Laila saß einem dünnen Mann mit kleinem Kopf und klobiger Nase gegenüber. Sein Gesicht war von Narben zerklüftet. Die kurzen braunen Haare standen ihm vom Kopf ab wie Nadeln auf einem Nadelkissen.

»Ich bitte um Verzeihung, *hamshira*«, sagte Abdul Sharif. Er richtete seinen losen Kragen und betupfte sich mit einem Taschentuch die Stirn. »Es ist so, dass ich immer noch nicht voll auf der Höhe bin. Noch fünf Tage muss ich diese Tabletten nehmen, diese – wie heißen sie gleich? – Sulfonamide.«

Laila drehte den Kopf ein wenig und wandte ihm das rechte Ohr zu, mit dem sie besser hören konnte. »Waren Sie ein Freund meiner Eltern?«

»Nein, nein«, beeilte sich Abdul Sharif zu sagen. »Verzeih mir.« Er hob einen Finger und nahm einen Schluck aus dem Wasserglas, das Mariam vor ihm auf den Tisch gestellt hatte.

»Tja, wo soll ich anfangen? Das Beste wäre, ich hole ein wenig aus.« Er wischte sich die Lippen und betupfte sich wieder die Stirn. »Ich bin Geschäftsmann und besitze mehrere Geschäfte für Bekleidung, hauptsächlich Herrenbekleidung. *Chapans*, Hüte, *tumbans*, Anzüge, Krawatten, was auch immer. Zwei Geschäfte hier in Kabul, eins in Taimani, das andere in Shar-e-Nau. Von denen habe ich mich allerdings gerade getrennt. Geblieben sind nur die beiden Filialen in Pakistan, in Peschawar. Da befindet sich auch mein Warenlager. Ich bin also viel unterwegs. Und das ist in diesen Tagen ...« – er schüttelte den Kopf und lächelte müde –, »sagen wir: ziemlich abenteuerlich.

Vor kurzem noch war ich in Peschawar, um Aufträge entgegenzunehmen und das Inventar durchzugehen. Das Übliche. Natürlich auch, um meine Familie zu besuchen. Wir haben drei Töchter, *alhamdulellah*. Ich habe sie und meine Frau nach Peschawar gebracht, als die Mudschaheddin damit anfingen, sich gegenseitig zu bekriegen. Ich will nicht, dass eine meiner Lieben auf der *shaheed*-Liste erscheint. Davor hüte ich mich auch selbst. Bald werde ich wieder bei ihnen sein, *inschallah*.

Wie dem auch sei, eigentlich hätte ich schon Mittwoch vorletzter Woche in Kabul sein sollen, aber wie es der Zufall wollte, wurde ich krank. Ich will dir die Einzelheiten ersparen, *hamshira*. Es reicht zu sagen, dass mir beim Wasserlassen war, als würde ich Glassplitter ausscheiden. So etwas wünsche ich nicht einmal diesem Hekmatyar. Meine Frau Nadia *jan*, Allah segne sie, drängte mich dazu, einen Arzt aufzusuchen, doch ich glaubte, die Sache mit Aspirin und viel Wasser selbst in den Griff bekommen zu können. Nadia *jan* bestand darauf, und ich weigerte mich. So ging es hin und her. Du kennst vielleicht das Sprichwort: Ein störrischer Esel braucht einen störrischen Treiber. In unserem Fall hat sich am Ende der Esel durchgesetzt. Und der bin ich.«

Er trank das restliche Wasser und reichte Mariam das Glas. »Wenn ich bitten dürfte, ohne allzu *zahmat* zu erscheinen.«

Mariam nahm das Glas entgegen, um es wieder aufzufüllen.

»Ich hätte natürlich auf sie hören sollen. Sie war immer schon die Vernünftigere von uns beiden, Gott schenke ihr ein langes Leben. Als ich schließlich im Krankenhaus war, hatte ich hohes Fieber und zitterte wie ein *beid*-Baum im Wind. Ich konnte mich kaum mehr auf den Beinen halten. Die Ärztin bescheinigte mir eine akute Blutvergiftung und sagte, dass, wenn ich zwei oder drei Tage länger gewartet hätte, meine Frau jetzt Witwe wäre.

Ich wurde auf eine Station gebracht, wo, wie ich glaube, ausnahmslos Schwerkranke liegen. »Oh, *tashakor*.« Er nahm das gefüllte Glas von Mariam entgegen und holte eine große weiße Pille aus der Jackentasche. »Schrecklich groß, diese Dinger.«

Laila sah ihn die Pille schlucken. Sie spürte, wie sich ihr Atem beschleunigte. Die Beine waren ihr schwer geworden und schienen wie von Gewichten belastet zu sein. Sie ahnte, dass er auf das eigentliche Thema noch nicht zu sprechen gekommen war, gleich aber damit herausrücken würde. Sie musste an sich halten, um nicht aufzustehen und zu gehen, denn sie fürchtete, dass er ihr etwas zu sagen hatte, was sie nicht hören wollte.

Abdul Sharif stellte das Glas auf dem Tisch ab.

»Und dort, im Krankenhaus, habe ich deinen Freund Mohammad Tarik Walizai kennengelernt.«

Laila stockte der Atem. Tarik, in einem Krankenhaus. Auf einer Station für Schwerkranke.

Sie schluckte trockenen Speichel und straffte die Schultern. Sie musste sich zusammenreißen. Wenn sie es nicht täte, würde sie womöglich die Fassung verlieren. Sie versuchte, sich abzulenken, und dachte daran, dass ihr Tariks voller Name vor vielen Jahren das letzte Mal zu Ohren gekommen war, nämlich während jenes Sprachkurses im Winter, den sie beide belegt hatten, um Farsi zu lernen. Die Lehrerin, die zu Anfang einer jeden Stunde prüfte, welche Schüler anwesend waren, hatte genau so seinen Namen aufgerufen. Mohammad Tarik Walizai. Seinen vollständigen Namen zu hören war ihr damals komisch vorgekommen, so förmlich.

»Von einer der Schwestern habe ich erfahren, was mit ihm passiert ist«, fuhr Abdul Sharif fort und klopfte sich mit der Faust auf die Brust, um, wie es schien, der geschluckten Pille den Weg nach unten zu bahnen. »Ich halte mich so oft in Peschawar auf, dass mir Urdu inzwischen durchaus geläufig ist. Kurzum, mir wurde gesagt, dass dein Freund mit zweiundzwanzig anderen Flüchtlingen auf einem Lastwagen in Richtung Peschawar unterwegs war. In der Nähe der Grenze sind sie in ein Gefecht geraten. Der Lastwagen wurde von einer Rakete getroffen, angeblich einem Irrläufer, aber bei diesen Leuten weiß man ja nie. Nur sechs überlebten. Sie sind alle in dasselbe Krankenhaus gekommen. Drei von ihnen starben kurze Zeit später. Zwei Schwestern konnten, wenn ich richtig verstanden habe, schon bald entlassen werden. Übrig blieb nur dein Freund, der junge Walizai. Er war schon seit fast drei Wochen dort, als ich eingeliefert wurde.«

Also lebte er. Aber wie schwer mochte er verletzt sein, fragte sich Laila verzweifelt. Wie schwer? Dass er auf einer besonderen Station lag, ließ Schlimmes befürchten. Laila spürte, dass ihr der Schweiß ausbrach. Ihr Gesicht fühlte sich heiß an. Sie versuchte, an etwas anderes zu denken, etwas Angenehmes, an den Ausflug nach Bamiyan etwa, wo sie mit Tarik und Babi die Buddhas bestaunt hatte. Stattdessen aber drängte sich ihr ein Bild von Tariks Eltern auf: die Mutter, unter dem umgekippten Lastwagen begraben, nach ihrem Sohn schreiend, von Flammen und Rauch bedroht, die Perücke auf dem Kopf zerschmelzend ...

Laila musste tief durchatmen.

»Er lag im Bett neben mir. Zwischen uns war nur ein Vorhang, so dass ich ihn sehen konnte.«

Abdul Sharif befingerte seinen Ehering. Er sprach jetzt langsamer.

»Dein Freund war schwer verwundet, sehr schwer. Ich weiß gar nicht mehr, wie viele Schläuche in ihm steckten. Zuerst ...« Er räusperte sich. »Zuerst dachte ich, er hätte bei dem Anschlag beide Beine verloren, doch dann sagte eine Schwester, dass der rechte Stumpf schon älter sei. Er hatte auch innere Verletzungen und musste dreimal operiert werden. Man hat ihm Teile des Darms entfernt. Genaueres weiß ich nicht. Außerdem hatte er Verbrennungen. Ziemlich schlimme. Das ist alles, was ich dazu sagen kann. Es dürfte ohnehin genug sein, *hamshira*. Mehr als genug.«

Tarik hatte keine Beine mehr. Er war ein Torso mit zwei Stümpfen. *Ohne Beine.* Laila fürchtete zusammenzubrechen. Es wollte ihr das Herz zerreißen. In verzweifelter Anstrengung versuchte sie, ihre Gedanken Reißaus nehmen zu lassen, fort von diesem Mann, hinaus aus dem Fenster, über die Stadt hinweg, die Stadt mit ihren Basaren, labyrinthischen Straßen und zerschossenen Wohnhäusern.

»Er stand meist unter Drogen, wegen der Schmerzen, versteht sich, hatte aber auch klare Momente, selbst wenn ihm dann die Schmerzen schrecklich zusetzten. Immerhin konnten wir uns unterhalten. Ich habe ihm gesagt, wer ich bin und von wo ich komme.

Mir schien, dass er froh war, einen *hamwatan* in seiner Nähe zu wissen.

Meist habe ich geredet. Ihm fiel das Sprechen schwer. Seine Stimme war heiser, und ich glaube, es tat ihm weh, die Lippen zu bewegen. Also habe ich ihm von meinen Töchtern erzählt, von unserem Haus in Peschawar und der Veranda, die mein Schwager und ich im Hof gerade aufzubauen versuchen. Ich habe ihm von dem Verkauf der Geschäfte in Kabul berichtet und gesagt, dass ich noch einmal dorthin fahren müsse, um den Papierkram zu erledigen. Es war nicht viel, was ich ihm sagen konnte, aber es hat ihm, glaube ich, gutgetan, zuzuhören. Das hoffe ich zumindest.

Manchmal hat er auch etwas gesagt. Er war schwer zu verstehen, trotzdem konnte ich einiges aufschnappen. Er hat mir das Haus seiner Eltern beschrieben und von seinem Onkel in Ghazni gesprochen, von den Kochkünsten seiner Mutter geschwärmt und gesagt, dass sein Vater Tischler war und Akkordeon spielen konnte.

Am meisten aber hat er von dir erzählt, *hamshira*. Er sagte, du seist … wie hat er sich ausgedrückt? … seine jüngste Erinnerung? Ja, ich glaube, das waren seine Worte. Fest steht jedenfalls, dass du ihm viel bedeutet hast. *Balay*, das war deutlich. Aber er sagte auch, er sei froh darüber, dass du zurückgeblieben bist und ihn in diesem Zustand nicht zu sehen brauchst.«

Laila fühlte sich wieder wie von schweren Gewichten niedergedrückt, ohnmächtig und wie ausgeblutet. Aber ihr Geist hatte sich abgesetzt und flog frei und leicht über Kabul hinweg, über zerklüftete braune Hügel, Wüsten voller Salbei, über tiefe, in rötliche Felsen gegrabene Schluchten und schneebedeckte Berge …

»Als ich ihm sagte, dass ich nach Kabul zurückfahre, bat er mich, dich aufzusuchen und dir mitzuteilen, dass er an dich denkt. Dass er dich vermisst. Ich hab's ihm versprochen. Er war mir nämlich auf Anhieb sympathisch, verstehst du. Ein anständiger Junge, kein Zweifel.«

Abdul Sharif wischte sich mit dem Taschentuch die Stirn.

»Ich bin eines Nachts aufgewacht«, fuhr er fort und beschäftigte sich wieder mit seinem Ring, »jedenfalls glaube ich, dass es Nacht war. Das weiß man an solchen Orten nie so genau. Ich wachte auf und bemerkte, dass sich am Bett nebenan einiges tat. Du musst wissen, ich stand selbst unter Drogen, war nie so ganz bei mir und wusste oft nicht, ob ich träumte oder wachte. Ich erinnere mich nur, dass Alarmsignale zu hören waren und Ärzte am Bett standen, die einen ziemlich hektischen Eindruck machten und mit Spritzen hantierten.

Am Morgen war das Bett leer. Ich habe eine Schwester gefragt. Sie sagte, dass er sehr tapfer gekämpft habe.«

Laila nahm nur am Rande wahr, dass sie nickte. Sie hatte es geahnt. Schon in dem Moment, als sie vor diesem fremden Mann Platz genommen hatte, war ihr klar gewesen, welche Nachricht er ihr bringen würde.

»Weißt du, anfangs habe ich gar nicht geglaubt, dass es dich gibt«, sagte er. »Ich dachte, er fantasiert bloß. Vielleicht habe ich sogar *gehofft*, dass es dich nicht gibt. Es ist mir nämlich ein Graus, schlimme Nachrichten überbringen zu müssen. Aber ich habe es ihm versprochen. Und wie gesagt, er war mir sehr sympathisch. Ich bin vor wenigen Tagen in Kabul angekommen, habe mich nach dir erkundigt und mit Nachbarn gesprochen. Sie haben mir gesagt, wo ich dich finden kann. Sie sagten mir auch, was deinen Eltern zugestoßen ist. Als ich das hörte, habe ich auf dem Absatz kehrtgemacht. Ich wollte dir eigentlich nichts sagen, dir nicht noch mehr zumuten. Ich hatte Angst, du könntest es nicht verkraften. Das kann man doch auch kaum.«

Abdul Sharif beugte sich vor und legte ihr eine Hand aufs Knie. »Ich bin dann trotzdem gekommen, ihm zuliebe. Er hätte es so gewollt. Das glaube ich. Es tut mir schrecklich leid. Ich wünschte …«

Laila hörte nicht mehr zu. Sie erinnerte sich an den Tag, als der Mann aus dem Pandschir-Tal mit der Nachricht vom Tod ihrer Brüder gekommen war. Sie dachte an Babi, in sich zusammengesunken und bleich im Gesicht, und an Mami, wie sie die Hand vor den Mund schlug, als sie das Schreckliche hörte. Zu sehen, wie es Mami an diesem Tag das Herz zerriss, hatte ihr Angst gemacht, doch Trauer zu empfinden war ihr kaum möglich gewesen. Sie hatte den

Verlust nicht nachempfinden können. Jetzt war wieder ein Fremder mit einer Todesnachricht gekommen. Jetzt saß *sie* ihm gegenüber. Sollte dies etwa eine Strafe dafür sein, dass sie sich damals über den Kummer ihrer Mutter hinweggesetzt hatte?

Laila erinnerte sich, wie ihre Mutter schreiend zu Boden gesunken war und sich die Haare gerauft hatte. Aber nicht einmal dazu war Laila nun im Stande. Sie konnte sich nicht rühren, kaum einen Muskel bewegen.

Stattdessen saß sie reglos auf dem Stuhl, die schlaffen Hände im Schoß, die Augen ins Leere gerichtet und mit losgelöstem Verstand. Sie ließ die Gedanken schweifen, bis sie einen guten und sicheren Platz fanden, wo Gerstenfelder grünten, klare Bäche sprudelten und Myriaden fedriger Pappelsamen durch die Luft schwirrten; wo Babi, unter einer Akazie sitzend, aus einem Buch vorlas und Tarik, die Hände auf der Brust gefaltet, ein Nickerchen machte; wo sie, die Füße ins Wasser getaucht, unter der Wacht uralter Götter, der von der Sonne gebleichten Felsen, von schönen Dingen träumen konnte.

29

Mariam

»Es tut mir leid«, sagte Raschid zu dem Mädchen, als er eine Schale *mastawa* mit Fleischklößen von seiner Frau entgegennahm, ohne diese anzusehen. »Ich weiß, ihr wart sehr eng ... befreundet. Und immer zusammen, schon als Kinder. Eine schreckliche Sache, die da passiert ist. Auf diese Weise kommen leider allzu viele junge Afghanen um.«

Den Blick immer noch auf das Mädchen gerichtet, fuchtelte er mit der Hand und verlangte nach einer Serviette.

Seit Jahren schaute ihm Mariam beim Essen zu, sah, wie sich die Kaumuskeln an den Schläfen bewegten, wie er mit den Fingern den Reis zu kleinen Bällchen formte und sich mit dem Rücken der anderen Hand den Mund abwischte. Seit Jahren aß er, ohne aufzublicken, ohne ein Wort zu sprechen. Sein Schweigen kam ihr wie eine Bestrafung vor. Er brach es nur, um ihr Vorwürfe zu machen, um missbilligende Laute von sich zu geben oder um mit einem Wort mehr Brot oder Wasser zu verlangen.

Jetzt aß er mit einem Löffel. Er benutzte eine Serviette, sagte »*lotfan*«, wenn er Wasser wollte. Und redete. Unablässig und angeregt.

»Wenn du mich fragst, haben die Amerikaner auf den falschen Mann gesetzt, als sie Hekmatyar in den achtziger Jahren durch ihre CIA mit Waffen für den Kampf gegen die Sowjets beliefert haben. Die Sowjets sind verschwunden, aber er verfügt immer noch über diese Waffen, die er jetzt auf unschuldige Menschen wie deine Eltern richtet. Und das nennt er Dschihad. Was für eine Farce! Was hat der Dschihad mit der Ermordung von Frauen und Kindern zu tun?

Es wäre besser gewesen, die CIA hätte Kommandeur Massoud aufgerüstet.«

Unwillkürlich krauste Mariam die Stirn. *Kommandeur* Massoud? Ihr war noch allzu gut in Erinnerung, mit welch wütenden Worten Raschid Massoud als Verräter und Kommunisten beschimpft hatte. Zudem war Massoud ein Tadschike. Wie auch Laila.

»Ein wirklich vernünftiger Kerl ist das. Ein ehrenhafter Afghane. Ein Mann, der ein aufrichtiges Interesse an einer friedlichen Lösung hat.«

Raschid zuckte mit den Achseln und seufzte.

»Aber das kann den Amerikanern ja egal sein. Was kümmert's die, dass sich Paschtunen und Hazaras, Tadschiken und Usbeken gegenseitig massakrieren? Wer von denen könnte sie überhaupt voneinander unterscheiden? Nein, von den Amerikanern ist keine Hilfe zu erwarten. Jetzt, da die Sowjetunion zerfällt, sind wir ihnen nicht mehr wichtig. Wir haben unseren Zweck erfüllt. Für sie ist Afghanistan ein *kenarab*, ein Scheißloch. Entschuldige meine Ausdrucksweise, aber so ist es nun einmal. Was meinst du, Laila *jan*?«

Das Mädchen murmelte etwas, das nicht zu verstehen war, und schob einen Fleischkloß in ihrer Schale umher.

Raschid nickte nachdenklich, als hätte sie etwas besonders Kluges von sich gegeben. Mariam schaute weg.

»Weißt du, dein Vater, Gott habe ihn selig, dein Vater und ich haben häufig solche Diskussionen geführt. Schon zu einer Zeit, als du noch gar nicht auf der Welt warst. Stundenlang haben wir über Politik geredet. Auch über Bücher. Stimmt's, Mariam? Du erinnerst dich doch.«

Mariam nahm einen Schluck Wasser.

»Nun, ich hoffe, ich langweile dich nicht mit diesen politischen Geschichten.«

Später, als Mariam in der Küche war und das schmutzige Geschirr in Seifenwasser einweichen ließ, saß ihr der Groll wie ein Knoten im Magen.

Es waren nicht so sehr seine Lügen oder sein geheucheltes Mitgefühl, ja nicht einmal die Tatsache, dass er sie, die eigene Frau, wie eine Fremde behandelte, seit er das Mädchen aus den Trümmern gezogen hatte.

Es war vielmehr dieses Schauspiel, das er veranstaltete, sein durchsichtiges Bemühen, das Mädchen zu beeindrucken und ihm zu gefallen.

Und plötzlich wusste Mariam, dass ihr Argwohn berechtigt war. Die Einsicht traf sie mit voller Wucht: Was sie da miterlebte, war nicht weniger als Liebeswerben.

Sie fasste schließlich all ihren Mut zusammen und suchte ihn in seinem Zimmer auf.

Raschid steckte sich eine Zigarette an und fragte: »Warum nicht?«

Mariam wusste nun, dass sie geschlagen war. Sie hatte halb erwartet, halb gehofft, dass er alles abstreiten würde, sich überrascht gäbe, vielleicht sogar empört wäre über ihre Unterstellung. Dann hätte sie vielleicht die Oberhand behalten und ihn beschämen können. Doch sein gelassenes Eingeständnis und sein nüchterner Tonfall nahmen ihr alle Entschlossenheit.

»Setz dich«, sagte er. Er lag mit dem Rücken zur Wand auf seinem Bett, die robusten Beine ausgestreckt. »Setz dich, bevor du in Ohnmacht fällst und dir den Kopf aufschlägst.«

Mariam ließ sich auf den Klappstuhl fallen, der neben dem Bett stand.

»Würdest du mir den Aschenbecher geben?«, sagte er.

Sie gehorchte.

Raschid war inzwischen an die sechzig oder schon ein paar Jahre darüber – sein genaues Alter kannte nicht einmal er selbst. Sein Haar war grau geworden, aber immer noch dicht und borstig. Unter den Augen hatten sich Tränensäcke gebildet, die Haut im Nacken war runzlig und ledern geworden. Seine Wangen hingen schlaff herunter. Morgens stand er reichlich krumm auf den Beinen. Doch er hatte immer noch breite Schultern, einen massigen Rumpf, kräftige Hände und einen runden Bauch, der das Erste war, was man von ihm sah, wenn er zur Tür hereinkam.

Im Großen und Ganzen, fand Mariam, hatte er sich – im Gegensatz zu ihr – über die Jahre ganz passabel gehalten.

»Wir müssen die Angelegenheit ins Reine bringen«, sagte er und stellte den Aschenbecher auf seinen Bauch. Die Lippen spöttisch gekräuselt, fügte er hinzu: »Nicht, dass man sich am Ende über uns das Maul zerreißt. Dass eine junge, unverheiratete Frau bei uns wohnt, werden manche anstößig finden. Das schadet meinem Ruf. Und dem ihren. Nicht zuletzt auch deinem, wenn ich das hinzufügen darf.«

»In den achtzehn Jahren unserer Ehe habe ich dich nie um irgendeinen Gefallen gebeten«, sagte Mariam. »Jetzt tue ich es.«

Er inhalierte Rauch und ließ ihn langsam aus dem Mund entweichen. »Sie kann nicht ohne Weiteres hierbleiben, wenn es das ist, was du meinst. Ich werde sie nicht einfach nur durchfüttern, mit Kleidern versorgen und beherbergen. Ich bin schließlich nicht das Rote Kreuz, Mariam.«

»Aber …«

»Aber was? Was? Hältst du sie etwa für zu jung? Sie ist vierzehn und kein Kind mehr. Du warst fünfzehn, erinnerst du dich? Meine Mutter war vierzehn, als sie mich zur Welt brachte. Dreizehn, als sie heiratete.«

»Ich … ich will das nicht«, sagte Mariam, von Abscheu und Hilflosigkeit wie betäubt.

»Damit hast du nichts zu tun. Die Entscheidung liegt bei ihr und bei mir.«

»Ich bin zu alt.«

»Unsinn. Sie ist weder zu jung, noch bist du zu alt.«

»Doch. Ich bin zu alt, als dass du mir so etwas antun könntest«, erwiderte Mariam und zerknüllte mit zitternden Händen ihr Kleid. »Nach all den Jahren kannst du mich nicht zu einer *ambagh* machen.«

»Stell dich nicht an. So etwas ist ganz normal, und das weißt du. Ich habe Freunde mit zwei, drei oder vier Frauen. Dein eigener Vater hatte drei. Und überhaupt, was ich vorhabe, hätten andere Männer an meiner Stelle längst schon getan. Auch das weißt du.«

»Ich werde es nicht erlauben.«

Raschid lächelte matt. »Es gäbe eine andere Möglichkeit«, sagte er und scheuerte sich mit der schwieligen Ferse des einen Fußes die Sohle des anderen. »Sie kann verschwinden. Ich werde ihr nicht im Weg stehen. Allerdings käme sie wahrscheinlich nicht weit. Ohne Essen, ohne Wasser und ohne eine *rupia* in der Tasche, während ringsum Kugeln und Mörsergranaten durch die Luft fliegen. Was glaubst du, wie viele Tage es dauern würde, bis man sie schließlich entführt, vergewaltigt oder mit aufgeschlitzter Kehle in irgendeinen Straßengraben wirft?«

Er hustete und richtete das Kissen im Nacken.

»Die Welt da draußen kennt kein Pardon, Mariam, glaub mir. Bluthunde und Banditen an jeder Straßenecke. Sie hätte keine Chance, nicht die geringste. Aber angenommen, es geschähe ein Wunder und sie würde es bis nach Peschawar schaffen. Was dann? Hast du eine Vorstellung davon, wie es in den Lagern dort zugeht?«

Er blinzelte ihr durch eine Rauchwolke zu.

»Die Flüchtlinge hausen in Pappkartons. Tuberkulose, Ruhr, Hunger, Verbrechen sind an der Tagesordnung. Und das alles schon vor dem Winter. Dann kommt der Frost. Lungenentzündung. Die Leute erstarren zu Eiszapfen. Diese Lager verwandeln sich in Friedhöfe.«

Er wackelte mit dem Kopf und grinste. »Natürlich hätte sie es warm in einem der Bordelle vor Ort. Das Geschäft läuft gut, wie man hört. Eine Schönheit wie sie würde ein kleines Vermögen einbringen, glaubst du nicht auch?«

Er stellte den Aschenbecher auf der Nachtkonsole ab und schwang seine Beine über den Bettrand.

»Hör zu«, sagte er im versöhnlichen Tonfall des Überlegenen. »Mir war klar, dass du Schwierigkeiten damit haben wirst. Verständlich, ich mache dir keinen Vorwurf. Aber so ist es das Beste. Wart's ab. Denk noch einmal in diesem Sinne darüber nach, Mariam. *Du* hättest Hilfe im Haushalt, und *sie* wäre mit einem Mann und einem Dach über dem Kopf in Sicherheit. Gerade jetzt, so wie die Zeiten sind, braucht eine Frau einen Mann. Ist dir schon aufgefallen, wie viele Witwen in den Straßen schlafen? Für eine solche Chance, die ich dem Mädchen biete, würden sie Mord und Totschlag begehen. Im Grunde ..., ja, im Grunde ist mein Angebot geradezu mildtätig.«

Er lächelte.

»Dafür verdiente ich wahrhaftig einen Orden.«

Später, im Dunkeln, berichtete Mariam dem Mädchen von ihrem Gespräch mit Raschid.

Lange Zeit sagte das Mädchen nichts.

»Er will bis morgen eine Antwort hören«, sagte Mariam.

»Die kann er sofort haben«, erwiderte das Mädchen. »Meine Antwort ist Ja.«

30

Laila

Tags darauf blieb Laila den ganzen Tag über im Bett. Sie lag unter der Decke, als Raschid morgens den Kopf zur Tür hereinsteckte und sagte, dass er zum Friseur gehe. Sie war immer noch im Bett, als er am späten Nachmittag zurückkehrte und ihr seinen neuen Haarschnitt vorführte, einen neuen dunkelblauen Nadelstreifenanzug aus zweiter Hand und den Ehering, den er für sie gekauft hatte.

Er setzte sich zu ihr aufs Bett, löste langsam und mit großer Gebärde die Schleife der Verpackung, öffnete das Kästchen und zupfte mit spitzen Fingern den Ring daraus hervor. Er habe Mariams alten Ehering dafür eingetauscht, erklärte er.

»Das macht ihr nichts aus. Glaub mir. Sie wird es nicht einmal bemerken.«

Laila verkroch sich auf die andere Seite des Bettes. Sie konnte Mariam hören, die unten Wäsche bügelte.

»Sie hat ihn ohnehin nie getragen«, sagte Raschid.

»Ich will ihn nicht«, flüsterte Laila. »Nicht unter diesen Umständen. Sie sollten ihn zurückbringen.«

»Zurückbringen?« In seinem Blick flackerte Missmut auf, der aber sogleich wieder verschwand. Er lächelte. »Ich musste noch dazuzahlen, und das nicht zu knapp. Es ist ein sehr viel besserer Ring. Zweiundzwanzig Karat Gold. Fühl mal, wie schwer. Na los, nimm ihn in die Hand. Nein?« Er schloss das Kästchen. »Wie wär's mit Blumen? Das würde dir doch gefallen, oder? Hast du irgendwelche Lieblingsblumen? Margeriten, Tulpen, Flieder? Keine Blumen? Gut. Ich kann auch nichts damit anfangen. Ich dachte nur … Nun, ich kenne da einen Schneider in Deh-Mazang. Da sollten wir morgen vielleicht mal hingehen und dir ein schönes Kleid anpassen lassen.«

Laila schüttelte den Kopf.

Raschid kniff die Brauen zusammen.

»Mir wär's lieber ...«, hob Laila an.

Er legte ihr eine Hand in den Nacken. Laila zuckte unwillkürlich zusammen und wimmerte. Seine Berührung fühlte sich an wie ein kratziger feuchter Wollpullover auf nackter Haut.

»Ja?«

»Mir wär's lieber, wir brächten die Sache möglichst schnell hinter uns.«

Raschid riss den Mund auf. Dann grinste er und zeigte gelbe Zähne. »Du kannst es wohl kaum erwarten«, sagte er.

In den Tagen vor Abdul Sharifs Erscheinen war Laila fest entschlossen gewesen, nach Pakistan auszuwandern. Auch danach hätte sie den Mut noch aufgebracht wegzufahren, irgendwohin, möglichst weit weg von dieser Stadt, wo an jeder Straßenecke eine Falle zu befürchten war und in jeder Gasse ein Gespenst lauerte, das wie ein Springteufel über sie herzufallen drohte. Sie hätte die Risiken auf sich genommen.

Jetzt aber gab es diese Möglichkeit nicht mehr.

Nicht mit der täglichen Übelkeit, den schwellenden Brüsten und der Gewissheit, dass die Regel ausgesetzt hatte.

Laila sah sich im Geiste in einem Flüchtlingslager, auf steinigem Wüstengelände zwischen Tausenden von provisorischen Zelten aus Plastikplanen, an denen ein kalter Wind zerrte. Sie malte sich aus, in einem dieser Zelte ein Kind, Tariks Kind, zur Welt zu bringen, einen leblosen Wurm mit bläulich grauer Haut. Sie stellte sich vor, wie dieser winzige Körper von Fremden gewaschen und, mit einem gelbbraunen Tuch umhüllt, auf freiem Feld und unter kreisenden Geiern in ein ausgehobenes Loch gelegt würde.

Wie sollte es ihr jetzt noch möglich sein zu fliehen?

Mit düsterem Sinn machte Laila eine Bestandsaufnahme der

Menschen in ihrem Leben: Ahmad und Noor, beide gefallen; Hasina, verschwunden; Giti, tot, so auch Mami und Babi. Jetzt Tarik …

Aus ihrem früheren Leben aber war etwas auf wundersame Weise zurückgeblieben, eine letzte Verbindung zu damals, zu einer Zeit, in der sie noch nicht so schrecklich einsam und allein gewesen war wie jetzt. Ein Teil von Tarik war noch am Leben, in ihr, wuchs heran und bildete kleine Arme aus und winzige durchscheinende Hände mit Fingerknospen. Wie könnte sie das Einzige, was ihr von ihm und ihrem früheren Leben geblieben war, durch eine Flucht gefährden?

Sie traf ihre Entscheidung schnell. Sechs Wochen waren seit jenem Nachmittag mit Tarik vergangen. Falls sie länger wartete, würde Raschid Verdacht schöpfen.

Sie wusste um die Fragwürdigkeit ihrer Absicht. Was sie zu tun beschlossen hatte, war ehrlos, unredlich und schändlich. Ganz und gar unfair gegenüber Mariam. Zwar war das Kind in ihr noch nicht viel größer als eine Maulbeere, doch ahnte Laila bereits, zu welchen Aufopferungen eine Mutter bereit sein musste. Die Preisgabe der Tugend war nur eines der ersten Opfer.

Sie legte eine Hand auf ihren Unterleib und schloss die Augen.

An die Zeremonie sollte sich Laila später nur vage und in Bruchstücken erinnern: an die cremefarbenen Streifen auf Raschids Anzug; den aufdringlichen Geruch seines Haarwassers; die kleine Rasiermesserwunde über dem Adamsapfel; die rauen Kuppen seiner vom Nikotin verfärbten Finger, als er ihr den Ring aufsteckte; an den nicht funktionierenden Stift; die Suche nach Ersatz; den Vertrag; die Unterschrift – seine mit fester Hand, während ihre zitterte; die Gebete; daran, dass er, wie ihr im Spiegel auffiel, seine Augenbrauen getrimmt hatte.

Und irgendwo im Raum stand Mariam, erniedrigt und voller Gram.

Laila brachte es nicht über sich, dem Blick der älteren Frau zu begegnen.

Von seinem kalten Bett aus sah sie ihn in dieser Nacht die Vorhänge zuziehen. Sie zitterte schon, ehe er ihr Hemd aufknöpfte und an der Kordel ihres Hosenbundes zog. Er war erregt und so fahrig, dass er Mühe hatte, das eigene Hemd aufzuknöpfen und den Gürtel zu lösen. Laila bekam seine schlaffen Brüste zu Gesicht, den hervortretenden Bauchnabel mit der kleinen dunkelblauen Ader in der Mitte, den Wust weißer Haare auf Brust, Schultern und Oberarmen. Seine Blicke lechzten nach ihr.

»Gott hilf mir, ich glaube, ich liebe dich«, sagte er.

Ihre Zähne klapperten, als sie ihn bat, das Licht zu löschen.

Später, als sie sicher sein konnte, dass er schlief, langte Laila nach dem Messer, das sie unter der Matratze versteckt hatte. Mit der Spitze stach sie sich in die Kuppe des Zeigefingers. Dann hob sie die Decke und ließ Blut auf die Stelle tropfen, an der er auf ihr gelegen hatte.

Mariam

Tagsüber ließ sich das Mädchen kaum blicken. Mariam konnte es meist nur hören, am Knarren der Bettfedern und den tapsenden Schritten im Flur. Auf der Toilette rauschte Wasser, im Schlafzimmer klirrte ein Teelöffel an Glas. Mitunter erhaschte Mariam auch einen Blick von ihm, wenn es mit fliegendem Kleid und schlappenden Sandalen die Treppe hinaufhastete.

Es konnte jedoch auf die Dauer nicht ausbleiben, dass sich die beiden häufiger über den Weg liefen. Mariam begegnete ihr auf den Treppenstufen, im engen Flur, in der Küche oder an der Tür, wenn sie aus dem Hof ins Haus zurückkehrte. Dann machte sich jedes Mal eine unangenehme Spannung bemerkbar. Das Mädchen raffte den Rock, flüsterte ein oder zwei Worte der Entschuldigung und eilte errötend vorüber. Manchmal nahm Mariam wahr, dass Raschid bei ihr gewesen war. Sie konnte seinen Schweiß auf der Haut des Mädchens riechen, seinen Tabak, seine Gier. Das Kapitel ehelichen Verkehrs war für sie gnädigerweise abgeschlossen, schon lange. Allein der Gedanke an jene qualvollen Episoden, in denen Raschid auf ihr gelegen hatte, bereiteten ihr Übelkeit.

An den Abenden aber waren diese aufeinander abgestimmten Ausweichmanöver nicht möglich. Raschid sagte, sie seien eine Familie, und bestand darauf, dass sie gemeinsam zu Tisch saßen.

»Was soll das?«, fragte er und klaubte mit den Fingern Fleisch von einem Knochen – seine Scharaden mit Löffel und Gabel hatte er schon eine Woche nach der Hochzeit aufgegeben. »Habe ich etwa zwei Ölgötzen geheiratet? Los, Mariam, *gap bezan*, unterhalte dich mit ihr. Wo sind deine guten Manieren geblieben?«

Während er noch Mark aus dem Knochen lutschte, sagte er zu dem Mädchen: »Mach dir nichts daraus. Sie hat noch nie viel gesprochen. Was im Grunde ein Segen ist, denn, *wallah*, wenn jemand nicht viel zu sagen hat, ist es besser, er geizt mit Worten. Wir zwei, du und ich, sind Stadtmenschen, aber sie ist eine *dehati*, ein Mädchen vom Dorf. Ach was, nicht einmal das. Sie ist in einer *kolba* aus Lehm aufgewachsen, am Rande eines Dorfes. Ihr Vater hat sie dort ausgesetzt. Hast du ihr eigentlich schon gesagt, dass du eine *harami* bist, Mariam? Ja, das ist sie. Aber sie hat, wenn man's bedenkt, durchaus auch ihre guten Seiten. Die werden dir auch noch auffallen, Laila *jan*. Sie ist zum Beispiel ziemlich strapazierfähig, eine gute Arbeiterin und ohne jeden Dünkel. Mal so gesagt: Wenn sie ein Auto wäre, wäre sie ein Wolga.«

Mit ihren dreiunddreißig Jahren war Mariam inzwischen eine alte Frau, doch als *harami* bezeichnet zu werden, verletzte sie nach wie vor. Sie kam sich dann vor wie eine Krankheit oder Ungeziefer und erinnerte sich an Nana, wie sie sie bei den Handgelenken gepackt gehalten hatte. »Du ungeschickter kleiner *harami*. Das ist wohl der Dank für das, was ich alles ertragen musste. Zerbrichst mir mein Erbe, du ungeschickter kleiner harami.«

»Du«, sagte Raschid zu dem Mädchen, »du dagegen wärst ein Benz. Ein brandneuer, blitzblanker Benz der A-Klasse. *Wah, wah.* Aber …« – er hob den fettigen Zeigefinger der rechten Hand –, »einen solchen Benz muss man mit Vorsicht behandeln. Schon allein aus Respekt vor seiner Schönheit und Technik, verstehst du? Oh, ihr müsst jetzt nicht denken, dass ich verrückt bin. Ich behaupte nicht, dass ihr Autos seid. Ich wollte nur was klarmachen.«

Für das, was er nun vorbringen wollte, legte Raschid das Reisbällchen, das er soeben mit den Fingern geformt hatte, auf dem Tellerrand ab, ließ die Hände über seinem Essen schweben und schaute nachdenklich vor sich hin.

»Über Tote soll man ja nicht schlecht reden, schon gar nicht über *shaheed*. Und ich meine es wirklich nicht böse, wenn ich sage, dass ich gewisse … Vorbehalte … habe, was deine Eltern angeht, Allah möge ihnen vergeben und einen Platz im Paradies gewähren.

Ich finde, sie waren dir gegenüber viel zu nachsichtig. Tut mir leid.«

Der kalte, hasserfüllte Blick, den das Mädchen Raschid entgegenschleuderte, entging Mariam nicht, im Gegensatz zu Raschid, der auf seinen Teller stierte.

»Wie dem auch sei. Ich bin jetzt dein Ehemann, und als solcher fällt mir die Aufgabe zu, nicht nur über *deine*, sondern vor allem über *unsere* Ehre zu wachen, ja, über unseren *nang* und *namoos*. Das ist die Pflicht eines Ehemanns. Und lass sie meine Sorge sein. Bitte. Du bist die Königin, die *malika*, und dieses Haus ist dein Schloss. Wenn du irgendetwas brauchst, bitte Mariam darum. Sie wird es richten. Nicht wahr, Mariam? Und wenn dir was gefällt, so werde ich es dir besorgen. Du wirst sehen, ich bin ein guter Ehemann.

Als Gegenleistung erwarte ich lediglich, dass du dieses Haus nicht verlässt, es sei denn in meiner Begleitung. Das ist alles. Mehr nicht. Falls du irgendetwas erledigen musst, wenn ich nicht da bin, ich meine, wenn es so dringend ist, dass du nicht auf mich warten kannst, dann schick Mariam, und sie wird tun, was du verlangst. Das mag dir vielleicht seltsam erscheinen: Sie darf das Haus verlassen, du aber nicht. Nun, einen Wolga fährt man auch nicht so wie einen Benz. Das wäre doch töricht, oder? Und noch etwas: Wenn wir zusammen ausgehen, möchte ich, dass du eine Burka trägst. Zu deinem eigenen Schutz, versteht sich. Es ist besser so. In der Stadt halten sich neuerdings viele Männer auf, die es in ihrer Lüsternheit nur darauf anlegen, verheiratete Frauen zu entehren. So. Das wär's.«

Er hustete.

»Wenn ich nicht zu Hause bin, macht Mariam stellvertretend für mich Augen und Ohren auf.« Er warf Mariam einen flüchtigen Blick zu, der so hart war wie ein Tritt mit eisenbeschlagener Schuhspitze. »Nicht, dass ich misstrauisch wäre. Im Gegenteil. Ich halte dich für sehr viel klüger, als man es von einer so jungen Frau erwarten kann. Aber du bist nun einmal eine junge Frau, Laila *jan*, eine *dokhtar e jawan*, und junge Frauen neigen dazu, übermütig zu werden. Wie dem auch sei, auf Mariam ist Verlass. Und falls es zu einem Fehltritt kommen sollte …«

Er redete und redete. Mariam beobachtete das Mädchen aus den Augenwinkeln, während Raschids Forderungen und Ansprüche über sie hereinbrachen wie die Raketen auf Kabul.

Am nächsten Tag war Mariam im Wohnzimmer damit beschäftigt, einige von Raschids Hemden zusammenzufalten, die sie kurz zuvor von der Wäscheleine im Hof abgenommen hatte. Als sie eines der Hemden zur Hand nahm und in der Luft ausschüttelte, sah sie plötzlich das Mädchen in der Tür stehen, die Hände um ein Teeglas gewölbt.

»Ich wollte dich nicht erschrecken«, sagte das Mädchen. »Verzeihung.«

Mariam schaute sie nur an.

Sonnenlicht fiel dem Mädchen aufs Gesicht, auf die großen grünen Augen, die glatte Stirn, auf die hohen Wangenknochen und die kräftigen, wunderschön geschwungenen Augenbrauen, um die Mariam es am meisten beneidete. Sein helles, in der Mitte gescheiteltes Haar war an diesem Morgen ungekämmt.

Das Mädchen hatte die Schultern eingezogen, und an der Art, wie es das Glas hielt, glaubte Mariam erkennen zu können, dass es nervös war. Mariam hatte den Eindruck, dass es mit sich rang.

»Die Blätter werden braun«, sagte das Mädchen in geselligem Tonfall. »Schon gesehen? Der Herbst ist meine liebste Jahreszeit. Ich mag den Geruch, der entsteht, wenn die Leute das Laub in ihren Gärten verbrennen. Meine Mutter liebte den Frühling am meisten. Kanntest du meine Mutter?«

»Nicht wirklich.«

Das Mädchen hielt die Hand hinters Ohr. »Wie bitte?«

Mariam sprach lauter. »Ich sagte, nein. Ich kannte deine Mutter kaum.«

»Oh.«

»Willst du irgendwas?«

»Mariam *jan*. Es ist wegen gestern Abend. Er hat da Dinge gesagt ...«

»Darüber wollte ich auch mit dir sprechen«, fiel ihr Mariam ins Wort.

»Ja, bitte«, antwortete das Mädchen erwartungsvoll und trat einen Schritt vor. Es wirkte fast erleichtert.

Draußen trällerte eine Goldamsel. Jemand schob einen Karren. Mariam hörte die Deichsel knarren und die eisernen Radreifen klappern. In der Nähe krachten Schüsse, zuerst einer, gefolgt von dreien, dann weiteren.

»Ich werde nicht deine Dienerin sein«, sagte Mariam. »Das kommt überhaupt nicht in Frage.«

Das Mädchen fuhr zusammen. »Nein. Natürlich nicht.«

»Es soll wohl sein, dass du in diesem Palast die *malika* bist und ich eine *dehati*, aber ich werde keine Befehle von dir entgegennehmen. Ausgeschlossen. Du kannst dich bei ihm beschweren, und vielleicht wird er damit drohen, mir die Kehle aufzuschlitzen. Aber ich werde nicht deine Dienerin sein. Hast du gehört?«

»Ja. Ich habe auch gar nicht erwartet …«

»Und wenn du glaubst, du könntest mich mit deinem hübschen Aussehen vertreiben, liegst du falsch. Ich war hier zuerst. Ich lasse mich nicht rauswerfen, schon gar nicht von dir.«

»Das will ich doch gar nicht«, erwiderte das Mädchen kleinlaut.

»Wie ich sehe, sind deine Verletzungen verheilt. Es hält dich also nichts mehr davon ab, mir im Haus zur Hand zu gehen.«

Das Mädchen nickte eifrig und verschüttete dabei ein paar Tropfen Tee, was ihm aber nicht auffiel. »Ja, das ist der andere Grund, warum ich gekommen bin; dafür zu danken, dass du dich um mich gekümmert hast.«

»Leider«, versetzte Mariam. »Ich hätte es nicht getan, wenn ich gewusst hätte, dass du mir den Mann ausspannst.«

»Ausspannst …?«

»Ich werde nach wie vor kochen und das Geschirr spülen, die Wäsche machen und die Zimmer ausfegen. Mit allen anderen Aufgaben werden wir uns täglich abwechseln. Und noch etwas. An deiner Gesellschaft ist mir nicht gelegen. Ich will sie nicht. Ich will allein sein. Du wirst mich in Ruhe lassen, und ich lasse dich in Ruhe. Nur so kommen wir miteinander klar. Das sind die Regeln.«

Während Mariam dies sagte, hämmerte ihr das Herz; der Mund war wie ausgedörrt. So schroff hatte sie noch nie gesprochen, noch nie hatte sie ihren Willen so deutlich zum Ausdruck gebracht. Diese neue Standfestigkeit hätte ihr Auftrieb geben können, doch ihre Genugtuung hielt sich angesichts des Mädchens, das in Tränen aufgelöst vor ihr stand, in Grenzen.

Sie reichte ihm die Hemden.

»Leg sie in die *almari*, nicht in den Kleiderschrank. Er möchte die weißen in der oberen Schublade haben, die anderen in der Mitte, zusammen mit den Socken.«

Das Mädchen setzte das Teeglas auf dem Boden ab und streckte die Arme aus, die Handfläche nach oben gewendet. »Es tut mir alles schrecklich leid«, krächzte es.

»Das sollte es auch«, erwiderte Mariam. »Dazu hast du allen Grund.«

32

Laila

Laila erinnerte sich an einen Besuch in diesem Haus vor vielen Jahren, als Mami einen ihrer guten Tage gehabt hatte. Die Frauen saßen im Garten und aßen frische Maulbeeren, die Wajma vom Baum in ihrem Hof gepflückt hatte, pralle weiße und rosafarbene Beeren; manche waren auch purpurn wie die kleinen Äderchen auf Wajmas Nase.

»Ihr habt doch gehört, wie sein Sohn ums Leben gekommen ist«, hatte Wajma gesagt und sich dann eine Handvoll Beeren in den eingefallenen Mund gestopft.

»Er ist ertrunken, nicht wahr?«, fragte Gitis Mutter Nila nach. »Im Ghargha-See. War's nicht so?«

»Aber wusstet ihr auch, wusstet ihr, dass Raschid …« Wajma hob einen Finger, nickte bedächtig mit dem Kopf und ließ die Frauen warten, bis sie die Beeren zerkaut und geschluckt hatte. »Wusstet ihr, dass er damals an der *sharab*-Flasche hing und an diesem Tag sturzbetrunken war? Wirklich wahr. Volltrunken soll er gewesen sein. Und das schon am Vormittag. Gegen Mittag hing er auf seinem Campingstuhl und konnte sich nicht mehr rühren. Selbst wenn die Mittagskanone gleich neben seinem Ohr abgefeuert worden wäre, hätte er nicht mit der Wimper gezuckt.«

Laila erinnerte sich daran, wie Wajma die Hand vor den Mund gelegt, laut aufgestoßen und mit der Zunge nach Resten zwischen den Zähnen gefischt hatte.

»Alles Weitere könnt ihr euch vorstellen. Der Junge ging unbeaufsichtigt in den See. Man entdeckte ihn erst sehr viel später, mit dem Gesicht nach unten auf dem Wasser treibend. Helfer kamen herbeigerannt; sie versuchten, beide wiederzubeleben, den Jungen und den Vater. Einer beugte sich über den Jungen, um ihn zu beatmen …, von Mund zu Mund, wie man so was macht. Es war zwecklos. Das stellte sich schnell heraus. Der Junge lebte nicht mehr.«

Laila erinnerte sich an Wajmas erhobenen Finger, an ihre vor Eifer und Ehrfurcht zitternde Stimme. »Darum verbietet der Heilige Koran den *sharab*. Weil es immer die Unschuldigen trifft, die für die Sünden der Betrunkenen bezahlen müssen. So ist es.«

Es war diese Geschichte, die Laila durch den Kopf ging, als sie Raschid mitteilte, dass sie schwanger war, woraufhin er auf sein Fahrrad sprang, zur nächsten Moschee radelte und um einen Sohn bat.

Beim Abendessen sah Laila Mariam dabei zu, wie sie einen Fleischbrocken auf ihrem Teller herumschob. Laila war zugegen gewesen, als Raschid die Neuigkeit mit schrillem Überschwang verkündete – eine solch fröhliche Grausamkeit hatte Laila noch nie miterlebt. Mariams Augenlider flackerten, als sie es hörte. Sie errötete und hockte wie verloren da.

Als Raschid auf sein Zimmer ging, um Radio zu hören, half Laila dabei, die *sofrah* abzuräumen.

»Womit wärst du wohl jetzt zu vergleichen?«, fragte Mariam, die Reiskörner und Brotkrumen von der Decke sammelte. »Wo du doch vorher schon ein Benz gewesen bist.«

Laila versuchte es mit Heiterkeit. »Mit einem Zug? Oder vielleicht einem Jumbojet?«

Mariam richtete sich auf. »Du glaubst hoffentlich jetzt nicht, von den Haushaltspflichten befreit zu sein.«

Laila lag eine Entgegnung auf der Zunge, sie rief sich aber ins Bewusstsein, dass Mariam die einzige Unschuldige von allen Beteiligten war. Mariam und das Baby.

Später im Bett brach Laila in Tränen aus.

Was los sei, wollte Raschid wissen und hob mit der Hand ihr Kinn. Ob es ihr nicht gut gehe. Ob das Baby Probleme mache.

Ob sie von Mariam schlecht behandelt werde.

»Das ist es, nicht wahr?«

»Nein.«

»*Wallah o billah*, ich gehe jetzt runter und erteile ihr eine Lektion. Wofür hält sie sich, dieser *harami*, dass sie dich …«

»Nein!«

Er war schon aufgesprungen. Sie ergriff seinen Arm und hielt ihn zurück. »Lass das! Nein! Sie behandelt mich anständig. Ich brauche eine Minute, das ist alles. Es geht mir schon wieder besser.«

Er setzte sich auf die Bettkante und streichelte ihren Hals. Seine Hand fuhr tiefer, bis auf den Rücken und wieder zurück. Er beugte sich über sie und entblößte seine schief stehenden Zähne.

»Dann wollen wir mal sehen«, schnurrte er. »Wär doch gelacht, wenn's mir nicht gelänge, dich in bessere Stimmung zu bringen.«

Zuerst verloren die Bäume – die wenigen, die nicht zu Feuerholz zerhackt worden waren – ihre fleckig gelben und kupferfarbenen Blätter. Dann brausten Winde kalt und rau über die Stadt hinweg. Sie rissen das letzte Laub von den Bäumen, die nun vor dem gedeckten Braun der Hügel wie Gespenster anmuteten. Der erste Schneefall war leicht, und die Flocken schmolzen, kaum dass sie den Boden berührten. Dann setzte der Frost ein. Schnee häufte sich auf den Flachdächern und sammelte sich in den Fensternischen hinter Glasscheiben voller Eisblumen. Mit dem Schnee kamen auch die bunten Drachen, einst Beherrscher des Winterhimmels über Kabul, jetzt aber nur als schüchterne Gäste in dem von Raketen und Kampfjets eingenommenen Luftraum.

Raschid brachte immer neue Nachrichten über den Krieg mit nach Hause und verwirrte Laila mit seinen Ausführungen über wechselnde Allianzen. Nach seinen Informationen bekämpfte Sayyaf die Hazaras, die ihrerseits mit Massoud im Streit lagen.

»Und der legt sich mit Hekmatyar an, der von den Pakistani unterstützt wird. Die beiden, Massoud und Hekmatyar, sind Todfeinde. Sayyaf schlägt sich auf Massouds Seite. Und Hekmatyar hat jetzt die Hazaras als Verbündete.«

Und was den unberechenbaren Usbeken-Kommandeur Dostum betreffe, sagte Raschid, wisse keiner so recht, wo er stehe. Dostum hatte in den achtziger Jahren zusammen mit den Mudschaheddin gegen die Sowjets gekämpft, sich aber nach deren Abzug der kommunistischen Schattenregierung Nadschibullahs angeschlossen, wofür ihm von Nadschibullah persönlich ein Orden verliehen worden war. Dann aber wechselte er die Seiten erneut und kehrte zu den Mudschaheddin zurück. Zurzeit sehe es danach aus, sagte Raschid, dass Dostum gemeinsame Sache mit Massoud mache.

In Kabul, vor allem im Westen der Stadt, standen zahllose Gebäude in Brand; über verschneiten Straßen stiegen schwarze Rauchwolken auf. Botschaften wurden evakuiert, Schulen geschlossen. In den Aufnahmesälen der Krankenhäuser warteten Dutzende von Verletzten vergeblich auf ärztliche Hilfe; viele verbluteten, während in den Operationssälen Glieder ohne Betäubung amputiert wurden.

»Aber mach dir keine Sorgen«, sagte Raschid. »Hier bei mir bist du in Sicherheit, meine Blume, meine *gul*. Sollte jemand versuchen, dir wehzutun, werde ich ihm die Leber herausreißen und sie ihm zu fressen geben.«

In diesem Winter kam sich Laila wie eingemauert vor. Sehnsüchtig dachte sie an den offenen Himmel ihrer Kindheit, an die Tage, an denen sie mit Babi den *buzkashi*-Turnieren zugesehen hatte oder mit Mami in Mandaii zum Einkaufen gegangen war, oder als sie unbeschwert durch die Straßen gelaufen und sich mit Giti und Hasina über Jungs unterhalten hatte. Und sie dachte an die Tage, als sie und Tarik an irgendeinem mit Klee überwucherten Bachufer gesessen, Rätsel und Süßigkeiten ausgetauscht und in den Sonnenuntergang geblickt hatten.

Doch es tat ihr nicht gut, an Tarik zu denken, denn am Ende sah sie ihn immer auf einem Krankenbett liegen, den verbrannten Körper mit Kanülen gespickt. In diesen Tagen stieg ihr häufig ätzende Galle in den Schlund; ebenso wehrlos war sie gegen den lähmenden Schmerz, der aus dem Innersten auf sie übergriff. Ihre Beine drohten dann unter ihr wegzuknicken, und sie musste sich festhalten, um nicht zu stürzen.

Den Winter 1992 verbrachte sie damit, das Haus auszufegen, die kürbisfarbenen Wände des Schlafzimmers, das sie mit Raschid teilte, abzuschrubben und in einem großen kupfernen *lagaan* draußen im Hof Wäsche zu waschen. Manchmal sah sie sich, wie vom eigenen Körper getrennt, über den Rand des *lagaan* gebeugt, die Ärmel bis über beide Ellbogen hochgekrempelt, mit roten Händen das Seifenwasser aus Raschids Unterhemden wringen. In solchen Momenten fühlte sie sich wie eine Schiffbrüchige auf offenem Meer.

Wenn es zu kalt war, um in den Hof zu gehen, geisterte Laila durchs Haus. Sie fuhr mit dem Fingernagel die Wände entlang, ging im Flur auf und ab, die Treppe hinauf und wieder hinunter. Sie konnte sich nicht aufraffen, das Gesicht zu waschen oder die Haare zu kämmen. Wenn sie auf Mariam traf, die gerade eine Paprikaschote zerkleinerte oder Fettschichten vom Fleisch trennte, warf diese ihr nur einen flüchtigen, freudlosen Blick zu. Dann machte sich ein schmerzliches Schweigen zwischen ihnen breit, und Laila spürte eine Feindseligkeit, die ihr wie ein heißer Schwall entgegenschlug. Sie zog sich dann auf ihr Zimmer zurück und betrachtete vom Bett aus das Schneegestöber vorm Fenster.

Eines Tages nahm Raschid sie mit in sein Schuhgeschäft.

Unterwegs ging er neben ihr her und hielt mit der Hand ihren Ellbogen gestützt. Sich auf der Straße zu bewegen kam für Laila einer Übung zur Abwehr von Verletzungen gleich. Sie hatte sich immer noch nicht an das einengende Gitterfenster der Burka gewöhnen können und stolperte zudem immer wieder über den Saum. Sie war in ständiger Sorge, einen falschen Schritt zu tun und zu stürzen. Gleichwohl fand sie Trost in der Anonymität, zu der ihr die Burka verhalf. Falls ihr Bekannte von früher begegneten, bliebe sie unerkannt. Es bliebe ihr erspart, verwunderten Blicken standhalten zu müssen, dem Mitleid oder der heimlichen Freude darüber, wie tief sie gefallen war und wie gründlich sich all ihre Hoffnungen zerschlagen hatten.

Raschids Geschäft war größer und heller als erwartet. Er ließ sie vor der Werkbank Platz nehmen, auf der sich alte Sohlen und Lederreste häuften. Er zeigte ihr seine Hämmer, führte ihr die Schleifmaschine vor und beschrieb mit hoher stolzer Stimme seine Arbeit.

Er befühlte ihren Bauch, wobei er sich nicht etwa damit begnügte, die Hand auf das Kleid zu legen; er griff darunter und fuhr mit kalten, rauen Fingerkuppen über die gespannte Haut. Laila erinnerte sich an die weichen, aber kräftigen Hände Tariks, an die auf den Handrücken hervortretenden Venen, die einen so männlichen Eindruck auf sie gemacht hatten.

»Wie schnell der anschwillt«, sagte Raschid. »Es wird bestimmt ein großer Junge. Mein Sohn wird ein strammer *pahlawan* sein. Wie sein Vater.«

Laila strich das Kleid glatt. Ihr wurde angst und bange, wenn er so sprach.

»Wie geht es dir, Laila?«

Sie antwortete, dass mit ihr alles in Ordnung sei.

»Gut. Gut.«

Von dem ersten heftigen Streit mit Mariam erzählte sie nichts.

Dazu war es vor wenigen Tagen gekommen. Laila hatte sie in der Küche angetroffen, wo sie eine Schublade nach der anderen aufriss und wieder zurammte. Sie suchte, wie sie sagte, nach dem langen Holzlöffel, mit dem sie immer den Reis umrührte.

»Wo hast du ihn hingetan?«, herrschte sie Laila an.

»Ich? Ich hab ihn nicht in der Hand gehabt. Wann wäre ich schon einmal hier in der Küche?«

»Gute Frage.«

»Soll das ein Vorwurf sein? Du willst es ja so. Du wirst dich wohl erinnern, mir ausdrücklich gesagt zu haben, dass du die Mahlzeiten zubereitest. Wenn du aber willst, dass wir uns abwechseln …«

»Soll das heißen, dem Löffel sind Beine gewachsen und er hat sich von allein davongemacht? Klammheimlich? Das ist passiert, ja, *degeh*?«

Laila versuchte, Ruhe zu bewahren. Normalerweise fiel es ihr nicht schwer, Mariams Hohn und Zurechtweisungen zu ertragen. An diesem Tag hatte sie allerdings schon seit dem frühen Morgen schreckliches Sodbrennen; außerdem waren die Fußgelenke angeschwollen, und ihr dröhnte der Kopf. »Es könnte ja auch sein, dass du ihn verlegt hast«, sagte sie.

»Verlegt?« Mariam zerrte eine Schublade so heftig auf, dass ihr Inhalt schepperte. »Seit wann bist du hier? Seit ein paar Monaten. Ich lebe bereits neunzehn Jahre in diesem Haus, *dokhtar jo. Dieser* Löffel lag schon in *dieser* Schublade, als du noch in die Windeln gemacht hast.«

»Trotzdem …« Laila konnte sich kaum mehr beherrschen. Zwischen zusammengebissenen Zähne stieß sie hervor: »Trotzdem ist es möglich, dass du ihn irgendwo liegen gelassen und vergessen hast.«

»Und es ist möglich, dass du ihn versteckt hast, um mich zu ärgern.«

»Du bist zu bedauern«, entgegnete Laila.

Mariam zuckte zusammen, hatte sich aber schnell erholt und schürzte die Lippen. »Und du bist eine Hure. Eine Hure und ein *dozd.* Eine diebische Hure. Das bist du.«

Daraufhin gerieten beide außer Kontrolle. Es hätte nicht viel gefehlt, und Töpfe und Geschirr wären geflogen. Die beiden warfen sich Gemeinheiten an den Kopf, Worte, für die sich Laila jetzt schämte. Seitdem hatten sie nicht mehr miteinander gesprochen. Laila war immer noch erschrocken über sich selbst; nicht nur, dass sie sich zu diesen Ausfällen hatte hinreißen lassen, es hatte ihr sogar gefallen, Mariam anzuschreien, sie zu verfluchen und in ihr eine Zielscheibe zu finden, auf die sich alle Wut und Trauer richten ließ.

Vielleicht, so dachte Laila einsichtig, mochte es für Mariam nicht anders sein.

Nach dem Streit war sie nach oben gelaufen und hatte sich auf Raschids Bett geworfen. Von unten schallte es herauf: »Schande über dein Haupt! Schande über dein Haupt!« Laila schluchzte ins Kissen. Der Verlust ihrer Eltern schmerzte sie plötzlich so sehr wie seit den schrecklichen Tagen nach dem Anschlag nicht mehr. Und so lag sie da, die Hände im Laken verkrallt, als sie etwas spürte, das allen Schrecken vergessen ließ. Nach Luft schnappend, richtete sie sich auf und fuhr mit den Händen an den Bauch.

Das Kind hatte soeben zum ersten Mal mit dem Fuß ausgetreten.

33

Mariam

Im Frühjahr 1993 stand Mariam eines Morgens in aller Frühe vorm Fenster des Wohnzimmers und sah Raschid das Mädchen aus dem Haus führen. Das Mädchen schleppte sich, leicht nach vorn gebeugt, voran und hielt einen Arm schützend um den Bauch gelegt, dessen kugelrunde Form sich selbst unter der Burka abzeichnete. Raschid, überaus fürsorglich und aufmerksam, stützte sie am Ellbogen und führte sie wie ein Verkehrspolizist über den Hof. Er gab ihr mit einem Zeichen zu verstehen, dass sie einen Augenblick warten möge, beeilte sich, das Tor zu öffnen, hielt es mit einem Fuß auf und winkte das Mädchen zu sich. Als sie ihn erreichte, nahm er sie bei der Hand und half ihr auf die Straße. Mariam glaubte fast, ihn sagen zu hören: »Gib acht, wohin du trittst, meine Blume, meine *gul*.«

Am frühen Abend kehrten sie zurück.

Mariam sah Raschid als Ersten den Hof betreten. Das Tor ließ er zurückfallen; es schlug dem Mädchen fast ins Gesicht. Mit schnellen, kurzen Schritten durchquerte er den Hof. Mariam bemerkte einen Schatten auf seiner Miene, der tiefer war als die Schatten der kupfrigen Abenddämmerung. Im Haus zog er den Mantel aus und warf ihn auf die Couch. »Ich habe Hunger. Bring das Essen auf den Tisch«, knurrte er Mariam an.

Die Haustür ging auf. Mariam sah das Mädchen mit einem Bündel in der linken Armbeuge auf der Schwelle. Mit einem Fuß in der Tür bückte sie sich, um den Papierbeutel mit ihren Sachen vom Boden aufzuheben, den sie dort abgestellt hatte, um die Tür zu öffnen. Ihr war anzusehen, wie schwer es ihr fiel. Sie hob den Kopf und erblickte Mariam.

Mariam wandte sich von ihr ab und ging in die Küche, um für Raschid das Essen aufzuwärmen.

»Als würde einem ein Schraubenzieher ins Ohr gerammt«, stöhnte Raschid und rieb sich die verquollenen Augen. Er stand, nur mit einem vor dem Bauch zusammengeknoteten *tumban* bekleidet, in der Tür zu Mariams Zimmer. Die weißen Haare standen ihm wirr vom Kopf. »Dieses Schreien. Ich kann's nicht länger ertragen.«

Unten ging das Mädchen mit dem Baby durch den Flur und versuchte, es mit einem Lied zu beruhigen.

»Seit zwei Monaten habe ich nicht mehr richtig durchschlafen können«, beklagte sich Raschid. »Und im Schlafzimmer stinkt's wie auf einem Abort. Überall liegen die vollgeschissenen Windeln herum. Gestern Abend bin ich in eine reingetreten.«

Mariam empfand eine hämische Freude, die sie sich aber nicht anmerken ließ.

»Geh mit ihr nach draußen!«, brüllte Raschid nach unten. »Kannst du nicht mit ihr rausgehen?«

Das Singen verstummte. »Sie erkältet sich noch.«

»Es ist Sommer.«

»Was?«

Raschid verzog das Gesicht. »Ich sagte, draußen ist es warm genug«, brüllte er noch lauter.

»Ich gehe nicht mit ihr nach draußen.«

Das Singen setzte wieder ein.

»Irgendwann, ich schwör's, irgendwann werde ich das Ding in einer Kiste auf dem Kabul aussetzen. Wie Moses.«

Mariam hatte ihn seine Tochter noch nie bei ihrem Namen – Aziza, die Verehrte – nennen hören. Er bezeichnete sie nur als »das Baby« oder, wenn er gereizt war, »das Ding«.

In manchen Nächten gab es Streit zwischen den Eltern. Mariam schlich dann auf Zehenspitzen an die Schlafzimmertür und lauschte. Sie hörte ihn über das Kind klagen, über das andauernde Schreien, die stinkenden Windeln und Spielzeuge, über die er immer wieder stolperte, darüber, dass er von Laila gar nicht mehr beachtet wurde, weil sich alles nur um das Ding drehte, das ständig gefüttert, gewaschen und gehalten werden wollte. Das Mädchen hingegen schimpfte, dass er im Zimmer rauchte und das Kind nicht mit in ihrem Bett schlafen ließ.

Es gab auch andere Auseinandersetzungen, ausgetragen in wütendem Flüsterton.

»Der Arzt sagt, allenfalls sechs Wochen.«

»Jetzt noch nicht, Raschid. Nein. Lass mich. Bitte. Tu's nicht.«

»Es ist schon zwei Monate her.«

»Psst, leise. Na prima, jetzt hast du das Baby aufgeweckt.« Und mit schärferer Stimme: »*Kosh shodi?* Endlich zufrieden?«

Mariam war dann zurück in ihr Zimmer geschlichen.

Jetzt jammerte Raschid: »Kannst du nicht irgendwie helfen?«

»Ich kenne mich mit Babys nicht aus«, antwortete Mariam.

»Raschid! Bringst du mal das Fläschchen? Es steht auf der *almari*. Sie will nicht trinken. Ich muss es mit der Flasche versuchen.«

Das Baby fing wieder zu schreien an.

Raschid schlug die Hände über dem Kopf zusammen. »Dieses Ding ist ein Warlord. Ich sag's dir, Laila hat einen zweiten Gulbuddin Hekmatyar zur Welt gebracht.«

Mariam sah, dass das Mädchen ausschließlich mit dem Baby beschäftigt war. Es musste geschaukelt, unterhalten und in regelmäßigen Abständen gestillt werden. Wenn es schlief, waren Windeln zu waschen. Das Mädchen ließ sie in einem Trog einweichen und benutzte dafür ein Desinfektionsmittel, das Raschid auf ihr Drängen hin besorgt hatte. Sie feilte der Kleinen die Fingernägel mit feinem Sandpapier, wusch die Strampler und Nachthemdchen und hängte sie zum Trocknen auf. Auch wegen dieser Sachen gab es immer wieder Streit.

»Was ist dagegen einzuwenden?«, wollte Raschid wissen.

»Es sind Sachen für Jungen. Für einen *bacha*.«

»Glaubst du etwa, ihr würde der Unterschied auffallen? Ich

habe für das ganze Zeug gutes Geld ausgegeben. Und noch etwas: Mir gefällt dein Ton nicht. Versteh meinen Hinweis als Warnung.«

Regelmäßig einmal in der Woche erhitzte das Mädchen eine kleine Pfanne überm Feuer, röstete darin eine Prise Rautensamen und fächerte den daraus aufsteigenden *espandi*-Rauch ihrem Kind zu, um es vor bösen Einflüssen zu schützen.

Mariam konnte die Begeisterung des Mädchens für das Kind kaum ertragen, musste sich aber eingestehen, dass sie auch so etwas wie Bewunderung empfand. Sie bemerkte, wie die Augen des Mädchens geradezu ehrfürchtig leuchteten, selbst morgens nach schlafloser Nacht, wenn ihr Gesicht abgespannt aussah und die Haut wächsern. Das Mädchen konnte herzhaft lachen, wenn das Baby pupste. Die winzigste Veränderung entzückte sie, und jede Regung des Kindes war für sie ein spektakuläres Ereignis.

»Sieh nur! Sie greift nach der Rassel. Wie clever sie ist.«

»Ich sollte wohl die Presse rufen«, knurrte Raschid.

Abends gab es immer kleine Vorführungen, und wenn das Mädchen darauf bestand, dass Raschid Kenntnis davon nahm, hob er das Kinn und warf seinen mürrischen Blick über den blau geäderten Haken seiner Nase.

»Schau. Schau, wie sie lacht, wenn ich mit den Fingern schnippe. Da. Hast du's gesehen?«

Raschid gab dann meist einen Grunzlaut von sich und stocherte weiter in seinem Essen herum. Mariam erinnerte sich, dass ihn vor nicht allzu langer Zeit allein schon die Anwesenheit des Mädchens überwältigt hatte. Jedes Wort von ihr war ihm eine Offenbarung gewesen, jede Geste ein Grund, aufzumerken und anerkennend mit dem Kopf zu nicken.

Dass das Mädchen bei ihm in Ungnade gefallen war, hätte Mariam mit einem Gefühl von Triumph quittieren können, was sich aber seltsamerweise nicht einstellen wollte. Zu ihrer eigenen Überraschung empfand Mariam Mitleid mit dem Mädchen.

Das Mädchen war immerzu von Sorgen geplagt, die es allabendlich am Esstisch wortreich zum Ausdruck brachte. An erster Stelle stand die Befürchtung, das Kind könnte an einer Lungenentzündung erkranken, und jedes noch so kleine Husten bestärkte sie darin. Wenn es Durchfall hatte, sah sie schon das Gespenst der Ruhr vor Augen, und jeder Hautausschlag deutete für sie auf Windpocken oder Masern hin.

»Du solltest dein Herz nicht so sehr daran hängen«, sagte Raschid eines Abends.

»Was soll das heißen?«

»Ich habe vor kurzem einen Radiobericht gehört. Von Voice of America. Da wurde eine interessante Statistik genannt. Es heißt, dass in Afghanistan von vier Kindern eines nicht älter wird als fünf. Das spricht wohl für sich – he, was ist? Wo willst du hin? Komm zurück. Komm sofort zurück!«

Er warf Mariam einen irritierten Blick zu. »Was hat sie bloß?«

Als Mariam im Bett lag, brach das Gezänk wieder aus. Es war eine heiße, trockene Sommernacht, typisch für den Monat *Saratan* in Kabul. Mariam hatte das Fenster geöffnet, dann aber wieder geschlossen, weil statt der erwünschten kühlen Brise nur Stechmücken kamen. Sie spürte, wie die Hitze draußen vom Boden aufstieg, die Außenmauer hinaufkroch und mit den faulen Gerüchen des Abtritts in ihr Zimmer drang.

Normalerweise hatten sich die Streitereien nach wenigen Minuten erschöpft, doch jetzt war schon über eine halbe Stunde vergangen, und die Wut eskalierte. Mariam hörte Raschid aus vollem Hals brüllen. Die Stimme des Mädchens klang ängstlich und schrill. Bald fing auch das Baby zu schreien an.

Dann hörte Mariam, dass die Schlafzimmertür mit Wucht aufgestoßen wurde – am nächsten Morgen sollte sie eine tiefe Delle vorfinden, mit der sich der Türknauf in der Wand abgebildet hatte. Sie saß bereits aufrecht im Bett, als ihre eigene Tür aufflog und Raschid hereingestürmt kam.

Er trug weiße Unterwäsche mit dunklen Schweißflecken unter den Achseln. Seine Füße steckten in Gummilatschen. Er hielt den braunen Gürtel in der Hand, den er sich zur *nikka* gekauft hatte. Das gelochte Ende war um seine Faust gewickelt.

»Du steckst dahinter. Hab ich's mir doch gedacht«, knurrte er und rückte näher.

Mariam schlüpfte aus dem Bett und wich zurück, die Arme schützend vor der Brust, weil er dort immer zuerst hinschlug.

»Wovon redest du?«, stammelte sie.

»Von ihrer Ablehnung. Das hat sie von dir.«

Mit den Jahren hatte Mariam gelernt, sich gegen seine Wutausbrüche und Vorwürfe, seine Verhöhnungen und Zurechtweisungen abzuhärten. Aber die Furcht vor ihm war geblieben. Selbst nach all den Jahren zitterte sie vor Angst, wenn er so vor ihr stand, mit hasserfülltem Gesicht, den Gürtel um die Faust geschlungen und die geröteten Augen voller Boshaftigkeit. Es war die Angst einer Ziege, eingesperrt in einem Tigerkäfig, wenn der Tiger seinen Kopf von den Tatzen erhebt und zu knurren anfängt.

Jetzt kam auch das Mädchen ins Zimmer, die Augen weit aufgerissen und die Hände ringend.

»Ich hätte wissen müssen, dass du sie gegen mich aufhetzt«, spuckte Raschid aus. Er hob den Gürtel und ließ ihn auf den eigenen Schenkel klatschen. Die Schnalle klirrte.

»Hör auf, *bas*!«, sagte das Mädchen. »Lass das, Raschid.«

»Verschwinde.«

Mariam wich weiter zurück.

»Nein! Tu's nicht!«

»Ich werd's dir zeigen.«

Wieder hob er den Gürtel und holte zum Schlag gegen Mariam aus.

Und dann geschah etwas Erstaunliches: Das Mädchen fiel über ihn her. Mit beiden Händen packte sie seinen Arm und hängte ihr ganzes Gewicht daran, um ihn nach unten zu zwingen, was ihr aber nicht gelang. Immerhin schaffte sie es, den Schlag zu verhindern.

»Lass los!«, brüllte Raschid.

»Du hast gewonnen. Du hast gewonnen. Tu es nicht. Bitte, Raschid, schlag sie nicht. Bitte nicht.«

So rangen die beiden miteinander. Das Mädchen hielt seinen Arm umklammert und flehte ihn an, während Raschid sie abzuschütteln versuchte, ohne Mariam aus den Augen zu lassen, die wie gelähmt vor ihm stand.

Am Ende wusste Mariam, dass es keine Schläge geben würde, nicht in dieser Nacht. Er hatte sich auch so durchgesetzt. Seine Brust ging keuchend auf und ab, und auf der Stirn hatte sich Schweiß gebildet. Langsam senkte er den Arm. Die Füße des Mädchens berührten den Boden. Es schien ihm nicht zu trauen und hielt sich an Raschid fest. Er musste seinen Arm mit Gewalt losreißen.

»Sieh dich vor!«, sagte er und warf den Gürtel über die Schulter. »Seht euch beide vor! Ich lasse mich nicht zum *ahmaq* machen, zum Narren in meinem eigenen Haus.«

Er schleuderte Mariam einen letzten harten Blick zu und stieß das Mädchen nach draußen.

Als die Tür ins Schloss gefallen war, stieg Mariam ins Bett zurück, vergrub ihr Gesicht im Kissen und wartete darauf, dass das Zittern aufhörte.

Dreimal wurde Mariam in dieser Nacht aus dem Schlaf gerissen. Zuerst waren es die Raketen im Westen, abgefeuert in der Gegend um Karteh-Char. Dann wurde sie vom Schreien des Säuglings, den Beruhigungsversuchen des Mädchens und dem Klappern eines Löffels an der Milchflasche geweckt. Schließlich war es der Durst, der sie aus dem Bett holte.

Das Wohnzimmer war dunkel bis auf einen Mondstrahl, der durchs Fenster fiel. Mariam hörte irgendwo eine Fliege summen, sah die Umrisse des gusseisernen Ofens in der Ecke, dessen Rohr knapp unter der Decke rechtwinklig abgebogen war.

Auf dem Weg in die Küche stolperte Mariam über ein Hindernis am Boden. Als sie den Blick darauf richtete, erkannte sie das Mädchen, ausgestreckt auf einer Steppdecke, den Säugling im Arm.

Das Mädchen lag auf der Seite und schnarchte leise. Das Baby war wach. Mariam zündete die Kerosinlampe auf dem Tisch an und ging in die Hocke. Im Schein der Lampe betrachtete sie das Kind zum ersten Mal aus der Nähe, seinen dunklen Haarschopf, die langen Wimpern, haselnussbraunen Augen, rosigen Wangen und Lippen, die so rot wie reife Granatäpfel waren.

Mariam hatte den Eindruck, dass auch das Baby sie mit forschendem Blick betrachtete. Es lag auf dem Rücken, hatte den Kopf ein wenig zur Seite gedreht und schaute zu ihr auf, amüsiert, verwirrt und argwöhnisch zugleich. Mariam fragte sich, ob sie der Kleinen womöglich Angst machte, doch dann quiekte das Baby freudig, und Mariam wusste, dass ihr Anblick erwünscht war.

»Psst«, flüsterte Mariam. »Du weckst noch deine Mutter, todmüde, wie sie ist.«

Das Kind ballte eine Hand zur Faust, die hin und her ruckte, aber dann den Weg zum Mund fand. Die Finger zwischen den zahnlosen Gaumen, lächelte es Mariam an und brachte prustend Speichelblasen zwischen den Mundwinkeln hervor.

»Sieh dich an. Was für ein trauriges Bild du abgibst, angezogen wie ein Junge. Und so dick eingepackt bei dieser Hitze! Kein Wunder, dass du wach bist.«

Mariam schlug die Decke beiseite, fand zu ihrem Schrecken eine zweite darunter und lüftete auch diese, wobei sie mit der Zunge schnalzte. Das Kind lachte erleichtert und schwang die Arme wie ein Vogel.

»Besser, oder?«

Als sich Mariam aufzurichten versuchte, ergriff das Kind ihren kleinen Finger und hielt ihn fest umklammert. Seine kleine Hand war warm, weich und feucht vom Speichel.

»Gunuh«, sagte es.

»Gut jetzt, *bas*, lass los.«

Das Kind hielt fest und strampelte mit den Beinen.

Mariam zog ihren Finger frei. Das Baby strahlte, gab gurgelnde Laute von sich und führte die Hand wieder zum Mund.

»Worüber freust du dich so? He? Warum lachst du? Anscheinend bist du doch nicht so clever, wie deine Mutter behauptet. Du hast einen Rohling als Vater und eine Närrin als Mutter. Wenn dir das klar wäre, würde dir das Lachen vergehen. Glaub mir. Und jetzt versuch zu schlafen. Na los.«

Mariam stand auf und wandte sich zur Tür. »Eh, eh, eh«, machte das Kind und signalisierte damit, dass es gleich zu schreien anfangen würde. Mariam kehrte zu ihm zurück.

»Was ist? Was willst du von mir?«

Das Kind strahlte übers ganze Gesicht.

Mariam seufzte. Sie setzte sich auf den Boden, gab dem Kind ihren kleinen Finger wieder zum Spielen und sah, wie es sich freute, die kleinen runden Beinchen in die Luft hob und zu strampeln anfing. Mariam schaute ihm zu, bis es die Augen schloss und eingeschlafen war.

Draußen fingen die Drosseln zu zwitschern an, und wenn sie aufflatterten, sah Mariam ihre Flügel im bläulichen Licht des Mondes schwingen, der durch die Wolken strahlte. Und obwohl ihre Kehle vor Durst wie ausgetrocknet war und ihre Beine einzuschlafen drohten, blieb sie noch lange am Boden hocken, bevor sie ihren Finger vorsichtig aus der Hand des Säuglings befreite und aufstand.

34

Laila

Für Laila gab es nichts Schöneres, als neben Aziza zu liegen, so dicht vor ihrem Gesicht, dass sie die großen Pupillen sehen konnte, wie sie sich weiteten und zusammenzogen. Sie liebte es, Azizas weiche Haut zu streicheln, mit dem Finger über die Grübchen in den Handknöcheln zu fahren oder die Pölsterchen am Ellbogen zu befühlen. Manchmal legte sie sich Aziza auf die Brust und erzählte ihr flüsternd von Tarik, dem Vater, der ihr immer fremd bleiben und den sie nie zu Gesicht bekommen würde. Sie erzählte ihr von seinen Streichen, dem Unfug, den er angestellt hatte, von seinem herzhaften Lachen und davon, wie gut er im Lösen von Rätseln gewesen war.

»Er hatte die hübschesten Wimpern, die so lang wie deine waren, ein kräftiges Kinn, eine schmale Nase und eine gewölbte Stirn. Ja, dein Vater, Aziza, sah wirklich toll aus. Er war vollkommen. Vollkommen, wie du es bist.«

Doch Laila hütete sich, seinen Namen auszusprechen.

Manchmal ertappte sie Raschid dabei, dass er Aziza auf höchst sonderbare Weise musterte. Eines Abends – er saß auf dem Schlafzimmerboden und hobelte sich ein Hühnerauge vom Fuß – fragte er wie beiläufig: »Na, wie war das eigentlich so, zwischen euch beiden?«

Laila warf ihm einen verwunderten Blick zu und tat so, als ob sie ihn nicht verstünde.

»Laila und Madschnun. Zwischen dir und dem *yaklenga*, dem Krüppel. Was lief da zwischen euch?«

»Er war mein Freund«, sagte sie, vorsichtig darauf bedacht, ihre

Stimme unter Kontrolle zu halten. Sie war gerade dabei, ein Fläschchen für die Kleine fertig zu machen. »Das weißt du.«

»Mir geht's nicht um das, was ich weiß.« Raschid legte das Messer auf den Fenstersims und ließ sich ins Bett fallen. Die Federn protestierten mit lautem Quietschen. Er spreizte die Beine und griff sich in den Schritt. »Habt ihr als … Freunde irgendetwas angestellt, was nicht in Ordnung war?«

»Nicht in Ordnung?«

Raschid schmunzelte leutselig, doch sie spürte seinen kalten, wachsamen Blick auf sich. »Nun, hat er dir jemals einen Kuss gegeben? Dir womöglich seine Hand auf Stellen gelegt, wo sie nicht hingehört hat?«

Laila gab sich empört und hoffte, damit zu überzeugen. Sie spürte das Herz im Hals schlagen. »Er war mir wie ein Bruder.«

»Was war er denn nun, Freund oder Bruder?«

»Beides, er …«

»Wie bitte?«

»Er war mir beides.«

»Brüder und Schwestern sind neugierige Wesen. Ja. Ein Bruder zeigt seiner Schwester manchmal sein Piephahn, und eine Schwester …«

»Du bist ekelhaft«, sagte Laila.

»Es war also nichts.«

»Ich will davon nichts mehr hören.«

Raschid legte den Kopf zur Seite, schürzte die Lippen und nickte. »Es wurde getratscht. Ich weiß davon. Man konnte allerlei über euch hören. Aber du behauptest, da war nichts.«

Sie musste sich überwinden, ihm ins Gesicht zu sehen.

Ohne mit der Wimper zu zucken, hielt er ihrem Blick stand, was sie so einschüchterte, dass es ihr nur mit letzter Kraftanstrengung gelang, die Fassung zu bewahren. Die Knöchel der Hand, mit der sie die Milchflasche umklammert hielt, liefen weiß an.

Sie erzitterte bei dem Gedanken an das, was zu befürchten wäre, fände er heraus, dass sie ihn bestahl. Seit Azizas Geburt vergriff sie sich Woche für Woche an seiner Brieftasche, wenn er schlief oder außer Haus war, und entwendete ihr jeweils einen Schein. Manchmal, wenn wenig Geld darin war, nahm sie nur einen Fünfer oder gar nichts, aus Angst, er könnte es bemerken. War die Brieftasche aber prall gefüllt, riskierte sie es, einen Zehner oder Zwanziger zu nehmen. Einmal stahl sie sogar zwei Zwanziger. Das Geld versteckte sie in einer Tasche, die sie in das Futter ihres karierten Wintermantels eingenäht hatte.

Sie fragte sich, was er täte, wenn er erführe, dass sie im kommenden Frühling die Flucht ergreifen wollte. Spätestens im nächsten Sommer. Bis dahin hoffte Laila, rund tausend Afghanis oder mehr zurückgelegt zu haben. Die Hälfte davon würde sie allein schon für die Busfahrkarte von Kabul nach Peschawar ausgeben müssen. Wenn es so weit war, wollte sie den Ehering zum Pfandhaus bringen, wie auch den anderen Schmuck, den Raschid ihr geschenkt hatte, als sie noch die *malika* in seinem Schloss gewesen war.

»Sei's drum«, sagte er schließlich und trommelte sich mit den Fingern auf den Bauch. »Mir kann man keinen Vorwurf machen. Ich bin ein verheirateter Mann, und als solcher mache ich mir meine eigenen Gedanken. Nur gut, dass er tot ist. Denn wenn er jetzt hier wäre, wenn ich ihn zu fassen bekäme …« Er saugte an seinen Zähnen und schüttelte den Kopf.

»Ich dachte, man sollte nicht schlecht über Tote reden.«

»Manche können gar nicht tot genug sein«, entgegnete er.

Zwei Tage später fand Laila, als sie aus dem Bett gestiegen war, einen Stapel sorgfältig gefalteter Kinderkleider vor der Schlafzimmertür: ein glockenförmiges Röckchen mit kleinen aufgenähten rosafarbenen Fischen, ein blaues, blumig gemustertes Wollkleid, dazu passende Socken und Handschuhe, ein gelbes Nachthemd mit orangefarbenen Punkten und eine grüne Baumwollhose mit gepunkteten Aufschlägen.

»Es heißt, dass sich Dostum auf die Seite Hekmatyars schlagen will«, sagte Raschid eines Abends bei Tisch. Von Aziza und ihrem neuen Nachthemd nahm er keinerlei Notiz. »Massoud wird alle Hände voll zu tun haben, wenn die beiden geschlossen gegen ihn antreten. Und dann dürfen wir die Hazaras nicht vergessen.« Er nahm einen Löffel von dem Pfirsichkompott, das Mariam im Sommer eingemacht hatte. »Hoffen wir, dass es sich nur um ein Gerücht handelt. Denn wenn es wirklich dazu kommen sollte, wird das, was wir bislang erlebt haben, nur ein harmloses Vorgeplänkel gewesen sein«, sagte er und winkte bedeutungsvoll mit der Hand.

Später bestieg er Laila und erleichterte sich in stummer Hast, voll angezogen bis auf seinen *tumban*, den er bis auf die Fußgelenke heruntergezogen hatte. Als er fertig war, wälzte er sich zur Seite und war Minuten später eingeschlafen.

Laila schlich aus dem Schlafzimmer und fand Mariam in der Küche vor, wo sie am Boden hockte und zwei Forellen ausnahm. In einem Topf, der hinter ihr stand, wässerte Reis. Es roch nach Kreuzkümmel und Rauch, gerösteten Zwiebeln und Fisch.

Laila setzte sich in einer Ecke auf den Boden und streifte den Saum des Kleides über die Knie.

»Danke«, sagte sie.

Mariam beachtete sie nicht. Sie hatte gerade die erste Forelle ausgenommen und griff zur zweiten. Mit einem Sägemesser trennte sie die Flossen ab und schlitzte dann den Bauch vom Schwanz bis zum Kopf auf. Laila sah zu, wie sie den Daumen in das aufgeschnittene Maul steckte und mit einer geschickten Handbewegung die Kiemen und sämtliche Innereien entfernte.

»Die Sachen sind wunderschön.«

»Ich hatte keine Verwendung dafür«, murmelte Mariam. Sie legte den Fisch auf ein mit grauem klebrigem Saft verschmiertes Zeitungsblatt und trennte den Kopf ab. »Entweder sie kommen deiner Tochter oder den Motten zugute.«

»Wo hast du gelernt, Fische auszunehmen?«

»Ich habe als Kind am Ufer eines Flusses gelebt und schon früh damit angefangen, Fische zu fangen.«

»Das habe ich noch nie getan.«

»Ist nicht schwierig. Man muss nur Geduld haben.«

Mariam zerteilte den Fisch in drei Teile.

»Wann hast du die Kleider genäht?«, wollte Laila wissen.

Mariam wusch die Fischteile in einer Schale mit Wasser. »Als ich das erste Mal schwanger war. Vor achtzehn, neunzehn Jahren. Ich weiß es nicht mehr genau. Wie gesagt, ich hatte keine Verwendung dafür.«

»Du bist eine gute *khayat*. Vielleicht könntest du mir was beibringen.«

Mariam legte die gesäuberten Stücke in eine saubere Schüssel. Wasser tropfte von ihren Fingerspitzen, als sie den Kopf hob und Laila anschaute. Es war, als sähe sie sie zum ersten Mal.

»Damals, in der Nacht, als er … Mich hat noch nie jemand in Schutz genommen«, sagte sie.

Laila betrachtete die schlaffen Wangen, die in müde Falten eingebetteten Augenlider, die tiefen Linien unter den Mundwinkeln. Sie schien all dies erst jetzt zur Kenntnis zu nehmen. Und es war nicht das Gesicht einer Rivalin, das Laila sah, sondern eines, das von unaussprechlichem Kummer zeugte, von klaglos erduldeten Zumutungen und der Fügung in ein hartes Los. Würde sie selbst, so fragte sich Laila, in zwanzig Jahren genauso aussehen, wenn sie bliebe?

»Ich konnte es nicht zulassen«, sagte Laila. »Da, wo ich aufgewachsen bin, gab es solche Ausfälle nicht.«

»Aber jetzt lebst du hier und solltest dich daran gewöhnen.«

»Daran? Niemals.«

»Er wird sich auch an dir vergreifen«, sagte Mariam und wischte sich die Hände an einem Lappen trocken. »Und das schon bald. Selbst der frischeste Fisch riecht nach ein paar Tagen. Und du hast ihm eine Tochter gegeben. Das verzeiht er noch weniger als mein Missgeschick.«

Laila stand auf. »Es ist zwar kühl draußen, aber was hältst du davon, wenn wir zwei im Hof eine Tasse *chai* trinken?«

Mariam schaute sie verwundert an. »Das geht nicht. Ich muss noch die Bohnen schneiden und waschen.«

»Dabei helfe ich dir morgen.«

»Und ich möchte noch aufräumen.«

»Auch das können wir zusammen tun. Ist nicht noch was vom

halwa übrig geblieben? Das wäre jetzt genau das Richtige zum *chai*.«

Mariam legte den Lappen auf die Anrichte. Sichtlich befangen zupfte sie an ihren Ärmeln, richtete ihre *hijab* und strich sich eine Strähne aus der Stirn.

»Die Chinesen sagen, dass man eher drei Tage aufs Essen verzichten kann als einen Tag auf Tee.«

Mariam lächelte matt. »Da könnte was dran sein.«

»So ist es.«

»Aber viel Zeit habe ich nicht.«

»Nur für eine Tasse.«

Sie gingen in den Hof, setzten sich auf Klappstühle und aßen mit den Fingern aus einer Schale *halwa*. Nach der zweiten Tasse schlug Laila vor, auch noch auf eine dritte zu bleiben, und Mariam stimmte zu. Von den Bergen hallte Gewehrfeuer. Wolken schoben sich vor den Mond, und die letzten Glühwürmchen schrieben helle gelbe Spuren in die Nacht. Irgendwann wachte Aziza auf und fing zu schreien an. Raschid brüllte von oben, Laila solle sofort kommen und sie zur Ruhe bringen. Die beiden Frauen sahen einander an. Es war ein unverstellter Blick, der zu verstehen gab, dass sie sich in ihrer Not verbunden fühlten. Dieser flüchtige, wortlose Austausch ließ keinen Zweifel mehr daran, dass ihre Feindschaft beigelegt war.

35

Mariam

In der Folgezeit besorgten Mariam und Laila den Haushalt gemeinsam. Sie saßen in der Küche und rollten Teig aus, schnitten Frühlingszwiebeln, hackten Knoblauch und gaben Aziza, die mit Löffeln klapperte, Gurkenstückchen zu naschen. Wenn sie sich im Hof aufhielten, lag Aziza warm angezogen und mit einem Wollschal um den Hals in einer Korbwiege. Mariam und Laila behielten sie im Auge, wenn sie Seite an Seite Hemden, Hosen und Windeln auf dem Waschbrett rieben.

Mariam gewöhnte sich allmählich an das vorsichtige, aber angenehme Miteinander. Dass sie nach getaner Arbeit mit Laila *chai* im Hof trank, wurde zu einem allabendlichen Ritual, auf das sie sich schon den ganzen Tag lang freute. Morgens wartete sie immer sehnsüchtig auf das Schlappen der durchgetretenen Latschen auf der Treppe, wenn Laila zum Frühstücken nach unten kam, und auf Azizas helles Lachen, den Anblick ihrer acht Zähnchen und den milchigen Duft ihrer Haut. Wenn Laila und Aziza länger im Bett blieben, wurde Mariam unruhig. Sie spülte dann Geschirr, das gar nicht gespült zu werden brauchte, ordnete die Sitzkissen im Wohnzimmer oder wischte Staub auf staubfreien Fensterbänken. Sie beschäftigte sich irgendwie, bis Laila endlich mit der Kleinen auf der Hüfte die Küche betrat.

Wenn Aziza Mariam morgens erblickte, gingen ihre Augen weit auf. Sie gluckste dann und wand sich im Arm ihrer Mutter, streckte die Arme nach Mariam aus, öffnete und schloss die kleinen Hände und drängte danach, von Mariam gehalten zu werden, das Gesicht voller Bewunderung und Erregung.

»Was für ein Aufstand«, sagte Laila dann und gab die Kleine frei, damit sie auf Mariam zukrabbeln konnte. »Was für ein Aufstand! Beruhige dich. *Khala* Mariam geht nirgendwohin. Sie ist da, deine Tante. Siehst du? Na, geh schon zu ihr.«

Und kaum dass sie in Mariams Armen war, schnellte der Daumen in den Mund, und sie schmiegte ihr Gesicht an Mariams Hals.

Ein wenig verlegen, aber mit dankbarem Lächeln auf den Lippen wiegte sie dann das Kind. So vorbehaltlos und unmittelbar waren ihr gegenüber noch nie liebende Gefühle zum Ausdruck gebracht worden.

Mariam hätte vor Rührung weinen können.

»Warum hängst du dein kleines Herz an eine so alte, hässliche Schachtel, wie ich es bin?«, flüsterte Mariam in Azizas Haar. »He? Wer bin ich denn schon? Eine *dehati*. Was könnte ich dir geben?«

Doch Aziza brabbelte bloß und schmiegte sich noch enger an sie. Und wenn sie das tat, war Mariam so überwältigt, dass ihr die Augen feucht wurden. Und sie fragte sich, wie es möglich sein konnte, dass sie nach all den Jahren trüber Einsamkeit und gescheiterter Beziehungen zu diesem kleinen Wesen eine erste, wahre Verbindung gefunden hatte.

Zu Beginn des folgenden Jahres, im Januar 1994, wechselte Dostum tatsächlich die Seiten. Er schloss sich Gulbuddin Hekmatyar an und bezog Stellung bei Bala Hissar, der alten Festungsanlage im Koh-e-Shirdawaza-Gebirge hoch über der Stadt. Mit vereinten Kräften beschossen sie Massouds und Rabbanis Truppen, die sich im Verteidigungsministerium und im Königspalast verschanzt hatten. Die Gefechte eskalierten. Die Straßen von Kabul waren buchstäblich übersät mit Toten, Schutt und Metallteilen. Es wurde geplündert, gemordet und – zur Einschüchterung der Zivilbevölkerung und Belohnung der Milizionäre – in unvorstellbarem Ausmaß vergewaltigt. Mariam hörte von Frauen, die sich aus Angst vor Schändung selbst das Leben genommen hatten, und von Männern, die im Namen der Ehre Frauen und Töchter töteten, die von Milizionären vergewaltigt worden waren.

Das unablässige Donnern der Mörsergranaten verschreckte Aziza. Um sie abzulenken und zu beruhigen, schüttete Mariam Reis auf den Boden und formte mit den Körnern die Umrisse eines Hauses, eines Hahns oder eines Sterns, um sie anschließend von Aziza wieder verwischen zu lassen. Sie zeichnete für die Kleine Elefanten, wie es ihr von Jalil beigebracht worden war, mit einem Strich und ohne den Stift abzusetzen.

Von Raschid war zu hören, dass tagtäglich Dutzende von Zivilisten den Kämpfen zum Opfer fielen. Krankenhäuser und Gebäude, in denen medizinisches Material lagerte, standen unter Beschuss. Versorgungstransporte, so sagte er, würden vor der Stadt abgefangen, ausgeplündert und in Brand gesteckt. Mariam fragte sich, ob auch in Herat mit gleicher Wut gekämpft wurde und wie, wenn dies der Fall wäre, Mullah Faizullah zurechtkäme, falls er denn noch lebte, und wie es Bibi *jo*, ihren Söhnen, Schwägerinnen und Enkelkindern ergehen mochte. Und natürlich Jalil. Ob er sich irgendwo versteckt hielt?, fragte sie sich. Oder war er mit Frauen und Kindern außer Landes geflohen? Sie hoffte, dass er sich in Sicherheit befand und dem Krieg hatte entkommen können.

Der Kämpfe wegen musste Raschid eine Woche lang zu Hause bleiben. Er verriegelte die Außenpforte, installierte Sprengfallen und verbarrikadierte die Haustür mit der Couch. Rauchend ging er durchs Haus, spähte durch die Fenster nach draußen und hielt seine Pistole schussbereit. Zweimal feuerte er sie auf die Straße ab und behauptete, dass jemand versucht habe, über die Mauer zu steigen.

»Sie zwingen Halbwüchsige mitzukämpfen«, sagte er. »Die Mudschaheddin. Bei helllichtem Tag und unter vorgehaltenen Waffen entführen sie junge Burschen. Und wenn die von der Gegenseite gefangen genommen werden, blüht ihnen Folter. Ich habe gehört, dass man ihnen Elektroschocks verpasst und die Hoden mit Kneifzangen quetscht. Das habe ich gehört. Diese Jungen werden dazu gezwungen, die Soldaten zum Haus ihrer Eltern zu führen, wo diese dann einbrechen, die Väter töten und die Schwestern und Mütter vergewaltigen.«

Raschid fuchtelte mit der Pistole herum. »Sollen sie es nur wagen, in mein Haus einzubrechen. Dann werde ich denen die Eier zerquetschen. Ich werde diesen Hurensöhnen die Köpfe wegpusten. Wisst ihr eigentlich, wie gut ihr es habt, von einem Mann beschützt zu werden, dem nicht einmal der *Shaitan* Angst einjagen könnte?«

Er blickte zu Boden und sah das Kind vor seinen Füßen. »Verzieh dich!«, blaffte er und fuchtelte verscheuchend mit der Pistole. »Lass mich in Frieden und hör auf, mir deine Pratzen entgegenzustrecken. Ich heb dich nicht auf. Verschwinde. Verschwinde, bevor ich auf dich trete.«

Aziza schreckte zusammen. Verängstigt krabbelte sie auf Mariam zu. Auf ihren Schoß zurückgekehrt, steckte sie den Daumen in den Mund und beobachtete Raschid mit verstörter Miene. Manchmal blickte sie zu Mariam auf, wie um sich von ihr rückversichern zu lassen.

Doch was Väter anbelangte, konnte Mariam ihr keine Sicherheit bieten.

Als die Kämpfe nachließen, war Mariam vor allem darüber erleichtert, dass Raschid wieder seiner Arbeit nachgehen konnte und nicht länger den Hausfrieden störte.

In diesem Winter erbot sich Laila eines Tages, Mariam die Haare zu flechten.

Mariam saß auf einem Stuhl und schaute im Spiegel dabei zu, wie Laila ihr mit schlanken Fingern und konzentrierter Miene die Haare teilte und feste Zöpfe flocht. Aziza lag zusammengerollt auf dem Boden und schlief, im Arm eine Puppe, die Mariam ihr genäht und mit Bohnen ausgestopft hatte. Sie trug ein im Teesud gefärbtes Kleid und eine Kette aus leeren kleinen Garnspulen.

Als Aziza im Schlaf pupste, fing Laila zu lachen an, und Mariam stimmte mit ein. Lachend betrachteten sie einander im Spiegel, was sie immer mehr erheiterte, so dass schließlich ihre Augen tränten. Dieser Moment war so unbeschwert und natürlich, dass Mariam plötzlich und wie selbstverständlich von früher zu erzählen anfing, von Jalil, Nana und dem Dschinn. Laila stand reglos hinter ihr, die

Augen auf Mariams Spiegelbild gerichtet. Sie sah die Worte herausprudeln wie Blut aus einer geöffneten Arterie. Mariam erzählte von Bibi jo, Mullah Faizullah, den Demütigungen in Jalils Haus und von Nanas Selbstmord. Sie berichtete von Jalils Frauen, der überstürzten *nikka* mit Raschid, der Reise nach Kabul, ihren Schwangerschaften, dem endlosen Kreis von Hoffnung und Enttäuschung und Raschids Übergriffen.

Danach setzte sich Laila vor Mariams Stuhl auf den Boden. Selbstvergessen zupfte sie eine Fluse aus Azizas Haar.

»Ich habe dir auch etwas zu erzählen«, sagte Laila nach langem Schweigen.

In dieser Nacht fand Mariam keinen Schlaf. Sie saß auf ihrem Bett und beobachtete das lautlose Schneegestöber vor dem Fenster.

Eine Jahreszeit war auf die andere gefolgt; in Kabul waren Präsidenten vereidigt und ermordet worden; ein Großreich zerfiel; alte Kriege waren zu Ende gegangen, neue ausgebrochen. Doch von alldem hatte Mariam kaum Notiz genommen. Es war ihr einerlei gewesen. Sie hatte die Jahre in trister Abgeschiedenheit verbracht, wunsch- und klaglos, jenseits von Träumen und Enttäuschungen. Die Zukunft zählte nicht, und die Vergangenheit hatte ihr nur diese eine Einsicht hinterlassen: dass die Liebe ein gefährlicher Fehler ist und ihre Komplizin, die Hoffnung, eine trügerische Illusion. Und wann immer diese giftigen Zwillingsblumen in der Einöde ihres Alltags zu sprossen versuchten, riss sie sie aus. Sie jätete sie aus, bevor sie Wurzeln schlagen konnten.

Während der vergangenen Monate jedoch waren ihr Laila und Aziza, die, wie sich herausstellte, wie sie ein *harami* war, ans Herz gewachsen. In der Aussicht darauf, ohne sie auskommen zu müssen, erschien ihr das Leben, das sie so viele Jahre stoisch ertragen hatte, plötzlich nicht länger erträglich.

Wir werden noch in diesem Frühjahr Kabul verlassen. Aziza und ich. Komm mit uns, Mariam.

Mariam hatte schwere Zeiten mitgemacht. Aber vielleicht warteten auf sie noch ein paar freundliche Jahre, ein neues Leben, das

Versprechungen bereithielt, von denen Nana gesagt hatte, dass sie einem *harami* vorenthalten blieben. Ganz unerwartet waren zwei neue Blumen gewachsen. Den fallenden Schnee vor Augen, dachte Mariam an Mullah Faizullah und stellte sich vor, wie er sich, seine *tasbeh*-Perlen befingernd, zu ihr beugte und ihr mit seiner weichen zittrigen Stimme zuflüsterte: »Es ist Gott, der sie gepflanzt hat, Mariam *jo*. Und es ist sein Wille, dass du sie pflegst. Es ist sein Wille, mein Mädchen.«

36

Laila

An diesem Frühlingsmorgen 1994, als sich das Tageslicht allmählich gegen die Dunkelheit am Himmel durchsetzte, war sich Laila fast sicher, dass Raschid eine Vorahnung haben könnte. Dass er sie jeden Moment aus dem Bett reißen und fragen würde, ob sie ihn tatsächlich für einen *khar*, einen Esel, halte, der sich auf Dauer täuschen ließe. Doch dann wurde zum *athan* gerufen, die Morgensonne fiel schräg über die flachen Dächer, die Hähne schrien, und das, was sie befürchtete, blieb aus.

Sie hörte Raschid, wie er im Badezimmer seinen Rasierer am Schüsselrand abklopfte, nach unten ging und den Teekessel aufsetzte. Die Schlüssel klirrten. Jetzt durchquerte er den Hof und ging auf sein Fahrrad zu.

Am Wohnzimmerfenster spähte Laila durch einen Schlitz zwischen den Vorhängen nach draußen. Sie sah ihn davonradeln, einen dicken Mann auf kleinem Fahrrad. Das Sonnenlicht blinkte auf der Lenkstange.

»Laila?«

Mariam stand in der Tür. Ihr war anzusehen, dass auch sie nicht geschlafen hatte. Wahrscheinlich, so dachte Laila, war auch sie die ganze Nacht über von Euphorie und Attacken lähmender Angst hin und her gerissen worden.

»In einer halben Stunde brechen wir auf«, sagte Laila.

Im Taxi sprachen sie miteinander kein Wort. Aziza saß auf Mariams Schoß; sie hielt ihre Puppe in den Händen und bestaunte mit großen Augen die vor den Scheiben vorbeifliegende Stadt.

»*Ona!*«, rief sie und zeigte auf eine Gruppe seilspringender Mädchen. »Mayam! *Ona.*«

Überall glaubte Laila Raschid zu sehen, vor dem rußgeschwärzten Fenster eines Friseurladens, bei einem Händler, der Hühner verkaufte, oder in einem zur Straße hin offenen Geschäft, in dem sich alte Autoreifen bis zur Decke stapelten.

Sie rutschte tiefer in ihren Sitz.

Mariam murmelte ein Gebet. Laila hätte ihr gern ins Gesicht gesehen, doch Mariam trug – wie sie selbst – eine Burka, in deren Ausschnitt nur das Glitzern ihrer Augen zu erkennen war.

Laila war seit Wochen das erste Mal außer Haus, abgesehen von dem kurzen Besuch beim Pfandverleiher am Tag zuvor, wo sie im Vollgefühl der Endgültigkeit und Unumkehrbarkeit ihrer Entscheidung den Ehering über die gläserne Ladentheke geschoben hatte.

Ringsum bekam Laila nun die Folgen der jüngsten Kämpfe zu Gesicht, Schutthalden aus Lehm und Ziegeln, Ruinen mit zerbrochenem Gebälk, ausgebrannte Fahrzeugwracks, umgestürzt oder aufeinanderliegend, von großkalibrigen Schusslöchern verwüstete Mauern und überall Glasscherben. Sie sah einen Trauerzug auf eine Moschee zustreben, ganz zum Schluss eine in Schwarz gekleidete alte Frau, die sich an den Haaren zerrte. Sie passierten einen Friedhof voll frischer Gräber und zerrissenen *shaheed*-Fahnen, die im Wind flatterten.

Laila griff über den Koffer und schloss die Hand um den weichen Arm ihrer Tochter.

Vor der Busstation am Lahore-Tor im Osten Kabuls parkte eine Schlange von Bussen am Straßenrand der Pul-e-Mahmood Khan. Männer in Turbanen hievten Bündel, Pakete und Koffer auf die Dächer der Busse und sicherten sie mit Seilen ab. In der Station drängten sich Reisende vor dem einzigen Fahrkartenschalter. Gruppen von Frauen, in Burkas verhüllt, standen zwischen Bergen von Gepäck und plauderten miteinander. Säuglinge wurden geschaukelt, streunende Kinder zurückgerufen.

Milizionäre der Mudschaheddin patrouillierten in der Station und auf dem Vorplatz. Die knappen Befehle, die sie ausstießen, klangen wie Gebell. Sie trugen Stiefel, *pakols* und staubgrüne Kampfanzüge. Alle waren mit Kalaschnikows bewaffnet.

Laila fühlte sich beobachtet. Ihr war, als sei sie allen an diesem Ort bekannt, als missbillige jeder, der sie sah, das, was sie und Mariam taten.

»Hast du schon jemanden entdeckt?«, fragte Laila.

»Ich suche noch«, antwortete Mariam und wechselte Aziza von einem Arm auf den anderen.

Dies – und das hatte Laila von Anfang an gewusst – war die erste Schwierigkeit ihres gewagten Unternehmens: einen Begleiter zu finden, der die Rolle eines Familienmitgliedes zu spielen bereit war. Die Freiheiten und Möglichkeiten, die Frauen zwischen den Jahren 1978 und 1992 genossen hatten, gehörten nun der Vergangenheit an. Laila dachte an Babis Worte über die kommunistische Regierung: *Es ist wahr, für afghanische Frauen sind gute Zeiten angebrochen, Laila.* Seit der Machtergreifung der Mudschaheddin im April 1992 jedoch lautete der offizielle Name ihres Heimatlandes »Islamischer Staat Afghanistan«. Der oberste Gerichtshof unter Rabbani bestand nun mehrheitlich aus rückwärtsgewandten Mullahs, die die von den Kommunisten eingeführten Freiheitsrechte für Frauen rückgängig gemacht und stattdessen Gesetze auf Grundlage der Scharia eingeführt hatten, jener strengen islamischen Rechtssprechung, die unter anderem Frauen dazu verpflichtete, sich in der Öffentlichkeit zu verschleiern. Außerdem wurde ihnen untersagt, ohne einen männlichen Angehörigen zu verreisen. Noch wurde auf die Einhaltung dieser Gesetze nur wenig geachtet. »Aber wenn sie einmal nicht mehr so sehr damit beschäftigt sind, sich gegenseitig totzuschießen«, hatte Laila zu Mariam gesagt, »dann werden sie die Gesetze mit Eifer durchsetzen.«

Weitere Schwierigkeiten erwarteten sie bei der Ankunft in Pakistan. Im Januar dieses Jahres hatte Pakistan, das bereits mit fast anderthalb Millionen afghanischen Flüchtlingen überfordert war, die Grenzen nach Afghanistan geschlossen. Laila hatte erfahren, dass nur Inhaber eines gültigen Visums durchgelassen wurden. Allerdings war die Grenze immer schon sehr porös gewesen, und Laila wusste, dass nach wie vor Tausende von Afghanen ins Nachbarland flohen, entweder mithilfe von Schmiergeldern oder dem Nachweis humanitärer Gründe. Außerdem gab es genügend Schlepper, die man anheuern konnte. »Wir werden einen Weg finden, wenn es so weit ist«, hatte sie Mariam versprochen.

»Wie wär's mit dem?«, fragte Mariam jetzt und deutete mit einer Kinnbewegung auf einen Kandidaten.

»Dem traue ich nicht.«

»Und der da?«

»Zu alt. Und außerdem in Begleitung zweier anderer Männer.«

Schließlich fiel Lailas Blick auf einen bärtigen Mann, der neben einer verschleierten Frau auf einer Bank saß. Er war groß und schlank, trug ein Hemd mit offenem Kragen und einen schlichten grauen Mantel, an dem mehrere Knöpfe fehlten. Auf seinem Schoß hockte ein kleiner Junge in Azizas Alter.

»Warte hier«, sagte Laila. Im Weggehen hörte sie Mariam wieder ein Gebet murmeln.

Als sie auf den jungen Mann zuging, blickte er auf und legte die Hand an die Stirn, um seine Augen gegen die Sonne abzuschirmen.

»Entschuldigen Sie, Bruder, aber darf ich fragen, ob Sie nach Peschawar fahren?«

»Ja«, antwortete er blinzelnd.

»Könnten Sie uns vielleicht einen Gefallen tun?«

Er reichte seiner Frau den Jungen und trat mit Laila ein paar Schritte beiseite.

»Worum geht's denn, *hamshira*?«

Er hatte ein freundliches Gesicht und sanfte Augen, die Laila Mut machten.

Und so erzählte sie ihm die Geschichte, auf die sie sich mit Mariam verständigt hatte. Sie sei eine *biwa*, eine Witwe, sagte sie, und wolle mit Mutter und Tochter Kabul verlassen, um in Peschawar zu ihrem Onkel zu ziehen.

»Ihr wollt euch mir und meiner Familie anschließen«, sagte der junge Mann.

»Ich weiß, es ist *zahmat*. Aber mir scheint, Sie sind ein anständiger Bruder, und ich …«

»Keine Sorge, *hamshira*. Ich verstehe. Kein Problem. Dann will ich mal Karten für euch kaufen.«

»Danke, Bruder. Das ist *sawab*, eine gute Tat. Gott wird's vergelten.«

Sie zog einen Umschlag unter ihrer Burka hervor. Er enthielt elfhundert Afghanis, ungefähr die Hälfte des Geldes, das sie in einem Jahr beiseitegelegt hatte. Der junge Mann steckte den Umschlag in seine Hosentasche.

»Warte hier.«

Sie sah ihn in der Station verschwinden. Eine halbe Stunde später kehrte er zurück.

»Es ist besser, wenn ich die Fahrkarten behalte. Der Bus fährt in einer Stunde, gegen elf. Wir steigen dann gemeinsam ein. Mein Name ist Wakil. Wenn es Fragen geben sollte, was ich aber nicht glaube, werde ich sagen, dass du meine Cousine bist.«

Laila nannte ihm ihren Namen und die von Mariam und Aziza. Er werde sie sich merken, sagte er.

»Und haltet euch in unserer Nähe auf«, fügte er hinzu.

Sie nahmen auf der Bank neben Wakil und seiner Familie Platz. Es war ein sonniger, warmer Morgen. Nur über den Bergen in der Ferne schwebten ein paar fedrige Wolken. Mariam gab Aziza einen der Kekse zu essen, an die sie in der Hektik des Aufbruchs zum Glück noch gedacht hatte. Sie bot auch Laila einen an.

»Nein, danke«, sagte Laila lachend. »Den würde ich wohl nicht bei mir behalten können. Ich bin so aufgeregt.«

»Ich auch.«

»Danke, Mariam.«

»Wofür?«

»Dafür, dass du mit uns kommst«, antwortete Laila. »Allein würd ich's wahrscheinlich nicht schaffen.«

»Das musst du auch nicht.«

»Es wird doch alles gut werden, Mariam, da, wo wir hinfahren, oder?«

Mariam streckte den Arm aus und ergriff ihre Hände. »Im Koran heißt es: Und Allah ist der Osten und der Westen, wohin ihr euch auch wendet, folgt ihr Seinem Ratschluss.«

»*Bov!*«, rief Aziza und zeigte auf einen Bus. »Mayam, *bov!*«

»Ja, Aziza *jo*«, sagte Mariam. »Ganz recht, ein *bov*. Bald werden wir selbst in einem *bov* fahren. Oh, und was du dann alles zu sehen bekommst.«

Laila lächelte. Auf der anderen Straßenseite sah sie einen Tischler in seiner offenen Werkstatt bei der Arbeit; er hobelte und ließ Späne fliegen. Autos rollten vorbei, die Fenster voller Ruß und Dreck. Sie betrachtete die am Straßenrand parkenden Busse mit ihren an den Seiten aufgemalten Pfauen, Löwen, aufgehenden Sonnen und glitzernden Schwertern.

In der warmen Morgensonne fühlte sich Laila wie berauscht und voller Überschwang. Als ein streunender gelbäugiger Hund vorbeihinkte, beugte sie sich vor und tätschelte ihm den Rücken.

Wenige Minuten vor elf rief ein Mann mit Megafon alle Reisenden nach Peschawar auf, den Bus zu besteigen. Zischend öffneten sich die hydraulischen Türen des Busses. Die Passagiere eilten herbei und drängten.

Wakil gab Laila einen Wink und nahm seinen Sohn auf den Arm.

»Auf geht's«, sagte Laila.

Wakil ging voraus. Als sie sich dem Bus näherten, sah Laila Gesichter hinter den Fenstern auftauchen, Nasen und Handflächen an die Glasscheiben gepresst. Ein vielstimmiger Chor wünschte lautstark eine gute Reise.

Ein junger Soldat der Miliz kontrollierte die Fahrkarten.

»*Bov!*«, rief Aziza.

Wakil reichte dem Soldaten die Fahrkarten, der sie in der Mitte durchriss und zurückgab. Wakil half seiner Frau beim Einsteigen. Laila sah, wie er mit dem Soldaten Blicke tauschte. In der Bustür stehend, beugte sich Wakil vor und flüsterte ihm etwas ins Ohr. Der Soldat nickte.

Laila stockte der Atem.

»Ihr zwei da mit dem Kind, zur Seite treten«, sagte der Soldat.

Laila achtete nicht auf ihn und schickte sich an, den Bus zu besteigen. Doch er packte sie bei der Schulter und zerrte sie zurück. »Du auch«, rief er in Richtung Mariam. »Beeilung. Ihr haltet die anderen auf.«

»Wo ist das Problem, Bruder?«, fragte Laila. Sie war wie betäubt. »Wir haben Fahrkarten. Hat mein Cousin sie nicht gezeigt?«

Er winkte mit der Hand ab und rief einen anderen Uniformierten hinzu, dem er etwas zuflüsterte. Der zweite, ein rundlicher Mann mit schläfrigen grünen Augen und einer Narbe auf der rechten Wange, nickte.

»Folgt mir«, sagte er.

»Wir müssen in den Bus«, rief Laila. Sie spürte, wie sich ihre Stimme überschlug. »Wir haben Fahrkarten. Warum tun Sie das?«

»Du wirst diesen Bus nicht besteigen. Vielleicht akzeptierst du das. Du begleitest mich jetzt. Oder willst du, dass ich dir dein Mädchen wegnehme?«

Als sie zu einem Lastwagen geführt wurde, warf Laila einen Blick über die Schulter zurück und sah Wakils Jungen hinter der Heckscheibe des Busses. Er winkte ihnen fröhlich zu.

Auf der Polizeistation am Torabaz-Khan-Platz mussten sie in einem langen Korridor getrennt voneinander Platz nehmen. Zwischen ihnen saß hinter einem Schreibpult ein Mann, der eine Zigarette nach der anderen rauchte und ab und zu auf einer Schreibmaschine herumtippte. Sie warteten über drei Stunden. Aziza trippelte zwischen Laila und Mariam hin und her. Sie spielte mit einer Heftklammer, die ihr der Mann am Pult gegeben hatte, aß die restlichen Kekse und schlief schließlich auf Mariams Schoß ein.

Gegen drei Uhr wurde Laila in ein Verhörzimmer geführt. Mariam und Aziza mussten im Korridor zurückbleiben.

Der Mann auf der anderen Seite des Schreibtisches war Mitte dreißig und trug Zivil: einen schwarzen Anzug, Krawatte und schwarze Halbschuhe. Er hatte einen sorgfältig gestutzten Bart, kurze Haare und Augenbrauen, die in der Mitte zusammengewachsen waren. Er starrte Laila an und klopfte mit dem Radiergummiende eines Bleistifts auf die Schreibtischplatte.

»Wir wissen«, hob er an und räusperte sich, wobei er diskret die geschlossene Hand vor den Mund führte, »dass du heute schon einmal gelogen hast, *hamshira*. Der junge Mann vom Busbahnhof ist nicht dein Cousin. Das hat er uns selbst gesagt. Jetzt stellt sich die Frage, ob du dieser Lüge weitere hinzuzufügen gedenkst oder nicht. Ich persönlich rate dir davon ab.«

»Wir wollten zu meinem Onkel«, sagte Laila. »Das ist die Wahrheit.«

Der Polizeibeamte nickte. »Die *hamshira* im Korridor ist deine Mutter?«

»Ja.«

»Sie hat einen Herati-Akzent. Du nicht.«

»Sie ist in Herat aufgewachsen; ich bin in Kabul zur Welt gekommen.«

»Natürlich. Du bist also verwitwet. Das sagtest du doch, oder? Mein Beileid. Und dieser Onkel, dein *kaka*, wo lebt er?«

»In Peschawar.«

»Ach ja.« Er leckte an der Spitze des Bleistifts und hielt ihn über einem unbeschriebenen Blatt Papier in der Luft. »Wo genau in Peschawar? In welchem Stadtteil? Straßenname, Bezirksnummer.«

Laila spürte Panik in der Brust aufkeimen und versuchte dagegen anzukämpfen. Sie kannte nur eine einzige Straße in Peschawar und nannte ihren Namen – er war damals auf der Party gefallen, die Mami gegeben hatte, als die Mudschaheddin in Kabul eingezogen waren. »Jamrud Road.«

»Ah, die Straße, an der auch das Pearl Continental Hotel liegt. Das hat er bestimmt erwähnt, nicht wahr?«

Laila griff den Hinweis auf und bejahte seine Frage. »Ja, genau dort.«

»Das Hotel liegt allerdings an der Khyber Road.«

Laila konnte Aziza im Korridor schreien hören. »Meine Tochter hat Angst. Dürfte ich sie holen, Bruder?«

»Für dich bin ich Sergeant. Du wirst gleich bei ihr sein. Hast du die Telefonnummer deines Onkels?«

»Ja. Ich hatte sie. Sie ist ...« Trotz der Burka war Laila vor seinen durchdringenden Blicken nicht geschützt. »Tut mir leid, ich muss sie verloren haben.«

Er seufzte durch die Nase und fragte nach dem Namen des Onkels, dem Namen seiner Frau. Wie viele Kinder er habe und wie diese hießen. Wo er arbeite. Wie alt er sei. Seine Fragen schüchterten Laila ein.

Er legte den Bleistift ab, faltete die Hände und beugte sich vor wie ein Vater, der seiner kleinen Tochter etwas beizubringen versuchte. »Ist dir klar, *hamshira*, dass eine Frau ihrem Mann nicht ungestraft weglaufen darf? Solche Fälle häufen sich. Ich habe oft mit Frauen zu tun, die allein reisen und behaupten, verwitwet zu sein. Bei manchen stimmt's, bei den meisten aber nicht. Ich vermute, du weißt, dass Frauen, die Reißaus zu nehmen versuchen, ins Gefängnis gesteckt werden, *nay*?«

»Lassen Sie uns gehen, Sergeant ...«, sie las seinen Namen von der Marke ab, die an seinem Revers steckte, »Sergeant Rahman. Machen Sie Ihrem Namen Ehre und zeigen Sie Mitleid. Was wäre schon dabei, zwei Frauen laufen zu lassen? Sie riskieren doch nichts. Wir sind keine Kriminellen.«

»Ausgeschlossen.«

»Ich flehe Sie an.«

»Es geht um *qanoon*, *hamshira*, um eine Sache des Rechts«, sagte Rahman mit feierlicher, gewichtiger Betonung. »Meine Pflicht besteht darin, für Ordnung zu sorgen.«

Trotz ihrer Verzweiflung hätte Laila fast laut aufgelacht. Die Verwendung dieses Wortes erschien ihr absurd angesichts der brutalen Kämpfe zwischen den Mudschaheddin, der Mordtaten, Plünderungen, Vergewaltigungen und Folter, der Hinrichtungen, Bombenanschläge und Artilleriegefechte, die sie sich lieferten, ohne Rücksicht auf unschuldige Zivilisten zu nehmen, die in ihrem Kreuzfeuer zu Schaden kamen. *Ordnung.* Sie biss sich auf die Zunge.

»Kaum auszudenken«, sagte sie mit schleppender Stimme, »was er uns antun wird, wenn Sie uns zurückschicken.«

Es machte ihm sichtlich Mühe, ihrem Blick standzuhalten. »Was ein Mann in seinem Haus für richtig hält, ist allein seine Sache.«

»Und wo bleibt dort das Recht, Sergeant Rahman?« Tränen der Wut traten ihr in die Augen. »Werden Sie zur Stelle sein, um für Ordnung zu sorgen?«

»Wir mischen uns prinzipiell nicht in familiäre Angelegenheiten ein, *hamshira*.«

»Natürlich nicht. Solange es dem Herrn des Hauses nützt. Und ist nicht auch unser Fall, wie Sie sagen, eine Familienangelegenheit? Ist es nicht so?«

Er stieß sich vom Schreibtisch ab, stand auf und strich sein Jackett glatt. »Unser Gespräch ist beendet. Ich muss sagen, du hast deine Sache sehr schlecht vertreten. Wirklich schlecht. Wenn du jetzt bitte draußen warten würdest, ich habe noch ein paar Fragen an deine – wer ist sie noch gleich? – zu richten.«

Laila protestierte und fing zu schreien an, worauf der Beamte zwei Männer ins Zimmer rief, die sie nach draußen zerrten.

Mariams Verhör dauerte nur wenige Minuten. Mit verzweifelter Miene kehrte sie in den Korridor zurück.

»Er hat so viele Fragen gestellt«, sagte sie. »Es tut mir leid, Laila *jo*. Ich bin nicht so gewandt wie du. Er hat so viele Fragen gestellt, auf die ich keine Antwort wusste. Es tut mir leid.«

»Du brauchst dir keine Vorwürfe zu machen, Mariam«, erwiderte Laila matt. »Es ist meine Schuld, alles meine Schuld.«

Es war kurz nach sechs, als der Polizeiwagen vor dem Haus anhielt. Laila und Mariam wurden aufgefordert, im Auto zu warten. Zwei Milizionäre der Mudschaheddin passten auf sie auf, während der Fahrer ausstieg, den Hof durchquerte und von Raschid an der Haustür empfangen wurde. Es war Raschid, der sie zu sich winkte.

»Willkommen zu Hause«, sagte der Mann auf dem Beifahrersitz und zündete sich eine Zigarette an.

»Du wartest hier«, verlangte er von Mariam.

Mariam setzte sich auf die Couch und sagte kein Wort.

»Ihr zwei kommt mit mir nach oben.«

Raschid packte Laila beim Ellbogen und stieß sie die Treppe hinauf. Statt der Latschen, die er sonst immer im Haus anhatte, trug er noch seine Arbeitsschuhe. Auch den Mantel hatte er noch nicht abgelegt. Laila stellte sich vor, wie er soeben, von der Arbeit zurückgekehrt, durch das Haus gerannt sein mochte, von einem Zimmer zum anderen, Türen schlagend, fluchend und außer sich vor Wut.

Auf dem oberen Treppenabsatz angelangt, drehte sich Laila zu ihm um.

»Sie war dagegen«, sagte sie. »Ich habe sie dazu gedrängt. Sie wollte nicht gehen ...«

Laila sah den Schlag nicht kommen. Plötzlich lag sie mit weit aufgerissenen Augen am Boden und rang nach Luft. Ihr war, als hätte sie ein Auto mit voller Wucht gerammt. Der Fausthieb war zwischen Brustbein und Bauchnabel aufgetroffen. Aziza lag schreiend neben ihr; sie hatte sie fallen lassen. Der Versuch, nach Luft zu schnappen, ergab nur ein ächzendes Würgen. Speichel tropfte ihr von den Lippen.

Dann spürte sie seine Pranke an ihren Haaren zerren. Sie sah, wie er Aziza vom Boden aufhob, die mit den Beinen strampelte und ihre Sandalen dabei verlor. Haare rissen aus der Kopfhaut. Der Schmerz trieb Laila das Wasser in die Augen. Sie sah, wie er mit dem Fuß die Tür zu Mariams Zimmer aufstieß und das Kind aufs Bett warf. Dann ließ er von ihren Haaren ab und versetzte ihr einen Fußtritt, der sie über die Schwelle warf und vor Schmerz laut aufbrüllen ließ. Er schlug die Tür zu. Ein Schlüssel klickte im Schloss.

Aziza schrie immer noch. Laila lag zusammengerollt am Boden und schnappte nach Luft. Sie stieß sich mit den Händen ab, kroch auf das Bett zu und streckte die Arme nach ihrer Tochter aus.

Unten wurde jetzt geprügelt. Den Geräuschen hörte Laila an, dass dort eine geradezu routinierte, fast methodische Strafaktion durchexerziert wurde. Es gab keine Schreie, kein Fluchen, kein Flehen, nur das dumpfe, rhythmische Schlagen eines festen Gegenstandes. Ein Körper prallte an die Wand, Kleider zerrissen. Zwischendurch waren Laufschritte zu hören, eine stumme Verfolgungsjagd, in deren Verlauf Möbel umstürzten und Glas zersprang. Und dann wieder das Schlagen.

Laila schloss Aziza in ihre Arme. Das Kleidchen war feucht. Die Kleine hatte eingenässt.

Nach lautem Gepolter und stampfenden Schritten waren jetzt unten wieder Schläge zu hören; es klang, als würde ein Stück Fleisch weichgeklopft.

Laila schaukelte Aziza, bis es unten still wurde. Als sie die Haustür auf- und zugehen hörte, setzte sie Aziza auf dem Boden ab und trat ans Fenster. Sie sah, wie Raschid Mariam am Kragen durch den Hof zerrte. Mariam war barfüßig und in der Hüfte eingeknickt. Seine Hände waren blutverschmiert, wie auch ihr Gesicht, die Haare, ihr Nacken und der Rücken. Ihr Hemd war vorn aufgerissen.

»Verzeih mir, Mariam«, hauchte Laila weinend an die Scheibe.

Sie sah, wie er Mariam in den Schuppen stieß. Er ging hinterher und tauchte wenig später mit einem Hammer und mehreren langen Holzbrettern wieder auf. Dann schloss er die Doppeltür des Schuppens, zog einen Schlüssel aus der Tasche und steckte ihn ins Vorhängeschloss. Nachdem er sich davon überzeugt hatte, dass die Tür verschlossen war, ging er auf die Rückseite des Schuppens und holte eine Leiter.

Minuten später tauchte sein Kopf vor Lailas Fenster auf. Im Mundwinkel steckten Nägel. Die Haare standen ihm wild vom Kopf ab. Auf der Stirn klebte Blut. Bei seinem Anblick schrie Aziza auf und verbarg ihr Gesicht in Lailas Armbeuge.

Raschid nagelte Bretter vor das Fenster.

Die Dunkelheit war vollkommen, undurchdringlich und ohne jede Kontur. Raschid hatte die Ritzen zwischen den Brettern abgedichtet und einen großen Gegenstand vor die Tür gestellt, so dass kein Licht durch den Spalt dringen konnte. Selbst das Schlüsselloch war verstopft.

Sichtbare Hinweise auf den Ablauf der Zeit gab es keine. Laila konnte sich nur auf ihr gesundes Ohr verlassen. Der *athan* und das Krähen der Hähne kündigten den frühen Morgen an. Abend war es, wenn in der Küche Geschirr klapperte und das Radio angestellt wurde.

Am ersten Tag suchten Laila und Aziza einander tastend und tappend. Laila sah nicht, wohin die Kleine kroch und wo sie steckte, wenn sie weinte.

»*Aishee*«, jammerte Aziza. »*Aishee*.«

»Bald.« Laila wollte ihrer Tochter einen Kuss auf die Stirn drücken, landete aber mit den Lippen auf ihrem Haar. »Bald werden wir Milch haben. Gedulde dich noch ein Weilchen. Sei ein braves Mädchen, ich besorge dir *aishee*.«

Laila sang ihr Lieder vor.

Der Aufruf zum Gebet ertönte ein zweites Mal, doch Raschid hatte immer noch nichts zu essen gebracht und, schlimmer noch, auch nichts zu trinken. Am Tag wurde es unerträglich heiß. Das Zimmer verwandelte sich in einen trocken gekochten Dampfkessel. Laila fuhr sich mit der Zunge über die Lippen und dachte an den Brunnen im Hof, an kaltes, frisches Wasser. Aziza weinte immerzu, und Laila stellte mit Schrecken fest, dass, wenn sie der Kleinen über die Wange fuhr, um die Tränen abzuwischen, ihre Hand trocken blieb. Sie zog ihr alle Kleider aus und suchte nach einem Gegenstand, der als Fächer dienen mochte, musste dann aber damit vorliebnehmen, ihrer Tochter Luft zuzublasen, bis ihr schwindlig wurde. Aziza bewegte sich bald kaum mehr und schlief die meiste Zeit.

Immer wieder pochte Laila mit den Fäusten gegen die Wände, erschöpfte letzte Kraftreserven, indem sie laut schreiend die Nachbarn zu alarmieren versuchte. Aber es kam niemand, und ihre Schreie verängstigten die Kleine nur, die wieder mit dünner, krächzender Stimme zu weinen anfing. Laila streckte sich auf dem Boden aus. Voller Schuldgefühle dachte sie an Mariam, die bei dieser Hitze, geschunden und blutend, im Werkzeugschuppen eingesperrt war.

Irgendwann schlief sie ein und träumte von einer Begegnung mit Tarik. Sie hatte Aziza bei sich und entdeckte ihn jenseits einer dicht bevölkerten Straße unter der Markise einer Schneiderei. Er hockte am Boden vor einer Kiste voller Feigen, von denen er eine probierte. »Das ist dein Vater«, sagte Laila, »der Mann dort hinten. Siehst du ihn? Er ist dein wirklicher Baba.« Sie rief seinen Namen, doch ihre Stimme ging im Lärm der Straße unter, und Tarik hörte sie nicht.

Das schrille Pfeifen von Raketen weckte sie auf. Irgendwo am Himmel, den sie nicht sah, loderte Feuerschein auf. Das hektische Rattern von Maschinengewehren war zu hören. Laila schloss die Augen. Sie wachte wieder auf, als Raschid durch den Flur stampfte, schleppte sich zur Tür und schlug mit der flachen Hand dagegen.

»Nur ein Glas Wasser, Raschid. Nicht für mich. Für sie. Du willst dich doch nicht an ihr versündigen.«

Er ging vorüber.

Sie flehte ihn an, bettelte um Vergebung, machte Versprechungen. Sie verfluchte ihn.

Die Tür zu seinem Zimmer fiel ins Schloss. Das Radio wurde eingeschaltet.

Der Muezzin rief zum dritten Mal den *athan*. Wieder diese Hitze. Aziza wurde schwächer und schwächer. Sie bewegte sich kaum noch und weinte auch nicht mehr.

Laila führte immer wieder ihr Ohr über den Mund der Kleinen und lauschte, jedes Mal voller Angst, sie könnte zu atmen aufhören. Sich aufzurichten machte sie schwindeln und war ihr bald zu viel. Sie schlief ein und hatte einen Traum, an den sie sich nach dem Erwachen nicht erinnern konnte. Sofort tastete sie mit der Hand nach Aziza, deren trockene Lippen aufgesprungen waren. Als sie sich davon überzeugt hatte, dass ihr Puls an der Halsschlagader noch zu erfühlen war, legte sie sich wieder hin. Dass sie hier sterben würde, schien ihr nunmehr festzustehen, aber was sie noch mehr schreckte, war, dass sie ihre Tochter, die ja so viel schwächer war, überdauern würde. Wie lange mochte Aziza noch aushalten? Sie würde dieser Hitze bald erlegen sein und ihr kleiner Körper erstarren, während sie, ihre Mutter, auf den eigenen Tod wartete. Wieder schlief sie ein. Wachte auf. Schlief ein. Die Grenze zwischen Traum und wachem Bewusstsein verwischte.

Es war weder der *athan* noch ein krähender Hahn, der sie diesmal weckte, sondern das Geräusch eines schweren Gegenstandes, der vor der Tür zur Seite geschoben wurde. Sie hörte ein Klappern, und plötzlich flutete Licht ins Zimmer, das ihr in den Augen schmerzte. Laila hob den Kopf und schlug wimmernd eine Hand vor die Augen. Durch einen Spalt zwischen den Fingern sah sie eine große verschwommene Silhouette im gleißend hellen Ausschnitt der Tür. Der Schatten rückte näher. Dann beugte sich eine Gestalt über sie. Eine Stimme drang an ihr Ohr.

»Solltest du es noch mal versuchen, werde ich dich finden. Ich schwöre beim Namen des Propheten, dass ich dich finden werde. Und in diesem gottverdammten Land wird es keinen Richter geben, der mich dafür büßen ließe, was ich dann tun werde. Zuerst mit Mariam, dann mit ihr und zuletzt mit dir. Ich werde dich zwingen, dabei zuzusehen. Verstehst du mich? Du würdest es mit eigenen Augen sehen.«

Dann verließ er das Zimmer, nicht ohne ihr vorher noch einen Tritt in die Seite zu versetzen, der dazu führte, dass Laila tagelang Blut ausscheiden sollte.

37

Mariam
September 1996

Am frühen Morgen des 27. September – zweieinhalb Jahre nach ihrer gescheiterten Flucht – wurde Mariam von Rufen und schrillen Pfiffen, Musik und dem Krachen von Feuerwerkskörpern geweckt. Sie lief ins Wohnzimmer und sah Laila mit Aziza auf den Schultern vorm Fenster stehen. Sie drehte sich um und lächelte.

»Die Taliban sind da«, sagte sie.

Zum ersten Mal hatte Mariam im Oktober 1994 von den Taliban gehört, als Raschid mit der Nachricht nach Hause gekommen war, dass diese die Kriegsherren aus Kandahar vertrieben und die Stadt eingenommen hätten. Er hatte sie als Partisanen bezeichnet und erklärt, dass es sich bei ihnen um junge Paschtunen handele, deren Familien während des Krieges gegen die Sowjets nach Pakistan geflohen waren. Die meisten von ihnen seien in den Flüchtlingslagern an der pakistanischen Grenze aufgewachsen – oder auch zur Welt gekommen – und in den dortigen *madrasas*, den Koranschulen, von Mullahs in islamischem Recht unterwiesen worden. Ihr Anführer Mullah Omar, sagte Raschid halb amüsiert, sei ein mysteriöser einäugiger Analphabet, der sehr zurückgezogen lebe und sich selbst *Amir al-Muminin* nenne, Führer der Gläubigen.

»Es stimmt, diese Burschen haben keine *risha*, keine Wurzeln«, sagte Raschid, ohne dass er Mariam oder Laila direkt angesprochen hätte. Seit der gescheiterten Flucht waren Mariam und Laila für ihn ein und dasselbe, gleichermaßen erbärmlich, verabscheuenswert und seiner nicht würdig. Wenn er sprach, hatte Mariam den

Eindruck, dass er mit sich selbst redete oder mit irgendeiner unsichtbaren Person, die im Unterschied zu ihr und Laila seine Ansprache verdiente.

»Vielleicht haben sie ja keine Vergangenheit«, sagte er und blies Zigarettenrauch unter die Zimmerdecke. »Mag sein, dass sie von der Welt und der Geschichte dieses Landes keine Ahnung haben. Ja. Und verglichen mit ihnen könnte Mariam womöglich glatt als Universitätsprofessorin durchgehen. Ha! So ist es wohl. Aber schaut euch um. Was seht ihr? Korrupte, gierige Mudscheddin-Kommandeure, die bis an die Zähne bewaffnet sind, sich am Heroinschmuggel bereichern, untereinander Krieg führen und alles niedermachen, was ihnen in die Quere kommt. So sieht's doch aus. Die Taliban dagegen sind immerhin sauber und unbestechlich. Anständige Muslime. *Wallah*, wenn sie kommen, wird aufgeräumt. Sie werden für Frieden und Ordnung sorgen. Dann muss man nicht mehr fürchten, beim Milchholen erschossen zu werden, und mit den Raketen ist es vorbei. Das wär doch was.«

Seit nunmehr zwei Jahren drängten die Taliban die Mudscheddin immer weiter zurück, besetzten eine Stadt nach der anderen und machten den Kämpfen zwischen den zerstrittenen Fraktionen ein Ende. Sie hatten Ismael Khan, den Kriegsherrn von Herat, zur Flucht in den Iran gezwungen, den Hazara-Kommandeur Abdul Ali Mazari gefangen genommen und hingerichtet. Seit Monaten schon hielten sie Vororte im Süden Kabuls besetzt und lieferten sich Artilleriegefechte mit Ahmad Schah Massoud. Anfang September dieses Jahres hatten sie die Städte Jalalabad und Sarobi eingenommen.

Die Taliban hätten den Mudscheddin gegenüber einen entscheidenden Vorteil, erklärte Raschid. Sie seien sich einig.

»Sollen sie kommen«, sagte er. »Ich für mein Teil werde ihnen Rosenblätter auf den Weg streuen.«

Sie gingen aus an diesem Tag, alle vier. Raschid fuhr mit ihnen im Bus durch die Stadt, um ihre neue Welt und ihre neuen Anführer zu begrüßen. Überall sah Mariam aus den Ruinen zerschossener Häuser Gestalten in Erscheinung treten. Sie sah eine alte Frau, die aus vollen Händen Reis über Passanten streute und lachend ihren zahnlosen Mund dabei öffnete. Zwei Männer lagen sich vor einem verwüsteten Gebäude in den Armen, und am Himmel zischten und zerplatzten Feuerwerkskörper, die junge Burschen von Hausdächern aus abfeuerten. Aus Lautsprechern tönte die Nationalhymne in Konkurrenz mit dem Gehupe der Autos.

»Sieh mal da, Mayam!«, rief Aziza und zeigte auf eine Gruppe von Jungen, die die Jadeh Maywand entlangliefen. Sie schwangen ihre Fäuste, zogen verrostete Konservendosen an Schnüren hinter sich her und brüllten, dass Massoud und Rabbani aus Kabul abgezogen seien.

Ringsum erschallte der Ruf *Allah-u-akbar.*

Vor einem Fenster an der Jadeh Maywand hing ein weißes Bettlaken, auf dem in großen schwarzen Druckbuchstaben geschrieben stand: *Zenda Baad Taliban.* Lang leben die Taliban.

Während sie durch die Straßen fuhren, entdeckte Mariam weitere solcher Willkommensgrüße – auf Schaufenster gemalt, auf Schilder, die an Türen genagelt waren, oder auf Fähnchen, die an Autoantennen flatterten.

Ein paar Stunden später bekam Mariam schließlich auch die gefeierten Helden leibhaftig zu Gesicht, nämlich am Paschtunistan-Platz, den sie mit Raschid, Laila und Aziza aufsuchte. Eine große Menschenmenge hatte sich um den blauen Brunnen in der Mitte des Platzes versammelt. Mariam sah, wie alle die Hälse reckten und den Blick auf das alte Khyber-Restaurant am Rand des Platzes richteten.

Raschid setzte seine Körperfülle ein, um sich einen Weg durch die Zuschauermenge zu bahnen und seine Frauen auf einen Platz zu führen, wo jemand über Lautsprecher Parolen kundtat.

Bei dem Anblick, der sich ihnen nun bot, stieß Aziza einen Schrei aus und verbarg ihr Gesicht in Mariams Burka.

Die Lautsprecherstimme gehörte einem schlanken, bärtigen jungen Mann mit schwarzem Turban auf dem Kopf. Er stand auf einem provisorisch zusammengezimmerten Podest und hielt eine

Panzerfaust in der freien Hand. Unmittelbar neben ihm hingen zwei blutüberströmte Männer, aufgeknüpft unter dem Querträger einer Straßenlaterne. Ihre Kleider waren zerrissen und die entstellten Gesichter blauviolett angelaufen.

»Den einen kenne ich«, sagte Mariam, »den auf der linken Seite.« Eine junge Frau, die vor ihr stand, drehte sich um und sagte, dass es Nadschibullah sei. Der andere war sein Bruder. Mariam erinnerte sich an Nadschibullahs volles Schnauzbartgesicht, das während der Jahre der sowjetischen Besetzung auf zahllosen Reklametafeln und in Schaufenstern zu sehen gewesen war.

Später erfuhr sie, dass die Taliban den früheren Präsidenten aus dem UN-Hauptquartier am Darulaman-Palast entführt, stundenlang gefoltert und dann, mit den Beinen an einen Lastwagen gefesselt, durch die Straßen geschleift hatten.

»Er hat viele, viele Muslime auf dem Gewissen«, brüllte der junge Talib durch sein Mikrofon. Er sprach abwechselnd Paschto und Farsi mit einem Paschto-Akzent. Seine Worte betonte er, indem er mit seiner Waffe immer wieder auf die Toten zielte. »Jeder weiß um seine Verbrechen. Er war Kommunist und *kafir*. Wie ihm wird es allen Ungläubigen ergehen, die sich am Islam versündigen.«

Raschid grinste.

Auf Mariams Arm fing Aziza zu weinen an.

Am folgenden Tag wurde Kabul von Kleintransportern überrollt. In Khair khana, Shar-e-Nau, Karteh-Parwan, Wazir Akbar Kahn und Taimani fuhren rote Toyota-Trucks durch die Straßen. Auf den Pritschen hockten bärtige Männer mit schwarzen Turbanen. Von jedem dieser Fahrzeuge tönte aus schepperndem Megafon eine offizielle Bekanntmachung. Dieselbe Mitteilung war auch über Lautsprecher auf den Moscheen und im Radio zu hören, dessen Sender nunmehr »Stimme der Scharia« hieß. Gleichzeitig wurde diese Mitteilung auf Flugblättern in den Straßen verteilt. Mariam fand eines im Hof.

Unser watan *trägt ab sofort den Namen Islamisches Emirat Afgha-*
nistan. Dies sind die Gesetze, die wir durchsetzen werden und de-
nen zu gehorchen ist:

Alle Bürger müssen fünfmal am Tag beten. Wer während der Ge-
betszeit etwas anderes tut und dabei überführt wird, wird mit Prü-
gel bestraft.

Für alle Männer gilt Bartpflicht. Das korrekte Längenmaß des
Bartes entspricht der Breite einer geballten Faust unter dem Kinn.
Wer diese Vorschrift nicht beachtet, wird mit Prügel bestraft.

Alle Jungen tragen Turban. Schüler der ersten bis zur sechsten
Klasse tragen schwarze, ältere Schüler weiße Turbane. Alle Jungen
tragen islamische Kleidung. Hemden sind bis zum Kragen zuzu-
knöpfen.

Singen ist verboten.

Tanzen ist verboten.

Kartenspiele, Schach, Glücksspiele und Drachen-steigen-Lassen
sind verboten.

Bücher zu schreiben, Filme anzusehen und Bilder zu malen ist
verboten.

Das Halten von Papageien wird mit Prügelstrafe geahndet; die
Vögel werden getötet.

Überführten Dieben wird die Hand am Handgelenk abgetrennt.
Wiederholungstätern wird ein Fuß abgeschnitten.

Nicht-Muslime haben ihren Gottesdienst an Orten zu feiern, wo
sie nicht von Muslimen gesehen werden können. Wer sich nicht
daran hält, den erwarten Prügelstrafe und Inhaftierung. Der Ver-
such, einen Muslim zu einem anderen Glauben zu bekehren, wird
mit dem Tod geahndet.

Frauen – aufgepasst:

Ihr werdet Euch zu allen Zeiten ausschließlich im Haus auf-
halten. Es gehört sich nicht für eine Frau, ziellos auf Straßen
herumzuziehen. Ausgänge sind nur in Begleitung eines mahram*,*
eines männlichen Angehörigen, gestattet. Wer allein auf der Stra-
ße aufgegriffen wird, wird mit Prügel bestraft und nach Hause ge-
schickt.

Ihr dürft unter keinen Umständen Euer Gesicht zeigen und werdet, wenn im Freien unterwegs, Burka tragen. Zuwiderhandlung wird mit Prügelstrafe geahndet.

Kosmetik ist verboten.

Schmuck ist verboten.

Das Tragen aufreizender Kleider ist verboten.

Ihr dürft nur sprechen, wenn Ihr dazu aufgefordert werdet.

Ihr werdet mit Männern keinen Blickkontakt aufnehmen.

Ihr werdet in der Öffentlichkeit nicht lachen. Zuwiderhandlung wird mit Prügelstrafe geahndet.

Das Lackieren der Fingernägel ist verboten. Bei Zuwiderhandlung wird ein Finger abgetrennt.

Für Mädchen ist der Besuch einer Schule verboten. Alle Mädchenschulen werden mit sofortiger Wirkung geschlossen.

Erwerbsarbeit ist Frauen verboten.

Wer sich des Ehebruchs schuldig macht, wird gesteinigt.

Nehmt dies zur Kenntnis. Gehorcht. Allah-u-akbar.

Raschid schaltete das Radio aus. Sie hockten auf dem Boden des Wohnzimmers und aßen zu Abend. Es war noch keine Woche her, dass sie Nadschibullahs Leiche an der Laterne hatten hängen sehen.

»Sie können doch nicht verlangen, dass die Hälfte der Bevölkerung zu Hause bleibt und nichts tut«, sagte Laila.

»Warum nicht?«, fragte Raschid. Mariam stimmte ihm ausnahmsweise zu. Von ihr und Laila verlangte er das schließlich schon lange. Das musste doch auch Laila begreifen.

»Wir leben schließlich nicht in irgendeinem Dorf, sondern in Kabul. Hier arbeiten Frauen als Rechtsanwältinnen und Ärztinnen; manche hatten Regierungsämter inne …«

Raschid grinste. »So spricht das arrogante Töchterchen eines Universitätsmannes, der Gedichte gelesen hat. Wie mondän, wie tadschikisch. Du hältst die Taliban wohl für verrückt. Aber hast du dich mal darum gekümmert, wie es in Afghanistan wirklich zugeht, im Süden, im Osten, entlang der pakistanischen Grenze? Nein? Ich schon. Und ich kann dir sagen, dass es in diesem Land viele Gegenden gibt, in denen das, was die Taliban jetzt auch bei uns einzuführen versuchen, längst gang und gäbe ist. Mehr oder weniger jedenfalls. Aber davon hast du ja keine Ahnung.«

»Ich mag es nicht glauben«, sagte Laila. »Das kann doch nicht deren Ernst sein.«

»Wie sie mit Nadschibullah umgegangen sind, erschien mir durchaus ernsthaft«, entgegnete Raschid. »Findest du nicht auch?«

»Er war Kommunist. Er war Chef der Geheimpolizei.«

Raschid lachte.

Mariam hörte seinem Lachen an, was er dachte: dass Nadschibullah als Kommunist und Chef der gefürchteten KHAD in den Augen der Taliban nur unwesentlich verachtenswerter war als eine Frau.

38

Laila

Laila war froh, dass Babi nicht miterleben musste, was nun im Namen der Taliban geschah. Es hätte ihn krank gemacht.

Mit Spitzhacken bewaffnete Männer stürmten das baufällige Kabul-Museum und zerschlugen Statuen aus vorislamischer Zeit, genauer gesagt, all das, was nicht schon von den Mudschaheddin geplündert worden war. Die Universität wurde geschlossen, die Studenten nach Hause geschickt. Gemälde wurden von den Wänden gerissen und mit Messern zerfetzt, Fernsehgeräte mit Füßen getreten, Buchhandlungen geschlossen und Bücher, mit Ausnahme des Koran, zu Bergen aufgehäuft und verbrannt. Werke von Khalili, Pazwak, Ansari, Hadschi Dehqan, Ashraqi, Behtab, Hafis, Jami, Nizami, Rumi, Khayyam, Beydel und vieler anderer gingen in Rauch auf.

Laila hörte davon, dass Männer unter dem Vorwurf, einen *namaz* ausgelassen zu haben, mit Gewalt in die Moschee getrieben wurden. Sie erfuhr, dass das Restaurant Marco Polo an der Hühnerstraße zu einer Verhörzentrale umgewandelt worden war. Hinter den schwarz verkleideten Fenstern wurden häufig Schreie laut. Die Bartpatrouille streifte auf Toyota-Transportern durch die Straßen auf der Suche nach glatt rasierten Gesichtern.

Auch die Kinos mussten dichtmachen. Cinema Park. Ariana. Aryub. Projektoren wurden zerschlagen, Filmrollen in Brand gesetzt. Laila erinnerte sich, wie oft sie sich mit Tarik in einem dieser Lichtspielhäuser Hindi-Filme angesehen hatte, all die melodramatischen Geschichten von Liebenden, die durch tragische Umstände voneinander getrennt und in einem fernen Land zur Ehe gezwungen worden waren, wo sie auf Wiesen voller Ringelblumen mit Tränen in den Augen traurige Lieder sangen und sich den andern herbeisehnten. Sie erinnerte sich, dass Tarik immer gelacht hatte, wenn auch sie in Tränen ausgebrochen war.

»Ich würde gern wissen, was sie mit dem Kino meines Vaters gemacht haben«, sagte Mariam eines Tages. »Ob es das Haus noch gibt und ob es immer noch in seinem Besitz ist.«

In Kharabat, dem uralten Musikerviertel von Kabul, war es still geworden. Die Musiker hatte man ins Gefängnis geworfen, ihre *rubabs*, *tambouras* und Harmonien zerschlagen. Es hieß, dass die Taliban mit Gewehren auf das Grab von Ahmad Zahir, dem Lieblingssänger Tariks, geschossen hatten.

»Er ist schon seit fast zwanzig Jahren tot«, sagte Laila zu Mariam. »Reicht es denn nicht, einmal gestorben zu sein?«

Raschid störte sich nicht an den Taliban. Er ließ sich einen Bart wachsen und ging regelmäßig in die Moschee. Ansonsten zuckte er ratlos, aber nachsichtig mit den Schultern wie über einen querköpfigen Vetter, von dem man nichts anderes erwarten konnte, als dass er über die Stränge schlug.

Jeden Mittwochabend hörte Raschid die »Stimme der Scharia«, den Sender, über den die Taliban die Namen derer verlasen, die eine öffentliche Bestrafung zu erwarten hatten. Freitags ging er ins Ghazi-Stadion, kaufte sich eine Cola und sah dem Schauspiel zu. Wenn er dann abends zu Laila ins Bett stieg, berichtete er ihr genüsslich und in allen Einzelheiten von abgehackten Händen, durch den Strang vollstreckten Todesurteilen, Enthauptungen und Auspeitschungen.

»Heute hat ein Mann dem Mörder seines Bruders die Kehle aufgeschlitzt«, sagte er eines Abends.

»Barbaren!«, empörte sich Laila.

»Findest du?«, entgegnete er. »Verglichen mit wem? Die Sowjets haben eine Million Menschen getötet. Und weißt du, wie viele den Mudschaheddin während der vergangenen vier Jahre allein in Kabul zum Opfer gefallen sind? Fünftausend. *Fünftausend*. Ein paar wenigen Dieben die Hände abzuschlagen ist doch eine Bagatelle dagegen. Auge um Auge, Zahn um Zahn. So steht's im Koran. Stell dir vor, jemand würde Aziza töten – würdest du dich nicht an ihrem Mörder rächen wollen?«

Laila warf ihm einen angewiderten Blick zu.

»Na bitte«, sagte er.

»Du bist denen sehr ähnlich.«

»Apropos Aziza. Sie hat eine interessante Augenfarbe. Findest du nicht auch? Weder deine noch meine.«

Er drehte ihr sein Gesicht zu und kratzte sanft mit dem krummen Nagel seines Zeigefingers über ihren Schenkel.

»Ich will mich klar ausdrücken«, sagte er. »Es könnte sein, womit ich nicht behaupten will, dass es dazu kommt, aber gesetzt den Fall, mir wäre danach, hätte ich durchaus das Recht dazu, Aziza abzugeben. Wie würde dir das gefallen? Ich könnte eines Tages zu den Taliban gehen, einfach bei ihnen hineinspazieren und sagen, dass ich einen gewissen Verdacht gegen dich hege. Mehr wäre nicht nötig. Denn wem würden sie wohl glauben? Und was würden sie dann wohl mit dir anstellen?«

Laila rückte von ihm ab.

»Keine Bange«, sagte er. »So was würde ich doch nicht tun? *Nay*. Wahrscheinlich nicht. Du kennst mich ja.«

»Du bist widerwärtig«, sagte Laila.

»Ein großes Wort«, erwiderte Raschid. »Ja, das ist so deine Art, und die hat mir noch nie an dir gefallen. Schon als kleines Mädchen, als du mit diesem Krüppel herumgezogen bist, sind dir all diese Bücher und Gedichte zu Kopf gestiegen. Aber was hilft dir deine Belesenheit heute? Wem verdankst du dieses Dach überm Kopf, deiner Cleverness oder mir? Widerwärtig bin ich? Die Hälfte der weiblichen Bevölkerung dieser Stadt würde mich zum Mann haben wollen, und dafür morden. Jawohl, morden.«

Er rollte sich auf den Rücken.

»Große Worte gefallen dir, nicht wahr? Wie wär's mit diesem? Perspektive. Das ist, was ich hier versuche, nämlich dafür zu sorgen, dass du deine Perspektiven nicht aus den Augen verlierst.«

Was Laila in dieser Nacht um den Schlaf brachte, ja ihr sogar

Brechreiz verursachte, war die Tatsache, dass sich nichts von dem, was Raschid gesagt hatte, von der Hand weisen ließ.

Am nächsten Morgen und den folgenden Tagen dauerte die Übelkeit an, verschlimmerte sich noch und wurde mit der Zeit zu einer ständigen Begleiterin.

Es war kalt und der Himmel wolkenverhangen, als Laila wenige Tage später kurz nach Mittag auf dem Boden ihres Schlafzimmers lag. Aziza und Mariam hielten ein Nickerchen in deren Zimmer.

In Lailas Hand steckte eine Speiche, die sie mit einer Kneifzange aus dem Laufrad eines kaputten Fahrrads herausgebrochen hatte. Es war in derselben Gasse abgestellt worden, in der sie vor Jahren den ersten Kuss mit Tarik ausgetauscht hatte. Lange Zeit lag Laila mit gespreizten Beinen und zusammengebissenen Zähnen auf dem Fußboden.

Aziza war ihr schon in dem Moment von Herzen willkommen gewesen, als sie eine erste Ahnung von ihrer Existenz gehabt hatte. Von den Selbstzweifeln und Ungewissheiten, die sie jetzt plagten, war damals nichts zu spüren gewesen. Wie schrecklich, dachte Laila, dass eine Mutter fürchten konnte, nicht genügend Liebe für das eigene Kind aufzubringen. Ein verstörender Gedanke. Und doch drängte sich ihr genau diese Frage auf, als sie da auf dem Boden lag und die Speiche mit schweißnassen Händen zu führen versuchte. Und sie zweifelte daran, Raschids Kind jemals so lieben zu können wie das von Tarik.

Am Ende brachte sie das, was sie vorgehabt hatte, nicht über sich.

Es war nicht die Angst davor, zu verbluten, die ihr die Speiche aus der Hand fallen ließ, auch nicht die Hemmung, eine Sünde zu begehen, was es ja wohl gewesen wäre. Laila ließ die Speiche fallen, weil sie nicht akzeptieren wollte, was für die Mudschaheddin offenbar nie ein Problem gewesen war, nämlich dass einem Krieg Unschuldige zum Opfer fielen. Laila führte Krieg gegen Raschid. Das Kind sollte darunter nicht leiden. Zu viele waren schon getötet worden, und Laila hatte im Kreuzfeuer der feindlichen Lager mehr als genug Unschuldige sterben sehen.

39

Mariam
September 1997

»Frauen werden hier nicht mehr behandelt«, bellte der Wach-
beamte. Er stand vor dem Portal der Malalai-Klinik und blickte mit
eisiger Miene auf die Menge herab, die sich vor den Eingangsstufen
versammelt hatte.

Unmut machte sich breit.

»Aber das ist doch ein Krankenhaus für Frauen«, empörte sich
eine Frau, die hinter Mariam stand. Ihr stimmten viele lauthals zu.

Mariam hatte Aziza auf dem Arm und stützte mit der freien
Hand Laila, die sich auf der anderen Seite an Raschids Schulter
festhielt und leise vor sich hin jammerte.

»Jetzt nicht mehr«, sagte der Talib.

»Meine Frau bekommt ein Kind!«, brüllte ein stämmiger Mann.
»Soll sie etwa auf der Straße gebären, Bruder?«

Mariam hatte schon im Januar dieses Jahres von der Verordnung
gehört, wonach erkrankte Männer und Frauen auf getrennte Krankenhäuser zu verteilen seien und das weibliche Personal sämtlicher
Krankenhäuser Kabuls in einer Zentralklinik für Frauen arbeiten
werde. Allerdings war diese Verordnung nicht durchgeführt worden, und keiner hatte an ihre Umsetzung geglaubt. Bis jetzt.

»Und was ist mit dem Ali-abad-Hospital?«, rief ein anderer
Mann.

Der Wachmann schüttelte den Kopf.

»Wazir Akbar Khan?«

»Nur für Männer«, sagte er.

»Was sollen wir tun?«

»Geht ins Rabia Balkhi«, sagte der Wachmann.

Eine junge Frau erklärte, dass sie schon dort gewesen sei. Es gebe dort kein sauberes Wasser, sagte sie, keinen Sauerstoff, keine Elektrizität, keine Medikamente. »Da gibt es nichts.«

»Nur da dürft ihr hin«, sagte der Wachmann.

Rufe der Empörung wurden laut; vereinzelt waren auch Beleidigungen zu hören. Jemand warf einen Stein.

Der Talib hob seine Kalaschnikow und feuerte in die Luft. Ein anderer, der hinter ihm stand, schwang eine Peitsche.

Die Menge löste sich schnell auf.

Der Wartesaal der Rabia-Balkhi-Klinik war übervoll von verhüllten Frauen und Kindern. Es stank nach Schweiß und Schmutz, nach Füßen, Desinfektionsmitteln, Urin und Zigarettenrauch. Unter der Decke drehte sich ein Ventilator. Kinder tobten umher und sprangen über die ausgestreckten Beine schlafender Väter.

Mariam half Laila auf einen freien Stuhl. Von der Wand hinter ihr war großflächig Putz abgebröckelt; sie sah aus wie eine Karte fremder Kontinente. Laila hielt sich den Bauch und schaukelte vor und zurück.

»Ich werde dafür sorgen, dass du gleich drankommst, Laila *jo*.«

»Beeil dich«, sagte Raschid.

Vor dem Anmeldungsschalter drängte sich eine Traube von Frauen. Es wurde gerempelt und gestoßen. Einige hielten Säuglinge auf dem Arm. Andere befreiten sich aus der Menge und eilten auf die Doppeltür zu, die zu den Behandlungszimmern führte. Ein bewaffneter Talib versperrte ihnen den Weg und schickte sie zurück.

Mariam zwängte sich durch das Gewühl und schob die Hüften und Schultern der anderen mit Nachdruck beiseite. Ein Ellbogen traf ihre Rippen; sie wehrte sich auf gleiche Art. Sie parierte eine Hand, die auf ihr Gesicht zielte, zerrte an Armen, Kleidern und Haaren und ließ sich durch nichts und niemanden aufhalten, am allerwenigsten durch Worte.

Mariam erkannte nun, was eine Mutter aufopfern musste. Nicht zuletzt ihren Anstand. Voller Reue dachte sie an Nana, an das, was ihr aufgebürdet worden war. Nana hätte sie abgeben oder aussetzen und davonlaufen können. Aber sie hatte es nicht getan und stattdessen die Schande ertragen, einen *harami* zur Tochter zu haben. Sie hatte ihr Leben der undankbaren Aufgabe gewidmet, Mariam aufzuziehen, und sie sogar auf ihre Weise geliebt. Und am Ende war Mariam zu Jalil übergelaufen. Während sie sich nun mit wilder Entschlossenheit durch die Menge kämpfte, bedauerte sie es zutiefst, Nana keine bessere Tochter gewesen zu sein. Sie wünschte, sie hätte schon damals verstanden, was Mutterschaft bedeutete.

Endlich stand sie einer Schwester gegenüber, die von Kopf bis Fuß in eine schmutzige graue Burka gehüllt war. Die Schwester sprach mit einer jungen Frau, durch deren Verschleierung am Kopf Blut sickerte.

»Bei meiner Tochter ist die Fruchtblase geplatzt, aber das Kind will nicht kommen«, rief Mariam.

»*Ich* bin zuerst dran!«, blaffte die blutende junge Frau. »Warte gefälligst, bis du an der Reihe bist.«

Die Menge hinter ihnen wogte hin und her wie das hohe Gras vor der *kolba*, wenn der Wind über die Lichtung fuhr. Eine Frau schrie, dass ihre Tochter vom Baum gefallen sei und sich den Ellbogen gebrochen habe. Eine andere klagte heulend über Blut im Stuhl.

»Hat sie Fieber?«, fragte die Schwester, und es dauerte einen Moment, ehe Mariam bemerkte, dass sie mit ihr sprach.

»Nein«, antwortete Mariam.

»Blutet sie?«

»Nein.«

»Wo ist sie?«

Mariam deutete über die Köpfe der Frauen hinweg auf den Wartesaal.

»Wir kümmern uns drum«, sagte die Schwester.

»Wann?«, rief Mariam. Jemand packte sie bei den Schultern und zerrte sie zurück.

»Ich weiß nicht«, antwortete die Schwester. Sie sagte, dass nur zwei Ärzte Dienst hätten und beide zurzeit operierten.

»Sie hat Schmerzen«, drängte Mariam.

»Ich auch«, blaffte die Frau, die durch ihre Burka blutete. »Und du hast zu warten!«

Mariam wurde zurückgezerrt. Schultern und Köpfe versperrten ihr den Blick auf die Schwester. Ein Säugling, der unmittelbar neben ihr im Arm seiner Mutter hing, stieß Milch auf.

»Gehen Sie mit ihr im Gang auf und ab«, rief die Schwester. »Und gedulden Sie sich.«

Draußen war es schon dunkel geworden, als endlich eine Schwester kam und sie in den Kreißsaal führte. Darin standen acht Betten, bis auf eines alle belegt von schreienden und sich windenden Frauen, um die sich vollständig verschleierte Schwestern kümmerten. Zwei Frauen kamen gerade nieder. Es gab keine Vorhänge zwischen den Betten. Für Laila war das Bett am äußeren Rand frei gemacht worden; es stand unter einem schwarz lackierten Fenster. Daneben befand sich ein trockenes und an mehreren Stellen aufgesprungenes Waschbecken, über dem an einer Wäscheleine schmutzige Gummihandschuhe hingen. In der Mitte des Raumes sah Mariam einen Regaltisch aus Aluminium stehen; auf der oberen Ablage lag eine anthrazitfarbene Decke, das untere Fach war leer.

Eine der Frauen bemerkte, worauf Mariams Blick gerichtet war.

»Die Lebenden kommen nach oben«, sagte sie.

Unter einer dunkelblauen Burka verbarg sich die Ärztin, eine kleine nervöse Frau mit vogelartigen Bewegungen. Alles, was sie sagte, klang gehetzt und ungeduldig.

»Das erste Baby?«, fragte sie im Tonfall einer Feststellung.

»Das zweite«, antwortete Mariam.

Laila stieß einen Schrei aus und wälzte sich zur Seite. Ihre Finger schlossen sich um Mariams Hand.

»Gab's Probleme bei der ersten Geburt?«

»Nein.«

»Sind Sie ihre Mutter?«

»Ja«, antwortete Mariam.

Die Ärztin lüftete das Unterteil der Burka und brachte ein trich-

terförmiges Instrument aus Metall zum Vorschein. Dann entblößte sie Lailas Unterleib, legte das weite Ende des Instruments auf ihren Bauch und führte das schmale Ende ans Ohr. Sie lauschte eine
Weile, verrückte den Trichter an eine andere Stelle und lauschte
wieder.

»Ich muss das Kind jetzt ertasten, *hamshira*.«

Sie zog sich einen der Gummihandschuhe an, die über dem
Waschbecken hingen, drückte dann mit der einen Hand auf Lailas
Bauch und fuhr ihr mit der anderen in die Scheide. Laila wimmerte.
Als die Ärztin fertig war, gab sie den Handschuh einer Schwester,
die ihn unter dem Wasserhahn abwusch und wieder auf die Leine
hängte.

»Das Kind ist in Steißlage. Wir müssen einen Kaiserschnitt machen. Wissen Sie, was das ist? Wir setzen einen Schnitt an und holen
das Kind heraus.«

»Ich verstehe nicht«, sagte Mariam.

Die Ärztin erklärte, dass das Kind sich nicht gedreht habe und
von allein nicht kommen könne. »Wir dürfen keine Zeit mehr verlieren und müssen jetzt sofort in den OP.«

Laila verzog das Gesicht und nickte. Ihr Kopf fiel zur Seite.

»Noch etwas«, sagte die Ärztin und rückte näher an Mariam heran, um ihr etwas mitzuteilen, etwas Vertrauliches, wie es schien. Sie
machte einen leicht verlegenen Eindruck.

»Was ist los?«, krächzte Laila. »Stimmt was nicht mit dem Baby?«

»Aber wie soll sie die Schmerzen aushalten?«, fragte Mariam.

Der Ärztin schien die Frage als Vorwurf zu verstehen, denn ihre
Antwort klang wie eine Entschuldigung. »Glauben Sie etwa, mir ist
das recht?«, sagte sie. »Was soll ich tun? Man gibt mir nun einmal
nicht, was ich brauche. Und es fehlt hier an allem, sogar an einfachen
Antibiotika. Die Gelder der WHO stecken sich die Taliban ein, oder
es fließt an Stellen, wo es ausschließlich Männern zugute kommt.«

»Aber, Doktor *sahib*, gibt es da nichts, was Sie ihr geben könnten?«, fragte Mariam.

»Was ist los?«, stöhnte Laila.

»Sie könnten das Mittel aus eigener Tasche bezahlen, aber …«

»Schreiben Sie mir bitte den Namen auf«, sagte Mariam. »Schreiben Sie ihn auf, und ich besorge es.«

Unter der Burka schüttelte die Ärztin den Kopf. »Dazu bleibt keine Zeit mehr«, sagte sie. »Außerdem ist das Mittel in keiner der umliegenden Apotheken zu haben. Sie müssten durch die halbe Stadt fahren, und das bei dem Verkehr, von Apotheke zu Apotheke, wo Sie aber wahrscheinlich auch nichts bekommen werden. Es ist gleich halb neun, das heißt, Sie wären bis zur Sperrstunde nicht zurück. Und selbst wenn Sie das Mittel irgendwo auftreiben könnten, würden Sie es wahrscheinlich nicht bezahlen können. Oder es sind andere Kunden da, die, ebenso verzweifelt wie Sie, versuchen werden, Sie zu überbieten. Wie dem auch sei, die Zeit drängt. Das Kind muss sofort geholt werden.«

»Sagt mir endlich, was ist«, verlangte Laila. Sie hatte sich, auf einen Ellbogen gestützt, aufgerichtet.

Die Ärztin holte tief Luft und klärte Laila darüber auf, dass dem Krankenhaus keine Betäubungsmittel zur Verfügung stünden.

»Aber wenn wir uns jetzt nicht beeilen, werden Sie Ihr Kind verlieren.«

»Dann schneiden Sie mich auf«, sagte Laila. Sie ließ sich aufs Bett zurückfallen und zog die Knie an. »Schneiden Sie mich auf und geben Sie mir mein Baby.«

Zitternd lag Laila in dem armseligen OP-Saal auf einer rollbaren Trage, während sich die Ärztin über einer Wasserschüssel die Hände schrubbte. Eine Schwester rieb Lailas Bauch mit einem Lappen ab, der mit einer gelbbraunen Flüssigkeit getränkt war. Eine andere Schwester stand neben der Tür, die sie immer wieder einen Spaltbreit öffnete, um nach draußen zu spähen.

Die Ärztin hatte ihre Burka abgelegt. Mariam sah einen Schopf silbriger Haare, schwere Augenlider und schlaffe Mundwinkel, die von Müdigkeit zeugten.

»Sie verlangen, dass wir selbst beim Operieren eine Burka tragen«, erklärte sie und deutete auf die Schwester an der Tür. »Sie passt auf, dass keiner kommt, und schlägt gegebenenfalls Alarm.«

Sie sagte dies ganz nüchtern und wie beiläufig, und Mariam spürte, dass sie längst alle Wut hinter sich gelassen hatte. Eine Frau, so dachte sie, die noch froh darüber sein konnte, dass sie überhaupt arbeiten durfte, sich gleichzeitig aber darüber im Klaren war, dass auch dieses Privileg auf dem Spiel stand.

An der Trage waren auf Schulterhöhe zwei aufrechte Metallstangen angebracht, zwischen die nun die Schwester, die Laila den Bauch desinfiziert hatte, ein Tuch spannte, das eine Art Vorhang zwischen Laila und der Ärztin bildete.

Mariam stellte sich ans Kopfende der Trage und beugte sich tief herab, um ihre Wange an Lailas Wange zu legen. Sie spürte, wie ihr die Zähne klapperten. Die Hände der beiden waren fest ineinander verschränkt.

Durch den Vorhang sah Mariam den Schatten der Ärztin auf der linken, den der Schwester auf der rechten Seite. Laila hatte ihre Lippen gegen das Zahnfleisch gepresst; der Speichel drang in Blasen zwischen den zusammengebissenen Zähnen hervor. Sie gab kleine Zischlaute von sich.

Die Ärztin sagte: »Fassen Sie sich ein Herz, kleine Schwester.«
Sie beugte sich über Laila.

Laila riss Augen und Mund auf. Sie verkrampfte, zitterte am ganzen Leib. Die Sehnen am Hals waren zum Zerreißen gespannt. Schweiß tropfte ihr vom Gesicht. Ihre Hände quetschten Mariams Finger.

Mariam sollte sie für immer dafür bewundern, wie tapfer sie aushielt und wie lange es dauerte, bevor sie nicht mehr anders konnte als zu schreien.

40

Laila
Herbst 1999

Das Loch zu graben ging auf Mariams Vorschlag zurück. Eines Morgens zeigte sie auf eine Stelle hinter dem Werkzeugschuppen. »Da wär's gut«, sagte sie. »Versuchen wir's.«

Sie wechselten sich dabei ab, den Boden mit einem Spaten zu lockern und die lose Erde beiseitezuschaufeln. Es sollte kein großes oder tiefes Loch werden, und doch kostete die Arbeit mehr Kraft als gedacht. Seit 1998 herrschte Dürre, nun schon im zweiten Jahr und mit verheerenden Auswirkungen für das ganze Land. Im vergangenen Winter hatte es kaum geschneit, und während des Frühlings war kein Tropfen Regen gefallen. Überall in Afghanistan waren Bauern gezwungen, ihr Hab und Gut zu verkaufen, ihre ausgetrockneten Felder zu verlassen und auf der Suche nach Wasser von Dorf zu Dorf zu ziehen. Sie wanderten nach Pakistan aus oder in den Iran. Viele versuchten, in Kabul Fuß zu fassen. Aber auch dort waren die Wasservorräte fast aufgebraucht und alle weniger tiefen Brunnen versiegt. Vor den tiefen Brunnen standen Laila und Mariam oft stundenlang Schlange, bis sie endlich an die Reihe kamen und Wasser schöpfen konnten. Das Flussbett des Kabul war knochentrocken, voller Unrat und Abfall.

Und so mühten sie sich mit dem Spaten ab, denn der von der Sonne gebackene Boden war wie versteinert.

Mariam war in diesem Jahr vierzig geworden. Das über der Stirn aufgerollte Haar zeigte graue Strähnen. Unter den Augen hing die Haut in braunen halbmondförmigen Falten herab. Zwei Schneidezähne fehlten; der eine war von allein ausgefallen, der andere von

Raschid herausgeschlagen worden, nachdem sie Zalmai aus Versehen fallen gelassen hatte. Ihre Haut war wie gegerbt von den vielen Stunden unter glühender Sonne im Hof, wo sie Zalmai und Aziza beim Spielen beaufsichtigte.

»Das müsste reichen«, sagte Mariam, als ihr das Loch tief genug erschien. Die beiden Frauen traten zurück und betrachteten ihr Werk.

Zalmai war jetzt zwei, ein strammer kleiner Junge mit lockigem Haar. Er hatte wie Raschid braune Augen, und seine Wangen waren immer rosig, bei jedem Wetter. Auch den tiefen, wie abgezirkelten Haaransatz hatte er von seinem Vater.

Allein mit seiner Mutter, war Zalmai freundlich und verspielt. Er liebte es, auf ihre Schultern zu klettern oder mit Aziza im Hof Verstecken zu spielen, auch stieg er gern auf Lailas Schoß und ließ sich etwas von ihr vorsingen. Sein Lieblingslied war »Mullah Mohammad jan«. Wenn sie ihm die Verse ins Ohr sang, wippte er mit den runden kleinen Füßen im Takt und stimmte in den Refrain mit seiner heiseren Stimme ein.

> *Komm und lass uns nach Mazar gehn,*
> *Mullah Mohammad jan,*
> *die Tulpenfelder dort zu sehn,*
> *mein lieber kleiner Kumpan.*

Laila liebte Zalmais feuchte Küsse auf ihren Wangen, die Grübchen an den Ellbogen und seine kräftigen kleinen Zehen. Sie liebte es, ihn zu kitzeln, aus Kisten und Polstern Höhlengänge zu bauen, durch die er dann zu krabbeln versuchte, oder ihn in den Armen zu wiegen, bis er einschlief, wobei er immer eins ihrer Ohren mit der Hand gefasst hielt. Ihr wurde schlecht, wenn sie an jenen Nachmittag zurückdachte, als sie mit der Fahrradspeiche zwischen den Beinen am Boden gelegen hatte. Es war für sie nicht mehr nachzuvollziehen, dass sie eine solche Möglichkeit überhaupt in Erwägung gezogen hatte. Sie sah in ihrem Sohn ein Geschenk und stellte zu ihrer Erleichterung fest, dass ihre Sorgen unbegründet waren, denn sie liebte ihn von ganzem Herzen, genauso sehr wie Aziza.

Vor allem aber hing Zalmai an seinem Vater, und wenn Raschid ihn verwöhnte, war der Kleine wie ausgewechselt. In Raschids Gegenwart verhielt er sich trotzig und eigensinnig; er war dann auch schnell beleidigt, bockig und ließ sich von Laila nichts sagen.

Raschid hatte Gefallen daran. »Der Junge beweist Intelligenz«, sagte er und klatschte auch Beifall, wenn Zalmai übermütig wurde, Murmeln verschluckte, mit Streichhölzern spielte und an Raschids Zigarettenstummeln lutschte.

Als Zalmai zur Welt gekommen war, hatte Raschid darauf bestanden, dass er im Bett seiner Eltern schlief. Später hatte er ihm eine neue Wiege gekauft, deren Seiten mit Bildern von Löwen und kauernden Leoparden bemalt waren. Er kaufte auch neue Kleidung, Rasseln, neue Flaschen und neue Windeln, obwohl sie sich diese Ausgaben nicht leisten konnten und die alten Sachen von Aziza durchaus genügt hätten. Eines Tages kam er nach Hause und hängte ein batteriebetriebenes Mobile über Zalmais Wiege – eine Plastiksonnenblume, um die kleine schwarz-gelbe Hummeln schwirrten, die quietschten, wenn man sie drückte. Dazu erklang eine Melodie.

»Ich dachte, die Geschäfte gehen nicht gut«, sagte Laila.

»Ich habe Freunde, von denen ich mir Geld leihen kann«, entgegnete er unwirsch.

»Wie willst du die Schulden jemals begleichen?«

»Es kommen auch wieder andere Zeiten. Ihm gefällt's. Siehst du?«

Tagsüber musste Laila meist auf ihren Sohn verzichten. Raschid nahm ihn mit in seinen Laden, wo er ihn über die Werkbank krabbeln und mit alten Gummisohlen oder Lederresten spielen ließ. Während er Absätze festnagelte oder an der Schleifmaschine arbeitete, behielt er seinen Sohn immer im Blick. Wenn Zalmai ein Schuhregal zum Kippen brachte, erteilte ihm Raschid eine freundliche Rüge und lächelte dabei. Wenn er es wieder tat, legte Raschid den Hammer aus der Hand, setzte ihn auf die Werkbank und versuchte, vernünftig auf ihn einzureden.

Seine Geduld, die er Zalmai entgegenbrachte, war ein tiefer Brunnen, der nie austrocknete.

Wenn sie am Abend zurückkehrten, thronte Zalmai auf seinen Schultern und wackelte mit dem Kopf. Beide rochen nach Leim und Leder. Sie schmunzelten verschlagen, als hätten sie, anstatt Schuhe zu flicken, den ganzen Tag geheime Pläne geschmiedet. Zalmai saß beim Abendessen immer neben seinem Vater. Die beiden neckten sich, während Mariam, Laila und Aziza die Teller auf der *sofrah* verteilten. Sie stupsten einander mit ausgestreckten Fingern an, bewarfen sich mit Brotkrumen, kicherten und tuschelten miteinander. Wenn Laila ein Wort an sie richtete, zeigte sich Raschid über ihre Einmischung verärgert. Wenn sie darum bat, Zalmai auf den Arm nehmen zu dürfen – oder schlimmer noch, wenn Zalmai von sich aus zu ihr wollte –, verfinsterte sich Raschids Miene.

Laila verspürte dann jedes Mal einen Stich und zog sich zurück.

Eines Abends, wenige Wochen nach Zalmais drittem Geburtstag, kam Raschid mit einem Fernsehgerät und einem Videorekorder nach Hause zurück. Es war ein milder Tag gewesen, doch zum Abend hatte es merklich abgekühlt, und die Nacht versprach, kalt zu werden.

Er stellte seine Errungenschaften auf dem Wohnzimmertisch ab und sagte, dass er sie auf dem Schwarzmarkt erstanden habe.

»Wieder mit geborgtem Geld?«, fragte Laila.

»Das ist ein Magnavox.«

Aziza kam ins Zimmer. Als sie den Fernseher sah, lief sie darauf zu.

»Vorsicht, Aziza *jo*«, sagte Mariam. »Nicht berühren.«

Azizas Haar war inzwischen so hell wie das ihrer Mutter, und in den Grübchen auf ihren Wangen erkannte Laila ihre eigenen wieder. Aziza hatte sich zu einem ruhigen, nachdenklichen kleinen Mädchen gemausert und legte ein Verhalten an den Tag, das, wie Laila fand, sehr viel reifer war, als man es von einem sechsjährigen Kind erwarten konnte. Laila staunte über die Sprachfertigkeit ihrer Tochter, über Tonfall und Wortwahl, über die besonnenen Pausen und Hebungen. Sie klang so erwachsen, dass der kleine Körper gar nicht so recht zu ihr zu passen schien. Aziza hatte es sich zur Aufgabe gemacht, Zalmai morgens aufzuwecken, anzuziehen, zu füttern und zu kämmen. Sie war es, die das quirlige Kerlchen mit Gleichmut und gespielter Autorität im Zaum hielt und ihn mittags schlafen legte, und wenn er es allzu toll trieb, sah man sie wie eine entnervte Erwachsene auf drollige Weise die Augen verdrehen.

Aziza drückte auf den Einschaltknopf des Fernsehers. Raschid kniff die Brauen zusammen und packte sie unsanft beim Handgelenk.

»Das ist Zalmais Apparat«, sagte er.

Aziza lief auf Mariam zu und kletterte auf ihren Schoß. Die beiden waren längst unzertrennlich. Vor kurzem hatte Mariam mit Lailas Einverständnis damit begonnen, Aziza Verse aus dem Koran beizubringen. Die Kleine konnte bereits die Suren *al-Fatiha* und *al-Ikhlas* auswendig aufsagen und wusste, wie die vier *Rakat* des Morgengebets vorzutragen waren.

»Das ist alles, was ich ihr geben kann«, hatte Mariam gesagt, »dieses Wissen, diese Gebete. Sie sind das Einzige, was ich je besessen habe.«

Jetzt kam Zalmai ins Zimmer. Raschid schaute ihm erwartungsvoll dabei zu, wie er am Kabel zog, auf die Schalter tippte und seine Hände an den Bildschirm drückte. Als er sie wieder entfernte, blieben kleine Kondensflecken auf der Scheibe zurück, die sich allmählich auflösten. Davon offenbar fasziniert, patschte er nun immer wieder auf den Bildschirm. Raschid strahlte übers ganze Gesicht, und man hätte meinen können, er bestaunte die Tricks eines Zauberkünstlers.

Die Taliban hatten den Besitz von Fernsehgeräten verboten. Videokassetten waren in der Öffentlichkeit demonstrativ zerschlagen, die Bänder herausgerissen und um Zaunpfosten gewickelt worden. Satellitenschüsseln baumelten wie Gehenkte an Straßenlaternen. Doch Raschid meinte, dass Verbotenes nicht aus der Welt sei und durchaus aufgetrieben werden könne.

»Morgen werde ich mich nach Zeichentrickfilmen umschauen«, verkündete er. »Auch das dürfte nicht allzu schwer sein. In den Untergrundbasaren ist alles zu kaufen.«

»Dann solltest du uns vielleicht einen neuen Brunnen besorgen«, sagte Laila, was Raschid mit einem finsteren Blick quittierte.

Ein paar Tage später, nach einem Abendessen, das wieder nur aus weißem Reis bestand und der anhaltenden Dürre wegen ohne Tee auskommen musste, teilte Raschid Laila mit, wozu er sich entschieden hatte.

»Kommt nicht in Frage«, sagte Laila.

Sein Entschluss stehe nicht zur Debatte, entgegnete er.

»Ist mir egal.«

»Das wäre es nicht, wenn du die ganze Geschichte kennen würdest.«

Er erklärte, dass er erneut Freunde habe anpumpen müssen, weil die Einkünfte aus dem Geschäft für den Unterhalt der Familie nicht länger ausreichen. »Ich wollte dich nicht beunruhigen. Darum hab ich's nicht schon früher gesagt.«

»Und außerdem«, fügte er hinzu, »es wird dich überraschen, was da an Geld zusammenkommt.«

Laila bekräftigte ihr Nein. Sie waren im Wohnzimmer, Mariam und die Kinder in der Küche. Sie hörte Geschirr klappern, Zalmais schrilles Lachen und Aziza, die in ihrer ruhigen, vernünftigen Stimme Worte an Mariam richtete.

»Sie wäre beileibe nicht die Einzige, nicht einmal die Jüngste«, sagte Raschid. »Kabul ist voll davon.«

Laila erwiderte, ihr sei einerlei, was andere Eltern ihren Kindern zumuteten.

»Ich werde sie im Auge behalten«, sagte Raschid, merklich gereizt. »Die Stelle, die ich mir ausgesucht habe, ist sicher. Auf der anderen Straßenseite steht eine Moschee.«

»Ich werde nicht zulassen, dass du aus meiner Tochter eine Bettlerin machst«, sagte Laila.

Seine Pranke traf sie laut schallend im Gesicht und so wuchtig, dass ihr der Kopf herumschleuderte. Die Geräusche in der Küche verstummten, und für einen Moment lang war es im Haus vollkommen still. Dann waren hastige Schritte im Flur zu hören. Mariam und die Kinder kamen ins Wohnzimmer geeilt. Ihre ängstlichen Blicke flogen zwischen Raschid und Laila hin und her.

Laila schlug zurück.

Es war das erste Mal, dass sie die Hand gegen einen anderen erhob, abgesehen von den Kabbeleien mit Tarik, die aber eher schüchtern und freundschaftlich ausgetragen worden waren, mit einem Knuff oder Klaps als Ausdruck ihrer sowohl irritierend als auch spannend empfundenen Befangenheit. Sie hatte damals immer auf den Muskel gezielt, den Tarik neunmalklug als Deltoid bezeichnete.

Laila spürte jetzt, wie ihre geballte Faust auf Raschids stoppeligem Kinn auftraf. Es klang, als wäre ein Reisebeutel zu Boden gefallen. Sie hatte so hart zugeschlagen, dass Raschid ins Wanken geriet und zurücktaumelte.

In der anderen Ecke des Zimmers wurden Schreie laut. Wer sie ausstieß, hörte Laila nicht. Sie war zu perplex, um darauf zu achten, und schien abzuwarten, ob ihr Verstand realisierte, was sich gerade zugetragen hatte. Als er es tat, war ihr zum Lachen zumute, und sie musste unwillkürlich schmunzeln, als Raschid zu ihrer Verwunderung wortlos den Raum verließ.

Plötzlich war ihr, als fiele alle Not, die sie selbst und im Mitgefühl für Aziza und Mariam erleiden musste, von ihr ab, als löste sie sich auf wie Zalmais Fingerabdrücke auf dem Fernsehschirm. So absurd es auch scheinen mochte, fühlte sie sich doch in diesem Moment des Aufbegehrens entschädigt dafür, dass sie Raschids entwürdigende Zumutungen so lange ertragen hatte.

Dass Raschid ins Zimmer zurückgekehrt war, bemerkte sie erst, als er ihr die fleischigen Hände um den Hals geschlungen hatte. Er stemmte sie in die Höhe und stieß sie mit dem Rücken an die Wand.

Aus nächster Nähe erschien ihr sein Gesicht unmöglich groß. Ihr fiel auf, dass es mit den Jahren aufgedunsen war. Das Aderngeflecht auf der Nase hatte sich ausgeweitet. Raschid sagte nichts. Worte erübrigten sich.

Die Razzien waren der Grund für das ausgehobene Loch hinterm Schuppen. Hatte man vor kurzem noch allenfalls ein- oder zweimal im Monat mit ihnen rechnen müssen, kamen die Taliban in jüngster Zeit fast täglich. Sie konfiszierten nach Belieben, versetzten Fußtritte, teilten Hiebe aus. Häufig zerrten sie ihre Opfer auch auf die Straße, um ihnen in aller Öffentlichkeit Fußsohlen und Handflächen auszupeitschen.

»Vorsichtig«, sagte Mariam, die am Rand der Grube kniete. Gemeinsam senkten sie den mit einer Plastikfolie umwickelten Fernseher ins Loch.

»Gut so«, sagte Mariam.

Sie füllten das Loch auf, stampften den Boden mit den Füßen fest und verwischten verräterische Spuren.

»Das wär's.« Mariam wischte sich die Hände am Kleid ab.

Wenn die Taliban ihre Razzien einstellten, würden sie, so war es verabredet, das Gerät wieder ausgraben. Doch darüber mochten noch Monate vergehen.

Laila träumte, mit Mariam hinter dem Schuppen wieder eine Grube auszuheben. Doch diesmal wird Aziza vergraben, deren Atem die Kunststofffolie beschlägt, in die sie eingewickelt ist. Laila sieht die Panik in den Augen ihrer Tochter, die weißen Handflächen, die sich von innen an die Folie pressen. Aziza schreit. Laila kann sie nicht hören. »Nur für eine Weile« ruft sie ihr zu, »es ist nur für eine Weile. Wegen der Razzien, verstehst du, mein Liebes? Wenn die vorüber sind, werden dich Mami und *Khala* Mariam wieder ausgraben. Das verspreche ich dir. Und dann spielen wir wieder miteinander. Wir spielen, was du willst.« Sie schaufelt Erde ins Loch.

Schweißüberströmt wachte Laila auf, den Geschmack von Staub auf der Zunge.

41

Mariam

Die Dürre ging ins dritte Jahr und erreichte im Sommer 2000 ihren Höhepunkt.

Die Bewohner der Provinzen Helmand, Zabol und Kandahar hatten ihre Höfe verlassen und nomadisierten auf der Suche nach Wasser und grünen Weiden für ihr Vieh. Als dann ihre Ziegen, Schafe und Kühe verdursteten, kamen sie nach Kabul. An den Hängen des Kareh-Ariana entstanden Slums, wo sich meist fünfzehn bis zwanzig Menschen eine der provisorischen Hütten teilten.

Es war auch der Sommer, in dem das Spielfilmdrama *Titanic* im Fernsehen gezeigt wurde. Aziza war so angetan davon, dass sie immer wieder Szenen nachzuspielen versuchte, und zwar stets in der Rolle des Jack Dawson.

»Sei leise, Aziza *jo*.«

»Jack! Sag meinen Namen, *Khala* Mariam. Sag ihn. Jack!«

»Dein Vater wird böse sein, wenn du ihn weckst.«

»Jack, und du bist Rose.«

Mariam musste sich geschlagen geben und einverstanden erklären. »Schön, du bist Jack«, sagte sie, rücklings auf dem Boden liegend. »Das heißt aber auch, dass du schon in jungen Jahren stirbst und ich uralt werde.«

»Ja, aber ich sterbe als Held«, erwiderte Aziza, »während du dich, Rose, dein ganzes trauriges Leben lang nach mir sehnst.« Sie hockte sich rittlings auf Mariams Brust und verkündete: »Jetzt müssen wir uns küssen.« Mariam warf den Kopf hin und her, und Aziza, begeistert von ihrer skandalösen Bravour, prustete mit geschürzten Lippen.

Manchmal kam Zalmai dazu, beobachtete die beiden bei ihrem Spiel und verlangte auch eine Rolle für sich.

»Du bist der Eisberg«, sagte Aziza.

In jenem Sommer wurde ganz Kabul vom *Titanic*-Fieber gepackt. Aus Pakistan wurden Raubkopien ins Land geschmuggelt – häufig versteckt in der Unterwäsche. Zur Sperrstunde waren allerorts die Türen verriegelt, Lichter ausgeschaltet und Taschentücher für die Tränen gezückt, die dann um Jack, Rose und die anderen Passagiere des untergehenden Schiffes vergossen wurden. Wenn es Strom gab, konnten auch Mariam und Laila nicht widerstehen. An die Dutzend Male holten sie das Fernsehgerät spät in der Nacht aus dem Versteck hinterm Schuppen, löschten die Lichter, verhängten die Fenster und schauten sich mit den Kindern den Film an.

Im ausgetrockneten Flussbett des Kabul fanden sich bald fliegende Händler ein, die aus ihren Karren Teppiche und Stoffe mit *Titanic*-Dekors zum Kauf anboten. Es gab auch *Titanic*-Deodorants, *Titanic*-Zahnpasta, *Titanic*-Parfüm, *Titanic-pakoras* und sogar *Titanic*-Burkas. Ein besonders hartnäckiger Bettler bezeichnete sich selbst als *Titanic*-Bittsteller.

Titanic City war geboren.

»Es ist wegen der Musik«, sagten viele.

»Nein, das Meer. Der Luxus. Das Schiff.«

»Die Sexszenen«, flüsterten manche.

»Leo«, meinte Aziza freimütig. »Es ist vor allem wegen Leo.«

»Alle wollen Jack«, sagte Laila zu Mariam. »Darum geht's. Alle wollen von Jack vor der Katastrophe gerettet werden. Aber es gibt keinen Jack. Jack ist tot.«

Im Spätsommer schlief ein Tuchhändler mit brennender Zigarette im Mund über seiner Ware ein. Er überlebte, doch sein Stand brannte ab. Das Feuer griff auch auf andere Stände, einen Altkleiderladen, ein kleines Möbelgeschäft und eine Bäckerei über.

Hätte der Wind, so hieß es später, eine andere Richtung genommen, wäre Raschids Werkstatt, die am Rand des betroffenen Viertels lag, vielleicht verschont geblieben.

Sie mussten alles verkaufen.

Zuerst wurden Mariams Habseligkeiten veräußert, dann die von Laila, ebenso Azizas Säuglingskleidung und die wenigen Spielzeuge, die Raschid ihr auf Lailas Drängen hin gekauft hatte. Aziza fand sich wortlos damit ab. Raschid verkaufte seine Armbanduhr, das alte Transistorradio, seine beiden Krawatten, die Schuhe und den Ehering. Trennen mussten sie sich auch von Couch und Tisch, dem Teppich und den Stühlen. Zalmai wütete wie wild, als Raschid den Fernseher verkaufte.

Nach dem Feuer ging Raschid kaum mehr aus dem Haus. Er schlug Aziza. Er trat Mariam. Er warf mit Gegenständen um sich. Er mäkelte an Laila herum, an der Art, wie sie sich kleidete und frisierte. Er beschwerte sich über ihren Körpergeruch und die gelb gewordenen Zähne.

»Was ist aus dir geworden?«, knurrte er. »Ich habe eine *pari* geheiratet, bin aber jetzt mit einer Vettel gestraft. Du stehst Mariam in nichts mehr nach.«

Er verlor eine Anstellung in einem Kebab-Haus am Hadschi-Jakob-Platz, weil sich ein Gast über seine unfreundliche Bedienung beschwert hatte, worauf es zu einer handfesten Auseinandersetzung gekommen war. Raschid hatte ihn als usbekischen Affen beschimpft. Eine Pistole war gezogen, ein Bratspieß gezückt worden. Raschid behauptete später, dass er den Bratspieß in der Hand gehalten habe. Mariam zweifelte daran.

Er kellnerte in einem Restaurant in Taimani, wo er sich aber auch nicht lange halten konnte, weil die Kundschaft klagte, viel zu lange aufs Essen warten zu müssen. Raschid behauptete, der Koch sei zu langsam und zu faul.

»Wahrscheinlich hast du in irgendeiner Ecke gehockt und gedöst«, bemerkte Laila.

»Provozier ihn nicht, Laila *jo*«, sagte Mariam.

»Sieh dich vor, Frau«, blaffte er.

»Entweder gedöst oder geraucht.«

»Ich warne dich nicht noch einmal.«

»Von dir ist wahrhaftig nichts anderes zu erwarten.«

Und dann fiel er über sie her, prügelte mit Fäusten auf sie ein, riss ihr an den Haaren und schleuderte sie gegen die Wand. Weinend zerrte Aziza an seinem Hemd; auch Zalmai weinte und versuchte, ihn von seiner Mutter wegzuziehen. Raschid stieß die Kinder beiseite, warf Laila zu Boden und trat ihr in den Leib. Mariam versuchte, Laila mit ihrem eigenen Körper zu schützen, doch er trat weiter, blind in seiner Wut, mit Schaum vorm Mund und irrem Blick. Er trat, bis er nicht mehr konnte.

»Du legst es noch darauf an, dass ich dich umbringe, Laila«, schnaubte er keuchend und rannte aus dem Haus.

Das Geld ging aus. Sie hatten nichts mehr zu essen. Alles drehte sich nur noch darum, den Hunger zu stillen.

Wenn es hoch kam, gab es gekochten Reis, ohne jede Zutat. Immer häufiger mussten sie auf eine Mahlzeit verzichten. Manchmal brachte Raschid eine Dose Ölsardinen und trockenes Brot mit nach Hause, das wie Sägemehl schmeckte. Manchmal stahl er Äpfel und riskierte, dafür die Hand abgehackt zu bekommen. In Lebensmittelläden ließ er heimlich eine Dose Ravioli in der Tasche verschwinden, deren Inhalt dann durch fünf geteilt wurde; Zalmai bekam jedes Mal die größte Portion. Sie aßen rohe Rüben, mit einer Prise Salz gewürzt, welke Salatblätter und schwarze Bananen.

An Unterernährung zu sterben wurde zur realen Gefahr. Viele mochten auf einen solchen Tod nicht lange warten. Mariam hörte von einer Witwe aus der Nachbarschaft, die trockenes Brot zerrieben, mit Rattengift vermischt und all ihren sieben Kindern zu essen gegeben hatte. Zuletzt nahm sie selbst davon.

Bei Aziza zeichneten sich die Rippen unter der Haut ab; die runden Wangen fielen ein. Die Waden schrumpften, und ihre Haut nahm die Farbe dünnen Tees an. Wenn Mariam sie auf den Arm nahm, spürte sie die hervortretenden Hüftknochen. Zalmai lag mit stumpfen, halb geschlossenen Augen und schlaffen Gliedern am Boden oder auf dem Schoß seines Vaters. Wenn er genug Kraft dazu hatte, weinte er sich in den Schlaf, doch der Schlaf war gestört und ohne erholsame Wirkung. Sooft sich Mariam erhob, tanzten ihr weiße Funken vor den Augen. Ihr schwindelte, und in den Ohren rauschte es unablässig. Sie erinnerte sich, was Mullah Faizullah zu Beginn eines jeden Ramadan über den Hunger gesagt hatte: »Auch wer von einer Schlange gebissen wurde, kann schlafen, nicht aber der, der hungert.«

»Meine Kinder liegen im Sterben«, jammerte Laila. »Und ich muss tatenlos zusehen.«

»Nein«, sagte Mariam. »Dazu kommt es nicht. Mach dir keine Sorgen, Laila *jo*. Ich werde es zu verhindern wissen.«

An einem brütend heißen Tag zog sich Mariam ihre Burka über und ging, von Raschid begleitet, zum Hotel Intercontinental – zu Fuß, denn das Geld für eine Busfahrkarte konnten sie nicht aufbringen. Der Weg dorthin führte über einen steilen Anstieg. Von heftigen Schwindelanfällen geplagt, war Mariam immer wieder gezwungen, zu pausieren, um sich zu erholen. Völlig erschöpft erreichte sie schließlich ihr Ziel.

Vor dem Hoteleingang steuerte Raschid auf einen der Türsteher zu, die burgunderrote Livree und eine Schirmmütze trugen. Die beiden begrüßten sich mit einer Umarmung und wechselten ein paar Worte miteinander. Raschid deutete zwischendurch auf Mariam und machte den anderen auf sie aufmerksam. Ihr kam der Livrierte irgendwie bekannt vor.

Er verschwand dann im Foyer. Mariam und Raschid warteten. Von der Stelle, an der sie stand, konnte Mariam das Polytechnische Institut sehen, dahinter das alte Stadtviertel Khair khana und die Straße nach Mazar. Im Süden zeigte sich die leer stehende Brotfabrik Silo; in der blassgelben Fassade klafften tiefe Einschusslöcher. Weiter südlich erkannte Mariam die Ruine des Darulaman-Palastes, in dessen Garten sie und Raschid vor vielen Jahren gepicknickt hatten. Die Erinnerung an diesen Tag erschien ihr wie das Relikt einer Vergangenheit, mit der sie nichts mehr zu tun hatte.

Mariam konzentrierte sich auf diese Dinge, diese Wahrzeichen, denn sie fürchtete, ihren Mut zu verlieren, wenn sie eigenen Gedanken nachhing.

In kurzen Abständen fuhren Jeeps und Taxis vor. Türsteher eilten den Neuankömmlingen entgegen. Es waren durchweg bewaffnete bärtige Männer mit Turban und bedrohlich selbstsicherem Auftreten. Wenn sie an ihr vorbeikamen, schnappte sie ein paar Brocken auf. Die meisten sprachen Paschto oder Farsi, aber Mariam hörte auch Worte auf Urdu und Arabisch.

»Unsere wahren Herren«, flüsterte Raschid. »Pakistani und arabische Islamisten. Die Taliban sind nur deren Handlanger. Das da sind die eigentlichen Spieler, und Afghanistan ist ihr Spielfeld.«

Raschid erklärte, gehört zu haben, dass diese Leute im ganzen Land mit Wissen der Taliban geheime Lager unterhielten, in denen junge Männer zu Selbstmordattentätern und Dschihad-Kämpfern ausgebildet würden.

»Warum braucht er so lange?«, fragte Mariam.

Raschid spuckte auf den Boden und scharrte mit dem Fuß Dreck über seinen Auswurf.

Eine Stunde später winkte sie der Türsteher durchs Portal. Ihre Absätze klapperten auf den Bodenfliesen einer angenehm kühlen Vorhalle. Mariam sah zwei Männer in ledernen Sesseln sitzen, zwischen ihnen ein niedriger Tisch, auf dem sie ihre Gewehre abgelegt hatten. Sie tranken schwarzen Tee und aßen in Sirup getränkte und mit Puderzucker bestreute *jelabi*-Kringel. Mariam dachte an Aziza, die *jelabi* liebte, und wandte den Blick ab.

Der Türsteher führte sie auf einen Balkon. Er zog ein kleines schwarzes schnurloses Telefon und ein Stück Papier aus der Tasche, auf dem eine Telefonnummer geschrieben stand. Darüber lasse sich sein Vorgesetzter auf dessen Satellitentelefon erreichen, sagte er Raschid.

»Ich gebe dir fünf Minuten«, sagte er. »Mehr nicht.«

»*Tashakor*«, dankte Raschid. »Das werde ich dir nicht vergessen.«

Der Türsteher nickte und zog sich zurück. Raschid wählte und reichte Mariam das Telefon.

Mariam lauschte dem blechernen Rufzeichen und dachte an jenen Tag vor dreizehn Jahren im Frühjahr 1987 zurück, an dem sie Jalil zum letzten Mal gesehen hatte. Er hatte, auf einen Stock gestützt, vor ihrem Haus gestanden, neben einem blauen Mercedes mit Herater Kennzeichen und weißem Mittelstreifen auf Motorhaube, Dach und Heck. Drei Stunden lang stand er dort, rief immer wieder ihren Namen und wartete, so wie sie einmal vor *seinem* Haus gewartet hatte. Sie hielt sich hinter dem Vorhang versteckt, lugte durch einen winzigen Spalt und sah, dass sein Haar schütter und weiß geworden war. Er hielt sich ein wenig gebückt, trug Brille und wie immer eine rote Krawatte sowie ein weißes Taschentuch in der Brusttasche. Vor allem fiel ihr auf, dass er dünner geworden war, sehr viel dünner; er schien in seinem dunkelbraunen Anzug zu verschwinden.

Jalil hatte sie offenbar gesehen, wenn auch nur für einen kurzen Moment. Ihre Blicke waren einander begegnet, wieder, wie schon vor vielen Jahren, zwischen einem Spalt im Vorhang. Mariam war ihm ausgewichen, hatte sich aufs Bett gesetzt und darauf gewartet, dass er wegfuhr.

Er hatte einen Brief für sie vor der Tür zurückgelassen. Daran dachte sie jetzt. Sie hatte ihn tagelang unter ihrem Kissen versteckt gehalten, manchmal hervorgezogen und hin und her gewendet, am Ende aber ungeöffnet zerrissen.

Und nach all den Jahren versuchte sie nun, Jalil anzurufen.

Mariam bedauerte, ihm die Tür nicht geöffnet zu haben. Was hätte es geschadet, ihn hereinzubitten und erklären zu lassen, was er auf dem Herzen hatte? Er war ihr Vater. Zugegeben, kein guter Vater, aber im Vergleich zu Raschids Bösartigkeit oder der Brutalität und Gewalt, mit der sich andere Männer bekriegten, erschienen ihr Jalils Fehler nun durchaus verzeihlich.

Sie wünschte, sie hätte den Brief nicht zerrissen.

Eine tiefe Männerstimme meldete sich am Telefon und informierte Mariam darüber, dass sie mit dem Bürgermeisteramt in Herat verbunden war.

Mariam räusperte sich. »*Salaam*, Bruder, ich suche nach einem bestimmten Einwohner von Herat. Jedenfalls hat er vor vielen Jahren dort gelebt. Sein Name ist Jalil Khan. Er wohnte in Shar-e-Nau und war Besitzer eines Kinos. Wissen Sie zufällig, wo er sich heute aufhalten könnte?«

Der Mann am anderen Ende war hörbar irritiert. »Deshalb rufen Sie im Bürgermeisteramt an?«

Mariam antwortete, dass sie nicht wisse, an wen sie sich sonst wenden könne. »Verzeihen Sie, Bruder. Ich kann mir vorstellen, dass Sie sehr beschäftigt sind, aber in meinem Fall geht es um Leben und Tod. Deshalb rufe ich an.«

»Ich kenne diesen Mann nicht. Das Kino ist vor vielen Jahren geschlossen worden.«

»Wüssten Sie vielleicht jemanden, der ihn kennen könnte, eine Person, die …«

»Da ist niemand.«

Mariam schloss die Augen. »Bitte, Bruder. Es geht vor allem um Kinder. Kleine Kinder.«

Ein langer Seufzer.

»Vielleicht kann jemand …«

»Ich glaube, unser Hausmeister hat immer schon in Herat gelebt.«

»Ja, fragen Sie ihn, bitte.«

»Rufen Sie morgen wieder an.«

Mariam sagte, dass das unmöglich sei. »Ich habe dieses Telefon nur für fünf Minuten. Ein zweites Mal …«

Es klickte am anderen Ende, und Mariam fürchtete schon, dass die Verbindung abgebrochen war. Doch dann hörte sie Schritte und Stimmen, eine Autohupe aus der Ferne und ein von regelmäßigen Quietschlauten unterbrochenes Surren, vielleicht von einem elektrischen Ventilator. Sie legte den Hörer ans andere Ohr und schloss die Augen.

Sie stellte sich Jalil vor, wie er lächelnd in seine Jackentasche griff. *Ah. Natürlich. Verstehe. Also dann …*

Eine Kette mit herzförmigem Anhänger, an dem winzig kleine Münzen hingen, in die Mond und Sterne eingraviert waren.

Probier sie mal an, Mariam jo.

Wie steht sie mir?

Ich finde, du siehst aus wie eine Königin.

Nach zwei oder drei Minuten waren wieder Schritte zu hören, ein Knarren, ein Klicken. »Er kennt ihn.«

»Wirklich?«

»Das behauptet er jedenfalls.«

»Wo ist er?«, fragte Mariam. »Weiß dieser Mann, wo sich Jalil Khan aufhält?«

Es entstand eine kurze Pause. »Er sagt, dass er schon vor Jahren gestorben ist. 1987.«

Mariam stockte der Atem. Natürlich hatte sie an diese Möglichkeit gedacht. Jalil wäre inzwischen weit über siebzig, aber …

1987.

Er hatte also damals nicht mehr lange zu leben gehabt und war den ganzen Weg von Herat gekommen, um sich zu verabschieden.

Sie trat an den Rand des Balkons. Von dort oben konnte sie den einstmals berühmten Swimmingpool des Hotels sehen, der jetzt leer und verschmutzt war, voller Einschusslöcher und Scherben zerplatzter Fliesen. Dahinter lag ein heruntergekommener Tennisplatz, das zerrissene Netz am Boden wie eine abgestreifte Schlangenhaut.

»Ich muss jetzt Schluss machen«, sagte die Stimme am anderen Ende.

»Entschuldigen Sie nochmals die Störung«, erwiderte Mariam lautlos weinend. Sie sah Jalil, wie er ihr zuwinkte und über die Steine im Fluss hüpfte, die Taschen voller Geschenke. Sie hatte jedes Mal den Atem angehalten und Gott darum gebeten, dass sie mehr Zeit mit ihm würde verbringen dürfen. »Danke«, sagte Mariam, doch der Mann am anderen Ende hatte bereits aufgelegt.

Raschid sah sie an. Sie schüttelte den Kopf.

»Zu nichts zu gebrauchen«, brummte er und riss ihr das Telefon aus der Hand. »Wie die Tochter, so der Vater.«

In der Lobby eilte Raschid auf die inzwischen frei gewordene Sitzgruppe mit dem Teetisch zu und steckte sich einen übrig gebliebenen *jelabi*-Kringel in die Tasche. Er würde ihn mit nach Hause nehmen und Zalmai geben.

42

Laila

Aziza packte folgende Gegenstände in eine Papiertasche: ihr geblümtes Hemd und das einzige Paar Socken, die nicht zueinander passenden Wollhandschuhe, eine alte, mit Sternen und Kometen gemusterte sandfarbene Decke, einen zerkratzten Plastikbecher, eine Banane und ihre Würfel.

Es war ein kalter Morgen im April 2001, kurz nach Lailas dreiundzwanzigstem Geburtstag. Der Himmel war grau, und ein feuchtkalter Wind rüttelte in Böen an der Fliegengittertür.

Vor wenigen Tagen hatte Laila erfahren, dass Ahmad Schah Massoud nach Frankreich geflogen war, um vor dem Europäischen Parlament zu reden. Massoud hatte sich in den Norden, seine Heimat, zurückgezogen, wo er die Nordallianz anführte, die einzig verbliebene Oppositionsgruppe, die den Taliban die Stirn bot. In Europa hatte Massoud den Westen vor Ausbildungslagern für Terroristen in Afghanistan gewarnt und die Vereinigten Staaten eindringlich gebeten, ihn im Kampf gegen die Taliban zu unterstützen.

»Wenn uns Präsident Bush nicht hilft«, hatte er gesagt, »werden diese Terroristen bald auch den Vereinigten Staaten und Europa großen Schaden zufügen.«

Einen Monat zuvor war Laila zu Ohren gekommen, dass die Taliban die riesigen Buddhas in Bamiyan, die von ihnen als sündhafte Götzenbildnisse bezeichnet wurden, zerstört hatten. Von Amerika bis China war ein Aufschrei der Empörung zu hören gewesen. Staatsmänner, Historiker und Archäologen der ganzen Welt hatten die Taliban in Briefen aufgefordert, diese beiden größten noch existierenden Kulturschätze Afghanistans zu schonen. Doch davon unbeeindruckt, hatten die Taliban die zweitausend Jahre alten Buddhas mit Sprengladungen bespickt, jede Explosion mit *Allah-u-akbar*-Rufen gefeiert und gejubelt, sooft Teile eines Arms oder Beins der Statuen in einer Wolke aus Staub zerfielen. Laila erinnerte sich, 1987 mit Babi und Tarik bei strahlendem Sonnenschein und von einer sanften Brise umweht auf dem größten der beiden Buddhas gestanden und einen Falken beobachtet zu haben, der hoch über dem Tal seine Kreise zog. Die Nachricht von der Zerstörung der Statuen hatte sie jedoch kaltgelassen. Es war für sie nicht von Belang. Was zählten Statuen, wenn das eigene Leben zu Staub zerfiel?

Solange Raschid sie nicht aufforderte zu gehen, hockte Laila in einer Ecke des Wohnzimmers auf dem Boden, schweigend und mit versteinerter Miene, das Haar in zerzauste Fransen aufgelöst. Auch wenn sie noch so tief einzuatmen versuchte, war ihr, als bekäme sie nie ausreichend Luft.

Unterwegs nach Karteh-Seh schaukelte Zalmai auf Raschids Armen, während Mariam Aziza bei der Hand hielt, die sich beeilen musste, um Schritt zu halten. Ein scharfer Wind blies ihnen entgegen und zerrte am Schal, den das Mädchen um den Hals gewickelt hatte. Aziza blickte düster drein; mit jedem Schritt schien sie der Ahnung näher zu kommen, dass sie hinters Licht geführt wurde. Laila hatte nicht den Mut aufgebracht, die Wahrheit zu sagen, und ihr stattdessen vorgespielt, dass sie eine Schule besuchen werde, eine besondere Schule, in der die Kinder zusammen essen und schlafen und nach dem Unterricht nicht nach Hause entlassen würden. Aziza stellte Laila auch jetzt wieder all die Fragen, die sie schon seit Tagen an sie gerichtet hatte. Ob die Kinder denn in verschiedenen Räumen oder in einem großen Saal schliefen. Ob sie damit rechnen könne, Freundschaften zu schließen. Ob die Lehrer auch ganz bestimmt nett seien.

Und immer wieder: »Wie lange soll ich dort bleiben?«

Als sie sich bis auf zwei Blocks ihrem Ziel genähert hatten, blieben sie stehen.

»Zalmai und ich warten hier«, sagte Raschid. »Oh, bevor ich's vergesse.«

Er holte einen Kaugummi aus der Tasche, ein Abschiedsgeschenk, das er Aziza in steifer Großmutsgeste reichte. Aziza nahm es an und bedankte sich murmelnd. Laila staunte über die Freundlichkeit ihrer Tochter, über deren ungewöhnlich große Nachsicht, und ihre Augen füllten sich mit Tränen. Vor Kummer schnürte sich ihr das Herz zu, und mit Schmerzen dachte sie daran, dass Aziza an diesem Nachmittag nicht neben ihr schlafen würde, dass sie darauf würde verzichten müssen, ihre zarte Hand auf der Brust, ihren Kopf in der Armbeuge, ihren warmen Atem auf der Haut und ihre Füße an den Schenkeln zu spüren.

Als Aziza weggeführt wurde, fing Zalmai zu weinen an. »Ziza! Ziza!«, rief er. Er wand sich in den Armen seines Vaters, strampelte mit den Beinen und rief nach seiner Schwester, bis der Affe eines Leierkastenmanns auf der anderen Straßenseite seine Aufmerksamkeit ablenkte.

Sie gingen die letzten Schritte allein, Mariam, Laila und Aziza. Als sie sich dem Gebäude näherten, sah Laila, dass die Fassade bröckelte, das Dach durchhing und einige der Fenster mit Brettern vernagelt waren. Neben einer baufälligen Mauer stand eine Schaukel.

Vor der Eingangstür angekommen, wiederholte Laila, was sie ihrer Tochter bereits eingeschärft hatte.

»Also, was antwortest du, wenn man dich nach deinem Vater fragt?«

»Dass er von den Mudscheddin getötet worden ist«, sagte Aziza mit argwöhnischer Miene.

»Gut so. Verstehst du auch, warum, Aziza?«

»Weil das eine besondere Schule ist«, antwortete Aziza. Sie war vollkommen niedergeschlagen. Angesichts des trostlosen Gebäudes ließ sich nichts mehr beschönigen. Ihre Unterlippe zitterte, Tränen stiegen ihr in die Augen. Laila sah, wie schwer sie mit sich ringen musste, um tapfer zu bleiben. »Wenn ich die Wahrheit sagen würde«, fuhr Aziza mit tonloser Stimme fort, »würden sie mich nicht aufnehmen. Es ist eine besondere Schule. Ich will nach Hause.«

»Ich … ich werde dich ganz oft besuchen«, stammelte Laila. »Versprochen.«

»Ich auch«, sagte Mariam. »Wir kommen dich besuchen, Aziza *jo*. Und dann spielen wir miteinander, so wie immer. Es ist nur für kurze Zeit – bis dein Vater Arbeit gefunden hat.«

»Hier hast du immer genug zu essen«, sagte Laila mit bebender Stimme. Sie war froh, ihre Burka zu tragen, froh darüber, dass Aziza nicht sehen konnte, wie elend ihr zumute war. »Hier wirst du keinen Hunger haben müssen. Es gibt genügend Reis und Brot und Wasser, vielleicht sogar Früchte.«

»Aber *du* bist nicht da. Und *Khala* Mariam auch nicht.«

»Ich werde kommen und dich besuchen«, sagte Laila. »Ganz oft. Schau mich an. Aziza. Glaub mir. Ich bin deine Mutter. Ich besuche dich, und wenn es mich das Leben kostet.«

Der Direktor des Waisenhauses war ein gebückter Mann mit schmalen Schultern und freundlichem Gesicht. Er hatte kaum mehr Haare auf dem Kopf, einen zotteligen Bart und Augen wie Erbsen. Sein Name war Zaman. Er trug ein Scheitelkäppchen. Das linke Brillenglas war zersprungen.

Auf dem Weg in sein Büro fragte er die drei nach ihren Namen und erkundigte sich nach Azizas Alter. Sie gingen durch einen spärlich beleuchteten Korridor. Barfüßige Kinder traten zur Seite, um Platz zu machen, und schauten ihnen nach. Denen, die nicht kahlgeschoren waren, standen die Haare zu Berge. Sie trugen Pullover mit durchgescheuerten Ärmeln, Jeans, die an den Knien aufgerissen waren, und mit Klebestreifen geflickte Mäntel. Es roch nach Ammoniak und Urin, Seife und Talkum. Aziza war so verschreckt, dass sie zu wimmern begann.

Durch eine Tür warf Laila einen Blick auf den Hof, ein erbärmliches Geviert mit einer klapprigen Schaukel, alten Autoreifen und einem Basketball, dem die Luft ausgegangen war. In den Räumen, an denen sie vorbeikamen, waren die Fenster mit Plastikfolie verklebt. Ein kleiner Junge kam aus einem dieser Zimmer herbeigerannt, packte Laila beim Ellbogen und versuchte, auf ihren Arm zu

klettern. Ein Betreuer, der gerade wegwischte, was wie eine Urin-
pfütze aussah, stellte seinen Mob ab und befreite Laila von dem
Kleinen.

Zaman schien den Waisenkindern wohlgesinnt zu sein. Er tätschelte sie im Vorbeigehen, richtete ein paar freundliche Worte an
sie und fuhr ihnen mit der Hand durchs Haar, ohne dass er dabei
herablassend gewirkt hätte. Den Kindern gefiel sein Zuspruch. Alle
blickten hoffnungsvoll zu ihm auf.

Er zeigte den Frauen sein Büro, einen Raum, in dem nur drei
Klappstühle standen und ein unaufgeräumter Schreibtisch, auf
dem sich Akten stapelten.

»Sie sind aus Herat, nicht wahr?«, sagte er zu Mariam. »Das hört
man an Ihrem Akzent.«

Er lehnte sich auf seinem Stuhl zurück, faltete die Hände über
dem Bauch und erwähnte, dass einer seiner Schwäger dort gelebt
habe. Auf Laila machte Zaman einen angestrengten Eindruck;
selbst kleinste Gesten schienen ihn Kraft zu kosten. Obwohl er
freundlich lächelte, meinte sie deutlich spüren zu können, dass ihn
große Sorgen plagten. Es schien, als versuchte er manche Enttäuschung und Niederlage mit einer aufgesetzt heiteren Miene zu ver-
tuschen.

»Er war Glasbläser«, sagte er, »und machte diese wunderschönen jadegrünen Schwäne. Wenn man sie in die Sonne hält, funkeln
sie im Innern, und es scheint, als steckten in dem Glas viele winzig
kleine Edelsteinsplitter. Waren Sie mal wieder in der Heimat?«

Mariam verneinte.

»Ich selbst stamme aus Kandahar. Sind Sie schon einmal dort
gewesen, *hamshira*? Nein? Eine herrliche Stadt. Diese Gärten!
Und die Weintrauben erst, ja, das sind Trauben! Sie verzaubern den
Gaumen.«

Einige Kinder hatten sich draußen im Flur versammelt und lug-
ten zur Tür herein. Zaman verscheuchte sie mit ein paar liebevollen
Worten auf Paschto.

»Herat ist natürlich auch wunderschön. Die Stadt der Künstler und Schriftsteller, Sufis und Mystiker. Vielleicht kennen Sie den

alten Spruch, wonach man in Herat kein Bein ausstrecken kann, ohne dabei einem Dichter in den Hintern zu treten.«

Aziza kicherte.

Zaman schnappte künstlich nach Luft. »Oh, mir scheint, ich habe dich zum Lachen gebracht, kleine *hamshira*. Das ist für gewöhnlich gar nicht so einfach, und ich habe mir schon überlegt, wie ich's anstellen könnte, und daran gedacht, wie ein Huhn zu gackern oder wie ein Esel zu schreien. Aber es geht ja auch so. Und wie schön du bist, wenn du lachst.«

Er rief einen Betreuer und bat ihn, mit Aziza eine Weile nach draußen zu gehen. Aziza sprang auf Mariams Schoß und klammerte sich an ihr fest.

»Wir wollen uns nur ein bisschen unterhalten, meine Liebe«, versuchte Laila zu beschwichtigen. »Ich bin die ganze Zeit hier. In Ordnung? Ich bin hier.«

»Komm, wir gehen für eine Minute nach draußen, Aziza *jo*«, sagte Mariam. »Deine Mutter hat mit *Kaka* Zaman noch einiges zu besprechen. Nur für eine Minute. Komm jetzt.«

Als sie allein waren, wollte Zaman Azizas Geburtsdatum wissen, welche Kinderkrankheiten sie gehabt hatte und ob sie gegen irgendetwas allergisch war. Er erkundigte sich nach Azizas Vater, und Laila hatte bei ihrer Antwort das seltsame Gefühl, eine Lüge vorzutragen, die im Grunde der Wahrheit entsprach. Zaman hörte zu, und seine Miene verriet keinerlei Zweifel. Er leite das Waisenhaus ehrenamtlich, sagte er. Wenn eine *hamshira* sage, dass ihr Mann tot sei und sie nicht allein für ihre Kinder sorgen könne, werde er das nicht in Frage stellen.

Laila fing zu weinen an.

Zaman legte seinen Stift ab.

»Ich schäme mich so«, schluchzte Laila und presste eine Hand auf den Mund.

»Schauen Sie mich an, *hamshira*.«

»Was ist das nur für eine Mutter, die ihr eigenes Kind im Stich lässt?«

»Schauen Sie mich an.«

Laila blickte auf.

»Machen Sie sich keine Vorwürfe. Hören Sie? Sie trifft keine Schuld. Es sind diese Wilden, diese *wahshis*, die an den Pranger gehören. Sie bringen Schande über mich als Paschtunen. Sie haben den Namen meines Volkes in den Schmutz gezogen. Und Sie, *hamshira*, sind wahrhaftig keine Ausnahme. Uns suchen viele Mütter auf, sehr viele, die ihre Kinder nicht mehr ernähren können, weil es ihnen die Taliban verwehren, einer Arbeit nachzugehen und für ihren Lebensunterhalt zu sorgen. Also, geben Sie sich nicht selbst die Schuld. Hier ist niemand, der Ihnen etwas vorwerfen würde. Ich kann Sie gut verstehen.« Er beugte sich vor. »*Hamshira*. Ich habe Verständnis für Sie.«

Laila wischte sich mit dem Ärmel der Burka die Augen.

»Was dieses Haus betrifft …« Seufzend deutete Zaman mit der Hand im Kreis. »Sie sehen ja selbst, in welch beklagenswertem Zustand es ist. Wir erhalten nur wenig Spenden und müssen uns nach der Decke strecken und improvisieren. Von den Taliban ist nur wenig oder keine Unterstützung zu erwarten. Aber wir schaffen's auch ohne. Wie Sie, *hamshira*, wissen auch wir, was zu tun ist. Allah ist gut und freundlich, Allah sorgt für uns, und solange er das tut, werde ich mich darum kümmern, dass Aziza ausreichend zu essen bekommt und anständig gekleidet ist. So viel kann ich Ihnen versichern.«

Laila nickte.

»In Ordnung?« Er lächelte. »Weinen Sie nicht, *hamshira*. Zeigen Sie Ihrer Tochter nicht, dass Sie weinen.«

Laila wischte sich wieder die Augen. »Gott segne Sie«, flüsterte sie. »Gott segne Sie, Bruder.«

Als es Zeit wurde, Abschied zu nehmen, kam es zu der grauenvollen Szene, die Laila befürchtet hatte.

Aziza geriet in Panik.

Auf dem Nachhauseweg und noch Stunden später hallten Laila die Schreie ihrer Tochter im Kopf nach. Sie sah Zaman mit den Händen nach Aziza greifen, sie zunächst mit sanftem Nachdruck, dann aber mit Gewalt von ihr losreißen, und sie sah Aziza, in Zamans Armen gefangen, mit den Füßen austreten, als er sich beeilte, mit ihr hinter der nächsten Ecke zu verschwinden. Die Kleine schrie, als fürchtete sie, von der Hölle verschluckt zu werden. Und Laila sah sich selbst, wie sie mit gesenktem Kopf und einem in der Kehle erstickten Schrei den Korridor entlanglief.

»Ich rieche sie«, sagte Laila zu Mariam, als sie zu Hause angekommen waren. Aus tränennassen Augen schaute sie, ohne etwas zu sehen, über Mariams Schulter hinweg in den Hof, auf die Mauern und zu den Bergen, die so braun waren wie der Auswurf eines Rauchers. »Ich habe ihren Duft in der Nase, den Duft, wenn sie schläft. Du nicht auch? Riechst du's nicht auch?«

»Oh, Laila *jo*«, sagte Mariam. »Hör auf damit. Zu was wäre es gut? Zu was?«

Anfangs gab Raschid Lailas Drängen nach und begleitete sie – Laila, Mariam und Zalmai –, wenn sie loszogen, um Aziza im Waisenhaus zu besuchen. Unterwegs dorthin stellte er jedes Mal sicher, dass sie seinen gequälten, leidenden Blick bemerkte und dass sie zu Ohren bekam, welche Beschwernis er ihretwegen auf sich nahm und wie sehr ihn von dem langen Marsch zum Waisenhaus und zurück seine Beine, der Rücken und die Füße schmerzten. Er ließ keine Möglichkeit aus, ihr deutlich zu machen, wie schrecklich schwer er es hatte.

»Ich bin kein junger Mann mehr«, jammerte er. »Aber das kümmert dich ja nicht. Wenn es nach dir ginge, würdest du mich in Grund und Boden rennen. Aber merke dir, Laila, es geht nicht nach deinen Wünschen.«

Zwei Blocks vor dem Waisenhaus blieb er zurück und sagte, dass er ihnen eine Viertelstunde gebe. »Keine Minute länger«, betonte er. »Sonst könnt ihr ohne mich zurücklaufen, denn ich bin dann weg.«

Laila flehte ihn an, ihr doch ein bisschen mehr Zeit mit Aziza zu gönnen, und nicht nur ihr, sondern auch Mariam, die untröstlich war über Azizas Abwesenheit, aber wie immer im Stillen darunter litt. Und auch Zalmai zuliebe, der tagtäglich fragte, wo seine

Schwester sei, und in Wutanfälle ausbrach, die häufig in Weinkrämpfen endeten, denen nicht beizukommen war.

Manchmal blieb Raschid auf halbem Weg zum Waisenhaus stehen, klagte über Schmerzen im Bein und machte kehrt, um mit überraschend forschem, sicherem Schritt nach Hause zurückzueilen. Oder er schnalzte mit der Zunge und ächzte: »Meine Lungen, Laila. Ich bekomme kaum mehr Luft. Morgen geht's mir vielleicht wieder besser, oder übermorgen. Mal sehen.« Er gab sich dann nicht einmal die Mühe, Atemnot vorzutäuschen. Im Gegenteil, kaum hatte er ihr den Rücken gekehrt, steckte er sich meist eine Zigarette an. Laila, hilflos und zitternd vor Wut, blieb nichts anderes übrig, als ihm zu folgen.

Eines Tages eröffnete er ihr, dass er ihr als Begleiter nicht mehr zur Verfügung stehen werde. »Diese Wege machen mich so müde, dass ich es nicht mehr schaffe, mich nach Arbeit umzusehen.«

»Dann werde ich allein gehen«, sagte Laila. »Du kannst mich nicht aufhalten, Raschid. Verstehst du mich? Ich besuche meine Tochter, und wenn du mich noch so sehr prügelst.«

»Mach, was du willst. An den Taliban kommst du aber nicht vorbei. Und behaupte nachher nicht, ich hätte dich nicht gewarnt.«

»Ich komme mit dir«, sagte Mariam.

Laila lehnte das Angebot ab. »Bleib du mit Zalmai zu Hause. Ich möchte ihm ersparen mitzuerleben, was passiert, wenn sie uns aufgreifen.«

In der Folgezeit drehten sich Lailas Gedanken fast ausschließlich um die Frage, welche Wege einzuschlagen waren, um zu Aziza zu gelangen und ein paar Minuten bei ihr sein zu können. Häufig schaffte sie es nicht bis zum Waisenhaus. Immer wieder wurde sie von Taliban aufgehalten, mit Fragen traktiert – »Wie heißt du? Wo willst du hin? Warum bist du allein, wo ist dein *mahram*?« – und nach Hause zurückgeschickt. Wenn sie Glück hatte, blieb es bei einer Standpauke, einem Tritt ins Hinterteil oder einem Stoß in den Rücken. Manchmal musste sie aber auch Prügel einstecken und bekam Knüppel, frische Zweige, Peitschen, Fäuste oder Ohrfeigen zu spüren.

Eines Tages hieb ein junger Talib mit einer Autoantenne auf sie ein. Am Ende versetzte er ihr noch einen Schlag in den Nacken und sagte: »Wenn ich dich noch einmal erwische, verprügele ich dich, bis dir die Muttermilch durch die Knochen sickert.«

An diesem Tag kehrte sie vorzeitig nach Hause zurück, warf sich aufs Bett, fühlte sich wie ein törichtes, jämmerliches Tier und winselte vor Schmerzen, als ihr Mariam die blutigen Striemen auf Rücken und Schenkeln mit feuchten Tüchern abdeckte. Für gewöhnlich aber gab Laila nicht so schnell auf. Sie tat zwar so, als kehrte sie nach Hause zurück, versuchte aber dann auf Umwegen zum Waisenhaus zu gelangen. Es kam vor, dass sie an einem einzigen Tag drei- bis viermal aufgegriffen, verhört und geprügelt wurde. Von Peitschen und Antennen blutig geschlagen, schleppte sie sich dann nach Hause, ohne Aziza gesehen zu haben. Bald ging Laila dazu über, trotz des heißen Wetters zwei oder drei Pullover als Schutzpolster unter der Burka zu tragen.

Doch für Laila lohnten sich alle Strapazen, wenn sie denn nur Aziza sehen konnte. Manchmal blieb sie stundenlang bei ihr. Sie saßen im Hof neben der Schaukel, zusammen mit anderen Kindern und Müttern, und sprachen über das, was Aziza in der vergangenen Woche gelernt hatte.

Aziza sagte, dass *Kaka* Zaman ihnen jeden Tag etwas Neues beibrächte. Meist lernten sie Lesen, Schreiben und Rechnen; er unterrichtete aber auch Erdkunde, Geschichte oder ein Fach, das sich mit Pflanzen und Tieren befasste.

»Wir müssen die Vorhänge zuziehen«, sagte Aziza, »damit uns die Taliban nicht sehen.« Für den Fall einer Kontrolle halte *Kaka* Zaman immer Strickzeug bereit, erklärte sie. »Dann verstecken wir schnell die Bücher und tun so, als strickten wir.«

Eines Tages sah Laila eine Frau mittleren Alters, die, von drei Jungen und einem Mädchen begleitet, zu Besuch im Waisenhaus war. Sie hatte das Kopfteil ihrer Burka gelüftet, und obwohl ihr Haar grau geworden und der Mund eingefallen war, erkannte Laila sie auf den ersten Blick wieder. Das scharf geschnittene Gesicht und die dichten Augenbrauen waren unverändert. Laila erinnerte sich an die Schals, die schwarzen Kleider und die brüske Stimme, daran, wie diese Frau ihr pechschwarzes Haar zu einem so straffen Knoten zusammengefasst hatte, dass die Nackenhärchen sichtbar waren. Diese Frau hatte einst, wie sich Laila erinnerte, ihren Schülerinnen verboten, sich zu verschleiern, auf die Gleichheit von Mann und Frau gepocht und erklärt, dass es keinen Grund gebe, warum Frauen ihr Gesicht verhüllen sollten, wenn Männer dies nicht täten.

Einmal trafen sich ihre Blicke, doch Laila sah in den Augen von *Khala Rangmaal*, ihrer alten Lehrerin, keinen Hinweis darauf, dass sie in ihr die Schülerin von damals wiedererkannte.

»In der Erdkruste gibt es Bruchstellen«, sagte Aziza. »Die nennt man Verwerfungen.«

Es war an einem warmen Freitagnachmittag im Juni 2001. Sie saßen im Hinterhof des Waisenhauses, alle vier: Laila, Zalmai, Mariam und Aziza. Raschid hatte sich ausnahmsweise bequemt, sie zu begleiten. Er wartete vor der Bushaltestelle weiter unten an der Straße.

Barfüßige Kinder lungerten um sie herum und kickten lustlos einen platten Fußball hin und her.

»Zu beiden Seiten der Verwerfungen liegen Gesteinsschichten aufeinander; das ist die Erdkruste«, führte Aziza aus.

Jemand hatte ihr die Haare aus dem Gesicht gekämmt, zu Zöpfen geflochten und am Kopf festgesteckt. Laila beneidete alle, denen es vergönnt war, hinter ihrer Tochter zu sitzen, das Haar zu teilen, zu flechten und sie aufzufordern stillzuhalten.

Aziza demonstrierte mit nach oben geöffneten Händen die Reibung der Platten. Zalmai schaute mit großem Interesse zu.

»Kektonische Platten, so heißen sie, oder?«

»Tektonische«, korrigierte Laila. Zu sprechen tat ihr weh. Kiefer, Hals und Nacken schmerzten. Die Lippe war geschwollen, und die Zunge fuhr immer wieder in die Lücke des unteren Schneidezahns, den Raschid ihr zwei Tage zuvor ausgeschlagen hatte. Bis zum Tod ihrer Eltern, der ihr Leben auf den Kopf gestellt hatte, hätte Laila nicht für möglich gehalten, dass ein menschlicher Körper so viel brutale Schläge aushalten konnte und trotzdem noch zu funktionieren im Stande war.

»Genau. Und wenn sie aneinander entlangschaben, bleiben sie immer wieder hängen und rutschen dann weiter, siehst du, Mami, und dabei wird Energie frei, die die Erdoberfläche durcheinanderschüttelt.«

»Wie gescheit du schon bist!«, lobte Mariam. »Viel gescheiter als deine dumme *khala*!«

Azizas Miene verfinsterte sich. »Du bist nicht dumm, *Khala* Mariam. Und *Kaka* Zaman sagt, dass sich die Felsen auch ganz tief im Innern bewegen, dass da gewaltige, unheimliche Kräfte wirken, die wir aber hier oben nur als ein kleines Zittern wahrnehmen. Nur ein kleines Zittern.«

Beim letzten Besuch hatte Aziza von Sauerstoffatomen in der Atmosphäre berichtet, die das Sonnenlicht bläulich erscheinen ließen. »Wenn es keine Atmosphäre gäbe«, hatte sie fast atemlos gesagt, »wäre der Himmel nicht blau, sondern ein stockdunkles Meer und die Sonne darin ein großer heller Stern.«

»Kommt Aziza diesmal mit, wenn wir nach Hause gehen?«, fragte Zalmai.

»Diesmal noch nicht, aber bald, mein Liebling«, antwortete Laila. »Bald.«

Laila sah ihn auf die Schaukel zugehen. Er bewegte sich wie sein Vater: ein wenig nach vorn gebeugt und die Fußspitzen nach innen gekehrt. Er brachte den leeren Sitz der Schaukel in Schwung, setzte sich dann auf den Betonboden und zupfte Unkraut aus einem Spalt.

»Aus den Blättern verdunstet Wasser, Mami, wusstest du das? So wie aus der Wäsche, die zum Trocknen an der Leine hängt. Und das Wasser steigt in den Bäumen auf, aus der Erde und durch die Wurzeln, durch den Stamm und die Äste bis hin zu den Blättern. Das nennt man Transpiration.«

Laila fragte sich immer wieder, was wohl geschähe, wenn die Taliban *Kaka* Zaman dabei ertappten, dass er die Kinder heimlich unterrichtete.

Während der Besuche ließ Aziza keinen Moment Ruhe aufkommen. Sie redete unablässig, führte mit hoher, heller Stimme aus, was sie im Unterricht gelernt hatte, und gestikulierte mit hektischen Handbewegungen, die so gar nicht typisch für sie waren. Sie lachte auch anders. Es war im Grunde weniger ein Lachen als ein nervöses Zeichensetzen, mit dem sie sich, wie Laila vermutete, Mut zu machen versuchte.

Auffällig waren auch andere Veränderungen. Laila bemerkte, dass sie immer schmutzige Fingernägel hatte. Wenn Aziza sah, dass ihr die Mutter auf die Finger schaute, beeilte sie sich, die Hände unter den Schenkeln zu verstecken. Wenn einem schreienden Kind der Schnodder auf den Lippen hing oder wenn eines mit bloßem Hinterteil und vor Dreck starrendem Haar an ihnen vorbeikam, verdrehte Aziza die Augen und entschuldigte sich für das Kind. Sie verhielt sich wie eine Gastgeberin, die sich vor ihren Gästen für ihr schmutziges Haus und die ungezogenen Kinder schämte.

Wenn sie gefragt wurde, wie es ihr in diesem Haus ergehe, gab sie jedes Mal eine heitere Antwort, die kaum überzeugen konnte.

»Prima, Khala. Mir geht's gut.«

Ob sie von den anderen gehänselt werde?

»Nein, Mami. Sie sind alle nett.«

Ob sie genug zu essen bekäme und gut schlafen könne?

»Ja. Gestern Abend gab's Lammfleisch. Oder war's letzte Woche? Und schlafen kann ich auch.«

Bei solchen Antworten hörte Laila Mariam aus ihrer Tochter sprechen.

Aziza stotterte, was Mariam als Erste bemerkte. Es war ein leichtes, aber wahrnehmbares Stottern und fiel vor allem bei Wörtern auf, die mit einem T anfingen. Laila sprach Zaman darauf an. Er runzelte die Stirn und sagte: »Ich dachte, das hätte sie immer schon getan.«

An diesem Freitagnachmittag verließen sie mit Aziza das Waisenhaus, um einen Ausflug mit ihr zu unternehmen. Als Zalmai seinen Vater an der Bushaltestelle warten sah, quiekte er vor Vergnügen und wand sich voller Ungeduld in Lailas Armen. Azizas Gruß war knapp, aber nicht unfreundlich. Sie hegte keinen Groll gegen Raschid.

Raschid sagte, sie sollten sich beeilen; er habe nur zwei Stunden Zeit und müsse sich dann an seinem Arbeitsplatz zurückmelden. Er war Anfang der Woche als Portier beim Intercontinental angestellt worden. An sechs Tagen in der Woche musste er von zwölf Uhr mittags bis acht Uhr abends Autotüren aufhalten, Koffer tragen und den Eingangsbereich sauber halten. Nach getaner Arbeit ließ ihn der Koch des Selbstbedienungsrestaurants Essensreste für zu Hause einpacken: kalte, ölige Fleischbällchen, gebratene, ausgetrocknete Hähnchenflügel, von denen die knusprige Haut abgefallen war, verklebte Nudeltaschen oder steif gewordenen Reis. Voraussetzung für die Gefälligkeit war, dass er Stillschweigen darüber bewahrte. Raschid hatte Laila versprochen, dass Aziza nach Hause zurückkommen könne, sobald er etwas Geld angespart habe.

Er trug seine Livree, einen burgunderroten Anzug aus Polyester, ein weißes Hemd, eine Ansteckkrawatte und eine Schirmmütze, gegen die sich sein weißes Kraushaar sträubte. In dieser Uniform war Raschid wie ausgewechselt und kaum wiederzuerkennen. Er wirkte darin verletzlich und verwirrt, geradezu erbärmlich und harmlos, wie jemand, der die entwürdigenden Zumutungen, die das Leben für ihn bereithielt, ohne jeden Protest hinnahm und in seiner Fügsamkeit lächerlich und bewundernswert zugleich war.

Mit dem Bus fuhren sie zur sogenannten Titanic City, jenem wild auswuchernden Markt, wo sich zu beiden Seiten des ausgetrockneten Flussbettes ein provisorischer Verkaufsstand an den anderen reihte. Nahe der Brücke hing unter einem Kranausleger ein Toter mit abgeschnittenen Ohren und gebrochenem Genick an einem Seil. Unmittelbar daneben führten die Treppenstufen entlang, auf denen Raschid und seine Familie die Uferböschung hinabstiegen. Unten im Wadi erwartete sie ein Gewimmel von Menschen, Käufern und Verkäufern, Geldwechslern und Spendensammlern, Zigarettenhändlern und verschleierten Frauen, die gefälschte Rezepte für Antibiotika feilboten und um Almosen bettelten. *Naswar* kauende Taliban passten mit gezückten Peitschen darauf auf, dass niemand unanständig lachte und keine Frau den Schleier lüftete.

Zwischen einem Händler von *poosteen*-Mänteln und einem Stand mit künstlichen Blumen entdeckte Zalmai einen Kiosk voller Spielzeug und griff zielstrebig nach einem Basketball mit gelben und blauen Wirbelmustern.

»Such dir auch was aus«, sagte Raschid zu Aziza.

Aziza reagierte sichtlich verlegen und zögerte.

»Beeilung. Ich muss in einer Stunde wieder arbeiten.«

Aziza deutete auf die Spielzeugversion eines Kaugummiautomaten voller Süßigkeiten, die sich nach dem Einwurf einer Spielmarke Stück für Stück entnehmen ließen.

Raschid kniff die Brauen zusammen, als der Händler ihm den Preis nannte. Nachdem die beiden eine Weile gefeilscht hatten, wandte sich Raschid an Aziza und herrschte sie an, als wäre sie es, die ihn zu übervorteilen versuchte. »Nach dem Ball kann ich mir das nicht auch noch leisten.«

Auf dem Rückweg wurde Aziza immer schweigsamer und ernster, je näher sie dem Waisenhaus kamen. Es war nun an Laila und Mariam, das Gespräch in Gang zu halten, angestrengt zu lachen und die gedrückte Stimmung zu heben.

Als sich Raschid von ihnen getrennt hatte und in einen Bus gestiegen war, um zur Arbeit zu gelangen, nahmen auch Laila, Mariam und Zalmai von Aziza Abschied. Laila sah, wie sich Aziza, nachdem sie ihnen noch einmal nachgewinkt hatte, mit eingezogenen Schultern an der Mauer des Hinterhofes vorbeidrückte. Sie dachte an Azizas Stottern und auch an das, was sie über Verwerfungen und die mächtigen Kollisionen im Erdinnern gesagt hatte, von denen man an der Oberfläche manchmal nur ein leichtes Zittern wahrnehmen konnte.

»Geh weg, du!«, zeterte Zalmai.

»Ruhig«, sagte Mariam. »Wen meinst du mit deinem Geschrei?«

Er streckte die Hand aus. »Da. Der Mann.«

Laila folgte mit dem Blick und sah einen Mann vorm Haus, der an der Eingangstür lehnte. Als er sie kommen sah, richtete er sich auf und kam ein paar Schritte auf sie zugehinkt.

Laila erstarrte.

Ihr war, als schnürte sich ihr die Kehle zu. Die Knie drohten unter ihr wegzuknicken. Es drängte sie danach, sich an Mariam anzulehnen und festzuklammern, aber sie tat es nicht. Sie wagte es nicht. Sie wagte es nicht, sich zu rühren, Luft zu holen oder auch nur mit der Wimper zu zucken, aus Angst, dass sie nur einem Trugbild aufsaß, einer flüchtigen Illusion, die sich bei der kleinsten Erschütterung auflösen würde. Sie stand wie angewurzelt da und blickte Tarik entgegen, bis ihre Brust nach Luft schrie und die Augen zu brennen anfingen. Und als sie endlich Atem schöpfte und mit den Augen blinzelte, stand er wundersamerweise immer noch an derselben Stelle. Es war tatsächlich Tarik, der da vor ihrer Haustür stand.

Laila ging einen Schritt auf ihn zu. Einen zweiten. Noch einen. Und dann rannte sie.

43

Mariam

Zalmai tollte ausgelassen in Mariams Zimmer umher und ließ seinen neuen Ball auf den Boden und gegen die Wände prallen. Mariam bat ihn, damit aufzuhören, obwohl ihr klar war, dass er nicht auf sie hören würde. Er spielte weiter mit dem Ball und warf ihr trotzige Blicke zu. Schließlich gelang es ihr, ihn mit einem Spielzeugauto abzulenken, einem Krankenwagen mit roter Aufschrift auf den Seiten, den sie auf dem Zimmerboden zwischen sich hin und her stießen.

Als sie vor der Tür mit Tarik zusammengetroffen waren, hatte Zalmai seinen Basketball an die Brust gepresst und einen Daumen in den Mund gesteckt, was er für gewöhnlich nicht mehr tat, außer er war ängstlich. Er hatte Tarik misstrauisch beäugt.

»Wer ist der Mann?«, fragte er jetzt. »Ich mag ihn nicht.«

Mariam versuchte zu erklären, dass er mit Laila aufgewachsen war, doch Zalmai schnitt ihr das Wort ab und sagte, sie solle den Krankenwagen herumdrehen, so dass der Kühlergrill auf ihn zeige, und kaum hatte sie seinem Wunsch entsprochen, wollte er wieder mit dem Basketball spielen.

»Wo ist er?«, fragte er. »Wo ist der Ball, den mir Baba *jan* geschenkt hat? Wo? Ich will ihn haben!« Seine Stimme wurde von Wort zu Wort schriller.

»Gerade war er noch hier«, antwortete Mariam, und er schrie: »Jetzt ist er nicht mehr da. Er ist weg. Wo ist er?«

»Hier«, sagte sie und holte den Ball aus der Ecke, wohin er gerollt war. Zalmai aber mochte sich nicht beruhigen, schlug mit den Fäusten auf den Boden und brüllte, dass dies der falsche Ball sei, weil der richtige verloren gegangen wäre, und den wolle er wiederhaben. »Wo, wo, wo?«, schrie er in einem fort.

Er schrie so laut, dass Laila nach oben kam und ihn auf den Arm nahm. Sie schaukelte ihn, fuhr mit den Fingern durch seine dunklen Locken, trocknete die Tränen von seinen Wangen und schnalzte sanft mit der Zunge.

Mariam wartete unterdessen vor der Tür. Vom oberen Treppenabsatz konnte sie von Tarik, der im Wohnzimmer saß, nur dessen lange Beine sehen, das eigene und die Prothese. Er trug eine staubgraue Leinenhose und hatte die Beine ausgestreckt. Plötzlich fiel ihr eine Erklärung dafür ein, warum ihr der Türsteher vor dem Intercontinental bekannt vorgekommen war. Hätte er an diesem Tag weder Sonnenbrille noch Mütze getragen, wäre sie sofort darauf gekommen. Mariam erinnerte sich, wie dieser Mann vor gut neun Jahren unten im Wohnzimmer gesessen, seine Stirn mit einem Taschentuch betupft und um Wasser gebeten hatte. Fragen über Fragen gingen ihr jetzt durch den Kopf. Waren die Pillen, die er angeblich schlucken musste, womöglich auch nur Requisiten des abgekarteten Spiels gewesen? Wer von den beiden hatte sich die Lüge ausgedacht und mit überzeugenden Einzelheiten ausgeschmückt? Und wie viel hatte Raschid diesem Abdul Shafir, falls er denn so überhaupt hieß, bezahlt, damit dieser ins Haus kam und Laila mit der Geschichte von Tariks Tod das Herz brach?

44

Laila

Tarik berichtete von einem Mithäftling, dessen Vetter öffentlich ausgepeitscht worden war, weil er Flamingos malte. Er, dieser Vetter, hatte anscheinend eine ausgeprägte Vorliebe für diese Tiere.

»Ganze Skizzenbücher hatte er damit gefüllt«, sagte Tarik. »Dutzende von Ölgemälden, auf denen sie in Scharen durch Lagunen waten oder in Marschlandschaften sonnenbaden. Ich fürchte, er hat auch welche gemalt, die dem Sonnenuntergang entgegensegeln.«

»Flamingos«, wiederholte Laila, die Augen auf Tarik gerichtet, der an der Wand hockte und sein gesundes Bein angewinkelt hatte. Es drängte sie wieder, ihn in die Arme zu nehmen, wie es sie auch schon vor der Tür gedrängt hatte, als sie auf ihn zugelaufen war. Es war ihr peinlich, daran zu denken, wie sie sich ihm an die Brust geworfen, geweint und mit schluchzender Stimme immer und immer wieder seinen Namen gestammelt hatte. War sie womöglich zu überschwänglich gewesen, fragte sie sich. Vielleicht. Aber sie hatte sich einfach nicht zurückhalten können. Und jetzt sehnte sie sich wieder danach, ihn zu berühren, um keinen Zweifel daran aufkommen zu lassen, dass er nicht bloß ein Traum, eine Erscheinung war, sondern in Fleisch und Blut vor ihr saß.

»In der Tat«, murmelte Tarik.

Die Taliban, so sagte er, hätten Anstoß genommen an den langen nackten Beinen der Vögel. Man hatte dem Maler die gefesselten Füße blutig geschlagen und ihn vor die Wahl gestellt, entweder seine Gemälde zu vernichten oder die Flamingos auf züchtige Weise darzustellen. Daraufhin hatte er zum Pinsel gegriffen und jedem einzelnen Vogel Hosen gemalt.

»Das gibt's nun also auch, islamische Flamingos«, frotzelte Tarik.

Laila hätte laut auflachen mögen, hielt sich aber zurück. Sie schämte sich ihrer gelben Zähne und für den fehlenden Schneidezahn, ebenso auch wegen ihres gealterten Gesichts und der geschwollenen Lippen. Sie bedauerte, keine Gelegenheit gehabt zu haben, sich zu waschen oder wenigstens die Haare zu kämmen.

»Aber er wird zuletzt lachen, dieser Maler«, sagte Tarik. »Er hat nämlich für die Hosen Wasserfarben verwendet. Wenn die Taliban weg sind, wird er die Bilder nur abzuwaschen brauchen.« Er lächelte, und Laila bemerkte, dass auch ihm ein Zahn fehlte. Er schaute auf seine Hände. »In der Tat.«

Er hatte einen *pakol* auf dem Kopf, trug Wanderstiefel und einen schwarzen Wollpullover, den er unter den Bund der grauen Leinenhose gestopft hatte. Er deutete ein Lächeln an und nickte bedächtig. Laila konnte sich nicht erinnern, dass er früher so häufig »in der Tat« gesagt hätte; auch die nachdenkliche Art, mit der er die Fingerspitzen aneinanderlegte und nickte, erschien ihr neu an ihm. Ja, Tarik war jetzt erwachsen, ein fünfundzwanzigjähriger Mann mit langsamen Bewegungen und einem müden Lächeln, groß gewachsen, bärtig, schlanker als in ihren Träumen von ihm, aber mit kräftigen Händen, den Händen eines Arbeiters, auf denen sich pralle Venen abzeichneten. Sein Gesicht war immer noch schmal und hübsch, die Haut allerdings nicht mehr so hell. Die Sonne hatte ihm zugesetzt; Nacken, Stirn und Wangen waren dunkelbraun gebrannt wie bei einem Wanderer am Ende einer langen, beschwerlichen Reise. Sein *pakol* war nach hinten gerutscht, und sie sah, dass das Haar nicht mehr ganz so dicht war wie früher. Die haselnussbraunen Augen schienen an Glanz verloren zu haben, was aber auch am Licht im Wohnzimmer liegen mochte.

Laila dachte an Tariks Mutter, an ihre Gelassenheit, das verschmitzte Lächeln und die stumpfe violette Perücke. Und an seinen Vater, der immer mit den Augen geblinzelt hatte, an seinen trockenen Humor. Vor der Tür hatte sie Tarik mit tränenerstickter Stimme und gestammelten Worten erklärt, was ihr über ihn und seine Eltern zu Ohren gekommen war, worauf er kopfschüttelnd geantwortet hatte, dass von alldem nichts wahr sei. Also fragte sie ihn jetzt, wie es seinen Eltern gehe, bereute aber sogleich, die Frage gestellt zu haben, denn Tarik blickte betreten zu Boden und sagte leise: »Sie sind gestorben.«

»Das tut mir leid.«

»Tja. Mir auch. Hier, sieh mal.« Er zog eine kleine Papiertüte aus der Tasche und gab sie ihr. »Mit herzlichen Grüßen von Alyona.« In der Tüte befand sich ein Käsestück, in Folie einwickelt.

»Alyona. Ein hübscher Name.« Laila versuchte, ihre Stimme unter Kontrolle zu halten. »Deine Frau?«

»Meine Ziege.« Er lächelte und sah sie erwartungsvoll an.

Da erinnerte sie sich. Der russische Film. Alyona war die Tochter des Kapitäns gewesen, das Mädchen, das sich in den ersten Offizier verliebt hatte. Am Morgen vor dem gemeinsamen Kinobesuch hatten sie die sowjetischen Panzer und Jeeps aus Kabul abziehen sehen; Tarik trug damals diese groteske russische Pelzmütze auf dem Kopf.

»Ich habe ihr ein Gehege gebaut«, sagte Tarik. »Wegen der Wölfe. Das Bergland, in dem ich wohne, hat ausgedehnte Wälder, vor allem aus Kiefern, aber auch Fichten und Zedern. Da halten sie sich meist auf, aber frei laufende Ziegen locken sie auch ins Freie. Darum das Gehege.«

Laila wollte mehr über dieses Bergland wissen.

»Pir Panjal. Pakistan«, sagte er. »Rund zwei Stunden von Islamabad entfernt. Der Ort, an dem ich wohne, heißt Murree und zieht im Sommer viele Urlauber an, denn er ist hoch gelegen und hat, weil grün und luftig, ein wohltuend kühles Klima. Perfekt für den Tourismus.«

Die in Rawalpindi stationierten Briten, so erklärte er, hätten dort einen Vorposten eingerichtet, wohin sie sich vor der Hitze im Flachland zurückziehen konnten. Aus der Kolonialzeit sei noch einiges erhalten geblieben, sagte Tarik, zum Beispiel die Holzhäuser, Bungalows mit Blechdächern, sogenannte Cottages, und dergleichen mehr. Die Stadt selbst sei klein und angenehm. An der

Hauptstraße, der sogenannten Mall, gebe es ein Postamt, einen Basar, ein paar Restaurants und Geschäfte, in denen Touristen überteuerte Nippes aus bemaltem Glas und handgeknüpfte Teppiche kauften. Verrückterweise sei diese Mall eine Einbahnstraße, auf der der Verkehr in der einen Woche von links nach rechts und in der anderen in umgekehrter Richtung geführt werde.

»Die Einheimischen behaupten, dass es in vielen irischen Ortschaften ähnlich zugeht«, sagte Tarik. »Keine Ahnung. Aber wie dem auch sei, es ist sehr nett dort. Ziemlich einfach, aber mir gefällt's. Ich wohne gern in Murree.«

»Mit deiner Ziege. Mit Alyona.«

Laila wollte mit dem, was unbeabsichtigterweise wie ein Scherz klang, eigentlich in Erfahrung bringen, ob er sich außer der Ziege auch noch um andere Sorgen machen musste. Aber Tarik nickte nur mit dem Kopf.

»Auch um deine Eltern tut's mir leid«, sagte er.

»Du hast davon gehört?«

»Ich hatte schon Gelegenheit, mit Nachbarn zu sprechen«, erwiderte er, und Laila fragte sich, was er sonst noch von denen erfahren haben mochte. »Von damals habe ich niemanden wiedererkannt.«

»Sie sind alle fort. Es ist keiner mehr da, den du kennen könntest.«

»Auch Kabul ist nicht wiederzuerkennen.«

»Für mich auch nicht«, sagte Laila. »Dabei bin ich nie weg gewesen.«

»Mami hat einen neuen Freund«, sagte Zalmai nach dem Abendessen. »Einen Mann.«

Raschid blickte auf. »Ach ja?«

Tarik fragte, ob er rauchen dürfe.

Er erzählte, dass er eine Zeit lang im Flüchtlingslager Nasir Bagh bei Peschawar zugebracht habe, unter sechzigtausend Afghanen, die sich dort bereits aufhielten, als er mit seinen Eltern angekommen sei.

»Es war da nicht so schlimm wie in manchen anderen Lagern, wie zum Beispiel in Jalozai«, sagte er und streifte Zigarettenasche auf einem Unterteller ab. »Während des kalten Krieges war es sogar ein Musterlager, auf das der Westen immer verwies, wenn es darum ging, der Welt zu beweisen, dass man nicht nur Waffen nach Afghanistan schmuggelte.«

Doch das sei noch zur Zeit des sowjetischen Krieges gewesen, in den Tagen des Dschihad, der weltweit Interesse erregt, für großzügige Spenden gesorgt und zu mehreren Staatsbesuchen von Margaret Thatcher geführt habe.

»Den Rest kennst du ja, Laila. Nach dem Krieg ist die Sowjetunion auseinandergefallen, und der Westen hat sich zurückgezogen. Für den Westen stand in Afghanistan nichts mehr auf dem Spiel. Also blieb auch finanzielle Hilfe aus. Nasir Bagh ist jetzt eine Wüste aus Zelten und offenen Abwasserkanälen. Einmal am Tag gibt es was zu essen. Als wir dort angekommen sind, hat man uns eine Stange und eine Zeltplane gegeben, mit denen wir uns dann selbst behelfen mussten.«

Tarik und seine Eltern hatten ein ganzes Jahr im Lager zugebracht. Wenn er sich an Nasir Bagh zu erinnern versuche, sagte er, komme ihm vor allem die Farbe Braun in den Sinn. »Braune Zelte. Braune Menschen. Braune Hunde. Brauner Brei.«

Tag für Tag war er auf einen abgestorbenen Baum geklettert, hatte sich auf einen Ast gesetzt und die Flüchtlinge beobachtet, die mit schwärenden Wunden und amputierten Gliedmaßen ungeschützt in der Sonne lagen. Er sah kleine ausgehungerte Jungen in Benzinkanistern Wasser schleppen, Hundekot einsammeln, um Feuer damit zu machen, mit stumpfen Messern aus Holzstücken Spielzeuggewehre schnitzen und Säcke voller Mehl, das zum Brotbacken völlig ungeeignet war, über den Boden schleifen. Ständig ging ein Wind durchs Lager, der an den Zelten rüttelte, Staub und welkes Unkraut aufwirbelte, aber auch bunte Drachen über dem ansonsten trostlosen Ort am Himmel tanzen ließ.

Jede Woche sei mindestens einer gestorben, sagte er, meist ein Kind.

»Die Kinder hatten besonders zu leiden. Ruhr, Tb, Hunger, was auch immer. Vor allem die verdammte Ruhr. Himmel, Laila. Wie oft ich da gesehen habe, wie Kinder begraben wurden. Etwas Schlimmeres kann man sich nicht vorstellen.«

Er schlug die Beine übereinander. Es blieb für eine Weile still zwischen ihnen.

»Mein Vater hat den ersten Winter nicht überlebt. Er starb im Schlaf. Ich glaube, er hat kaum Schmerzen gehabt.«

Im selben Winter sei seine Mutter an einer Lungenentzündung erkrankt, an der sie bestimmt gestorben wäre, hätte ihr nicht ein Arzt aus einem UNHCR-Camp geholfen, der mit einem zu einer mobilen Klinik umgebauten Lieferwagen ins Lager kam. Sie habe nächtelang wach gelegen, hohes Fieber gehabt, schrecklich gehustet und rostfarbenen Schleim ausgeworfen. Die Patienten hätten vor der mobilen Klinik Schlange gestanden, sagte er, zitternde, stöhnende und hustende Menschen; manchen sei der Durchfall an den Beinen heruntergelaufen, andere hätten vor lauter Mattigkeit und Hunger kein Wort mehr herausgebracht.

»Aber er war ein guter Mann, dieser UNHCR-Arzt. Er hat meine Mutter behandelt, ihr Medikamente gegeben und über den Winter geholfen.«

In diesem Winter habe er einen Jungen überfallen, gestand Tarik.

»Zwölf, vielleicht dreizehn Jahre alt«, sagte er, ohne mit der Wimper zu zucken. »Ich habe ihm eine Glasscherbe an den Hals gedrückt und seine Wolldecke abgenommen, um sie meiner Mutter zu geben.«

Nach der überstandenen Krankheit seiner Mutter hatte er gelobt, keinen weiteren Winter in dem Lager zu verbringen, und den Entschluss gefasst, eine Arbeit anzunehmen und Geld zu sparen, um dann mit ihr in Peschawar eine Wohnung mit Heizung und fließendem Wasser zu beziehen. Als der Frühling kam, suchte er nach Arbeit. Von Zeit zu Zeit kam frühmorgens ein Lastwagen ins Lager, sammelte zwanzig bis dreißig junge Burschen ein und lieferte sie an einem Ort ab, wo es etwas für sie zu tun gab: ein Feld, das von Steinen befreit werden sollte, oder eine Obstplantage, auf der Äpfel zu pflücken waren. Zum Lohn dafür bekamen sie ein wenig Geld, manchmal auch nur eine Decke oder ein Paar Schuhe. Ihn aber habe niemand gewollt, sagte er.

»Ein Blick auf mein Bein, und das war's dann.«

Es gab noch andere Jobs. Gräben ausheben, Hütten bauen, Wasser schleppen oder Sickergruben leeren. Die jungen Männer rissen sich um solche Verdienstmöglichkeiten, und Tarik ging immer leer aus.

Im Herbst 1993 lernte er dann einen Geschäftsmann kennen.

»Ich sollte für ihn einen Ledermantel nach Lahore bringen, wofür er mir Geld anbot, nicht viel, aber genug, um eine Wohnung für einen, vielleicht sogar zwei Monate anmieten zu können.«

Der Geschäftsmann habe ihm einen Busfahrschein gegeben und die Adresse einer Straßenecke nahe der Eisenbahnstation von Lahore, wo er den Mantel einem Freund seines Auftraggebers übergeben sollte.

»Ich ahnte natürlich, dass an der Sache was faul ist. Ich wusste es«, gestand er. »Er sagte, dass ich ganz allein auf mich gestellt sein würde, wenn man mich erwischte, und ich solle immer daran denken, dass er wisse, wo meine Mutter zu finden sei. Aber ich habe dem Geld nicht widerstehen können. Und es war bald wieder Winter.«

»Wie weit bist du gekommen?«, fragte Laila.

»Nicht sehr weit«, sagte Tarik und lachte verschämt. »Noch nicht einmal bis in den Bus. Aber ich hielt mich für immun, verstehst du? Ich dachte, mir kann nichts passieren. Als gäbe es da oben einen, der Buch führt, einen netten alten Mann mit Bleistift hinterm Ohr, der alles aufrechnet und Bilanz zieht, der auf mich herabschaut und sagt: ›Was soll's, das lassen wir ihm durchgehen. Er musste schon sein Teil bezahlen und hat was gut.‹«

Das Haschisch war im Saum versteckt und fiel auf die Straße, als die Polizei mit einem Messer Nachforschungen anstellte.

Tarik lachte wieder, als er das sagte. Es war ein aufsteigendes, zittriges Lachen, das Laila noch von früher kannte und das immer dann von ihm zu hören gewesen war, wenn er versucht hatte, eine Dummheit wiedergutzumachen.

»Er hinkt«, sagte Zalmai.

»Ist es der, von dem ich glaube, dass er's ist?«

»Er war nur zu Besuch«, antwortete Mariam.

»Du hältst dich da raus«, blaffte Raschid und drohte mit dem Finger. Und an Laila gewandt: »Na, wie sieht's aus? Laila und Madschnun wieder vereint? Wie in alten Zeiten?« Sein Gesicht war wie versteinert. »Du hast ihn also hereingelassen. In mein Haus. Du hast ihm die Tür geöffnet. Er war hier mit meinem Sohn.«

»Du hast mich hinters Licht geführt, mich belogen«, entgegnete Laila mit Wut in der Stimme. »Du hast diesen Mann angeheuert … Du wusstest, dass ich dich verlassen würde, wenn ich hätte glauben können, dass er noch lebt.«

»Und du? Hast du mich etwa nicht belogen?«, brüllte Raschid. »Glaubst du, ich bin blind und sehe nicht, dass du mir einen *harami* ins Nest gelegt hast? Hältst du mich für einen Trottel, du Hure?«

Je länger Tarik sprach, desto mehr fürchtete Laila den Moment, wenn er zu reden aufhören würde. Denn dann wäre sie aufgefordert, Rechenschaft abzulegen und mit eigenen Worten zu erklären, was er wahrscheinlich schon wusste. Ihr schnürte sich jedes Mal das Herz zusammen, wenn er eine Pause einlegte. Sie wich seinen Blicken aus und betrachtete seine Hände, auf denen sich in den vergangenen Jahren dunkle Haare gebildet hatten.

Von der Zeit im Gefängnis erzählte Tarik kaum etwas; er erwähnte nur, dass er dort Urdu zu sprechen gelernt hatte. Als Laila mehr wissen wollte, zeigte er sich ungehalten und schüttelte den Kopf. In dieser Geste glaubte Laila, rostige Gitterstäbe und ungewaschene Körper erkennen zu können, gewalttätige Männer, überfüllte Korridore und Zellendecken voller Schimmel. Sie las seiner Miene ab, dass er unsägliche Erniedrigung und Verzweiflung hatte erleiden müssen.

Tarik sagte, seine Mutter habe versucht, ihn im Gefängnis zu besuchen.

»Sie ist dreimal gekommen, wurde aber jedes Mal abgewiesen«, berichtete er. »Die Wärter verlangten eine ›Besuchsgebühr‹, die wir nicht aufbringen konnten.«

Er hatte ihr Briefe geschrieben, obwohl er wusste, dass sie sie nicht erreichen würden.

»Auch dir habe ich geschrieben.«

»Wirklich?«

»Oh ja, Bände«, antwortete er. »Ergüsse, die deinen Freund Rumi vor Neid hätten erblassen lassen.« Er lachte wieder, lauthals diesmal, verblüfft, wie es schien, über seine Offenherzigkeit und zugleich verlegen.

Oben fing Zalmai zu plärren an.

»Also wie in alten Zeiten«, sagte Raschid später. »Ihr zwei. Schätze, du hast ihn dein Gesicht sehen lassen.«

»Ja«, sagte Zalmai. Und zu Laila: »Das hast du, Mami. Ich hab dich gesehen.«

»Dein Sohn hat nicht viel für mich übrig«, bemerkte Tarik, als Laila nach unten zurückgekehrt war.

»Tut mir leid«, sagte sie. »Das ist es nicht. Er hat bloß … Ach, was soll's?« Laila schämte sich für das, was ihr über Zalmai zu sagen auf der Zunge lag; er war ja noch ein Kind, ein kleiner Junge, der seinen Vater liebte und eine durchaus verständliche Aversion gegen diesen Fremden hatte.

Auch dir habe ich geschrieben.

Bände.

»Wie lange wohnst du schon in Murree?«

»Noch nicht ganz ein Jahr«, antwortete Tarik.

Er habe sich im Gefängnis mit einem älteren Mann angefreundet, einem Pakistani namens Salim, der früher ein guter Feldhockeyspieler gewesen sei. Er hatte schon häufig wegen kleinerer Vergehen eingesessen, büßte jetzt aber zehn Jahre ab, weil er einen Informanten der Polizei niedergestochen hatte. Tarik erklärte, dass wohl jedes Gefängnis einen Mann wie Salim habe, jemanden, der sich auch hinter Gittern zu helfen wisse und gute Beziehungen unterhalte, der einem sehr gefährlich werden, aber auch nützlich sein könne. Dieser Salim hatte für Tarik Erkundigungen über seine Mutter einholen lassen und ihm schließlich mit väterlich sanfter Stimme beigebracht, dass sie an Unterkühlung gestorben sei.

Tarik hatte sieben Jahre im Gefängnis verbracht. »Damit bin ich glimpflich davongekommen«, sagte er. »Ich hatte Glück. Mein Richter war milde. Vielleicht lag's daran, dass er eine afghanische Schwägerin hatte. Ich weiß es nicht.«

Nach Ablauf seiner Haft zu Beginn des Winters 2000 hatte Salim ihm die Adresse und Telefonnummer seines Bruders gegeben. Sein Name war Sajid.

»Er sagte, Sajid sei Besitzer eines kleinen Hotels in Murree. Mit zwanzig Zimmern und einer Lounge. Eine Touristenherberge. Ich sollte ihn aufsuchen und mich auf Salim berufen.«

Schon auf den ersten Blick war Tarik von Murree angetan gewesen, von den verschneiten Kiefern und der kalten, frischen Luft, den Holzhäusern mit ihren Fensterläden und Schornsteinen, aus denen der Rauch aufstieg.

Hier bin ich richtig, hatte Tarik gedacht und an Sajids Tür geklopft. Dieser Ort war Welten entfernt von dem Elend, das er hinter sich zurücklassen wollte. Allein der Gedanke an Not und Kummer schien ihm hier fehl am Platz zu sein.

»Ich dachte mir, das ist ein Ort, an dem ich was aus mir machen kann.«

Tarik wurde als Hausmeister angestellt, absolvierte eine einmonatige Probezeit, in der er zum halben Lohn arbeitete, und konnte sich, wie er sagte, bewähren. Während Tarik sprach, stellte sich Laila den Hotelbesitzer Sajid als einen Mann mit eng stehenden Augen und rötlichem Gesicht vor, der am Fenster in der Rezeptionshalle stand und Tarik beim Holzhacken und Schneeschaufeln zuschaute. Sie sah ihn über Tarik stehen, der unter einem Waschbecken am Boden lag und das undichte Abflussrohr reparierte, und sie sah, wie er in der Registrierkasse nachprüfte, ob womöglich Geld fehlte.

Er selbst, sagte Tarik, habe eine Hütte neben dem kleinen Bungalow der Köchin bezogen, einer matronenhaften alten Witwe namens Adiba. Beide Hütten gehörten zum Hotel, dessen Hauptgebäude von Mandelbäumen abgeschirmt wurde, unter denen im Sommer aus einem pyramidenförmigen Brunnen den ganzen Tag lang Wasser sprudelte. Laila malte sich aus, wie Tarik in seiner Hütte auf dem Bett hockte und durchs Fenster auf eine Welt voller Blüten und Blätter blickte.

Nach der Probezeit bezog Tarik das volle Gehalt. Darüber hinaus hatte er freie Kost und Logis. Sajid schenkte ihm sogar einen Wollmantel und versprach, ihm eine neue Prothese anpassen zu lassen. Tarik sagte, die Freundlichkeit dieses Mannes habe ihn zu Tränen gerührt.

Mit seinem ersten Monatslohn in der Tasche war Tarik auf den Markt gegangen, wo er Alyona erstanden hatte.

»Ihr Fell ist ganz und gar weiß«, sagte er lächelnd. »Wenn es in der Nacht geschneit hat und ich morgens aus dem Fenster schaue, sehe ich von ihr nur zwei Augen und die Nüstern.«

Laila nickte. Es wurde wieder still. Oben hatte Zalmai damit angefangen, seinen Ball gegen die Wand zu werfen.

»Ich dachte, du wärst tot«, flüsterte Laila.

»Ich weiß. Das sagtest du bereits.«

Ihr blieb die Stimme weg. Sie räusperte sich, nahm Haltung an. »Der Mann, der mir die Nachricht brachte, wirkte so ernst … Ich habe ihm geglaubt, Tarik. Leider. Wären mir doch Zweifel gekommen! Aber ich fühlte mich so allein und hatte schreckliche Angst. Sonst hätte ich nie eingewilligt, Raschid zu heiraten. Auf keinen Fall hätte ich …«

»Lass gut sein. Du musst mir nichts erklären«, sagte er ruhig und vermied es, ihr in die Augen zu sehen. Seine Worte waren ohne jeden Vorwurf oder Anklänge von Enttäuschung.

»Doch, ich muss es dir erklären. Es gab einen sehr gewichtigen Grund, warum ich ihn geheiratet habe. Es gibt da etwas, das du wissen solltest. Ich muss es dir sagen.«

»Hast du auch mit ihm gesprochen?«, fragte Raschid Zalmai.

Zalmai schwieg. Er war merklich verunsichert. Es schien, als spürte er, etwas ausgeplappert zu haben, das Schaden anzurichten drohte.

»Ich habe dich was gefragt, Junge.«

Zalmai schluckte. »Ich war oben und hab mit *Khala* Mariam gespielt.«

»Und deine Mutter?«

Der Kleine war den Tränen nahe und blickte flehend zu seiner Mutter auf.

»Keine Bange, Zalmai«, sagte Laila. »Sag die Wahrheit.«

»Sie war … hier unten und hat mit dem Mann gesprochen«, sagte er mit dünner Stimme, die kaum mehr als ein Flüstern war.

»Verstehe«, knurrte Raschid. »Teamarbeit.«

Als er aufbrach, um zu gehen, sagte Tarik: »Ich will sie sehen. Ich möchte zu ihr.«

»Das lässt sich einrichten«, erwiderte Laila.

»Aziza. Aziza.« Lächelnd ließ er sich die Silben auf der Zunge zergehen. Wenn Raschid den Namen aussprach, klang er ungeschlacht, fast vulgär. »Aziza. Ein schöner Name.«

»Schön wie das Kind. Du wirst sehen.«

»Ich zähle die Minuten.«

Fast zehn Jahre waren seit ihrem letzten Stelldichein vergangen, seit den heimlichen Küssen in der kleinen Gasse und auf dem Boden des Wohnzimmers. Laila fragte sich, welchen Eindruck sie jetzt wohl auf ihn machte. Ob sie ihm noch gefiel? Oder fand er sie verbraucht, erbärmlich oder gar abstoßend? Fast zehn Jahre. Doch als sie im hellen Sonnenlicht neben Tarik vor der Tür stand, war ihr für einen Moment, als hätte es all diese Jahre nicht gegeben. Den Tod ihrer Eltern, die Eheschließung mit Raschid, die zahllosen Kriegsopfer, die Raketen, die Taliban, die Schläge, den Hunger oder auch ihre Kinder. All das erschien ihr fast wie ein Traum, ein bizarres Intermezzo zwischen dem letzten Nachmittag mit ihm und dem heutigen Wiedersehen.

Plötzlich wurde Tariks Miene ernst. Sie kannte diesen Ausdruck. Der war auch damals, vor Ewigkeiten, auf seinem Gesicht zu sehen gewesen, als er sein Bein abgeschnallt und Khadim damit verdroschen hatte. Er streckte nun die Hand aus und berührte ihren Mundwinkel.

»Er behandelt dich schlecht«, sagte er wütend.

Von seiner Berührung erregt, erinnerte sich Laila an den Nachmittag voller Leidenschaft, als sie Aziza empfangen hatte. Sie meinte, seinen Atem im Nacken zu spüren, die angespannten Muskeln seiner Hüften, den Druck seines Körpers auf ihren Brüsten, die ineinander verschränkten Hände.

»Ach, hätte ich dich doch mit mir genommen«, flüsterte Tarik. Laila musste gegen die Tränen ankämpfen und blickte zu Boden.

»Ich weiß, du bist eine verheiratete Frau und Mutter. Und ich kreuze nach all den Jahren, nach alldem, was passiert ist, vor deinem Haus auf. Vielleicht war es nicht richtig, vielleicht ist es unfair, aber ich bin den weiten Weg gekommen, um dich zu sehen und … Oh, Laila, hätte ich dich doch nie allein gelassen.«

»Hör auf«, krächzte sie.

»Ich hätte hartnäckiger sein sollen. Ich hätte dich heiraten sollen, als es noch möglich war. Dann wäre alles anders gekommen.«

»Sprich nicht so. Bitte. Es tut mir weh.«

Er nickte, trat einen Schritt auf sie zu, blieb dann aber stehen. »Mir ist klar, dass ich keine Ansprüche stellen kann. Es steht mir auch nicht zu, aus dem Nichts aufzutauchen und dein Leben auf den Kopf zu stellen. Wenn du willst, dass ich verschwinde und nach Pakistan zurückkehre, brauchst du es nur zu sagen, Laila. Ich meine es ehrlich. Sag's, und ich gehe, ohne dich jemals wieder zu belästigen. Ich werde …«

»Nein!«, sagte Laila, schärfer als beabsichtigt. Sie ergriff seinen Arm, klammerte sich daran fest und senkte den Kopf. »Nein. Geh nicht, Tarik. Bitte bleib.«

Tarik nickte.

»Er arbeitet von zwölf bis acht Uhr abends. Komm morgen Nachmittag zurück. Dann werden wir zusammen Aziza besuchen.«

»Denk nicht, dass ich Angst vor ihm hätte.«

»Ich weiß. Komm morgen Nachmittag.«

»Und dann?«

»Und dann … Wer weiß? Ich muss nachdenken. Es ist …«

»Ich weiß, was ist«, erwiderte er. »Ich verstehe. Es tut mir leid. Mir tut vieles leid.«

»Gräm dich nicht. Du hast versprochen zurückzukehren und dein Versprechen gehalten.«

Seine Augen wurden feucht. »Es ist gut, dich zu sehen, Laila.«

Sie stand zitternd da und schaute ihm nach. *Bände von Briefen*, dachte sie, von einem Schauer geschüttelt, in dem Trauer und Verlorenheit schwangen, gleichzeitig aber auch so etwas wie waghalsige Hoffnung.

45

Mariam

»Ich war oben und hab mit *Khala* Mariam gespielt.«

»Und deine Mutter?«

»Sie war ... sie war hier unten und hat mit dem Mann gesprochen.«

»Verstehe«, knurrte Raschid. »Teamarbeit.«

Mariam sah, wie sich seine Miene entspannte. Die Falte zwischen den Brauen verschwand. In seinen Augen zeigten sich Argwohn und Zweifel. Er straffte die Schultern und schien für einen Moment einfach nur nachdenklich zu sein – wie ein Schiffskapitän, der gerade den Hinweis auf eine bevorstehende Meuterei erhalten hatte und darüber nachdachte, was zu tun war.

Er blickte auf.

Mariam wollte etwas sagen, doch er hob die Hand und sagte, ohne sie anzusehen: »Zu spät, Mariam.« Und an Zalmai gewandt: »Geh nach oben, Junge.«

Zalmai war sichtlich alarmiert. Nervös sprang sein Blick zwischen den dreien hin und her. Er schien zu spüren, dass er mit seinem Plappermaul die Erwachsenen ernstlich verstört hatte.

»Sofort«, knurrte Raschid.

Er packte Zalmai beim Ellbogen und führte ihn zur Treppe.

Mariam und Laila standen reglos da. Beide starrten vor sich hin, als fürchteten sie, Raschids Argwohn Nahrung zu geben, wenn sie einander ansähen, ihm Grund zu der Annahme zu geben, dass, während er Hotelgästen, die ihn keines Blickes würdigten, die Tür aufhielt und deren Koffer schleppte, hinter seinem Rücken und in seinem Haus verschwörerische Unzucht getrieben wurde, und das in Gegenwart seines geliebten Sohnes. Keine von ihnen sagte ein Wort. Sie lauschten den Schritten im Obergeschoss, die einen bedrohlich und schwer, die anderen trippelnd wie die eines scheuen kleinen Tieres. Sie hörten die gedämpften Worte, die gewechselt wurden, ein flehentliches Fiepen, eine barsche Erwiderung. Eine Tür schlug zu, ein Schlüssel klapperte im Schloss. Und dann kamen die schweren Schritte zurück, schneller jetzt.

Mariam sah ihn die Treppe heruntereilen, sah, wie er mit der einen Hand den Schlüssel in die Tasche steckte und mit der anderen seinen Gürtel gepackt hielt. Das gelochte Ende hatte er um die Knöchel gewickelt, die Schnalle aus imitiertem Messing baumelte herab.

Sie ging auf ihn zu, um ihn aufzuhalten, wurde aber unwirsch zur Seite gestoßen. Wortlos holte er zum Schlag gegen Laila aus, so schnell, dass ihr keine Zeit blieb, sich zu ducken oder auch nur eine schützende Hand zu heben. Laila befühlte mit den Fingern ihre Schläfe, sah, dass sie blutete, und schaute Raschid verwundert an. Doch die Verwunderung wich schnell einem anderen Ausdruck, dem des Hasses.

Raschid schlug wieder mit dem Gürtel zu.

Diesmal hob Laila den Unterarm vors Gesicht und versuchte, den Gürtel in der Luft abzufangen. Sie griff daneben, bekam ihn aber, als er wieder auf sie niedersauste, kurz zu fassen. Doch Raschid entriss ihn ihr und peitschte abermals auf sie ein. Laila nahm Reißaus und rannte durchs Zimmer, gefolgt von Raschid, der ihr immer wieder den Weg abschnitt, während Mariam ihn kreischend anbettelte, von Laila abzulassen. Einmal gelang es Laila, ihm einen Schlag aufs Ohr zu versetzen, worauf er einen wüsten Fluch ausstieß und umso heftiger tobte. Er packte sie, schleuderte sie an die Wand und traf mit der Gürtelschnalle auf Brust, Schulter, Arme und Hände. Laila blutete an mehreren Stellen.

Mariam war außer sich. Schreiend und händeringend irrte sie im Zimmer umher, bevor sie schließlich, ohne zu wissen, was sie tat, die Hand gegen Raschid erhob, an seinen Haaren zerrte und ihm mit ihren schartigen Fingernägeln das Gesicht zerkratzte.

Er ließ von Laila ab und wandte sich ihr zu. Es schien, als blickte er durch sie hindurch. Dann aber sah er ihr in die Augen, zuerst verblüfft, dann schockiert, kopfschüttelnd, ja fast enttäuscht, und schließlich verfinsterte sich sein Blick.

Mariam erinnerte sich an den Moment, als sie in Jalils Beisein und hinter ihrem Hochzeitsschleier zum ersten Mal Raschids Augen, von einem Spiegel reflektiert, wahrgenommen hatte, wie sich ihre Blicke auf der blanken Oberfläche trafen, er mit gleichgültiger Miene, sie zahm, fügsam, fast als wolle sie sich entschuldigen.

Entschuldigen.

Mariam erkannte nun in ebendiesen Augen, wie töricht sie gewesen war.

Ob sie ihren Mann jemals getäuscht habe, fragte sie sich. Konnte man ihr den Vorwurf machen, eine selbstgefällige Frau zu sein? Eine ehrlose Frau? Lügenhaft? Vulgär? Womit hatte sie seine Beleidigungen verdient, seine Boshaftigkeit und all die Quälereien? Hatte sie ihn nicht immer gepflegt, wenn er krank war? Ihn und seine Freunde bekocht? Gehorsam und pflichtbewusst den Haushalt geführt?

Hatte sie ihm nicht ihre Jugend geopfert?

Hatte sie ihm jemals Grund für seine Gemeinheiten gegeben?

Raschid ließ den Gürtel fallen und kam auf sie zu. Manches, so schien er mit dieser Geste zum Ausdruck bringen zu wollen, ließ sich besser mit bloßen Händen erledigen.

Doch als er gerade über sie herfallen wollte, sah Mariam, wie Laila hinter ihm einen Gegenstand vom Boden aufhob, den Arm in die Höhe reckte und zuschlug. Glas splitterte. Die Scherben eines Wasserglases regneten herab. Lailas Hand war voller Blut, Blut rann aus einer Schnittwunde auf Raschids Wange und tropfte auf sein Hemd. Mit gefletschten Zähnen und aufflackerndem Blick fuhr er herum.

Laila und Raschid stürzten gemeinsam zu Boden und rangen miteinander. Er kam auf ihr zu liegen, legte ihr die Hände um den Hals.

Mariam zerrte an seinem Hemd. Sie schlug ihn, versuchte, ihn von Laila loszureißen. Sie biss ihn. Doch er ließ nicht locker. Er drückte Laila die Kehle zu, und es war klar, dass er bis zum Letzten gehen würde.

Mariam wich zurück, durch die Tür in den Flur, wo sie Klopflaute wahrnahm. Oben schlug Zalmai mit seinen kleinen Händen gegen eine verschlossene Tür. Sie rannte nach draußen, durchquerte den Hof.

Im Werkzeugschuppen langte sie nach der Schaufel.

Raschid sah sie nicht ins Wohnzimmer zurückkommen. Er saß immer noch auf Laila, hatte das Gesicht zu einer Grimasse verzogen und die Hände um ihren Hals geschlungen. Laila war blau angelaufen; sie hatte die Augen nach oben verdreht und schien sich nicht länger zu wehren. Er bringt sie um, dachte Mariam. Er meint es ernst. Doch das konnte und das wollte sie nicht zulassen. Er hatte ihr in den siebenundzwanzig Jahren ihrer Ehe schon genug weggenommen. Nicht auch noch Laila.

Mariam packte die Schaufel mit beiden Händen am Stiel und hob sie über den Kopf. Sie rief ihn beim Namen. Sie wollte sein Gesicht sehen.

»Raschid.«

Er blickte auf.

Mariam schlug zu.

Sie traf ihn über der Schläfe. Er ließ von Laila ab und kippte zur Seite.

Raschid wischte sich mit der Hand über den Kopf, sah das Blut an seinen Fingern und richtete dann den Blick auf Mariam. Es schien, dass sich seine Miene entspannte. Mariam dachte, der Schlag habe ihn vielleicht zur Besinnung gebracht. Vielleicht sah er auch etwas in ihrem Gesicht, das ihn aufmerken ließ. Vielleicht sah er Zeichen jener Selbstverleugnung, der Aufopferung und Strapazen, die sie das jahrelange Zusammenleben mit ihm gekostet hatten, ein Leben, das aus Gewalt und Zumutungen, Vorwürfen und Gemeinheiten bestand. Was war es, das sie da in seinen Augen sah? Respekt? Bedauern?

Doch dann verzog sich sein Mund zu einem tückischen Grin-

sen, und Mariam sah ein, dass es falsch wäre, vielleicht sogar unver-
antwortlich, wenn sie jetzt nachgäbe. Wenn sie ihn aufstehen ließe,
würde er nicht lange fackeln, nach oben gehen und seine Pistole
aus dem Zimmer holen, in dem er Zalmai eingesperrt hatte. Hätte
Mariam sicher sein können, dass er nur sie erschießen und Laila
verschonen würde, wäre sie womöglich eingeknickt. Doch aus
Raschids Blicken sprach, dass er entschlossen war, sie beide um-
zubringen.

Und so holte Mariam noch einmal mit der Schaufel aus, so weit,
dass das Blatt ihr Kreuz berührte. Und während sie die Schaufel-
kante in Schlagrichtung brachte, wurde ihr bewusst, dass sie zum
allerersten Mal in ihrem Leben das Heft des Handelns selbst in die
Hand nahm.

Mit diesem Gedanken führte sie den Schlag aus und setzte all
ihre Kraft hinein.

46

Laila

Laila war sich der lebensbedrohlichen Gefahr bewusst, die im wut-verzerrten Gesicht über ihr geschrieben stand. Sie nahm auch Mariam am Rande wahr, die mit ihren Fäusten auf Raschid eintrommelte. Ihr Blick aber war unter die Zimmerdecke gerichtet, auf die dunklen Schimmelflecken, die sich wie Tinte auf einem Stofftuch ausbreiteten, und die Risse im Putz, die, je nachdem, wo man im Zimmer stand, mal wie ein gleichmütiges Lächeln, mal wie ein Stirnrunzeln anmuteten. Laila dachte daran, wie oft sie mit Lappen und Besen die Spinnweben aus den Ecken entfernt hatte. Dreimal hatten sie und Mariam diese Decke mit weißer Farbe überstrichen. Die Risse erschienen ihr jetzt nicht wie ein Lächeln, sondern wie ein höhnisches Grinsen, das sich immer weiter von ihr entfernte. Die Zimmerdecke hob sich, schrumpfte, stieg auf in eine diesige Düsternis. Bald hatte sie nur noch die Größe einer Briefmarke, strahlend weiß, umgeben von Schwärze, darin das Gesicht von Raschid wie ein heller Fleck.

Funken sprühten vor ihren Augen wie kleine silberne Sterne, die zerstoben. Bizarre Lichter bewegten sich auf und ab, hin und her, verschmolzen miteinander, verformten sich, verblassten und verschwanden im Dunkeln.

Gedämpfte, ferne Stimmen.

Unter ihren Lidern tauchten unscharf die Gesichter ihrer Kinder auf. Aziza, wachsam und betrübt, wissend, verschlossen; Zalmai, voller Eifer und mit bangem Blick auf seinen Vater.

So also sollte es enden. Was für ein jämmerlicher Abgang, dachte Laila.

Doch dann verflüchtigte sich die Dunkelheit. Sie wähnte sich aufgerichtet, hochgehoben. Die Zimmerdecke rückte wieder näher und breitete sich aus, so dass bald wieder die Risse zu erkennen waren, und sie schienen wieder das altvertraute dumpfe Lächeln zu zeigen.

Jemand rüttelte an ihrer Schulter. »Ist mit dir alles in Ordnung? Antworte, alles in Ordnung?« Mariams Gesicht, zerkratzt und sorgenvoll, schwebte über ihr.

Laila schnappte nach Luft. Ihre Kehle brannte. Als sie das zweite Mal Atem schöpfte, brannte auch die Brust. Dann hustete und ächzte sie. Sie atmete, wenn auch keuchend. In ihrem gesunden Ohr rauschte es.

Als sie sich aufrichtete, fiel ihr erster Blick auf Raschid. Er lag reglos auf dem Rücken und starrte ins Nichts. Er hatte den Mund geöffnet wie ein Fisch auf dem Trockenen. Rosafarbener Schaum rann ihm von den Wangen. Der Hosenschritt war durchnässt. Laila sah seine Stirn.

Dann sah sie die Schaufel.

Sie stöhnte laut auf. »Oh«, hauchte sie stimmlos. »Oh, Mariam.«

Jammernd irrte Laila im Zimmer auf und ab. Mariam hockte neben Raschid am Boden, die Hände im Schoß, ruhig und ergeben. Sie gab keinen Laut von sich.

Laila zitterte am ganzen Leib. Ihr Mund war wie ausgetrocknet. Sie stammelte unzusammenhängende Worte vor sich hin und wagte es nicht, Raschid anzusehen, die klaffende Mundöffnung, die aufgerissenen Augen und das am Boden gerinnende Blut.

Draußen ging die Sonne unter; Schatten legten sich über den Hof. Im Halbdunkel wirkte Mariam verschwindend klein. Sie war abgespannt, zeigte aber keinerlei Erregung oder Furcht. Sie schien in Gedanken versunken und weit entrückt. Als sich ihr eine Fliege aufs Kinn setzte, schenkte sie ihr keine Beachtung. Die Unterlippe war nach vorn geschoben, wie immer, wenn sie grübelte.

Schließlich sagte sie: »Setz dich, Laila *jo*.«

Laila gehorchte.

»Wir müssen ihn fortschaffen. Zalmai soll ihn so nicht sehen.«

Mariam zog Raschid den Schlüssel zum Schlafzimmer aus der Tasche, bevor sie ihn mit Lailas Hilfe in ein Bettlaken einwickelte. Laila packte ihn bei den Kniekehlen, während Mariam die Arme unter seine Achseln schlang. Sie versuchten, ihn anzuheben, doch er war zu schwer, und so mussten sie ihn über den Boden schleifen. Als sie die Haustür passierten, blieb sein Fuß am Pfosten hängen, und sein Bein knickte zur Seite weg. Bei dem Versuch, den Leichnam über die Schwelle zu zerren, war oben ein Klopfen an der Schlafzimmertür zu hören. Lailas Knie wurden weich. Sie ließ Raschid fallen und ging schluchzend und zitternd zu Boden. Mariam stand über ihr, die Hände in die Hüften gestemmt, und sagte, dass sie sich zusammenreißen müsse. Was geschehen sei, sei geschehen.

Laila stand auf und wischte sich das Gesicht. Mit vereinten Kräften hievten die beiden Frauen Raschid über den Hof und versteckten ihn im Schuppen hinter der Werkbank, auf der seine Säge, ein paar Nägel, ein Stechbeitel, ein Hammer und ein zylindrischer Holzblock lagen, aus dem Raschid ein Spielzeug für Zalmai hatte schnitzen wollen, wozu er aber nicht gekommen war.

Die beiden gingen ins Haus zurück. Mariam wusch sich die Hände, fuhr mit den Fingern durchs Haar und holte tief Luft. »Lass dich jetzt verarzten. Du bist übel zugerichtet, Laila *jo*.«

Mariam sagte, sie müsse die Nacht über in sich gehen, ihre Gedanken sortieren und einen Plan fassen.

»Es gibt einen Ausweg«, murmelte sie. »Ich muss ihn nur finden.«

»Wir müssen fort. Wir können hier nicht bleiben«, entgegnete Laila mit gebrochener, heiserer Stimme. Sie stellte sich vor, wie es geklungen haben mochte, als die Schaufel auf seinem Kopf aufgetroffen war, und ihr drehte sich der Magen um.

Mariam wartete geduldig, bis es Laila wieder besser ging. Sie legte Lailas Kopf auf ihren Schoß, streichelte ihre Haare und sagte, sie solle sich keine Sorgen machen; alles werde gut werden. Sie stellte ihr in Aussicht, gemeinsam aufzubrechen, sie, Laila, die Kinder und auch Tarik. Sie würden dieses Haus, diese unversöhnliche Stadt und das elende Land hinter sich zurücklassen, versprach sie, und einen fernen, sicheren Ort aufsuchen, wo man sie nicht fände, wo sie mit ihrer Vergangenheit abschließen könnten und geborgen wären.

»Es wird dort Bäume geben«, sagte sie. »Ja, viele Bäume.«

Sie würden in einem kleinen Haus am Rand einer Stadt leben, von der sie noch nie gehört hätten, sagte Mariam; in einer entlegenen Ortschaft, durch die zwar nur eine enge, ungepflasterte Straße führe, doch sei diese von vielen verschiedenen Pflanzen und Sträuchern gesäumt. Vielleicht gebe es dort grüne Weiden, auf denen die Kinder spielen könnten, oder sogar einen klaren blauen See voller Forellen und mit Schilf an den Ufern. Sie würden Schafe und Hühner halten, gemeinsam Brot backen und den Kindern Lesen und Schreiben beibringen. Sie würden ein neues Leben beginnen, ein friedliches, abgeschiedenes Leben, befreit von aller erlittenen Not und beschenkt mit Glück und bescheidenem Wohlstand.

Laila stimmte ihr murmelnd zu. Es würde, wie sie voraussah, ein Leben voller Schwierigkeiten sein, die aber mit Freude und Stolz angenommen und wertgeschätzt werden könnten wie ein Familienerbe. Mariam sprach ihr mit sanfter, mütterlicher Stimme weiter Trost zu. »Es gibt einen Weg«, sagte sie, und morgen früh wolle sie erklären, was zu tun sei; vielleicht würden sie morgen um diese Zeit schon aufgebrochen sein und dieses neue Leben begonnen haben, ein Leben voller Möglichkeiten, Freude und willkommenen Schwierigkeiten. Laila war dankbar dafür, dass Mariam die Initiative übernommen hatte und sich im Stande wähnte, mit nüchtern klarem Blick für beide zu planen. Sie selbst war dafür viel zu durcheinander.

Mariam stand auf. »Du solltest dich jetzt um deinen Sohn kümmern«, sagte sie, und Laila sah erst jetzt in Mariams Gesicht, wie angeschlagen sie war.

Laila fand ihn zusammengerollt auf Raschids Bettseite liegen. Sie schlüpfte zu ihm unter die Decke.

»Bist du noch wach?«

Ohne ihr das Gesicht zuzuwenden, antwortete er: »Kann nicht schlafen. Baba *jan* hat noch nicht die *Babalu*-Gebete mit mir gesprochen.«

»Wie wär's, wenn ich es heute täte?«

»Du kannst das nicht so wie er.«

Sie streichelte über seine kleine Schulter und drückte ihm einen Kuss in den Nacken. »Ich könnte es versuchen.«

»Wo ist Baba *jan*?«

»Baba *jan* ist weggegangen«, sagte Laila mit erstickender Stimme.

Die schreckliche Lüge war zum ersten Mal ausgesprochen. Wie oft würde sie davon noch Gebrauch zu machen haben, fragte sich Laila; wie oft würde sie Zalmai täuschen müssen? Sie dachte an die Jubelrufe des Kleinen und wie er auf seinen Vater zustürmte, wenn dieser von der Arbeit nach Hause kam, wie sein Vater ihn dann bei den Ellbogen fasste und herumwirbelte, bis die kleinen Beine waagerecht durch die Luft flogen, wie sie dann kicherten, wenn Zalmai anschließend wie betrunken durchs Zimmer torkelte. Sie dachte an die ausgelassenen Spiele der beiden, an ihr prustendes Lachen und die verschwörerischen Blicke.

Wegen ihres Sohnes empfand Laila tiefe Scham und Traurigkeit.

»Wohin ist er gegangen?«

»Ich weiß es nicht, mein Liebling.«

Wann Baba *jan* wieder da wäre? Ob er ihm ein Geschenk mitbrächte, wenn er zurückkäme?

Sie betete mit Zalmai. Einundzwanzigmal *Bismallah-e-rahman-o rahim*, abgezählt auf den Knöcheln von sieben Fingern. Sie sah, wie er die Hände vors Gesicht hielt, hineinblics, dann beide Handrücken auf die Stirn legte und zu einer wegwerfenden Geste flüsterte: »Geh weg, Babalu, komm nicht zu Zalmai, er hat nichts mit dir zu schaffen, geh weg, Babalu.« Zum Abschluss wiederholte er dreimal die Worte »Allah-u-akbar«.

Später in der Nacht schreckte Laila auf, geweckt von einer gehauchten Stimme: »Bin ich schuld, dass Baba *jan* gegangen ist? Ist er gegangen, weil ich das über dich und den Mann gesagt habe?«

Sie beugte sich über ihn, um ihm tröstend zu versichern, dass es nicht seine Schuld sei, doch Zalmai schlief, und seine kleine Brust ging auf und ab.

Beim Zubettgehen hatte Laila in ihrer Bestürzung keinen klaren Gedanken fassen können. Doch als der Muezzin zum Morgengebet rief, war ihr Verstand wieder wach.

Sie richtete sich auf und betrachtete für eine Weile den schlafenden Sohn, der sein Kinn auf den Handballen gebettet hatte. Wahrscheinlich, so dachte sie, war Mariam in der Nacht ins Zimmer geschlichen, hatte ihnen beim Schlafen zugeschaut und Pläne geschmiedet.

Laila erhob sich vom Bett. Ihr taten alle Knochen weh. Sie spürte die schmerzenden Spuren von Raschids Gürtelschnalle im Nacken, auf den Schultern und im Rücken, an Armen und Beinen. Stöhnend verließ sie das Schlafzimmer.

Das Licht in Mariams Zimmer schimmerte dunkelgrau; es hatte jene Tönung, mit der Laila immer krähende Hähne und taufrisches Gras in Verbindung brachte. Mariam kniete auf ihrem Gebetsteppich, das Gesicht dem Fenster zugewandt. Langsam ging Laila in die Knie und nahm ihr gegenüber auf dem Boden Platz.

»Du solltest gleich losgehen und Aziza besuchen«, sagte Mariam.

»Ich glaube, ich weiß, was du vorhast.«

»Geh nicht zu Fuß. Nimm den Bus. Als einziger Fahrgast in einem Taxi würdest du auffallen und aufgehalten werden.«

»Dein Versprechen von letzter Nacht ...« Laila stockte. Die Bäume, der See, der entlegene Ort. All das war zu schön, um wahr zu sein. Mariam hatte sie nur besänftigen wollen. So wie man ein verstörtes Kind mit fantastischen Geschichten zu beruhigen versuchte.

»Ich habe es so gemeint«, sagte Mariam. »Für dich, Laila *jo*.«

»Ohne dich will ich es nicht«, krächzte Laila.

Mariam lächelte matt.

»Ich möchte, dass es genauso wird, wie du es gesagt hast, Mariam, für uns alle, für dich, mich und die Kinder. Tarik hat eine Wohnung in Pakistan. Dort könnten wir uns für eine Weile versteckt halten und abwarten, bis Gras über die Sache gewachsen ist …«

»Nein. Das wäre nicht möglich«, entgegnete Mariam geduldig wie zu einem Kind, das es gut meinte, aber einem Irrtum erlag.

»Wir kümmern uns umeinander«, beharrte Laila stammelnd und mit Tränen in den Augen. »Wie du es vorgeschlagen hast. Nein. Zur Abwechslung werde ich mich um *dich* kümmern.«

»Oh, Laila *jo*.«

Laila ließ nicht locker. Sie flehte und feilschte. Sie versprach, den Haushalt ganz allein zu führen. »Du brauchst keinen Handschlag zu tun. Nie wieder. Du ruhst dich aus, schläfst, solang du willst, und legst einen kleinen Garten an. Du tust, was dir gefällt, und ich erfülle dir jeden Wunsch. Lass uns nicht allein, Mariam. Es bräche uns, Aziza und mir, das Herz.«

»Einem Brotdieb werden die Hände abgeschlagen«, erwiderte Mariam. »Was glaubst du, haben Frauen zu erwarten, deren Ehemann tot aufgefunden wird?«

»Wir machen uns aus dem Staub«, hauchte Laila.

»Früher oder später wird man uns schnappen. Sie sind wie Bluthunde.« Mariam sprach mit leiser, vorsichtiger Stimme. Verglichen mit ihren Worten, klangen Lailas Versprechungen abwegig und töricht.

»Mariam, bitte …«

»Und wenn sie uns aufgreifen, sind wir alle geliefert. Auch Tarik. Ich will nicht, dass ihr in ständiger Angst lebt und von einem Ort zum anderen fliehen müsst. Was wird mit den Kindern geschehen, wenn sie dich stellen?«

Laila vergoss heiße Tränen.

»Wer wird sich dann um sie kümmern? Die Taliban? Sei vernünftig, Laila *jo*. Vergiss nicht, du bist eine Mutter.«

»Ich kann nicht.«

»Du musst.«

»Aber es ist ungerecht«, ächzte Laila.

»Was soll's? Komm her. Komm zu mir.«

Laila rückte näher und legte den Kopf auf Mariams Schoß. Sie erinnerte sich an all die gemeinsam verbrachten Nachmittage; während sie sich gegenseitig das Haar flochten, hatte Mariam immer ihren weitschweifenden Gedanken und Geschichten zugehört, voller Dankbarkeit und mit einem Ausdruck im Gesicht, als würde ihr ein einzigartiges Privileg zuteil.

»Es ist recht so«, sagte Mariam. »Ich habe unseren Ehemann getötet. Ich habe deinem Sohn den Vater genommen. Es wäre falsch, wenn ich fliehen würde. Ich kann es nicht. Selbst wenn uns die Flucht gelänge, könnte ich niemals …« Ihre Lippen zitterten. »Ich könnte der Trauer deines Sohnes nicht entkommen. Wie sollte ich ihm jemals wieder guten Gewissens unter die Augen treten, Laila *jo*?«

Mariam fuhr Laila durch das Haar und zupfte an einer Locke.

»Für mich ist die Sache hier abgeschlossen. Mir bleibt nichts zu wünschen übrig. Was ich mir als kleines Mädchen erhofft habe, hast du mir gegeben. Du und deine Kinder haben mich glücklich gemacht. Es ist gut so, Laila *jo*. Wirklich. Sei nicht traurig.«

Laila hatte keine überzeugende Antwort parat. Trotzdem redete sie auf Mariam ein, in unvollständigen Sätzen und fahrig stammelnd wie ein Kind. Sie sprach von Obstbäumen, die zu pflanzen seien, und von Hühnern, die es großzuziehen gelte, von kleinen Hütten in namenlosen Dörfern und Ausflügen an Seen, in denen es von Forellen nur so wimmelte. Am Ende versiegten die Worte, nicht so die Tränen. Sie schluchzte wie ein Kind, das gegen die bittere Logik der Erwachsenen nicht anzukommen vermochte und dem nichts anderes übrig blieb als nachzugeben. Laila kauerte sich zusammen und legte ein letztes Mal den Kopf auf Mariams Schoß.

Später am Morgen packte Mariam für Zalmai ein Stück Brot und getrocknete Feigen ein. Ein zweites Proviantpaket, gefüllt mit Feigen und Keksen in Form von Tieren, war für Aziza bestimmt. Sie steckte alles in einen Papierbeutel, den sie Laila reichte.

»Gib Aziza einen Kuss von mir. Sag ihr, dass sie der *noor* meiner Augen ist und mein Ein und Alles. Willst du ihr das ausrichten?«

Laila nickte und presste die Lippen aufeinander.

»Nimm den Bus, wie gesagt, und halte den Kopf gesenkt.«

»Wann werde ich dich sehen, Mariam? Ich möchte dich sehen, bevor ich meine Aussage mache. Ich werde ihnen sagen, wie es passiert ist, und erklären, dass es nicht deine Schuld war. Dass du nicht anders konntest. Sie werden Verständnis dafür haben, meinst du nicht auch, Mariam? Sie werden nachsichtig sein.«

Mariam antwortete mit einem sanften Lächeln.

Sie ging in die Hocke, um Zalmai in die Augen zu schauen. Er trug ein rotes T-Shirt, eine verschlissene Hose und die Cowboystiefel, die Raschid aus zweiter Hand auf dem Markt von Mandaii gekauft hatte. Mit beiden Händen hielt er seinen neuen Basketball gepackt. Mariam gab ihm einen Kuss auf die Wange.

»Sei jetzt ein guter, starker Junge«, sagte sie. »Und sei lieb zu deiner Mutter.« Sie nahm sein Gesicht in die Hände. Er wich zurück, doch sie hielt an ihm fest. »Es tut mir leid, Zalmai *jo*. Glaub mir, dass du traurig bist und Kummer hast, tut mir sehr leid.«

Laila nahm Zalmai bei der Hand und ging mit ihm auf die Straße hinaus. Bevor sie um die Ecke bogen, schaute Laila zurück und sah Mariam in der Tür stehen. Mariam hatte einen weißen Schal um den Kopf gewickelt. Sie trug eine dunkelblaue zugeknöpfte Strickjacke und eine weiße Baumwollhose. Sonnenstrahlen streiften ihr Gesicht. Sie winkte freundlich.

Laila und Zalmai bogen um die Ecke und sahen Mariam nie wieder.

47

Mariam

Nach all den Jahren, so schien es, wieder zurück in einer *kolba*.

Das Frauengefängnis Walayat war ein würfelförmiges graues Gebäude in Shar-e-Nau nahe der Hühnerstraße. Es befand sich inmitten eines größeren Komplexes, der Haftanstalt für Männer. Ein mit Vorhängeschlössern abgesichertes Tor trennte Mariam und die anderen Frauen von den anderen Teilen des Gefängnisses. Mariam zählte vier belegte Zellen, kleine kahle Kammern, in denen der Putz von den Wänden bröckelte. Die unverglasten Fensterluken waren vergittert und blickten auf den Innenhof, den die Frauen nach Belieben aufsuchen konnten, denn die Türen zu ihren Zellen blieben unverschlossen. Weil es keine Vorhänge vor den Fenstern gab, konnten die Wärter, die im Hof patrouillierten, ungehindert Einblick nehmen. Einige Frauen beschwerten sich darüber, dass die Wärter vor ihren Fenstern rauchten, sie, die Gefangenen, mit lüsternen Blicken begafften und zotige Witze rissen. Aus diesem Grund trugen die meisten Frauen den ganzen Tag über Burkas, die sie erst nach Sonnenuntergang ablegten, wenn die Pforte abgeschlossen war und die Wärter ihre Posten eingenommen hatten.

Nachts war es stockdunkel in der Zelle, die sich Mariam mit fünf Frauen und vier Kindern teilte. Wenn es ausnahmsweise Strom gab, wurde Naghma, eine klein gewachsene junge Frau mit flacher Brust und schwarzem krausem Haar, unter die Decke gehoben, aus der ein Stück abisoliertes Kabel heraushing. Naghma klemmte dann mit der Hand die Phasen an eine Glühbirne und sorgte so für Licht.

Die Toiletten waren so groß wie Kleiderschränke. In der Mitte des an mehreren Stellen aufgesprungenen Betonbodens befand sich ein kleines rechteckiges Loch, darunter ein Haufen Unrat. Fliegen schwirrten durch dieses Loch ein und aus.

Mitten auf dem rechteckigen Innenhof gab es eine Wasserstelle, die aber keinen Ablauf hatte, weshalb der Hof meistens verschlammt war. An einem Gewirr aus Wäscheleinen hingen Socken und Windeln zum Trocknen. Hier empfingen die Insassen auch ihre Besucher; hier wurde der Reis gekocht, den die Familien mitbrachten – das Gefängnis gab selbst kein Essen aus. Der Hof war gleichzeitig auch Spielplatz der Kinder, von denen viele, wie Mariam erfuhr, in Walayat zur Welt gekommen waren und die Welt jenseits dieser Mauern noch nie gesehen hatten. Mariam sah ihnen beim Spielen zu und wie sie auf bloßen Füßen durch den Matsch tollten. Den ganzen Tag tobten sie herum, ungeachtet des Gestanks, der dem gesamten Gelände und ihren eigenen Körpern anhaftete; auch von den Taliban nahmen sie keine Notiz, es sei denn, sie wurden geschlagen.

Mariam hatte keine Besucher. Es war das Erste und Einzige, worum sie die Gefängnisleitung gebeten hatte: keine Besucher.

Keine der anderen Frauen in Mariams Zelle saß wegen eines Gewaltverbrechens ein. Sie büßten alle dafür, von zu Hause weggelaufen zu sein, was viele Frauen versuchten. Als Mörderin genoss Mariam eine Sonderstellung. Die Frauen betrachteten sie mit Respekt, fast ehrfürchtig. Sie boten ihr ihre Decken an und rissen sich geradezu darum, sie an ihrem Essen teilhaben zu lassen.

Besonders angetan von Mariam war Naghma, die ihr mit verschränkten Armen auf Schritt und Tritt folgte. Naghma empfand offenbar ein eigentümliches Vergnügen daran, von Unglücksfällen zu berichten, die nicht zuletzt ihre eigene Person betrafen. Sie erzählte, dass ihr Vater sie einem Schneider versprochen habe, der an die dreißig Jahre älter sei als sie.

»Er stinkt wie *goh* und hat weniger Zähne im Mund als Finger an der Hand«, beschrieb Naghma den Schneider.

Sie hatte mit einem jungen Mann, dem Sohn eines Mullahs, nach

Gardez zu fliehen versucht, war aber nicht weit gekommen. Nach ihrer Gefangennahme war der Mullah-Sohn ausgepeitscht worden, bis er sich reuig zeigte und sagte, dass Naghma ihn mit ihren weiblichen Reizen verführt habe. Er sei von ihr in eine Art Bann geschlagen worden, sagte er und versprach, sich hinfort voll und ganz dem Studium des Koran zu widmen. Er wurde freigelassen, Naghma zu fünf Jahren Haft verurteilt.

Hier im Gefängnis sei sie wenigstens in Sicherheit, sagte sie; ihr Vater habe geschworen, ihr am Tag ihrer Freilassung die Kehle aufzuschlitzen.

Als Naghma dies erzählte, fühlte sich Mariam an jenen Morgen vor langer Zeit zurückversetzt, als vor verlöschenden kalten Sternen rosarote Wolkenschlieren über das Safid-koh-Gebirge zogen und Nana zu ihr sagte: »So wie eine Kompassnadel immer nach Norden zeigt, wird der anklagende Finger eines Mannes immer eine Frau finden. Immer. Denk daran, Mariam.«

Mariams Prozess hatte vor einer Woche stattgefunden. Es gab keine Verhandlung, keine Rechtsberatung, keine Beweisaufnahme, keinen Einspruch. Mariam verzichtete auf die Aussage von Entlastungszeugen. Das gesamte Verfahren dauerte nicht länger als eine Viertelstunde.

Ihr saßen drei Männer gegenüber; der in der Mitte, ein gebrechlicher alter Talib, war allem Anschein nach der vorsitzende Richter. Er war außergewöhnlich hager, hatte eine gelbliche, lederne Haut und einen krausen roten Bart. Er trug eine Brille, die seine Augen vergrößerte und erkennen ließ, dass sich das Weiß der Augäpfel gelb verfärbt hatte. Der dünne Hals schien kaum geeignet, den Kopf samt sorgsam gewickeltem Turban tragen zu können.

»Sie sind geständig, *hamshira*?«, fragte er mit müder Stimme.

»Ja«, antwortete Mariam.

Der Mann nickte. Vielleicht auch nicht. Das Zittern seiner Hände und des Kopfes erinnerten Mariam an Mullah Faizullahs Tremor. Wenn er einen Schluck Tee trinken wollte, ließ er sich von dem stämmigen Mann zu seiner Linken das Glas an die Lippen führen.

Dann schloss er die Augen und dankte mit stummer, vornehmer Geste.

Er hatte, wie Mariam fand, etwas Entwaffnendes an sich. Wenn er sprach, schwangen sowohl Arglist als auch Zärtlichkeit in seiner Stimme mit. Er lächelte geduldig und blickte nicht mit Verachtung auf Mariam herab. Seine an sie gerichteten Worte waren ohne Gehässigkeit oder Vorwurf, ja sogar in einem eher entschuldigenden Ton vorgetragen.

»Ist Ihnen klar, was das heißt?«, fragte der knochige Talib zu seiner Rechten. Er war der jüngste der drei, redete sehr schnell und überheblich und gab sich besonders selbstsicher. Es irritierte ihn, dass Mariam kein Paschto sprach. Auf sie machte er den Eindruck eines jener streitsüchtigen jungen Männer, die es genießen, Macht auszuüben, überall Verstöße sehen und es für ihr Geburtsrecht halten, Urteile zu fällen.

»Ja«, antwortete Mariam.

»Ich weiß nicht«, entgegnete der junge Talib. »Nach Gottes Willen sind Mann und Frau verschieden. Unsere Gehirne funktionieren anders. Ihr Frauen könnt unseren Gedanken nicht folgen. Das ist von westlichen Ärzten und Wissenschaftlern nachgewiesen worden. Darum hat für uns die Aussage eines Mannes ebenso viel Gewicht wie die von zwei Frauen.«

»Ich habe meine Tat gestanden, Bruder«, sagte Mariam. »Aber hätte ich sie nicht begangen, wäre sie nun tot. Er hat sie gewürgt.«

»Das sagten Sie bereits. Aber Frauen behaupten vieles.«

»Es ist die Wahrheit.«

»Haben Sie, abgesehen von Ihrer *ambagh*, irgendwelche Zeugen?«

»Nein.«

»Na dann …« Er warf die Hände in die Luft und verzog das Gesicht.

Als Nächstes sprach der kränkliche Talib.

»Ich bin bei einem Arzt in Peschawar in Behandlung«, sagte er. »Er ist ein sehr tüchtiger junger Pakistani. Erst letzte Woche war ich bei ihm. Ich bat ihn, mir die Wahrheit zu sagen, Freund, und er antwortete: ›Ich gebe Ihnen drei Monate, Mullah *sahib*, höchstens sechs, wenn Gott will.‹«

Er nickte dem Mann zur Linken zu und nahm einen weiteren Schluck Tee aus dem gereichten Trinkglas. Mit dem Rücken der zitternden Hand wischte er sich über den Mund. »Es macht mir keine Angst, aus diesem Leben zu scheiden. Mein einziger Sohn ist mir schon vor fünf Jahren vorausgegangen. Dieses Leben bereitet uns Kummer über Kummer, bis wir daran zerbrechen. Nein. Ich glaube, ich darf glücklich sein, dass ich bald daraus entlassen werde.

Was mich allerdings beunruhigt, *hamshira*, ist, dass ich vor Gott treten werde und er mich fragen wird: ›Warum hast du nicht getan, was ich von dir verlangt habe, Mullah? Warum hast du meinen Gesetzen nicht gehorcht?‹ Wie werde ich mich Ihm gegenüber rechtfertigen können, *hamshira*? Wie entlaste ich mich von dem Vorwurf, ungehorsam gewesen zu sein? Alles, was ich tun kann – was wir in der uns verbleibenden Zeit tun können –, ist, den Gesetzen zu entsprechen, die Er uns gegeben hat. Je deutlicher ich mein Ende vor Augen sehe, *hamshira*, je näher der Tag meines Todes heranrückt, desto entschlossener bin ich, Sein Wort zu erfüllen. So schmerzlich es auch sein mag.«

Er rutschte ächzend auf seinem Stuhl hin und her. Seine Kollegen richteten das bestickte Kissen, auf dem er saß.

»Ich glaube Ihnen, wenn Sie sagen, dass Ihr Mann sehr jähzornig war«, fuhr er fort und fixierte Mariam durch seine dicke Brille. Sein Blick war ernst und mitfühlend zugleich. »Nichtsdestotrotz schockiert mich die Brutalität Ihrer Tat, *hamshira*. Mich entsetzt, was Sie getan haben, während sein kleiner Junge im Schlafzimmer eingeschlossen war und weinte.

Ich bin müde und dem Tod geweiht. Ich würde gern Gnade walten lassen und Ihnen vergeben. Aber wenn Gott mich ruft und sagt, ›Es war nicht dein Amt, zu vergeben, Mullah‹, was soll ich dann antworten?«

Seine Kollegen nickten und sahen ihn bewundernd an.

»Sie machen auf mich nicht den Eindruck einer verruchten Frau, *hamshira*. Und doch haben Sie eine verruchte Tat begangen. Dafür müssen Sie büßen. Die Scharia schreibt für solche Fälle ein klares Urteil vor. Sie sagt, dass ich Sie, *hamshira*, dorthin schicken muss, wo ich selbst bald sein werde.

Verstehen Sie mich, *hamshira*?«

Mariam blickte auf ihre Hände und bejahte seine Frage.

»Möge Allah Ihnen vergeben.«

Bevor man sie abführte, wurde ihr das schriftliche Urteil des Mullahs vorgelegt. Unter den Augen der drei Taliban unterzeichnete Mariam mit ihrem Namen – *meem, reh, yah, meem* –, und während sie schrieb, erinnerte sie sich an ihre letzte Unterschrift vor siebenundzwanzig Jahren, an Jalils Tisch und unter den aufmerksamen Blicken eines anderen Mullahs.

Mariam verbrachte insgesamt zehn Tage in Haft. Sie hockte in der Zelle vor dem Fenster und schaute auf den Hof hinaus. Wenn der Sommerwind wehte, wirbelten Staub und Papierfetzen bis über die Gefängnismauern auf und tanzten in Strudeln wie Irrwische durch den Hof. Alle – die Wärter, die Kinder, die Inhaftierten und Mariam – vergruben dann das Gesicht in der Armbeuge, doch der Staub ließ sich nicht aufhalten. Er drang in Ohren und Nase, in Augen, Hautfalten und Mund, wo er zwischen den Zähnen knirschte. Gegen Abend flauten die Stürme ab, und die Brisen in der Nacht waren so lau, als schämten sie sich für die Auswüchse ihrer Geschwister bei Tage.

An Mariams letztem Tag im Walayat schenkte ihr Naghma eine Mandarine. Sie drückte sie ihr in die Hand und schloss die Finger darüber.

»Du bist die beste Freundin, die ich jemals hatte«, sagte Naghma und brach in Tränen aus.

Auch den Rest des Tages verbrachte Mariam vor dem vergitterten Fenster und blickte nach draußen. Jemand kochte. Nach Kreuzkümmel duftender Rauch und warme Luft drängten in die Zelle. Kinder versuchten einander mit verbundenen Augen zu fangen. Zwei kleine Mädchen sagten einen Reim auf, der Mariam daran erinnerte, dass ihr ebendieser Vers von Jalil beigebracht worden war, als sie am Ufer des Flusses gesessen und geangelt hatten.

Eine Vogeltränke, klitzeklein,
war gehöhlt in einen Stein.
Stichling saß am Rand und trank,
rutschte aus und – plumps – versank.

Mariam hatte in der vergangenen Nacht ein buntes Kaleidoskop aus Bildern zusammengeträumt: elf vertikal angeordnete Kieselsteine; Jalil, wieder jung, mit gewinnendem Lächeln, dem Kinngrübchen, Schweißflecken unter den Achseln und dem über die Schulter geworfenen Jackett, auf dem Weg zu seiner Tochter, um sie zu einem Ausflug in seinem blank polierten schwarzen Buick Roadmaster einzuladen; Mullah Faizullah, der seinen Rosenkranz befingert und mit ihr am Flussufer entlangschlendert, gefolgt von ihrer beider Schatten, die über das Wasser gleiten; und die begraste Uferböschung, auf der lavendelblaue Schwertlilien wachsen, die im Traum wie Nelken riechen. Sie träumte von Nana im Eingang der *kolba*, hörte sie von ferne zu Tisch rufen, während Mariam im kühlen wuchernden Gras krabbelnde Ameisen, Käfer und Heuschrecken inmitten einer Vielzahl von Grüntönen beobachtete. Das Rad eines Karrens, der über den staubigen Weg bergan geschoben wurde, knarrte. Kuhglocken läuteten. Auf einem Hügel blökten Schafe.

Unterwegs zum Ghazi-Stadion wurde Mariam auf der Pritsche eines Lastwagens, der durch Schlaglöcher polterte und Kies aufspritzen ließ, so heftig durcheinandergeschüttelt, dass ihr das Steißbein wehtat. Ein junger bewaffneter Talib behielt sie im Auge.

Mariam fragte sich, ob er ihr Scharfrichter sein würde, dieser freundlich aussehende junge Mann mit den tief liegenden hellen Augen und leicht zugespitztem Gesicht, der mit dem schwarz angelaufenen Fingernagel seines Zeigefingers an das Seitenblech klopfte.

»Hast du Hunger, Mutter?«, fragte er.

Mariam schüttelte den Kopf.

»Ich hätte einen Keks. Schmeckt gut. Du kannst ihn haben, wenn du Hunger hast.«

»Nein. *Tashakor*, Bruder.«

Er zuckte mit den Achseln und lächelte. »Hast du Angst, Mutter?«

Ihr Hals war wie zugeschnürt. Mit zitternder Stimme sagte Mariam die Wahrheit. »Ja. Große Angst.«

»Ich habe ein Bild von meinem Vater«, erklärte er. »Ich kann mich nicht an ihn erinnern. Er hat früher Fahrräder repariert, so viel weiß ich, nicht aber, wie er sich bewegt hat, wie er gelacht oder wie seine Stimme geklungen hat, wenn du verstehst, was ich meine.« Er schaute zur Seite, richtete aber gleich darauf seinen Blick wieder auf Mariam. »Meine Mutter sagte immer, er sei der tapferste Mann, den sie kenne. Wie ein Löwe, sagte sie. Aber als ihn eines Morgens die Kommunisten abholten, habe er geweint wie ein Kind. Damit will ich dir sagen, dass es ganz normal ist, Angst zu haben. Dafür braucht man sich nicht zu schämen, Mutter.«

Zum ersten Mal an diesem Tag weinte Mariam ein wenig.

Auf den Tribünen waren Tausende Augenpaare auf sie gerichtet. Man reckte die Hälse, um besser sehen zu können. Gebete wurden gemurmelt. Viele schnalzten mit der Zunge. Ein Raunen ging durchs Stadion, als Mariam von dem Lastwagen heruntergeholt wurde. Sie stellte sich vor, dass in der Menge alle den Kopf schüttelten, als über Lautsprecher bekannt gegeben wurde, welches Verbrechen ihr zur Last gelegt wurde. Aber sie blickte nicht auf, um zu sehen, ob dieses Kopfschütteln missbilligend oder wohlmeinend war, vorwurfsvoll oder mitfühlend. Mariam blendete die Zuschauer aus.

Vor ein paar Stunden hatte sie noch gefürchtet, sich lächerlich zu machen als jemand, der um Gnade winselte, in Schreikrämpfe ausbrach, sich erbrach oder gar einnässte, dass sie am Ende auch noch den letzten Rest Würde verlieren und tierischen Instinkten nachgeben würde. Doch als ihr von dem Lastwagen heruntergeholfen wurde, gaben ihre Beine nicht nach. Sie rang nicht mit den Händen und musste auch nicht zur Hinrichtungsstelle geschleift werden. Als sie spürte, dass sie ins Wanken zu geraten drohte, dachte sie an Zalmai, dem sie den geliebten Vater geraubt hatte, worunter er nun zeit seines Lebens würde leiden müssen. Dann raffte sie sich wieder auf und ging mit sicherem Schritt weiter.

Ein bewaffneter Mann kam ihr entgegen und wies ihr den Weg in Richtung der Torpfosten auf der Südseite des Spielfeldes. Mariam glaubte, die angespannte Erwartung der Menge spüren zu können. Sie blickte nicht auf. Sie schaute zu Boden, auf ihren Schatten und den des Scharfrichters, der ihr folgte.

Mariam blickte auf ein Leben zurück, das ihr, von einigen wenigen schönen Momenten abgesehen, übel mitgespielt hatte. Doch als sie ihre letzten zwanzig Schritte setzte, wollte sie trotz allem an diesem Leben festhalten. Sie wünschte, Laila noch einmal sehen zu können, wünschte, sie lachen zu hören, mit ihr unter einem Sternenhimmel *chai* zu trinken und *halwa*-Reste zu essen. Sie bedauerte, nicht miterleben zu dürfen, wie Aziza zu einer schönen jungen Frau heranwuchs, dass es ihr nicht vergönnt sein würde, Azizas Hände mit Henna zu bemalen und zu ihrer Hochzeit *noqul*-Bonbons unter die Gäste zu werfen. Sie würde nie mit Azizas Kindern spielen.

Kurz vor dem Torpfosten forderte sie der Mann auf, stehen zu bleiben. Mariam gehorchte. Durch den Sehschlitz ihrer Burka sah sie den Schatten seines Arms, mit dem er seine Kalaschnikow anhob.

In diesen letzten Momenten wünschte sich Mariam vieles. Als sie aber die Augen schloss, wich ihr Leid dem Empfinden grenzenlosen Friedens. Sie dachte an ihren Eintritt in diese Welt als *harami* einer geringen Dörflerin, als ungewünschtes Ding und bedauernswerter Unfall, als Unkraut. Und doch verließ sie diese Welt als eine Frau, die liebte und geliebt wurde. Sie ging als Freundin und Begleiterin, Beschützerin und Mutter. Als eine Person von Belang. Nein, dachte Mariam, es war nicht so schlecht, auf diese Weise zu sterben. Es war das legitime Ende eines Lebens, das illegitim begonnen hatte.

Mariams letzte Gedanken richteten sich auf einen Koranvers, den sie unter angehaltenem Atem vor sich hin murmelte:

»Er hat Himmel und Erde der Wahrheit gemäß erschaffen. Er lässt die Nacht über den Tag und den Tag über die Nacht rollen. Er hat die Sonne und den Mond dienstbar gemacht. Jeder läuft in seiner Bahn für eine bestimmte Zeit. Er ist der Allmächtige, der Allvergebende.«

»Knie nieder!«, sagte der Talib.

»Oh, mein Herr! Vergib mir und sei mir gnädig, du, Allerbarmer.«

»Knie nieder, *hamshira*. Und halte den Kopf gesenkt!«

Mariam gehorchte ein letztes Mal.

Vierter Teil

48

Tarik leidet an Kopfschmerzen.

Manchmal wacht Laila mitten in der Nacht auf und sieht ihn, das Unterhemd über den Kopf gezogen, auf der Bettkante sitzen und vor- und zurückschaukeln. Es habe in Nasir Bagh angefangen, sagt er, und sei im Gefängnis schlimmer geworden. Mitunter muss er vor Schmerzen erbrechen und kann nur noch auf einem Auge sehen. Er sagt, es fühle sich an, als würde ein Messer in die Schläfe eindringen, das Gehirn zerreißen und auf der anderen Seite austreten.

»Ich bilde mir sogar ein, den Metallgeschmack wahrnehmen zu können, wenn die Schmerzen einsetzen.«

Laila legt ihm dann ein feuchtes Tuch auf die Stirn, was die Schmerzen ein wenig lindert. Auch die kleinen weißen Pillen, die Tarik von Sajids Arzt bekommen hat, tun ihre Wirkung. Aber in manchen Nächten sind die Anfälle so heftig, dass nichts mehr hilft. Dann hält er sich den Kopf und stöhnt; die Augen sind blutunterlaufen und die Nase tropft. Laila setzt sich in solchen Momenten an seine Seite, massiert ihm den Nacken und nimmt seine Hände in ihre.

Sie heirateten am Tag ihrer Ankunft in Murree. Sajid war sichtlich erleichtert, als er von ihrem Vorhaben hörte. Er hätte sich schwer damit getan, ein unverheiratetes Paar in seinem Hotel wohnen zu lassen. Sajid sieht ganz anders aus, als Laila ihn sich vorgestellt hat. Weder stehen seine Augen eng zusammen, noch hat er eine rötliche Gesichtsfärbung. Er trägt einen adrett gezwirbelten melierten Schnauzbart und langes graues Haar, das er aus der Stirn zurückkämmt. Er ist ein freundlicher Mann mit guten Manieren, gewählter Sprache und anmutigen Bewegungen.

Es war Sajid, der einen befreundeten Mullah zur *nikka* bestellt hatte und Tarik beiseite nahm, um ihm Geld zuzustecken. Tarik wollte es nicht annehmen, doch Sajid bestand darauf. Also ging er in die Mall und kehrte mit zwei schlichten schmalen Eheringen zurück. Sie heirateten am Abend, nachdem die Kinder zu Bett gegangen waren.

Durch den grünen Schleier, den ihnen der Mullah über die Köpfe gelegt hatte, trafen sich Lailas und Tariks Blicke im Spiegel. Es gab keine Tränen, keine strahlenden Mienen, keine geflüsterten Treueschwüre. Schweigend betrachtete Laila das gemeinsame Spiegelbild, Gesichter, auf denen die Jahre Spuren hinterlassen hatten. Tarik öffnete den Mund, um etwas zu sagen, doch bevor er dazu kam, wurde ihnen der Schleier weggezogen.

Im Beisein der Kinder, die im Etagenbett unter ihnen schliefen, lagen sie in dieser Nacht als Mann und Frau zusammen. Laila erinnerte sich, wie unbeschwert sie in jüngeren Jahren miteinander geplaudert hatten, wie sie einander ins Wort gefallen waren und an den Kragen gezerrt hatten, um dem Gesagten Nachdruck zu verleihen. Wie leicht es ihnen damals gefallen war, den anderen zum Lachen zu bringen. Es hatte sich seit diesen Kindertagen so vieles zugetragen, das ausgesprochen werden wollte, doch in dieser ersten Nacht kam ihnen kaum ein Wort über die Lippen. Es war ihnen ein Segen, zusammen zu sein, die Wärme des anderen zu spüren, Stirn an Stirn zu legen und einander die Hand zu halten.

Als Laila mitten in der Nacht aufwachte, weil sie Durst hatte, sah sie die Hände immer noch fest ineinander verschränkt wie bei Kindern, die den Bindfaden eines Luftballons festhalten.

Laila genießt die kühlen, nebelverhangenen Morgenstunden in Murree, den funkelnden Sternenhimmel bei Nacht, das Grün der Kiefern, in denen Eichhörnchen turnen, und die plötzlichen Regenschauer, die die Besucher der Mall unter den Markisen der Geschäfte Zuflucht suchen lassen. Ihr gefallen die Souvenirläden, ja sogar die Touristenhotels, auch wenn sich die Einheimischen über die vielen Neubauten beklagen, die, wie sie meinen, die natürliche Schönheit des Ortes verschandeln. Laila findet es seltsam, dass sich Leute an der *Errichtung* von Bauwerken stören. In Kabul würde man dies feiern.

Es gefällt ihr, dass sie ein Badezimmer haben, keine Außentoilette, sondern ein richtiges Badezimmer mit Wasserklosett, einer Dusche und einem Waschbecken mit zwei Wasserhähnen, aus denen buchstäblich im Handumdrehen kaltes und heißes Wasser kommt. Es gefällt ihr, beim Erwachen am Morgen Alyona meckern und Abida, die mürrische, aber harmlose Köchin, die in der Küche Wunder bewirkt, mit dem Geschirr klappern zu hören.

Manchmal, wenn Laila Tarik und die Kinder schlafen sieht, überkommt sie ein Gefühl tiefer Dankbarkeit, das ihr aber wie ein Kloß im Hals steckt und Tränen in die Augen treibt.

Vormittags bringen Laila und Tarik die Hotelzimmer in Ordnung. An Tariks Gürtel klimpert ein Schlüsselring; daneben hängt ein Sprühreiniger für die Fensterscheiben. Laila trägt einen Putzeimer, ein Desinfektionsmittel, eine Toilettenbürste und Holzpolitur für die Kommoden. Auch Aziza hilft; sie hält einen Mob in der einen Hand und die mit Bohnen ausgestopfte Puppe von Mariam in der anderen. Zalmai folgt den dreien, widerwillig und schmollend.

Laila saugt, macht die Betten und wischt Staub. Tarik säubert Waschbecken und Toiletten und putzt die Linoleumböden. Er füllt die Regale mit frischen Handtüchern, kleinen Shampooflaschen und Seifestücken auf, die nach Mandeln duften. Aziza hat es sich zur Aufgabe gemacht, die Fenster zu putzen. Ihre Puppe ist immer dabei.

Wenige Tage nach der *nikka* hat Laila ihre Tochter über Tarik aufgeklärt.

Wie die beiden aufeinander eingehen, verwundert Laila immer wieder. Aziza vervollständigt seine Sätze, er die ihren. Sie reicht ihm Dinge, bevor er darum gebeten hat. Die Blicke, die sie einander über den Esstisch zuwerfen, sind so zutraulich, dass man den Eindruck haben könnte, sie seien alte Freunde, die nach langer Trennung wieder vereint sind.

Als Laila ihr sagte, wer Tarik sei, betrachtete Aziza mit nachdenklicher Miene ihre Hände.

»Ich mag ihn«, erwiderte sie nach längerem Schweigen.

»Er liebt dich.«

»Sagt er das?«

»Das braucht er gar nicht, Aziza.«

»Erzähl mir den Rest, Mami. Ich will Bescheid wissen.«

Laila ließ sich nicht lange bitten.

»Dein Vater ist ein guter Mann, der beste, der mir je begegnet ist.«

»Was, wenn er uns verlässt?«, fragte Aziza.

»Er wird uns nicht verlassen. Schau mich an, Aziza. Dein Vater wird dir niemals wehtun und immer bei uns bleiben.«

Die Erleichterung auf Azizas Gesicht ging Laila zu Herzen.

Tarik hat für Zalmai ein Schaukelpferd besorgt und einen kleinen Handwagen gebastelt. Von einem Mitgefangenen hat er gelernt, Tiere aus Papier zu falten, und so verwandelt er, um Zalmai eine Freude zu machen, zahllose Blätter in Löwen und Kängurus, in Pferde und bunte Vögel. Zalmai aber zeigt sich unbeeindruckt und weist seine Geschenke meist gelangweilt, manchmal zornig zurück.

»Du bist ein Esel!«, schreit er. »Ich will dein Zeugs nicht.«

»Zalmai!«, schreckt Laila auf.

»Ist schon gut«, sagt Tarik. »Lass ihn nur.«

»Du bist nicht mein Baba *jan*. Mein wirklicher Baba *jan* ist verreist, und wenn er zurückkommt, haut er dich. Und du wirst ihm nicht weglaufen können, denn er hat zwei Beine und du hast nur eins.«

Abends hebt Laila ihren Sohn auf den Schoß und spricht mit ihm die *Babalu*-Gebete. Seinen Fragen weicht sie jedes Mal aufs Neue aus und antwortet, dass sein Baba *jan* weggefahren sei und sie nicht wisse, wann er zurückkommt. Es ist ihr schrecklich, das Kind zu täuschen.

Laila glaubt an dieser beschämenden Lüge festhalten zu müssen. Zalmai fragt immer wieder, er fragt, wenn er von einer Schaukel springt oder von einem Mittagsschlaf erwacht. Auch später, wenn er so alt ist, dass er sich selbst die Schuhe schnüren kann und zur Schule geht, wird sie ihn belügen müssen.

Irgendwann, so hofft Laila, wird er aufhören zu fragen, wo sein Vater geblieben sei und warum er ihn im Stich gelassen habe. Er wird ihn nicht mehr in all den älteren Männern wiederzuerkennen meinen, die gebückt über die Straße schlurfen oder unter den Vordächern von Samowarhäusern Tee trinken. Irgendwann einmal wird er, wenn er an einem Fluss entlangwandert oder über ein verschneites Feld schaut, feststellen, dass ihn das Verschwinden seines Vaters nicht länger beunruhigt und der Verlust verschmerzt ist. Dann werden die Erinnerungen an ihn vielleicht etwas Angenehmes sein, das es zu bewahren und zu ehren gilt.

Laila ist glücklich hier in Murree. Doch dieses Glück fliegt ihr nicht zu, es hat seinen Preis.

Wenn er frei hat, besucht Tarik mit Laila und den Kindern die Mall mit ihren Souvenirläden und der anglikanischen Kirche, die Mitte des 19. Jahrhunderts erbaut wurde. Von einem Straßenhändler kauft Tarik für sie scharf gewürzte *chapli*-Kebabs. Sie spazieren durch die Menge der Einheimischen, der europäischen Touristen mit ihren Mobiltelefonen und Digitalkameras und der Punjabi, die hierhergekommen sind, um der Hitze des Flachlands zu entfliehen.

Manchmal fahren sie mit dem Bus nach Kashmir Point. Von dort zeigt ihnen Tarik das Flusstal des Jhelum und die üppig grünen Hänge und Hügel, wo in den Kiefernwäldern, wie er sagt, Affen von Ast zu Ast springen. Oder sie fahren bis nach Nathia Gali, das dreißig Kilometer von Murree entfernt liegt. Dort nimmt dann Tarik Laila bei der Hand und führt sie und die Kinder über eine von Ahornbäumen gesäumte Straße zum Haus des Gouverneurs. Sie machen vor dem alten britischen Friedhof Rast oder fahren mit einem Taxi auf den Gipfel eines Berges, der eine herrliche Aussicht über das grüne, häufig nebelverhangene Tal bietet.

Wenn sie auf solchen Ausflügen an einem spiegelnden Fensterglas vorbeikommen, sieht Laila das Abbild von Mann, Frau, Tochter und Sohn. Fremden, so glaubt sie, werden sie wie eine ganz gewöhnliche Familie vorkommen, unbeschwert von Geheimnissen, Lügen und Leid.

Aziza wird manchmal von Albträumen heimgesucht, aus denen sie schreiend aufschreckt. Laila legt sich zu ihr auf die Matratze, trocknet ihre Wangen mit dem Ärmel und spricht ihr Trost zu, bis sie wieder eingeschlafen ist.

Auch Laila hat ihre Träume. Darin kehrt sie immer wieder in das Haus in Kabul zurück, geht durch den Flur und die Treppe hinauf. Sie ist allein, hört aber hinter den Türen ein Bügeleisen zischen und das Schnappen von Bettlaken, die mit einem Ruck gestrafft und dann zusammengelegt werden. Mitunter hört sie auch eine dunkle Frauenstimme ein altes Herati-Lied summen. Doch wenn sie die Tür öffnet, blickt sie in einen leeren Raum. Es ist niemand da.

Wenn sie aus solchen Träumen aufwacht, ist Laila schweißgebadet, und in den Augen brennen heiße Tränen. Sie ist jedes Mal erschüttert.

49

An einem Sonntag im September, als Laila Zalmai, der sich erkältet hat, gerade ins Bett legt, kommt Tarik in den Bungalow gestürzt.

»Hast du schon gehört?«, fragt er keuchend. »Er ist umgebracht worden. Ahmad Schah Massoud. Er ist tot.«

»Was?«

Tarik berichtet, was er in Erfahrung gebracht hat.

»Es heißt, dass er zwei Journalisten ein Interview geben wollte. Sie haben behauptet, gebürtige Marokkaner mit belgischem Pass zu sein, und während sie sich miteinander unterhalten, geht eine Bombe hoch, die in der Videokamera versteckt war. Massoud und einer der beiden Journalisten sollen auf der Stelle tot gewesen sein. Der andere wurde erschossen, als er wegzulaufen versuchte. Man geht davon aus, dass die Journalisten Mitglieder von al-Qaida waren.«

Laila erinnert sich an das Poster von Ahmad Schah Massoud, das Mami in ihrem Schlafzimmer an die Wand geheftet hatte. Darauf beugt sich Massoud vor und lupft eine Augenbraue; seine Miene ist konzentriert, und es scheint, dass er jemandem aufmerksam zuhört. Laila erinnert sich, wie dankbar ihre Mutter diesem Mann dafür gewesen war, dass er am Grab ihrer Söhne ein Gebet gesprochen hatte. Davon hatte sie allen erzählt. Selbst nachdem der Krieg zwischen seiner und anderen Fraktionen ausgebrochen war, hielt Mami ihn in Ehren. »Er ist ein guter Mann«, sagte sie immer. »Er will Frieden. Er will Afghanistan neu aufbauen. Aber man lässt ihn nicht. Man lässt ihn einfach nicht.« Selbst später noch, als Kabul in Trümmern lag, war Massoud für Mami nach wie vor der Löwe von Pandschir.

Laila ist weniger nachsichtig. Sein gewaltsames Ende kann sie zwar nicht froh stimmen, doch erinnert sie sich allzu gut an die unter seinem Kommando zerstörten Häuser in der Nachbarschaft, an die aus Trümmern geborgenen Toten, an die abgerissenen Hände und Füße von Kindern, die noch Tage nach ihrer Bestattung auf Hausdächern oder in den Zweigen von Bäumen entdeckt worden waren. Allzu deutlich erinnert sie sich an den Ausdruck im Gesicht ihrer Mutter, wenige Sekunden bevor die Rakete eingeschlagen war, und sosehr sie auch versucht hat, zu vergessen, sieht sie immer noch Babis zerfetzten Rumpf neben sich auf der Straße liegen, die aus dichtem Nebel und Blut aufragenden Brückenpfeiler, die auf sein T-Shirt gedruckt waren.

»Es wird ein Begräbnis geben, bei dem es zu einem Massenauflauf kommt«, sagt Tarik. »Da bin ich mir sicher. Wahrscheinlich in Rawalpindi.«

Zalmai, der fast eingeschlafen war, hat sich aufgerichtet und reibt sich die Augen mit geballten Fäusten.

Zwei Tage später, als sie gerade ein Gästezimmer aufräumen, werden unten im Hotel plötzlich Rufe laut. Tarik lässt den Besen fallen und eilt aus dem Zimmer. Laila folgt ihm.

Die lauten Stimmen kommen aus dem Foyer. Rechts neben der Rezeption befindet sich die Lounge mit einer sandfarbenen Sitzgarnitur aus mehreren Ledersesseln und zwei Sofas. In der Ecke steht ein Fernsehgerät, vor dem sich Sajid, der Portier und mehrere Gäste versammelt haben. Laila und Tarik drängen sich in den Raum.

Im Fernseher läuft eine Nachrichtensendung der BBC. Auf dem Bildschirm ist ein Wolkenkratzer zu sehen; aus den oberen Etagen steigt schwarzer Rauch auf. Tarik und Sajid wechseln gerade ein paar Worte, als am Rand des Bildschirms ein Flugzeug auftaucht. Es stürzt in den benachbarten Turm und explodiert in einem Feuerball, der so gewaltig ist, dass Laila ihren Augen nicht traut. Alle, die im Foyer sind, schreien auf.

In weniger als zwei Stunden brechen beide Türme in sich zusammen.

Bald ist auf allen Fernsehkanälen nur noch die Rede von Afghanistan, den Taliban und Osama bin Laden.

»Hast du gehört, was die Taliban sagen?«, fragt Tarik. »Über bin Laden?«

Aziza sitzt ihm auf dem Bett gegenüber und blickt aufs Spielbrett. Tarik hat ihr das Schachspielen beigebracht. Sie runzelt die Stirn und tippt mit dem Zeigefinger auf die Unterlippe, was sie sich von ihrem Vater abgeschaut hat, der, wenn er nachdenkt, eine ähnliche Miene aufsetzt.

Zalmai hat sich von seiner Erkältung fast erholt. Laila reibt ihm Wick auf die Brust. Er ist dabei eingeschlafen.

»Ja«, antwortet Laila.

Die Taliban haben verlauten lassen, dass sie bin Laden nicht ausliefern werden, weil er ein *mehman* sei, ein Gast, der in Afghanistan Zuflucht gesucht habe. Das *Paschtunwali*, der Rechts- und Ehrenkodex der Paschtunen, verbiete die Auslieferung eines Gastes. Tarik lacht spöttisch, und Laila hört seinem Lachen an, dass er empört ist über diese abwegige Auslegung einer ehrenhaften paschtunischen Sitte.

Wenige Tage nach dem Anschlag sind Laila und Tarik wieder im Foyer des Hotels. Im Fernsehen hält George W. Bush eine Ansprache. Hinter ihm ist das amerikanische Sternenbanner zu sehen. Plötzlich gerät seine Stimme ins Stocken, und Laila glaubt, dass er gleich zu weinen beginnt.

Sajid spricht Englisch und erklärt, dass Bush gerade den Krieg erklärt hat.

»Wem?«, fragt Tarik.

»Erst einmal eurem Land.«

»Vielleicht ist es gar nicht so schlecht«, sagt Tarik.

Sie haben sich gerade geliebt. Sein Kopf liegt auf ihrer Brust; mit dem Arm hält er ihren Leib umschlungen. Bei den ersten Versuchen, miteinander zu schlafen, hat es Schwierigkeiten gegeben. Tarik geriet immer wieder in Verlegenheit, und es half nichts, dass Laila ihm gut zusprach. Schwierigkeiten gibt es immer noch, aber keine körperlichen mehr, sondern logistische. Die Hütte, die sie mit den Kindern teilen, ist sehr klein. Die Kinder schlafen im Etagenbett unter ihnen. Mit Rücksicht auf die Kinder lieben sich Laila und Tarik meist lautlos und mit zurückgenommener Leidenschaftlichkeit, vollständig bekleidet unter der Decke. Sie hüten sich davor, Laken rascheln oder Bettfedern knarren zu lassen. Doch Laila nimmt die widrigen Umstände gern in Kauf, um nur mit Tarik zusammen sein zu können. In seinen Armen fühlt sie sich sicher und geborgen. Ihre Sorge, das gemeinsame Glück könne nicht von Bestand sein und bald wieder enden, wie auch die Angst vor Trennung ist dann verflogen.

»Was soll das heißen?«, fragt sie jetzt.

»Vielleicht hat das, was zu Hause passiert, sein Gutes.«

In der Heimat fallen wieder Bomben, diesmal von amerikanischen Flugzeugen abgeworfen. Bilder davon sieht Laila jeden Tag im Fernsehen, beim Bettenmachen oder Staubsaugen. Die Amerikaner haben die Stammesführer aufgerüstet und unterstützen die Nordallianz in ihrem Kampf gegen die Taliban und bei dem Versuch, bin Laden ausfindig zu machen.

Tariks Worte tun ihr weh. Sie stößt ihn von sich.

»Nicht so schlecht? Dass Menschen sterben? Frauen, Kinder, alte Leute? Dass wieder Häuser zerstört werden? Nicht so schlecht?«

»Pst. Du weckst die Kinder.«

»Wie kannst du so etwas sagen, Tarik?«, sagt sie aufgebracht. »Nach dem sogenannten Versehen in Karam? Über hundert unschuldige Menschen! Du hast die Toten mit eigenen Augen gesehen.«

»Nein«, erwidert Tarik. Er richtet sich auf dem Ellbogen auf und blickt auf sie herab. »Du hast mich falsch verstanden. Ich meinte …«

»Du hast doch keine Ahnung«, sagt Laila. Sie bemerkt, dass sich ihre Stimme überschlägt, dass sie ihren ersten Ehekrach haben. »Du bist gegangen, als die Mudschaheddin zu kämpfen anfingen. Erinnerst du dich? Ich bin zurückgeblieben. Ich kenne den Krieg. Ich habe meine Eltern verloren. Meine *Eltern*, Tarik. Und jetzt willst du mir weismachen, dass der Krieg sein Gutes hat?«

»Es tut mir leid, Laila. Ehrlich.« Er nimmt ihr Gesicht in beide Hände. »Du hast recht. Verzeih mir. Ich wollte nur sagen, dass wir vielleicht hoffen dürfen, nach langer Zeit vielleicht endlich einmal wieder ...«

»Lass uns über etwas anderes reden«, fällt sie ihm ins Wort und ist selbst überrascht von der Heftigkeit, mit der sie ihn attackiert. Sie weiß, dass er ihren Groll nicht verdient hat. Hat der Krieg nicht auch ihm die Eltern genommen? Ihr Ärger verfliegt. Tarik spricht mit sanfter Stimme weiter, und als er sie an sich zieht, lässt sie ihn gewähren. Sie lässt es zu, dass er ihre Hand küsst, dann ihre Stirn. Vielleicht hat er recht, denkt sie. Sie weiß, was er meint. Vielleicht ist das, was passiert, wirklich notwendig. Vielleicht gibt es Hoffnung, wenn Bush seine Bombardements eingestellt hat. Aber sie kann Tarik nicht zustimmen, nicht, solange das, was Babi und Mami widerfahren ist, anderen Landsleuten droht, nicht, solange irgendein Junge oder Mädchen nichts ahnend nach Hause kommt und feststellen muss, dass die Eltern nicht mehr leben. Laila kann dem nichts Gutes abgewinnen. Es erschiene ihr geradezu pervers.

Später in der Nacht fängt Zalmai zu husten an und wacht auf. Bevor sie die Augen geöffnet hat, ist Tarik schon aufgestanden. Er schnallt seine Prothese an, geht zu Zalmai und nimmt ihn auf den Arm. Vom Bett aus sieht Laila, wie er mit dem Kleinen im Dunkeln auf und ab geht. Sie sieht die Umrisse von Zalmais Kopf auf Tariks Schultern, die in seinem Nacken verschränkten kleinen Hände, die Beinchen, die um seine Hüften geschlungen sind.

Als Tarik ins Bett zurückkehrt, streckt Laila wortlos den Arm aus und berührt sein Gesicht. Tariks Wangen sind feucht.

50

Für Laila ist das Leben in Murree beschaulich und voller Annehmlichkeiten. Die Arbeit geht ihr leicht von der Hand, und an den freien Tagen fahren sie, Tarik und die Kinder mit dem Sessellift auf den Patriata oder sie gehen nach Pindi Point, wo man bei klarem Wetter bis nach Islamabad und zur Innenstadt von Rawalpindi sehen kann. Dort breiten sie eine Decke im Gras aus, essen Brote mit Fleischbällchen und Gurkenscheiben und trinken gekühltes Ginger-Ale.

Es ist ein gutes Leben, denkt Laila, ein Leben, für das sie dankbar sein kann. Ja, es ist genau die Art von Leben, die sie sich in der düsteren Zeit mit Raschid immer erträumt hat.

Das ruft sich Laila tagtäglich in Erinnerung.

An einem warmen Abend im Juli 2002 – sie und Tarik sind zu Bett gegangen – unterhalten sie sich im Flüsterton über die Veränderungen in ihrer Heimat. Es sind viele.

Die Koalitionsstreitkräfte haben die Taliban aus jeder größeren Stadt vertrieben und bis ins Grenzland von Pakistan beziehungsweise in die Berge im Süden und Osten Afghanistans zurückgedrängt. Die ISAF, eine von der internationalen Gemeinschaft aufgestellte Friedenstruppe, hat in Kabul Stellung bezogen. Das Land wird jetzt von einem Interimspräsidenten regiert, von Hamid Karzai.

Laila findet, dass es an der Zeit ist, mit Tarik zu sprechen.

Noch vor einem Jahr hat sie alles darangesetzt, um aus Kabul herauszukommen. Doch seit einigen Monaten sehnt sie sich in die Stadt ihrer Kindheit zurück. Sie vermisst das geschäftige Treiben im Shor-Basar, die Gärten von Babur, die Rufe der Wasserträger mit ihren prall gefüllten Schläuchen aus Ziegenleder. Sie vermisst die feilschenden Textilhändler der Hühnerstraße und die Melonenverkäufer im Karteh-Parwan.

Es sind nicht so sehr Heimweh und Nostalgie, die Laila in diesen Tagen so häufig an Kabul denken lassen. Sie wird von Unruhe geplagt. Ihr kommt zu Ohren, dass in Kabul Schulen gebaut und Straßen repariert werden, dass Frauen an ihren Arbeitsplatz zurückkehren. Das Leben in Murree, so dankbar sie auch dafür ist, reicht ihr nicht mehr. Es kommt ihr belanglos vor, schlimmer noch, verschwendet. Seit kurzem hört sie im Geiste Babis Stimme. »Dir stehen alle Türen offen, Laila. Davon bin ich überzeugt. Und ich weiß auch, dass, wenn dieser Krieg vorüber ist, Afghanistan dich genauso nötig haben wird wie seine Männer.«

Sie hört auch Mami und erinnert sich an ihre Antwort auf Babis Vorschlag, Afghanistan zu verlassen. »Ich will den Tag erleben, an dem sich der Traum meiner Söhne verwirklicht. Ich möchte dabei sein, wenn das geschieht, damit meine Söhne durch mich, mit meinen Augen sehen, dass Afghanistan endlich befreit ist.« Nicht zuletzt darum möchte Laila nach Kabul zurückkehren: um Mami und Babi durch ihre eigenen Augen zu zeigen, welche Veränderungen sich zugetragen haben.

Was sie aber regelrecht zwingt, ist Mariams Andenken. Ist sie dafür gestorben?, fragt sich Laila. Hat sie sich geopfert, damit sie, Laila, als Dienstmädchen in einem fremden Land arbeitet? Vielleicht wäre ihr das nicht so wichtig; es ging ihr ja vor allem um ihre, Lailas und der Kinder, Sicherheit. Aber für Laila ist es wichtig. Mit einem Mal ist es ihr sehr wichtig.

»Ich möchte zurück«, sagt sie.

Tarik richtet sich auf und schaut sie an.

Laila ist wieder einmal beeindruckt von seiner Schönheit, der perfekten Wölbung seiner Stirn, den schlanken, muskulösen Armen, seinen nachdenklichen, intelligenten Augen. Es ist ein Jahr vergangen, doch noch immer gibt es Momente wie diesen, wenn Laila kaum fassen kann, dass sie sich wiedergefunden haben, dass sie tatsächlich zusammen sind, als Mann und Frau.

»Zurück? Nach Kabul?«, fragt er.

»Nur, wenn du es auch willst.«

»Bist du hier denn unglücklich? Ich dachte, du wärst zufrieden. Die Kinder sind es jedenfalls.«

Laila richtet sich auf. Tarik rückt zur Seite, um ihr Platz zu machen.

»Ich *bin* glücklich«, erwidert Laila. »Natürlich bin ich das. Aber … Was wird werden, Tarik? Wie lange sollen wir bleiben? Wir sind hier nicht zu Hause. Unser Zuhause ist Kabul, und da passiert zurzeit jede Menge. Viel Gutes. Ich möchte daran teilhaben. Ich möchte etwas tun. Einen Beitrag leisten. Verstehst du?«

Tarik nickt bedächtig. »Das ist also dein Wunsch. Bist du dir auch sicher?«

»Ja, ich bin mir sicher. Und es ist mehr als ein Wunsch. Ich habe das Gefühl, zurückzu*müssen*. Es erscheint mir nicht richtig, hierzubleiben.«

Tarik betrachtet seine Hände und sieht ihr dann wieder in die Augen.

»Aber nur, wirklich nur, wenn du es auch willst«, betont Laila.

Tarik lächelt. Die Falte zwischen seinen Brauen verschwindet, und für einen kurzen Moment ist er wieder ganz der Alte, so wie früher, als er noch nicht von Kopfschmerzen geplagt wurde und bemerkenswert fand, dass in Sibirien der aus der Nase tropfende Schnodder noch in der Luft zu Eis gefriert. Vielleicht ist es nur Einbildung, aber Laila meint, dass sie in letzter Zeit diesen Tarik von früher wieder häufiger zu sehen bekommt.

»Ich?«, sagt er. »Ich würde dir bis ans Ende der Welt folgen, Laila.«

Sie zieht ihn an sich und küsst ihn auf den Mund. Es kommt ihr so vor, als hätte sie ihn nie inniger geliebt als in diesem Moment. »Danke«, flüstert sie und lehnt ihren Kopf an seine Stirn.

»Lass uns nach Hause gehen.«

»Aber zuerst möchte ich nach Herat«, sagt sie.

»Herat?«

Sie erklärt ihm, warum.

Den Kindern muss Mut zugesprochen werden, jedem auf seine Weise. Aziza reagiert verstört auf die Pläne ihrer Eltern. Sie leidet immer noch unter Albträumen und hat sich in der vergangenen Woche, als bei einer Hochzeitsfeier Böllerschüsse abgefeuert wurden, fast zu Tode erschrocken. Laila muss ihr versichern, dass die Kämpfe in Kabul eingestellt, die Taliban fort sind und sie auch nicht wieder ins Waisenhaus zurückmuss. »Wir wohnen zusammen. Dein Vater, ich, Zalmai und du, Aziza. Wir werden uns nie trennen, niemals. Das verspreche ich dir.« Sie lächelt. »Es sei denn, du willst dich irgendwann einmal selbständig machen, wenn du dich in einen jungen Mann verliebst und ihn heiraten möchtest.«

An dem Tag, als sie Murree verlassen, ist Zalmai untröstlich. Er schlingt die Arme um Alyonas Hals und will nicht von ihr ablassen.

»Er lässt sich nicht losreißen, Mami«, sagt Aziza.

»Zalmai. Wir können die Ziege nicht mit in den Bus nehmen«, erklärt Laila zum wiederholten Mal.

Erst als Tarik vor ihm niederkniet und ihm verspricht, dass sie sich in Kabul eine Ziege wie Alyona anschaffen werden, gibt Zalmai widerwillig nach.

Beim Abschied von Sajid fließen Tränen. Er wünscht gutes Geleit und hält ihnen an der Türschwelle einen Koran entgegen, den Tarik, Laila und die Kinder dreimal küssen, bevor Sajid ihn über ihre Köpfe hebt und sie darunter hindurch nach draußen gehen. Sajid hilft Tarik dabei, die beiden Koffer ins Auto zu schaffen. Er selbst chauffiert sie zur Haltestelle und winkt ihnen nach, als der Bus abfährt.

Als sich Laila im Sitz umdreht und Sajid im Ausschnitt der Heckscheibe verschwinden sieht, kommen ihr Zweifel. Sie fragt sich, ob es nicht doch töricht ist, Murree, diesen sicheren Ort, zu verlassen und dahin zurückzukehren, wo sich der Rauch der Bomben gerade erst legt?

Doch dann tauchen aus den dunklen Windungen ihrer Erinnerung zwei Gedichtzeilen auf, Babis Abschiedsode an Kabul:

Nicht zu zählen sind die Monde, die auf ihren Dächern
schimmern,
noch die tausend strahlenden Sonnen, die verborgen hinter
Mauern stecken.

Laila lehnt sich im Sitz zurück und zwinkert Tränen aus den Augen. Kabul wartet. Es braucht Hilfe. Nach Hause zurückzukehren ist richtig.

Aber zuerst muss an anderer Stelle Abschied genommen werden.

Die Kriege in Afghanistan haben die Straßen zwischen Kabul, Herat und Kandahar über weite Strecken verwüstet. Der beste Weg nach Herat führt heute über Mashad im Iran, wo Laila und ihre Familie die Nacht in einem Hotel verbringen. Am nächsten Morgen besteigen sie einen anderen Bus.

Mashad ist eine dicht bevölkerte, geschäftige Stadt. Vom Busfenster aus betrachtet Laila die Parks, Moscheen und Restaurants. Als sie am Heiligen Schrein von Imam Reza, dem achten Schia-Imam, vorbeikommen, reckt sie den Hals, um einen besseren Blick auf die glänzenden Fliesen, die Minarette und die prachtvolle goldene Kuppel zu erhaschen, die alle sorgfältig und liebevoll instand gehalten werden. Laila denkt an die Buddhas ihres Landes, die jetzt zu Staub zerfallen sind und vom Wind über das Tal von Bamiyan verstreut werden.

Fast zehn Stunden lang folgt der Bus der iranisch-afghanischen Grenze. Die Landschaft ist wüst und leer wie fast überall in Afghanistan. Bevor sie bei Herat die Grenze passieren, kommen sie an einem afghanischen Flüchtlingslager vorbei, einem Meer aus gelbem Staub, schwarzen Zelten und windschiefen Wellblechhütten. Laila greift nach Tariks Hand.

In Herat sind die meisten Straßen asphaltiert und von duftenden Kiefern gesäumt. Öffentliche Parks, neu gebaute und noch nicht ganz fertig gestellte Bibliotheken, gepflegte Höfe und frisch gestrichene Gebäude bilden eine ansprechende Kulisse. Die Verkehrsampeln funktionieren, und auf die Stromversorgung ist Verlass, was Laila am meisten überrascht. Sie hat davon gehört, dass Herats feudaler Kriegsherr Ismail Khan den Wiederaufbau der Stadt mit beträchtlichen Summen aus den Zolleinnahmen fördert, die er an der afghanisch-iranischen Grenze eintreibt, Geldern, von denen es in Kabul heißt, dass sie nicht ihm, sondern der Zentralregierung zustehen. Der Taxifahrer, der sie zum Hotel Muwaffaq bringt, spricht Ismail Khans Namen mit Hochachtung und Ehrfurcht aus.

Die beiden Nächte, die sie im Muwaffaq verbringen, kosten sie fast ein Fünftel ihres Ersparten, doch die Fahrt von Mashad war lang und ermüdend; die Kinder sind erschöpft. Der ältliche Portier, der ihnen an der Rezeption den Zimmerschlüssel überreicht, erklärt, dass das Muwaffaq bei internationalen Journalisten und NGO-Helfern sehr beliebt sei.

»Auch bin Laden hat hier einmal übernachtet«, prahlt er.

Das Zimmer hat zwei Betten und einen Waschraum mit fließend kaltem Wasser. Zwischen den Betten hängt ein Porträt des Dichters Khwaja Abdullah Ansari an der Wand. Vom Fenster aus blickt Laila über die verkehrsreiche Straße hinweg auf einen Park mit pastellfarbenen gepflasterten Pfaden und bunten Blumenbeeten. Die Kinder sind enttäuscht, dass es keinen Fernsehapparat im Zimmer gibt. Doch sie sind schon bald eingeschlafen, ebenso Tarik und Laila. Laila schläft tief und fest in Tariks Armen. Mitten in der Nacht schreckt sie aus einem Traum auf, an den sie sich aber nicht erinnern kann.

Am nächsten Morgen, nach einem Frühstück mit Tee und frischem Brot, Quittenmarmelade und gekochten Eiern, bestellt Tarik für Laila ein Taxi.

»Soll ich nicht doch mitkommen?«, fragt er. Laila hält ihn bei der Hand. Zalmai steht neben Tarik und lehnt mit der Schulter an seiner Hüfte.

»Wirklich nicht.«

»Ich mache mir Sorgen.«

»Es wird mir schon nichts passieren«, erwidert sie. »Geh mit den Kindern auf einen Markt und kauf ihnen was Schönes.«

Zalmai fängt zu weinen an, als das Taxi abfährt. Laila schaut zurück und sieht, dass er sich von Tarik auf den Arm nehmen lässt. Dass er Tarik zu akzeptieren lernt, erleichtert Laila, schmerzt sie aber auch ein wenig.

»Sie sind nicht aus Herat«, sagt der Taxifahrer.

Er hat dunkles schulterlanges Haar – wie viele Männer, die sich von den Taliban abzugrenzen versuchen. Eine Narbe teilt seinen Schnauzbart auf der linken Seite. An der Windschutzscheibe klebt das Foto eines jungen Mädchens mit rosigen Wangen und gescheiteltem Haar, das zu zwei Zöpfen geflochten ist.

Laila vertraut ihm an, dass sie das letzte Jahr in Pakistan verbracht hat und jetzt nach Kabul zurückkehren will. »Deh-Mazang.«

Im Vorüberfahren sieht Laila Kupferschmiede, die Messinggriffe an Trinkgefäße löten, und Sattler, die Rohleder zum Trocknen in die Sonne legen.

»Wohnen Sie schon lange hier in der Stadt, Bruder?«, fragt Laila.

»Zeit meines Lebens. Ich bin hier geboren und habe alles miterlebt. Erinnern Sie sich an den Aufstand?«

Laila sagt ja, was ihn aber nicht davon abhält, die Geschichte noch einmal zu erzählen.

»Das war im März 1979, ungefähr neun Monate vor dem Einmarsch der Sowjets. Eine Gruppe wütender Herati hatte mehrere sowjetische Berater getötet, worauf die Sowjets Panzer und Hubschrauber schickten und Vergeltung übten. Drei Tage lang haben sie die Stadt beschossen, Gebäude in Schutt und Asche gelegt, eines der Minarette zerstört. Tausende sind gestorben. Tausende. Ich selbst habe zwei Schwestern verloren. Die eine war damals erst zwölf Jahre alt.« Er zeigt auf das Foto an der Windschutzscheibe. »Das ist sie.«

»Tut mir leid«, sagt Laila. Ihr ist klar, dass unzählig viele afghanische Biografien von Verlust und Trauer gekennzeichnet sind. Und doch schaffen es diese Menschen weiterzumachen. Laila denkt an ihr eigenes Leben, an das, was ihr widerfahren ist, und staunt darüber, immer noch am Leben zu sein, hier im Taxi zu sitzen und der Geschichte dieses Mannes zuzuhören.

Gul Daman ist eine kleine Ortschaft aus wenigen festen Häusern, die von Mauern umgeben sind, und mehreren flachen, aus Lehm und Stroh gebauten *kolbas*. Vor den *kolbas* sieht Laila sonnenverbrannte Frauen vor ihren Kochstellen hocken; die Gesichter sind schweißnass, und aus großen geschwärzten Töpfen, die auf einem provisorischen Holzkohlegrill stehen, steigt Dampf auf. Maultiere fressen aus Trögen. Kinder, die soeben noch Hühnern nachjagten, rennen jetzt dem Taxi hinterher. Männer schieben Karren vor sich her, die mit Feldsteinen gefüllt sind. Sie bleiben stehen und blicken dem Auto nach. Der Chauffeur biegt in eine Kurve ein und fährt an einem Friedhof vorbei, aus dessen Mitte sich ein verwittertes Mausoleum erhebt. Er sagt, dass dort ein Dorf-Sufi begraben liege.

Im Schatten einer Windmühle, deren rostfarbene Flügel stillstehen, kauern drei kleine Jungen im Staub und spielen. Der Fahrer bremst ab und steckt den Kopf durchs Seitenfenster. Der älteste der Jungen antwortet auf seine Frage und zeigt auf ein Haus weiter oben an der Straße. Der Fahrer bedankt sich und fährt bis zu dem Haus vor.

Es ist einstöckig und von einer Hofmauer umgeben, die von Feigenbäumen überragt wird.

»Ich bleibe nicht lange«, erklärt Laila dem Fahrer.

Ein Mann mit kurzem rotblondem Haar öffnet ihr die Tür. Er ist um die vierzig. Seinen Bart durchziehen parallel verlaufende graue Strähnen. Über seinem *pirhan-tumban* trägt er einen *chapan*.

Sie grüßen einander. »*Salaam alaikum.*«

»Ist dies das Haus von Mullah Faizullah?«, fragt Laila.

»Ja. Ich bin sein Sohn Hamza. Kann ich etwas für Sie tun, *hamshireh*?«

»Ich komme wegen einer alten Freundin Ihres Vaters. Ihr Name ist Mariam.«

Hamza zwinkert rätselnd mit den Augen. »Mariam …«

»Die Tochter von Jalil Khan.«

Er zwinkert immer noch. Dann legt er eine Hand an die Wange und zeigt ein Lächeln, das Zahnlücken freilegt. »Oh!«, sagt er. Es klingt wie stimmhaft ausgestoßener Atem. »Oh! Mariam! Sind Sie ihre Tochter? Ist sie …« Er reckt den Hals und blickt suchend über ihre Schulter. »Ist sie hier? Nach all den Jahren! Ist Mariam hier?«

»Ich fürchte, sie lebt nicht mehr.«

Das Lächeln verschwindet aus Hamzas Gesicht.

Betreten schaut er zu Boden. Für eine Weile stehen sie schweigend vor dem Eingang. Irgendwo schreit ein Esel.

»Kommen Sie herein«, sagt Hamza und stößt die Tür auf. »Bitte, treten Sie ein.«

In einem spärlich möblierten Zimmer, das mit einem Herati-Teppich ausgelegt ist, nehmen sie auf perlenbestickten Kissen am Boden Platz. An der Wand hängt ein gerahmtes Foto von Mekka. Sie sitzen vor dem geöffneten Fenster, zu beiden Seiten eines länglichen Rechtecks aus Sonnenlicht. Ein kleiner barfüßiger Junge serviert ihnen grünen Tee und Pistaziennougat auf einem Tablett. Hamza nickt ihm zu.

»Mein Sohn.«

Wortlos verlässt der Junge den Raum.

»Erzählen Sie«, sagt Hamza mit müder Stimme.

Laila berichtet. Sie lässt nichts aus. Es dauert länger, als sie erwartet hat. Zum Ende hin ringt sie um Fassung. Über Mariam zu sprechen fällt ihr auch nach einem Jahr sehr schwer.

Hamza sagt lange Zeit nichts. Er dreht langsam seine Teetasse auf dem Unterteller, mal links-, mal rechtsherum.

»Mein Vater, er möge in Frieden ruhen, hat sie sehr gern gehabt«, sagt er schließlich. »Er hat ihr bei ihrer Geburt den *athan* ins Ohr gesungen und sie regelmäßig jede Woche einmal besucht. Manchmal hat er mich mitgenommen. Er war ihr Lehrer, ja, aber auch ein Freund. Er war ein sehr großherziger Mann, mein Vater.

Es brach ihm fast das Herz, als Jalil Khan seine Tochter wegge-geben hat.«

»Dass Ihr Vater nicht mehr lebt, tut mir leid.«

Hamza nickt. »Er ist sehr alt geworden und hat sogar Jalil Khan überlebt. Wir haben ihn auf dem Friedhof des Dorfes begraben. Er liegt ganz in der Nähe von Mariams Mutter. Mein Vater war ein sehr guter, lieber Mann. Ein Platz im Himmel ist ihm sicher.«

Laila stellt ihre Tasse ab.

»Darf ich Sie um etwas bitten?«

»Natürlich.«

»Würden Sie mir zeigen, wo Mariam gelebt hat? Wären Sie so freundlich, mich dorthin zu führen?«

Der Taxifahrer erklärt sich bereit, noch eine Weile zu warten.

Zu Fuß lassen Hamza und Laila das Dorf hinter sich und fol-gen der abschüssigen Straße, die Gul Daman und Herat verbin-det. Nach etwa einer Viertelstunde deutet er auf eine schmale Schneise im hohen Gras, das sich zu beiden Seiten der Straße aus-breitet.

»Hier geht's lang«, sagt er.

Der Pfad ist überwuchert und nur schwer auszumachen. Hamza geht voraus. Bis zu den Knien taucht Laila im Gras ein, das, vom Wind bewegt, ihre Waden umwogt. Sie steigen bergan. Ringsum entfaltet sich ein buntes Kaleidoskop aus blühenden Wildblumen und breitblättrigen Kräutern. Butterblumen sprießen aus dem Ge-zweig schütterer Sträucher empor. Laila hört Schwalben in der Luft zwitschern, begleitet vom Zirpen der Grashüpfer am Boden.

Nach etwa zweihundert Metern Steigung ebnet sich der Pfad. Sie halten an und schöpfen Atem. Laila wischt sich mit dem Ärmel über die Stirn und verscheucht einen Schwarm von Stechmücken, der sie umschwirrt. Am Horizont zeigen sich die Berge. Auf ihren Ausläufern sieht sie Pappel- und Weidenhaine und viele verschie-dene Wildsträucher, die sie nicht benennen kann.

»Dort war einmal ein Fluss«, erklärt Hamza, ein wenig aus der Puste. »Doch der ist längst ausgetrocknet.«

Er weist ihr den Weg durch das Flussbett und sagt, sie müsse auf die Berge zugehen.

»Ich warte hier.« Er setzt sich unter eine Pappel. »Gehen Sie nur.«

»Aber ich kann Sie doch nicht …«

»Keine Sorge. Und lassen Sie sich ruhig Zeit, *hamshireh*.«

Laila bedankt sich. Sie durchquert das Flussbett und tritt von einem Stein auf den anderen. Zwischen dem Geröll liegen zerbrochene Glasflaschen, verrostete Konservendosen und, halb im Bett verschwunden, ein von Schimmel überzogener Metallbehälter mit Zinkdeckel.

Auf die Berge zugehend, nähert sie sich einer Gruppe von Trauerweiden, deren weit ausladende Zweige im Wind schaukeln. Laila spürt das Herz in der Brust pochen. Sie erkennt, dass die Bäume genauso angeordnet sind wie von Mariam beschrieben: im Kreis um eine Lichtung. Laila beschleunigt ihren Schritt, fängt zu laufen an. Sie schaut zurück und sieht Hamza als winzige Gestalt; sein *chapan* hebt sich hell von den dunklen Stämmen der Pappeln ab. Sie stolpert über einen Stein, fängt sich und eilt den Rest des Weges mit hochgekrempelten Hosenbeinen. Keuchend erreicht sie die Weiden.

Mariams *kolba* steht noch.

Als sie darauf zugeht, sieht sie, dass der einzige Fensterausschnitt leer und die Tür verschwunden ist. Mariam hatte von einem Hühnergehege gesprochen, von einem *tandoor* und einem Außenabort, doch davon ist nichts zu sehen. Laila bleibt vorm Eingang der *kolba* stehen. Im Innern hört sie Fliegen summen.

Um eintreten zu können, muss sie ein großes, dichtes Spinngewebe zerreißen. Es dauert eine Weile, bis sich ihre Augen an die Dunkelheit im Raum gewöhnt haben. Was sie dann sieht, ist noch kleiner als in ihrer Vorstellung. Von den Bodendielen sind nur ein paar morsche Bretter übrig geblieben. Der Rest ist wahrscheinlich, so glaubt sie, zum Verfeuern herausgerissen worden. Trockenes Laub und Glasscherben, Kaugummipapier, Pilze und gelbe Zigarettenstummel bilden nun einen Teppich, aus dem Unkraut wuchert. Manches davon ist verkümmert, doch einige Triebe ranken an den Wänden hoch.

Fünfzehn Jahre, denkt Laila. Fünfzehn Jahre an diesem Ort.

Sie setzt sich mit dem Rücken zur Wand auf den Boden und lauscht dem Wind in den Weiden. Die Decke ist von Spinnweben überzogen. Jemand hat mit einer Sprühdose einen Schriftzug über die Wand gesprayt, der aber verblichen und nicht mehr zu entziffern ist. Es handelt sich, wie sie dennoch feststellen kann, um kyrillische Zeichen. In einer Ecke liegt ein verwaistes Vogelnest. Im Winkel zwischen Wand und Decke hängt eine Fledermaus.

Laila schließt die Augen.

In Pakistan war es ihr nur schwer möglich, sich Mariams Gesicht mit all seinen Merkmalen in Erinnerung zu rufen. Manchmal blieb ihr Bild abstrakt wie ein Wort, das einem auf der Zunge liegt. Hier aber, an diesem Ort, sieht sie Mariam klar und deutlich vor Augen: ihren sanften Blick, das längliche Kinn, die raue Haut im Nacken, das schmallippige Lächeln. Hier kann Laila wieder ihren Kopf auf Mariams Schoß legen, spüren, wie sie, vor- und zurückschaukelnd, Verse aus dem Koran zitiert, wobei ihre Worte im ganzen Körper widerhallen.

Plötzlich verschwindet das Unkraut, wie von Geisterhand zurück in die Erde gezogen, bis auch der letzte Trieb vom Boden der *kolba* verschluckt ist. Auf geheimnisvolle Weise entspinnt sich das Spinngewebe. Das Vogelnest zerfällt in seine Bestandteile, die eins ums andere zum Fenster hinausfliegen. Ein unsichtbarer Radiergummi löscht das russische Graffito von der Wand.

Die Bodendielen kehren zurück. Laila sieht nun zwei Schlafstellen, einen Holztisch, zwei Stühle, in der Ecke einen gusseisernen Ofen, Regalbretter entlang den Wänden, darauf Tongefäße und Pfannen, einen verrußten Teekessel, Tassen und Löffel. Draußen hört sie Hühner gackern, das Gurgeln des Flusses in der Ferne.

Mariam sitzt als junges Mädchen am Tisch und bastelt im Licht einer Öllampe eine Puppe aus Stoff. Sie summt eine Melodie vor sich hin. Ihr Gesicht ist glatt, das Haar gewaschen und zurückgekämmt. Sie hat noch all ihre Zähne.

Laila beobachtet sie dabei, wie sie der Puppe Wollfäden an den Kopf klebt. In ein paar Jahren wird das Mädchen eine Frau sein, die

eigene bescheidene Ansprüche an das Leben stellt, ohne irgendeinem Menschen zur Last zu fallen. Sie wird niemanden mit ihren
Sorgen, Nöten und Enttäuschungen behelligen. Sie wird eine Frau
sein, die klaglos duldet und gleich einem Fels im Flussbett den Tur-
bulenzen, die über sie hinweggehen, standhält und Gestalt an-
nimmt. Schon jetzt erkennt Laila hinter den Augen des Mädchens
jenen festen inneren Kern, den weder Raschid noch die Taliban zu
brechen vermögen. Er wird ihr am Ende selbst zum Verhängnis und
wird Lailas Rettung bewirken.

Das Mädchen blickt auf, legt die Puppe nieder und lächelt.

Laila *jo*?

Laila zuckt zusammen und reißt die Augen auf. Von ihr aufge-
schreckt, schwirrt die Fledermaus durch die *kolba*. Ihre Flügel flat-
tern wie Buchseiten. Sie fliegt zum Fenster hinaus.

Laila steht auf und klopft sich das Laub vom Hosenboden. Sie
tritt nach draußen. Die Sonne ist ein Stück weitergerückt. Der
Wind hat zugenommen. Das Gras wogt und die Zweige der Weiden
schlagen aneinander.

Bevor sie die Lichtung verlässt, wirft Laila einen letzten Blick auf
die *kolba*, in der Mariam geschlafen, gegessen, geträumt und ban-
gend auf Jalil gewartet hat. Die Weiden werfen ein bizarres Schat-
tenmuster auf die bröckelnden Wände der Hütte. Auf dem Flachdach hat sich eine Krähe niedergelassen. Sie pickt, krächzt und
fliegt davon.

»Adieu, Mariam.«

Laila tritt den Rückweg an; sie bemerkt nicht, dass ihr Tränen
fließen.

Hamza sitzt immer noch unter der Pappel. Er steht auf, als er sie
kommen sieht.

»Fahren wir«, sagt er. Dann: »Ich habe Ihnen noch etwas zu
geben.«

Laila wartet auf Hamza draußen im Garten. Der Junge, der ihnen
Tee serviert hat, steht mit einem Huhn im Arm unter einem der
Feigenbäume und beobachtet sie mit ausdrucksloser Miene. Hinter

einem Fenster entdeckt Laila zwei Gesichter, das einer alten und das einer jungen Frau. Beide tragen *hijab*.

Die Haustür öffnet sich. Hamza tritt ihr entgegen. Er hält eine Dose in den Händen.

»Die hat Jalil Khan meinem Vater gegeben, ungefähr einen Monat bevor er starb«, sagt er. »Er bat ihn, sie in Verwahrung zu nehmen und Mariam auszuhändigen, falls sie irgendwann einmal kommen sollte. Zwei Jahre später, kurz vor seinem Tod, hat mir mein Vater diese Dose anvertraut, mit der Bitte, sie für Mariam aufzubewahren. Aber … Sie wissen ja, sie ist nie gekommen.«

Laila betrachtet die ovale Blechdose, eine alte Bonbonniere, wie es scheint. Sie ist olivgrün und am Rand des zerkratzten Deckels mit goldenen Ornamenten verziert. Die Seiten haben ein paar Rostflecken, und am vorderen Rand des Deckels sind zwei kleine Dellen zu sehen.

Laila nimmt die Dose entgegen und versucht, sie zu öffnen, doch der Deckel ist verschlossen.

»Was ist da drin?«, fragt sie.

Hamza reicht ihr einen Schlüssel. »Wir haben nie nachgeschaut. Ich vermute, es ist Gottes Wille, dass Jalils Hinterlassenschaft für Mariam nun an Sie übergeht.«

Tarik und die Kinder sind noch unterwegs, als Laila ins Hotel zurückkommt.

Sie setzt sich auf das Bett und legt die Dose in den Schoß. Sie zu öffnen und Jalils Geheimnis zu lüften widerstrebt ihr, doch die Neugier setzt sich durch. Sie steckt den Schlüssel ins Schloss. Es klemmt ein wenig, springt aber schließlich auf.

In der Dose befinden sich ein Brief, ein Beutel aus Sackleinen und eine Videokassette.

Mit der Kassette geht Laila hinunter zur Rezeption, wo ihr der ältliche Portier, der sie am Vortag in Empfang genommen hat, mitteilt, dass es im Hotel nur einen Rekorder gebe, in der größten Suite, die zurzeit jedoch nicht belegt sei. Der Portier erklärt sich bereit, sie hinzuführen. Er lässt sich von einem jungen, Anzug tragenden Mann mit Schnauzbart vertreten, der ein Funktelefon am Ohr hält.

Der Portier führt Laila in den zweiten Stock und durch einen langen Flur an eine Tür. Er schließt auf und lässt sie eintreten. Laila sieht den Fernseher in der Ecke stehen. Für alles andere hat sie keinen Blick.

Sie schaltet Fernseher und Rekorder ein, legt die Kassette ein und drückt auf Wiedergabe. Der Bildschirm bleibt für eine Weile schwarz, und Laila fragt sich schon, warum Jalil seiner Tochter ein unbespieltes Band hinterlassen hat. Dann aber ist Musik zu hören; auf der Mattscheibe erscheinen Bilder.

Laila legt die Stirn in Falten. Nach einer oder zwei Minuten hält sie das Band an, lässt es schnell vorlaufen und drückt erneut auf Wiedergabe. Es ist immer noch derselbe Film.

Der alte Mann schaut sie fragend an.

Zu sehen ist Walt Disneys *Pinocchio*. Laila versteht nicht.

Kurz nach sechs kehrt Tarik mit den Kindern ins Hotel zurück. Aziza läuft auf Laila zu und zeigt ihr die Ohrringe, die Tarik ihr gekauft hat: emaillierte Schmetterlinge in silberner Fassung. Zalmai hält einen Delfin in den Händen, der quietscht, wenn man ihm aufs Maul drückt.

»Wie geht's dir?«, fragt Tarik und legt ihr einen Arm um die Schulter.

»Bestens«, antwortet Laila. »Ich berichte dir später.«

Sie gehen in ein nahe gelegenes Kebab-Haus, um zu Abend zu essen. Der kleine Gastraum ist verraucht und laut; die Plastikdecken auf den Tischen sind klebrig. Aber das Lammfleisch ist zart und saftig, das Brot frisch gebacken. Nach dem Essen bummeln sie noch eine Weile durch die Straßen. Tarik spendiert den Kindern Rosenwassereis, das er einem Straßenhändler abkauft. Sie machen es sich auf einer Bank bequem; die Berge im Rücken ragen dunkel in den scharlachroten Abendhimmel auf. Die warme Luft ist von Zederrnduft erfüllt.

Nachdem sie sich das Video angesehen hatte, war Laila auf ihr

Zimmer zurückgegangen, wo sie den Briefumschlag öffnete. Darin steckten mehrere Blätter linierten gelben Papiers, mit blauer Tinte von Hand beschrieben.

Darauf stand zu lesen:

13. Mai 1987

Meine liebe Mariam,
ich hoffe, der Brief erreicht Dich bei guter Gesundheit.

Wie Du weißt, bin ich vor einem Monat in Kabul gewesen, in der Hoffnung, Dich sprechen zu können. Aber Du wolltest mich nicht sehen. Ich war enttäuscht, kann Dir aber keinen Vorwurf machen. An Deiner Stelle hätte ich mich wahrscheinlich ähnlich verhalten. Ich habe das Privileg Deiner Gunst vor langer Zeit verloren, und dafür trage ich die Schuld allein. Aber wenn Du diese Zeilen liest, hast Du auch gelesen, was in dem Brief stand, den ich Dir vor die Haustür gelegt habe. Du hast ihn gelesen und Mullah Faizullah aufgesucht, worum ich Dich gebeten habe. Dafür bin ich Dir dankbar, Mariam jo. Ich danke Dir, dass Du mir die Möglichkeit gibst, noch ein paar Worte an Dich zu richten.

Wo soll ich anfangen?

Seit unserer letzten Begegnung habe ich, Dein Vater, viel Kummer erfahren. Deine Stiefmutter Afsoon wurde am ersten Tag des Aufstands von 1970 getötet. Am selben Tag starb auch Deine Schwester Niloufar, tödlich verletzt von einem Querschläger. Ich sehe sie noch vor mir, meine kleine Niloufar, wie sie auf den Händen stand, um Gäste zu beeindrucken. Dein Bruder Farhad schloss sich 1980 dem Dschihad an. Zwei Jahre später wurde er vor Helmand von den Sowjets erschossen. Seinen Leichnam habe ich nie zu Gesicht bekommen. Ich weiß nicht, ob Du, Mariam jo, Kinder hast. Wenn ja, bete ich zu Gott, dass er sie beschützen und Dir den Kummer ersparen möge, der mich getroffen hat. Ich träume immerzu von ihnen, von meinen lieben Kindern.

Auch von Dir, Mariam jo, träume ich. Du fehlst mir. Ich vermisse den Klang Deiner Stimme, Dein Lachen. Mit Wehmut denke ich an die Zeit zurück, in der ich Dir aus Zeitungen vorgelesen und mit Dir am Fluss geangelt habe. Weißt Du noch, wie oft wir zusammen fischen waren? Du warst eine gute Tochter, Mariam jo, und es erfüllt mich mit Scham und Bedauern, dass ich Dir kein guter Vater gewesen bin. Ja, ich bedauere zutiefst, dass ich Dich an dem Tag, als Du nach Herat gekommen bist, nicht willkommen geheißen und Dir nicht die Tür geöffnet habe. Ich bedauere, Dich nach all den Jahren unseres Zusammenseins nicht in meine Familie aufgenommen zu haben. Und was waren das für Gründe, die mich davon abhielten? Die Sorge, das Gesicht und den vermeintlich guten Ruf zu verlieren? Ach, wie wenig bedeuten mir solche Gründe jetzt, nach all den Verlusten, nach all den schrecklichen Dingen, die dieser verfluchte Krieg mit sich gebracht hat. Aber zur Reue ist es natürlich zu spät. Vielleicht ist es eine gerechte Strafe für herzlose Menschen, dass sie erst dann zur Einsicht gelangen, wenn sie nichts wiedergutmachen können. Mir bleibt nur zu sagen, dass Du eine gute Tochter warst, Mariam jo, und ich kann Dich nur noch um Verzeihung bitten. Vergib mir, Mariam jo. Vergib mir. Vergib mir. Vergib mir.

Ich bin nicht mehr der vermögende Mann, als den Du mich kennst. Die Kommunisten haben einen Großteil meiner Ländereien und alle Geschäfte beschlagnahmt. Doch darüber zu klagen wäre kleinlich, denn Gott hat mich aus unerfindlichen Gründen trotz allem über die Maßen beschenkt. Nach meiner Rückkehr aus Kabul ist es mir gelungen, den mir verbliebenen Landbesitz zu verkaufen. Ich lasse Dir mit diesem Brief Deinen Anteil an meinem Nachlass zukommen. Wie Du siehst, ist es beileibe kein Vermögen, aber immerhin doch etwas. (Dir wird auch aufgefallen sein, dass ich mir die Freiheit genommen habe, das Geld in Dollars zu wechseln. Ich glaube, es ist besser so. Gott allein weiß, was aus unserer kranken Währung werden wird.)

Du wirst hoffentlich nicht denken, dass ich mir Deine Vergebung zu erkaufen versuche. Allein der Gedanke liegt mir fern, denn ich weiß sehr wohl, dass sie nicht zum Verkauf steht. Ich gebe Dir nur, wenn auch verspätet, das, was Dir von Rechts wegen immer schon zustand. Zu Lebzeiten war ich Dir kein treusorgender Vater. Vielleicht kann ich's im Tod sein.

Ja, ich sehe nun meinen Tod vor Augen, will Dich aber nicht mit Einzelheiten belasten. Herzschwäche, sagen die Ärzte – ein, wie mir scheint, passender Abgang für einen schwachen Mann.

Mariam jo,

ich wage zu hoffen, dass Du mir, wenn Du diesen Brief gelesen hast, wohlgesinnter bist als ich es Dir gegenüber war, dass Du Dir vielleicht ein Herz fasst und mich aufsuchst. Dass Du noch einmal an meine Tür klopfst und mir Gelegenheit gibst, Dich willkommen zu heißen und in meine Arme zu schließen, was ich schon vor all den Jahren hätte tun sollen. Ich weiß, diese Hoffnung ist kaum begründet und so schwach wie mein Herz. Aber ich werde warten und hoffen, dass Du anklopfst.

Möge Dir Gott ein langes, gesegnetes Leben und viele gesunde Kinder schenken. Ich wünsche Dir Glück, Frieden und die Anerkennung, die ich Dir vorenthalten habe. Leb wohl. Ich weiß Dich in Gottes liebender Hand.

Dein nichtswürdiger Vater
Jalil

Als die Kinder zu Bett gegangen sind, berichtet Laila Tarik von dem Brief. Sie zeigt ihm das Geld in dem sackleinenen Beutel. Als sie zu weinen anfängt, gibt er ihr einen Kuss und schließt sie in seine Arme.

51

April 2003

Die Dürrezeit ist endlich ausgestanden. Im vergangenen Winter hat es viel Schnee gegeben, und jetzt regnet es seit Tagen. Der Kabul führt wieder Wasser. Seine Fluten haben Titanic City weggespült.

Die Straßen sind voller Schlamm. Fußgänger versinken darin bis zu den Knöcheln. Autos bleiben stecken. Mit Apfelsäcken beladene Esel schleppen sich voran und spritzen mit den Hufen Matsch auf. Doch keiner beklagt sich. Niemand trauert um Titanic City. »Kabul soll wieder grün werden«, sagen die Leute.

Gestern hat Laila ihren Kindern dabei zugesehen, wie sie bei strömendem Regen und unter einem bleigrauen Himmel im Hof umhertollten und von einer Pfütze in die andere hüpften. Sie stand am Küchenfenster des kleinen gemieteten Hauses in Deh-Mazang. Im Hof wachsen ein Apfelbaum und mehrere Weinrosensträucher. Tarik hat die Mauern verputzt, den Kindern Rutsche und Schaukel gebaut und für Zalmais neue Ziege ein kleines Gehege eingerichtet. Dem Kleinen rinnt der Regen vom kahlen Kopf – er hat darum gebeten, geschoren zu werden wie Tarik, dem jetzt die Aufgabe zufällt, die *Babalu*-Gebete mit ihm zu sprechen. Azizas langes Haar ist klatschnass; wenn sie den Kopf herumdreht, spritzt das Wasser.

Zalmai wird bald sechs. Aziza ist zehn. Vergangene Woche waren sie zur Feier ihres Geburtstags im Cinema Park, wo endlich der Spielfilm *Titanic* öffentlich gezeigt wurde.

»Beeilung, Kinder, wir kommen noch zu spät«, ruft Laila und packt die Mittagsbrote in eine Papiertüte.

Es ist acht Uhr. Schon um fünf hat Aziza ihre Mutter geweckt, um mit ihr den Morgen-*namaz* zu sprechen. Über die Gebete versucht Aziza, wie Laila weiß, an Mariam festzuhalten; sie ist ihr dann nahe. Doch irgendwann wird Mariam aus dem Garten ihrer Erinnerung verschwinden wie ein Kraut, das bei seinen Wurzeln ins Erdreich zurückgezogen wird.

Nach dem *namaz* ist Laila wieder ins Bett gestiegen. Sie schlief, als Tarik das Haus verließ, und erinnert sich nur vage, dass er ihr einen Kuss auf die Wange gegeben hat. Tarik arbeitet jetzt für eine französische Hilfsorganisation, die Landminenopfern und Kriegsversehrten Prothesen anpasst.

Aziza und Zalmai kommen zur Küche hereingestürmt.

»Habt ihr eure Hefte eingepackt? Die Stifte? Die Schulbücher?«

»Ist alles da drin«, antwortet Aziza und hebt ihren Tornister. Ihr Stottern hat merklich nachgelassen.

»Dann los jetzt.«

Laila verlässt mit den Kindern das Haus und schließt hinter sich ab. Heute regnet es nicht, aber die Luft ist kühl. Am blauen Himmel zeigt sich kein einziges Wölkchen. Hand in Hand marschieren die drei zur Bushaltestelle. Auf den Straßen herrscht bereits viel Verkehr. Es wimmelt nur so von Rikschas, Taxis, UN-Transportern, Bussen und Jeeps der ISAF. Verschlafen aussehende Geschäftsleute ziehen die Rollläden ihrer Schaufenster hoch. Straßenhändler hocken hinter Bergen von Kaugummi und Zigarettenstangen. An den Straßenecken stehen schon die Kriegswitwen, die Passanten um Geld bitten.

Die Stadt hat sich, wie Laila findet, sehr verändert. Überall werden Bäume und Sträucher gepflanzt, die Fassaden alter Häuser gestrichen und Ziegelsteine für Neubauten zusammengetragen. Es entstehen auch neue Abflusskanäle und Brunnen. Vor den Fenstern sind Pflanzen zu sehen, eingetopft in leere Granatenhülsen. Bei den Kabuli heißen sie Raketenblumen. Vor kurzem hat Tarik Laila und die Kinder in den Garten von Babur geführt, der neu angelegt worden ist. Zum ersten Mal seit Jahren hört Laila wieder Straßenmusiker, die auf ihren *rubabs* und *tablas*, *dootars*, Harmonien und *tambouras* Lieder von Ahmad Zahir spielen.

Laila wünschte sich, ihre Eltern hätten diese Veränderungen noch miterleben können. Doch wie Jalils Brief kam auch die Reue Kabuls zu spät.

Laila und die Kinder wollen gerade die Straße überqueren, als plötzlich ein schwarzer Landcruiser mit getönten Scheiben angerast kommt, im letzten Augenblick ausweicht und im Abstand einer Armeslänge an den dreien vorbeischießt. Dunkelbraunes Regenwasser spritzt auf und besudelt ihre Kleider.

Laila reißt die Kinder auf den Gehweg zurück. Das Herz schlägt ihr bis zum Hals.

Der Landcruiser hat die nächste Kreuzung erreicht, hupt zweimal und biegt auf schliddernden Reifen links ab.

Laila schnappt nach Luft. Sie hält die Kinder bei den Handgelenken gepackt.

Es macht sie krank, dass den Kriegsherren erlaubt worden ist, nach Kabul zurückzukehren, dass die Mörder ihrer Eltern wieder in stattliche Häuser mit ummauerten Gärten eingezogen sind, Regierungsämter bekleiden und mit ihren kugelsicheren Protzautos durch die von ihnen verwüstete Nachbarschaft kurven. Es macht sie krank.

Doch Laila hat beschlossen, sich nicht verbittern zu lassen. Das hätte Mariam nicht gewollt. Was bringt's? würde sie mit unschuldigem und zugleich klugem Lächeln fragen. Was hättest du davon, Laila jo? Also schluckt sie ihren Groll und macht tapfer weiter – um Tarik, der Kinder und um ihrer selbst willen. Und für Mariam, die ihr nach wie vor im Traum erscheint und immer nah ist. Laila macht weiter; etwas anderes als Engagement und Hoffnung, so weiß sie, bleibt ihr nicht übrig.

Zaman steht mit leicht gebeugten Knien an der Freiwurflinie und lässt den Basketball aufprallen. Er trainiert eine Gruppe von Jungen, die alle dasselbe Trikot tragen und im Halbkreis auf dem Hof am Boden hocken. Als er Laila sieht, klemmt er den Ball unter den Arm und winkt ihr zu. Er sagt etwas zu den Jungen, die daraufhin ebenfalls winken und rufen: »*Salaam, moalim sahib!*«

Laila winkt zurück.

Auf dem Spielplatz des Waisenhauses stehen jetzt entlang der Mauer im Osten ein paar junge Apfelbäume. Laila will auch welche vor die Südmauer pflanzen, sobald sie wieder aufgebaut ist. Neu sind auch die Schaukeln und das Klettergerüst.

Laila geht durch die Fliegengittertür ins Haus.

Das Waisenhaus ist frisch gestrichen worden. Tarik und Zaman haben das Dach abgedichtet, die Wände neu verputzt, Fenster eingesetzt und die Zimmer, in denen die Kinder schlafen und spielen, mit Teppichen ausgelegt. Laila hat im vergangenen Winter zusätzliche Betten beschafft und gusseiserne Öfen einbauen lassen.

Anis, eine der Kabuler Tageszeitungen, hatte, einen Monat bevor mit den Arbeiten begonnen wurde, von der geplanten Renovierung des Waisenhauses berichtet. Dazu erschien ein Foto von Zaman, Tarik, Laila, einer Pflegerin und den Kindern, die hinter den Erwachsenen Aufstellung genommen hatten. Als Laila den Artikel zu Gesicht bekam, fühlte sie sich an ihre Freundinnen Giti und Hasina erinnert, insbesondere an Hasinas Worte: »Wenn wir, Giti und ich, zwanzig sind, hat jede von uns schon vier oder fünf Kinder geworfen. Und auf dich, Laila, werden wir zwei Strohköpfe einmal richtig stolz sein. Aus dir wird noch was. Ich bin mir sicher, irgendwann sehe ich eine Zeitung mit deinem Foto auf der Titelseite.« Hasina hat mit ihrer Prognose recht behalten, auch wenn es nicht die Titelseite war, auf der das Foto gezeigt wurde.

Laila folgt demselben Korridor, durch den sie vor zwei Jahren, von Mariam begleitet, gegangen war, um Aziza dem Heimleiter vorzustellen. Laila erinnert sich, wie sie sich von ihrem Kind, das sich krampfhaft an ihr festhielt, losreißen musste und wie sie dann tränenblind durch diesen Flur davongelaufen war, Mariams Rufe und Azizas gellende Schreie im Rücken. An den Wänden hängen jetzt Poster, auf denen Dinosaurier, Comicfiguren und die Buddhas von Bamiyan abgebildet sind. Es sind auch etliche Kunstwerke der Waisenkinder zu sehen, Zeichnungen von Panzern, die Lehmhütten überrollen, und Soldaten mit Sturmfeuergewehren, von Flüchtlingslagern und Kriegsszenen.

Laila biegt um eine Ecke und sieht die Kinder vor dem Klassenzimmer stehen. Sie tragen Scheitelkappen auf den kahl geschorenen Köpfen und Schals um den Hals. Ihre kleinen Körper sind mager, aber quicklebendig und voller Anmut.

Als die Kinder Laila erblicken, kommen sie mit schrillen Willkommensrufen auf sie zugerannt. Laila wird umschwärmt. Hände strecken sich ihr entgegen, greifen nach ihr, betätscheln sie und zerren an ihren Kleidern. Alle buhlen um ihre Aufmerksamkeit. Manche nennen sie Mutter. Laila korrigiert sie nicht.

Es dauert eine Weile, bis die Kinder zur Ruhe gebracht sind und, in Reih und Glied aufgestellt, das Klassenzimmer betreten.

Tarik und Zaman haben die Wand zwischen zwei kleineren Räumen eingerissen und so für ein ausreichend großes Klassenzimmer gesorgt. Der Boden ist noch voller Risse, und es fehlen mehrere Fliesen, doch Tarik hat versprochen, die schadhaften Stellen auszubessern und das Zimmer mit einem Teppich auszulegen. Bis dahin liegt eine Plane auf dem Boden.

Über der Tür hängt eine rechteckige Holztafel, die Zaman abgeschliffen und weiß lackiert hat. Darauf stehen, mit Pinselstrichen aufgemalt, vier Gedichtzeilen, die, wie Laila weiß, Zamans Antwort auf all jene verärgerten Stimmen sind, die beklagen, dass die versprochene Finanzhilfe für Afghanistan noch nicht eingetroffen sei, der Wiederaufbau nicht schnell genug vorangehe und wieder Korruption um sich greife, dass sich die Taliban neu formierten und auf Rache sännen und dass die Welt einmal mehr Afghanistan vergessen werde. Die Zeilen stammen aus seinem Lieblingsgedicht von Hafis:

> *Jusuf kehrt nach Kanaan zurück – traure nicht,*
> *aus Ödnis werden Rosen sprießen – traure nicht.*
> *Und steigt auch eine Flut, die alles Leben nimmt,*
> *führt Noah durch den Sturm – drum traure nicht.*

Laila geht unter dieser Tafel hinweg ins Klassenzimmer. Die Kinder nehmen ihre Plätze ein, kramen ihre Hefte hervor und plappern.

Aziza schwätzt mit einem Mädchen am Nebentisch. Ein Papierflugzeug segelt durch den Raum. Jemand wirft es zurück.

»Schlagt eure Farsi-Bücher auf, Kinder«, sagt Laila und legt ihre eigenen Bücher auf das Pult.

Während die Seiten rascheln, tritt Laila an das vorhanglose Fenster. Im Hof sieht sie die Jungen Freiwürfe üben. Im Hintergrund steigt die Morgensonne über den Berggrat. Ihr Licht glitzert auf dem Metallgestänge des Basketballkorbs, den Kettengliedern der Schaukel, der Trillerpfeife, die Zaman an einer Schnur um den Hals hängt, und auf seiner neuen, blitzblanken Brille. Laila legt ihre Hände an die warme Scheibe. Sie schließt die Augen und wendet das Gesicht der Sonne zu.

Bei ihrer Rückkehr nach Kabul war Laila untröstlich, weil sie nicht in Erfahrung bringen konnte, wo Mariam begraben liegt. Sie hätte ihr Grab allzu gern aufgesucht und mit Blumen geschmückt. Jetzt hat sich der Kummer gelegt. Für sie ist Mariam ohnehin immer in der Nähe. Sie ist hier, zwischen den frisch gestrichenen Wänden, in den neu gepflanzten Bäumen, in den Wolldecken, die die Kinder wärmen, in diesen Kissen und Büchern und Stiften. Im Lachen der Kinder. In den Versen, die Aziza aufsagt, und in den Gebeten, die sie, nach Westen gewandt, vor sich hin murmelt. Vor allem aber ist Mariam in ihrem eigenen Herzen, wo sie so hell wie tausend Sonnen leuchtet.

Laila bemerkt, dass jemand nach ihr gerufen hat. Sie dreht sich herum und richtet unwillkürlich das gesunde Ohr nach vorn. Es ist Aziza.

»Mami? Geht's dir nicht gut?«

Es ist still geworden. Die Kinder beobachten sie.

Laila will gerade antworten, hält aber plötzlich die Luft an. Sie greift sich an den Unterleib, durch den soeben eine warme Welle gefahren ist. Sie wartet.

»Mami?«

»Doch, mein Liebling.« Laila lächelt. »Mir geht es gut. Sehr sogar.«

Als sie auf ihr Pult zugeht, denkt Laila an das Namensspiel, mit dem sich die Familie auch gestern wieder am Esstisch die Zeit vertrieben hat. Seit Tarik und die Kinder Bescheid wissen, wird allabendlich gestritten, und jeder versucht, seinen Vorschlag durchzusetzen. Tarik favorisiert Mohammad. Zalmai, der kürzlich *Superman* auf Video gesehen hat, kann nicht verstehen, warum nicht auch ein afghanischer Junge Clark genannt werden kann. Aziza macht sich für den Namen Aman stark. Laila fände Omar schön.

In dem Spiel geht es ausschließlich um Jungennamen. Denn falls es ein Mädchen wird, steht für Laila der Name längst fest.

Nachwort

Seit fast drei Jahrzehnten ist die Situation der afghanischen Flüchtlinge eine der dramatischsten der Welt. Krieg, Hunger, Gesetzlosigkeit und Unterdrückung zwangen Millionen Menschen – wie Tarik und seine Familie in dieser Geschichte –, ihre Heimat zu verlassen und aus Afghanistan zu flüchten, um sich im benachbarten Pakistan oder im Iran niederzulassen. Auf der Höhe der Auswanderungswelle lebten mindestens acht Millionen Afghanen als Flüchtlinge außer Landes. Derzeit befinden sich noch mehr als zwei Millionen afghanische Flüchtlinge in Pakistan.

Seit 2002 konnten fast fünf Millionen Flüchtlinge mit Hilfe der UNHCR, dem Flüchtlingskommissariat der Vereinten Nationen, in ihre Heimat zurückkehren. Im September 2007 habe ich einige dieser Heimkehrer in Nordafghanistan besucht. Ich begegnete Familien, die von weniger als einem Dollar am Tag lebten. Sie hatten mehrere Winter eingepfercht in unterirdisch ausgehobenen Löchern verbracht. Ich besuchte Dörfer, in denen es alltäglich war, dass Familien sommers wie winters zehn bis fünfzehn Kinder verloren, weil diese die klimatischen Extreme nicht überlebten. Die Menschen tranken Wasser aus schlammigen Flüssen; viele starben an Krankheiten, denen man leicht hätte vorbeugen können. Sie hatten nur wenig Unterkünfte und keinerlei Zugang zu Einrichtungen des Gesundheitswesens, zu Schulen, Nahrung oder Arbeit. Ich war vollkommen verzweifelt.

Die Khaled Hosseini Foundation wurde als Ergebnis dieser Reise gegründet, die mein Leben veränderte. Wir hoffen, damit eine sinnvolle und bleibende Verbesserung der Zustände zu erreichen. 2009 entstanden in Zusammenarbeit mit dem UNHCR Unterkünfte für über siebzig obdachlose Familien in Nordostafghanistan. Weitere solcher Zufluchtsstätten sind in Planung. Wir finanzieren vor allem solche Projekte, die den Flüchtlingen zugutekommen, aber auch Frauen und Kindern, die in diesem belagerten Land mehr gelitten haben, als irgendjemand sonst, und die die Zukunft Afghanistans garantieren.

Der Bedarf an Wiederaufbauhilfe in Afghanistan ist riesig und angesichts des menschlichen Leids eine gewaltige Aufgabe. Um mehr darüber und die Khaled Hosseini Foundation zu erfahren, besuchen Sie uns auf unserer Website www.khaledhosseinifoundation.org.

Vielen Dank.
Khaled Hosseini

Danksagung

Bevor ich mich erkenntlich zeige, hier ein paar Erläuterungen: Das Dorf Gul Daman ist ein fiktiver Ort. Allen, die sich in Herat auskennen, wird auffallen, dass ich mir bei der geografischen Beschreibung ein paar kleinere Freiheiten herausgenommen habe. Der Originaltitel des Romans ist einem Gedicht von Saeb-e-Tabrizi entlehnt, einem persischen Poeten des 17. Jahrhunderts. Wer dieses Gedicht im Original auf Farsi kennt, wird bemerken, dass die betreffende Zeile im Englischen nicht wortwörtlich übersetzt ist. Gleichwohl handelt es sich um eine allgemein anerkannte Übersetzung von Dr. Josephine Davis, die ich sehr schön finde. Ich bin ihr dafür dankbar. Danken möchte ich überdies Qayoum Sarwar, Hekmat Sadat, Elyse Hathaway, Rosemary Stasek, Lawrence Quill und Haleema Jazmin Quill für Beistand und Unterstützung.

Mein besonderer Dank gilt Baba, meinem Vater, für die Begutachtung dieses Manuskripts, seine Rückmeldungen und, wie immer, für seine Liebe und Unterstützung. Und meiner Mutter, deren selbstlose und sanfte Art in der ganzen Geschichte mitschwingt. Du bist mein Beweggrund, Mutter *jo*. Dank auch meinen Schwiegereltern für ihre Großzügigkeit und die vielen Freundlichkeiten. Auch allen anderen meiner wundervollen Familie bin ich zutiefst dankbar. Außerdem möchte ich meiner Agentin Elaine Koster danken, die mir immer Mut macht, darüber hinaus Jody Hotchkiss, David Grossman, Helen Heller und dem unermüdlichen Chandler Crawford. Dank schulde ich des Weiteren allen MitarbeiterInnen von Riverhead Books, im Besonderen Susan Petersen Kennedy und Geoffrey Kloske für ihr Zutrauen in diese Geschichte. Von Herzen Dank gesagt sei auch Marilyn Ducksworth, Mih-Ho Cha, Catharine Lynch, Craig D. Burke, Leslie Schwartz, Honi Werner und Wendy Pearl. Ein besonderes Dankeschön geht an den scharfäugigen Redakteur Tony Davis, dem kein Fehler entgeht, und an meine großartige Lektorin Sarah McGrath für ihre Geduld, Voraussicht und Beratung.

Schließlich möchte ich mich auch bei dir, Roya, bedanken, dafür, dass du den Text immer und immer wieder gelesen, mir über etliche kleinere Krisen (und auch ein paar größere) hinweggeholfen und nie an mir gezweifelt hast. Dieses Buch wäre ohne dich nicht zustande gekommen. Ich liebe dich.

Khaled Hosseini, *Tausend strahlende Sonnen*
Lesekreisanhang

Auf den folgenden Seiten finden Sie weiterführende Informationen zu Khaled Hosseini und seinem Weltbestseller *Tausend strahlende Sonnen*.

Außerdem haben wir für Sie Grundlagenmaterial für eine vielseitige Diskussion im Lesekreis zusammengestellt.

»Als Erzähler bringt Hosseini der Welt das Schicksal seiner Landsleute so nah wie niemand zuvor.«   *Der Spiegel*

Ein Gespräch mit Khaled Hosseini

Ihr erster Roman Drachenläufer *hat die Sichtweise der Welt auf Afghanistan vollkommen verändert, indem er Millionen von Lesern überhaupt erst eine Idee vom afghanischen Volk und seinem Leben vermittelt hat. Ihr neuer Roman umfasst die großen Ereignisse der afghanischen Geschichte der letzten drei Jahrzehnte, von der kommunistischen Revolution über die sowjetische Invasion bis hin zum Krieg gegen die Taliban unter der Führung der USA.*

Empfinden Sie, gerade aufgrund der momentanen Situation vor Ort, eine besondere Verantwortung, Ihre Bekanntheit zu nutzen, um die Welt über Ihr Heimatland zu informieren?

Für mich als Autor hat die Geschichte immer Vorrang vor allem anderen. Am Anfang stehen nie umfassende und weitreichende Ideen und auch ganz bestimmt kein spezieller Plan. Es kann eine ziemlich große Bürde für einen Autor sein, Verantwortung für die eigene Kultur und ihre Vermittlung zu übernehmen. Für mich ist die Ausgangslage immer ein sehr persönlicher, intimer Punkt, eine Verbindung zwischen Menschen, und der Rest entwickelt sich von dort aus weiter. Bei *Tausend strahlende Sonnen* haben mich die Hoffnungen, Träume und Enttäuschungen der beiden Protagonistinnen interessiert, ihre Gefühle, die besonderen Umstände, die sie zusammenführen, ihre Entschlossenheit zu überleben, und die Tatsache, dass ihre Beziehung sich zu etwas Bedeutsamem und Kraftvollem entwickelt, obwohl die Welt um sie herum sich auflöst und ins Chaos entgleitet. Während ich schrieb, habe ich miterlebt, wie die Geschichte sich ausdehnte, Seite für Seite komplexer wurde. Mir wurde klar, dass ich die Geschichte der zwei Frauen nicht erzählen kann, ohne zumindest teilweise die Geschichte Afghanistans von den 1970er Jahren bis zur Ära nach dem 11. September zu erzählen. Das Vertraute und Persönliche hat sich unentwirrbar mit dem Allgemeinen und Historischen verwebt. Und so wurde der Aufruhr in Afghanistan und die quälende Geschichte des Landes zu mehr als bloßer Kulisse. Allmählich wurde Afghanistan selbst – genauer, Kabul – eine Figur in diesem Roman, viel stärker noch als in *Drachenläufer*. Dabei ging es einfach um das Geschichtenerzählen und nicht um eine soziale Verantwortung, die Leser über mein Heimatland zu informieren. Trotzdem wäre ich dankbar, wenn die Leser *Tausend strahlende Sonnen* zuklappen mit dem Gefühl, einerseits eine Geschichte gelesen zu haben, die ihnen gefällt und andererseits einen etwas größeren Einblick erhalten und eine etwas persönlichere Beziehung zu dem aufgebaut zu haben, was in Afghanistan in den letzten dreißig Jahren passiert ist.

Welche Reaktion erhoffen Sie sich von Ihren Lesern?

Als Autor erhoffe ich mir, dass die Leser in diesem Roman das gleiche entdecken, nach dem ich auch suche, wenn ich lese: Eine Geschichte, die trägt, Charaktere, die überzeugen, und das Gefühl, sich selbst durch die Erfahrungen der Protagonisten verändert zu haben. Ich hoffe, dass die Leser auf die Gefühle der Geschichte reagieren, dass sie sich trotz enormer kultureller Unterschiede mit Mariam und Laila, mit ihren Träumen und ganz gewöhnlichen Hoffnungen und ihrem tagtäglichen Kampf ums Überleben identifizieren können.

Als Afghane erhoffe ich mir, dass die Leser ein Gefühl der Empathie für die Afghanen entwickeln, besonders für die afghanischen Frauen, die unter den Auswirkungen der Kriege und des Extremismus' ganz besonders verheerend zu leiden haben. Ich hoffe, ich überschreite nicht den Wirkungskreis meines Schreibens, wenn ich sage, dass das Lesen dieses Buches das allzu verbreitete Bild der Burka-verhüllten Frau, die eine staubige Straße hinuntergeht, verändert: hin zu mehr Tiefe, mehr Nuancen, zu einer emotionalen Wahrhaftigkeit und zu einer Individualität dieser Frauen.

Woher stammt der Titel Tausend strahlende Sonnen?

Er stammt aus einem Gedicht über Kabul von Saib-e-Tabrizi, ein persischer Dichter aus dem 17. Jahrhundert. Er schrieb es unter dem Eindruck eines Besuchs der Stadt. Ich war auf der Suche nach englischen Übersetzungen von Gedichten über Kabul, um sie in einer Szene des Buches einzusetzen, in der ein Protagonist seinen Weggang aus Kabul betrauert. Dann fand ich diesen besonderen Vers und merkte gleich, dass ich nicht nur die richtige Zeile für diese Szene gefunden hatte, sondern in den Worten »Tausend strahlende Sonnen« aus dem vorletzten Vers auch einen bewegenden Titel. Das Gedicht wurde von Dr. Josephine Davis aus dem Farsi ins Englische übertragen.

Sie zeichnen ein Bild von Afghanistan unter der Herrschaft der Taliban, das einige Leser sicherlich überrascht. Zum Beispiel ist das Musik- und Filmverbot der Taliban weithin bekannt, aber viele Leser wussten bisher nichts über das »Titanic-Fieber«, das Kabul nach Erscheinen des Films gefangen nahm, wie man an dem blühenden Schwarzmarkt für Videorekorder und Fernsehgeräte feststellen konnte. Wie fest hatten die Taliban das Land tatsächlich in der Hand? Und wie konnte eine Pop-Kultur unter diesen Umständen überleben?

Die Gräueltaten des kulturellen Vandalismus' durch die Taliban – die schändlichste war die Zerstörung der gigantischen Bamijan-Buddhas – hatte verheerende Auswirkungen auf die afghanische Kultur und die Kunstszene. Die Taliban verbrannten unzählige Filme, Videorekorder, Musikkassetten, Bücher und Gemälde. Sie inhaftierten Filmemacher, Musiker, Maler und Bildhauer. Ihre ablehnende Haltung praktisch jeder Art von Kunst gegenüber unterdrückte Künstler und führte zu einem, wie ich glaube, kranken und perversen sozialen Experiment. Die Verbote zwangen einige Künstler dazu, ihre Kunst aufzugeben, und viele dazu, ihre Kunst nurmehr heimlich auszuüben. Einige bauten Keller, in denen sie malten oder Instrumente spielten. Andere versammelten sich in

Handarbeitszirkeln, um zu schreiben, wie es Christina Lamb in ihrem Buch *The Sewing Circles of Herat* beschreibt. Und wieder andere fanden geniale Auswege – ein berühmtes Beispiel ist ein Maler, der auf Geheiß der Taliban die Gesichter auf seinen Ölgemälden übermalen musste und dies mit Wasserfarbe tat, die er abwaschen konnte, als die Taliban entmachtet wurden.

Sehen Sie Gemeinsamkeiten zwischen Ihrem ersten Buch Drachenläufer *und* Tausend strahlende Sonnen?

In beiden Romanen geraten die Protagonisten ins Kreuzfeuer und werden von den äußeren Umständen überwältigt. Sie werden von oft brutalen und unbarmherzigen äußeren Geschehnissen beeinträchtigt, und die Entscheidungen, die sie für sich selbst treffen, stehen unter dem Einfluss von Dingen, über die sie keine Kontrolle haben: Revolutionen, Kriege, Extremismus und Unterdrückung. Dies wird, denke ich, in *Tausend strahlende Sonnen* sogar noch deutlicher. In *Drachenläufer* verbringt Amir viele Jahre seines Lebens weit weg von Afghanistan als Immigrant in den USA. Mariam und Laila durchleben die Schrecken und Ängste, von denen er verschont bleibt. In diesem Sinne wird ihr Leben stärker von den Ereignissen in Afghanistan beeinflusst als Amirs.

Beide Romane umfassen mehrere Generationen und damit ist die Beziehung von Eltern und Kindern mit all den Schwierigkeiten und Widersprüchen, die dazu gehören, ein wichtiges Thema. *Drachenläufer* war eine Vater-Sohn-Geschichte, *Tausend strahlende Sonnen* kann als eine Mutter-Tochter-Geschichte gelesen werden.

Letztendlich sind beide Romane Liebesgeschichten. Die Protagonisten suchen nach Liebe und werden von ihr gerettet. In *Drachenläufer* war es vor allem die Liebe zwischen Männern. In *Tausend strahlende Sonnen* manifestiert sich die Liebe dagegen in vielerlei Gestalt, von der romantischen Liebe zwischen Mann und Frau über die elterliche Liebe bis hin zur Liebe zu Familie, Zuhause, Land, Gott. In beiden Romanen ist es die Liebe, die die Protagonisten aus ihrer Isolation befreit, die ihnen die Kraft gibt, Grenzen zu überwinden, ihre Verletzlichkeit zu entblößen und sich in verheerender Weise selbst zu opfern.

Die Frauen in Ihrer Geschichte leiden sehr unter der Unterdrückung aufgrund ihres Geschlechts, sowohl in ihrem eigenen Zuhause wie auch in weiten Teilen der Gesellschaft. Ist diese Unterdrückung in der muslimischen Welt sehr präsent? Was kann und müsste dagegen unternommen werden?

Eine Frage zu diesem Thema kann nicht leicht beantwortet werden. Berichte über Ehrenmorde, Genitalverstümmelungen, Steinigungen wegen Ehebruchs, die Zugangsverweigerung zu Bildung und Erziehung, Arbeit und Gesundheitsversorgung, und, das vielleicht sichtbarste Zeichen der weiblichen Unterdrückung, zwanghafte Verschleierung, lassen keine Zweifel an der bedrückenden Situation von Frauen in einigen muslimischen Staaten, inklusive Afghanistan. Die Belege sind einfach überwältigend. Ich möchte mich dennoch von der in einigen Kreisen populären Forderung distanzieren, dass der Westen Druck auf diese Länder ausüben sollte oder auch nur könnte, um den Frauen gleiche Rechte zu verschaffen. Denn obwohl ich denke, dass dies eine gut gemeinte und auch großmütige Idee ist, ist es auch zu vereinfachend und theoretisch gedacht. Dieser Ansatz missachtet direkt oder indirekt die Komplexität der kritisierten Gesellschaft, die durch ihre Kultur, Traditionen, Gewohnheiten, politischen Systeme, sozialen Strukturen und ihren vorrangigen Glauben bestimmt wird.

Ich glaube daran, dass die Veränderungen aus der Gesellschaft selbst erwachsen müssen, d. h. aus der Struktur der muslimischen Gesellschaft selbst. Ich halte es für unerlässlich für die Zukunft und Entwicklungsfähigkeit Afghanistans, dass seine Frauen Macht erhalten und die Erlaubnis, die Zukunft des Landes zu gestalten. Ich bin jedes Mal empört, wenn islamische Führer, aus Afghanistan oder anderen Ländern, die Existenz der weiblichen Unterdrückung leugnen, indem sie der eigentlichen Frage ausweichen und auf Beispiele verweisen, die ihrer Meinung nach die weibliche Misshandlung im Westen beweist, oder, sogar noch schlimmer, die

Unterdrückung der Frauen rechtfertigen, indem sie Behauptungen aus der Scharia ableiten. Ich hoffe, dass die islamischen Führer des 21. Jahrhunderts in der Lage sein werden, sich von der antiquierten Idee der Rollenverteilung zwischen den Geschlechtern zu befreien und sich einem angemesseneren und fortschrittlicheren Ansatz zuzuwenden. Mir ist klar, dass sich das naiv anhören muss, besonders in einem Land wie Afghanistan, in dem überzeugte Islamisten weiter die Herrschaft ausüben und bestrebt sind, progressive Stimmen zu unterdrücken. Nichtsdestotrotz glaube ich, dass die einzige Möglichkeit zu wirklicher Veränderungen nur aus der islamischen Gesellschaft selbst kommen kann.

Was sollten die USA und ihre Verbündeten jetzt in Afghanistan tun?

Zunächst einmal will ich klarstellen, dass ich kein Experte für solche Fragen bin und dass meine Meinung nur die eines ganz gewöhnlichen Bürgers ist, der die Nachrichten verfolgt.

Ich denke, dass ein Rückzug der Vereinigten Staaten und der NATO aus Afghanistan fürchterliche Folgen hätte. Zum momentanen Zeitpunkt ist der Westen in die Enge getrieben und hat keine andere Wahl, als die Mission in Afghanistan fortzuführen. Was kann nun anderes getan werden, als den Kampf gegen die Taliban bis zu deren Niederlage fortzuführen – ein abschreckendes und wahrscheinlich langwieriges Bemühen, ohne die Aussicht auf Erfolg? Zur gleichen Zeit müssen die westlichen Kräfte versuchen, die Zentralregierung wieder in Macht zu setzen und helfen, ihre Glaubwürdigkeit unter den Afghanen zu stärken und gleichzeitig alles nur Mögliche tun, den Opiumhandel auszumerzen und die Wirtschaft des Landes zu stärken, damit der normale afghanische Bürger die Anstrengungen des Westens als ein langfristiges Engagement für sein Land anerkennt.

Im Zentrum von Drachenläufer *stand die Freundschaft zwischen zwei Männern, und die Geschichte wurde aus der Perspektive eines Mannes beschrieben. In* Tausend strahlende Sonnen *dagegen ha-*

ben Sie die Beziehung zwischen zwei Frauen in den Mittelpunkt gerückt und erzählen die Geschichte abwechselnd aus deren Blickwinkeln. Warum haben Sie sich diesmal dazu entschieden, aus der weiblichen Perspektive zu schreiben? Und was hat Sie im Besonderen an diesen beiden Frauen und ihrer Beziehung zueinander interessiert?

Es gab keine vorab geplante Entscheidung aus weiblicher Perspektive zu schreiben. Ich habe es getan, weil die Stimme, die zuerst zu mir sprach, die Stimme einer Frau war – es war zunächst Mariam. Wäre es eine männliche Stimme gewesen, wäre ich wohl dieser gefolgt, aber so war es nicht. Wenn ich schreibe, verändern sich die Geschichten oft und entwickeln sich zu etwas ganz Anderem und ich bin immer überrascht, wie sie enden und wohin sie mich führen. Eine Sache blieb konstant in *Tausend strahlende Sonnen,* und das waren die Stimmen der beiden Hauptfiguren, Mariam und Laila. Diese weiblichen Stimmen waren der Ausgangspunkt des Buches.

Als ich anfing, den Roman zu schreiben, waren mir die Umstände und Wendungen, die die beiden zentralen Figuren zusammenführen würden noch nicht bewusst. Aber als mir klar wurde, wie sich die Leben der beiden Frauen überschneiden würden, faszinierte mich ihre vielschichtige Beziehung. Zunächst sind sie Widersacherinnen, dann sich tolerierende Mitbewohnerinnen, letztendlich Freundinnen und am Ende sogar Seelenverwandte. Die schrittweise Entwicklung dieser Beziehung – Mariam und Laila realisieren nach und nach, dass sie der jeweils fehlende Part im Leben der anderen sind –, war der Teil des Buches, der mich beim Schreiben am stärksten fasziniert hat.

Das Schreiben aus der weiblichen Perspektive – eigentlich ja sogar aus zwei weiblichen Perspektiven – war zunächst sehr respekteinflößend. Ich hatte mit meiner eigenen Auffassung zu kämpfen, dass eine Frau eine andere soziale und emotionale Welt bewohnt, dass die Erfahrung der Welt durch eine Frau besondere Empfindungen und Gefühle einschließt, ganz andere als die eines Mannes. Eine Zeitlang hatte ich Angst, diese Perspektive nicht glaubwürdig wiedergeben zu können und war mir sicher, dass es mir nicht gelingen würde. Aber während ich am Roman arbeitete, wurde mir klar, dass es nicht so anders ist, aus der weiblichen Perspektive zu schreiben. Die entscheidende Erkenntnis war, dass ich den Kern meiner Charaktere kennen müsste, ob Mann oder Frau. Ich müsste verstehen, wonach sie strebten, worauf sie hofften, was sie fürchteten. Irgendwann hatte ich den Punkt erreicht, wo ich ihren Stimmen folgen konnte, ich konnte ihre Stärken erkennen, ihre Schwächen und ihre Widersprüche, die Dinge wurden dann sehr viel einfacher für mich, viel weniger gehemmt, und ich trat aus meiner eigenen Perspektive hinaus und in die der beiden Frauen hinein. Es war sehr befriedigend, diesen Punkt zu erreichen. Ich glaube, dass ich diese beiden Frauen so glaubwürdig und echt beschrieben habe, wie ich es nur konnte. Ich hoffe, dass meine Leser das auch so sehen.

Wie haben Sie die beiden starken weiblichen Figuren erdacht? Basieren sie auf Frauen, die Sie aus Ihrer eigenen Familie und Ihrem Freundeskreis kennen? Oder aus Ihrer Lektüre, aus Ihrer Fantasie?

Sie sind weder Familienmitgliedern noch Menschen nachempfunden, die ich kenne. Insofern ist mein zweiter Roman viel weniger autobiografisch als *Drachenläufer*. Größtenteils habe ich sie aus meiner Phantasie erschaffen und aus den Bildern der Frauen, die ich gesehen und getroffen habe, als ich 2003 noch einmal in Kabul war. Ich erinnere mich an Burka-verhüllte Frauen, die an den Straßenecken saßen, mit vier, fünf, sechs Kindern, und eine Veränderung herbeisehnten. Ich erinnere mich, wie sie paarweise die Straßen entlanggingen, ihre Kinder in abgerissenen Kleidern im Schlepptau, und sich wunderten, wie ihnen das Leben so mitspielen konnte. Hatten Sie Träume, Hoffnungen, Sehnsüchte? Waren sie mal verliebt? Wer waren ihre Ehemänner? Was hatten sie verloren, wen hatten sie verloren in den Kriegen, die die Afghanen zwei Jahrzehnte lang quälten? Diese Fragen kreisten in meinem Kopf, immer wenn ich diese Frauen sah, und trotzdem hatte ich zu diesem Zeitpunkt keine Ahnung, dass ich über zwei Frauen wie diese schreiben würde. Ich kann mich aber noch erinnern, wie ich dachte, dass wahrscheinlich jede dieser Frauen eine Lebensgeschichte hat, die einen ganzen Roman wert wäre.

Dieses Interview stammt von der Website
www.khaledhosseini.com

Über Hoffnung und Leid. Zur Lage der afghanischen Frauen nach dem Sturz der Taliban

Welche Bedeutung kommt dem Internationalen Frauentag in einem Land wie Afghanistan zu? In einem Land, in dem die Taliban Frauen lange Jahre misshandelt, unterdrückt, gefoltert und ermordet haben? In einem Land, in dem Frauen noch immer oft nur Menschen zweiter Klasse sind?

Im Jahr 2004 war der Internationale Frauentag ein Tag des Aufbegehrens und der Hoffnung. Denn an diesem 8. März wurde die unabhängige und kommunale Frauen-Radiostation *Radio Zohra* in Kundus mit dem Ziel gegründet, Frauen eine Stimme zu verleihen und Frauen in ganz Afghanistan miteinander zu verbinden und zu bilden.

Tatsächlich könnte man sich für diesen Zweck kein besseres Medium als das Radio denken. Es erreicht mit relativ geringen (technischen) Mitteln eine Vielzahl von Menschen und ist vor allem ein *sprechendes* Medium. Und das ist wichtig: Denn obwohl Mädchen und Frauen der Schulbesuch mittlerweile wieder erlaubt ist, sind auch heute noch 90% Prozent der afghanischen Frauen Analphabeten. So kommt es, dass sie viele Informationen, die ihnen von ihren Männern und der patriarchalischen Gesellschaft bewusst vorenthalten werden, über *Radio Zohra* erstmals erreichen.

Radio Zohra nimmt diesen Auftrag ernst. Es berichtet über Gesundheit, Erziehung, Kinder, kommunale Angelegenheiten und, gerade zu Wahlzeiten, auch über Politik. So erfahren viele, gerade ältere Frauen überhaupt erst, dass auch sie die Rechte haben, die ihnen unter den Taliban abgesprochen wurden. *Radio Zohra* hat sich zu einem wichtigen regionalen Medium entwickelt, viele Afghaninnen rufen selbst beim Sender an und beschweren sich live über Politik, Privates und über ihre Ehemänner. Diese stellen mittlerweile dreißig Prozent der Zuhörer und beäugen argwöhnisch, wovon und wie die Journalistinnen berichten. Viele einflussreiche Männer des Landes aus Politik und Gesellschaft kommen sogar in der Redaktion vorbei und stellen sich den kritischen Fragen der Frauen.

Die Zeiten, in denen solch mutige Initiativen einfach verboten werden konnten, sind glücklicherweise vorbei. *Radio Zohra* steht symbolisch für viele positive Entwicklungen im Land, seitdem das Terrorregime der Taliban entmachtet wurde. 2009 sind 38 Prozent der 6,5 Million Schulkinder Mädchen, im Vergleich zu nur drei Prozent im Jahr 2002, Frauen sind »als Journalistinnen, Juristinnen, Rundfunk- und Fernsehsprecherinnen, Professorinnen und Botschafterinnen tätig«, sagt Maliha Zulfacar, als Afghanische Botschafterin in Deutschland selbst ein gutes Beispiel für diese Entwicklung. Gegenwärtig sind 28 Prozent der Parlamentsmitglieder in Afghanistan Frauen, die höchste Quote in der Region.

Doch trotz dieser positiven Zeichen und obwohl das gegenwärtige afghanische Grundgesetz Männer und Frauen gleichstellt, sind diese Errungenschaften ständig bedroht und das nicht erst, seitdem die Taliban wieder an Einfluss gewinnen. Ein Bericht von *Caritas international* konstatiert: »Wer in Afghanistan als Frau zur Welt kommt, wird mit weit größerer Wahrscheinlichkeit in Armut und Elend leben als ein Mann. Alleinstehende Frauen sind gar völlig an den Rand der Gesellschaft gedrängt. Frauen ohne Ehemann haben das niedrigste Einkommen und erkranken statistisch am häufigsten von allen Bevölkerungsgruppen.«

Im Jahr 2009 nehmen auch Angriffe auf afghanische Frauen wieder zu: Eine regionale Politikerin wird ermordet, Frauen werden bei Demonstrationen mit Steinen beworfen, Schülerinnen auf ihrem Schulweg mit Säure attackiert und vor den afghanischen Wahlen 2009 geht Präsident Karzai auf Stimmenfang im konservativen Lager, indem er ein neues Ehegesetz erlässt, das die Rechte von schiitischen Frauen massiv einschränkt und diese zum Teil sogar unter schlechteren Bedingungen zu leiden hätten, als während der Zeit des Talibanregimes. Auch nachdem das Gesetz, nach internationalen Protesten, verändert wurde, sollen schiitische Frauen in ihrer Freiheit stark beeinträchtigt werden.

Diese Entwicklung zeigt: Auch heute noch haben afghanische Frauen einen langen Weg, hin zu einer Gleichberechtigung nach westlichen Vorstellungen, vor sich. Auch heute muss ihre Freiheit Tag für Tag, Frauentag für Frauentag neu erkämpft werden, auch heute noch bedürfen die afghanischen Frauen der Unterstützung und muss ihre Geschichte erzählt werden.

Zaragona Hassin von Radio Zohra sagt: »Wir geben nicht auf.«

Quellen

- The Communication Initiative Network www.comminit.com
- Interview des Bundeswehrmagazins *aktuell* mit der afghanischen Botschafterin Maliha Zulfacar www.bundesregierung.de
- *Hintergrund: Zur Lage der Frauen in Afghanistan. Die Armut der Frauen* von Anke Dietrich und Thorsten Hinz, Caritas international
- Kerstin Tomiak: *Drachenwind*, Knaur 2009
- Interview mit der Präsidentin des afghanischen Roten Halbmonds Fatima Gailani auf *WeltOnline* vom 14. Juli 2009
- Ein Bericht über *Radio Zohra* des ZDF *heute journals*

Fragen zur Diskussion

1. Der Ausdruck »Tausend strahlende Sonnen« aus dem Gedicht von Saib-e-Tabrizi wird zweimal im Roman zitiert – einmal als Lailas Familie ihren Abschied von Kabul vorbereitet und ein zweites Mal, als sie sich dazu entscheidet, das pakistanische Exil zu verlassen und nach Kabul zurückzukehren. Außerdem kommt es in einer der letzten Zeilen vor: »Vor allem aber ist Mariam in ihrem eigenen Herzen, wo sie so hell wie tausend Sonnen leuchtet.« (S. 381)
Diskutieren Sie die Bedeutung des Ausdrucks »Tausend strahlende Sonnen«.

2. Mariams Mutter sagt zu Mariam: »Es gibt nur eines, was Frauen wie wir in diesem Leben können müssen (...). Und das ist: tahamul. Aushalten.« (S. 22) Diskutieren Sie, wie dieses Gefühl Mariams Leben bestimmt und wie es mit den größeren Themen dieses Romans verknüpft ist.

3. Als Laila von Raschid und Mariam aus den Trümmern ihres Hauses geborgen wird, ist Mariams Ehe bereits von Missachtung und Misshandlung gezeichnet. Dennoch ist Mariam entsetzt, als sie begreift, dass Raschid Laila heiraten will. Warum verhält sich Mariam so feindselig Laila gegenüber, obwohl sie doch Raschids Misshandlungen abzumildern scheint?

4. Lailas und Mariams Freundschaft beginnt, als Laila Mariam gegen Raschids Gewalttätigkeiten verteidigt. Warum tut Laila dies, obwohl Mariam ihr beständig mit Verachtung gegenübertritt?

5. Während sie aufwächst, hat Laila das Gefühl, dass die Liebe ihrer Mutter ausschließlich ihren zwei Brüdern gilt. »Eltern, so fand sie, sollte kein weiteres Kind erlaubt sein, wenn alle Liebe, die sie geben konnten, bereits aufgebraucht war.« (S. 111) Inwiefern beeinflusst dieses Gefühl Lailas Reaktion auf ihre Schwangerschaft mit Raschids Kind? Welche Überzeugungen aus ihrer Kindheit bestimmen Lailas Erziehung ihrer eigenen Kinder?

6. An einigen Stellen der Geschichte geben sich Mariam und Laila als Mutter und Tochter aus. Inwiefern ist diese List von symbolischer Bedeutung? Inwieweit wird die Beziehung von Mariam und Laila durch ihr Verhältnis zu ihren Müttern bestimmt?

7. Einer der Taliban-Richter sagt zu Mariam während ihres Prozesses: »Nach Gottes Willen sind Mann und Frau verschieden. Unsere Gehirne funktionieren anders. Ihr Frauen könnt unseren Gedanken nicht folgen. Das ist von westlichen Ärzten und Wissenschaftlern nachgewiesen worden.« (S. 337) Worin liegt die Ironie dieser Aussage? Wie wird Ironie im Roman eingesetzt?

8. Lailas Vater sagt zu Laila, »Du bist ein sehr gescheites Mädchen. Ja, das bist du wahrhaftig. Dir stehen alle Türen offen, Laila.« (S. 108) Diskutieren Sie Lailas Verhältnis zu ihrem Vater. Welche seiner Charaktereigenschaften hat sie geerbt? Inwiefern unterscheidet sie sich von ihm?

9. Mariam will keinen Besuch, während sie im Gefängnis sitzt, und sie ruft keine Zeugen während ihres Prozesses auf. Warum trifft sie diese Entscheidungen?

10. Der Fahrer, der Babi, Laila und Tarik zu den riesigen Buddhas im Tal von Bamiyan fährt, beschreibt die bröckelnde Festung von Shahr-e-Zohak als »das Schicksal unseres Landes, ein Eroberungsfeldzug nach dem anderen … Wir sind wie die Festungsmauern da drüben. Ramponiert und kein schöner Anblick, aber immer noch stehend.« (S. 137) Diskutieren Sie diese Metapher vor dem Hinter-

grund der Beziehung von Mariam und Laila. Inwiefern steht ihre Geschichte für die Geschichte Afghanistans?

11. Unter anderem verboten die Taliban, »Bücher zu schreiben, Filme anzusehen und Bilder zu malen.« (S. 257) Doch trotz dieser Verordnung wird der Hollywood-Film *Titanic* eine Sensation auf dem Schwarzmarkt. Warum haben Menschen die gewalttätigen Bestrafungen der Taliban für ein bisschen Popcorn-Kino riskiert? Was sagen die Verbote der Taliban über die Bedeutung von Kunst aus und darüber, wie sie Widerstand gegen totalitäre politische Regimes leistet?

12. Während die ersten drei Teile des Romans in der Vergangenheitsform geschrieben sind, wechselt der letzte Teil in die Gegenwartsform. Aus welchem Grund könnte der Autor diesen Wechsel vorgenommen haben? Inwiefern verändert dies die Wirkung des letzten Teils?